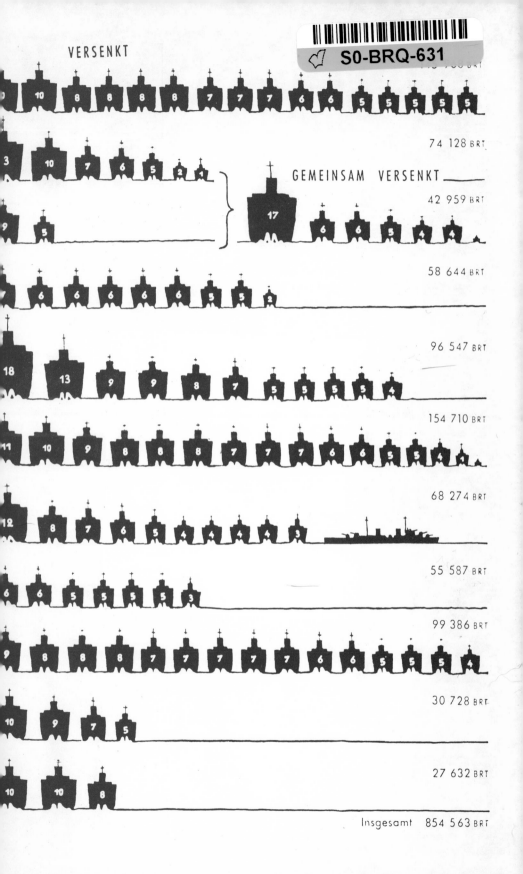

VERSENKT

GEMEINSAM VERSENKT

74 128 BRT

42 959 BRT

58 644 BRT

96 547 BRT

154 710 BRT

68 274 BRT

55 587 BRT

99 386 BRT

30 728 BRT

27 632 BRT

Insgesamt 854 563 BRT

Brennecke
Die deutschen Hilfskreuzer im Zweiten Weltkrieg

WITHDRAWN

JOCHEN BRENNECKE

DIE DEUTSCHEN HILFSKREUZER IM ZWEITEN WELTKRIEG

3. Auflage

Mit einem Geleitwort von
Vizeadmiral a. D. Bernhard Rogge †

KOEHLERS VERLAGSGESELLSCHAFT MBH · HERFORD

Die erste Auflage erschien unter dem Titel:
DAS GROSSE ABENTEUER
Deutsche Hilfskreuzer 1939–45

Schutzumschlagabbildungen:

Vorderseite: Farbaufnahme des Verfassers beim Unternehmen *Admiral Scheer*
im Geheimquadrat Andalusien im Südatlantik 1941

Rückseite: Achtere Aufnahme des Hilfskreuzers *Orion* im Moment der Enttarnung
(Wehrgeschichtliches Ausbildungszentrum der Marineschule Mürwik)

D
771
.B63
1991
2ar.1998

CIP-Titelaufnahme der Deutschen Bibliothek

Brennecke, Jochen:
Die deutschen Hilfskreuzer im Zweiten Weltkrieg / Jochen
Brennecke. Mit einem Geleitw. von Bernhard Rogge. - 3. Aufl.
- Herford : Koehler, 1991
    ISBN 3-7822-0519-7

ISBN 3 7822 0519 7; Warengruppe Nr. 21
© 1958 by Koehlers Verlagsgesellschaft mbH, Herford
© 3. Auflage 1991 by Koehlers Verlagsgesellschaft mbH, Herford
Alle Rechte, insbesondere das der Übersetzung, vorbehalten
Schutzumschlaggestaltung: Wolfgang Ronstadt, Alfter,
unter Verwendung der oben genannten Abbildungen

Gesamtherstellung: Hans Kock Buch- und Offsetdruck GmbH, Bielefeld
Printed in Germany

ZUM GELEIT

Die Herausgabe eines Buches über die Taten aller im zweiten Welt=
kriege eingesetzten Hilfskreuzer ist besonders zu begrüßen, und für mich
ist es eine Freude, diesem Buch ein paar Worte mit auf den Weg geben
zu können.

Dem Verfasser und dem Verlag gilt der Dank, daß nach den vielen
Einzeldarstellungen nun eine zusammenfassende Schilderung auch die
Leistungen der Besatzungen der bisher weniger bekanntgewordenen
Schiffe würdigt.

Der Verfasser hat sich mit großer Mühe und Sorgfalt in die oft kom=
plizierten Zusammenhänge dieses Teils der Seekriegsgeschichte hinein=
gearbeitet. Er läßt aber neben den Dokumenten auch den Menschen zu
Worte kommen. Dadurch ist ein wirklicher Tatsachenbericht von gerade=
zu historischem Wert entstanden, der das Bild über diesen Abschnitt
des außerheimischen Seekrieges vervollständigt und abrundet.

Dafür bin ich als alter Hilfskreuzerkommandant dankbar, vor allem,
weil hier kein verzerrtes Bild entstanden ist, das die harten und grau=
samen Seiten des Krieges mit billiger Romantik zu verschönern sucht.

Die deutschen Hilfskreuzer und ihre Besatzungen waren in diesem
Kreuzerkrieg, durch die besonderen Umstände dieses Kampfes in der
Lage, ihren Krieg auf anständige Weise zu führen, so wie es auch die
Kameraden des ersten Weltkrieges getan haben. Der Krieg wurde da=
durch nicht weniger grausam — aber er wurde fairer.

Es war nicht Aufgabe des Buches, auf die Sinnlosigkeit des Krieges
an sich und jene Kräfte, die ihn leichtfertig auslösten, einzugehen. Uns
blieb an ferner Front nichts anderes als soldatische Pflichterfüllung. Wir
danken dem Geschick, daß es uns die Möglichkeit gab, die Seiten des
Krieges zu erleben, die heißen: Kameradschaft und Achtung vor dem
Gegner.

Unser Gedenken gilt den gefallenen und gebliebenen Kameraden auf
beiden Seiten.

INHALTSVERZEICHNIS

kill über die „schrecklichen Kaperschiffe" / Die Deutschen waren
viel zu listig / HSK *Thor* im Gefecht mit HMS *Alcantara* / Die
Zahl 13 und die *Widder*=Männer / Rogges berechtigter Zorn / Auf
der brennenden *Kemmendine* / Ein Kindergarten auf der *Atlantis* /
Sechs Wochen Gammel auf *Orion* / Ein Lob der guten Mischung /
Der pazifische Kyffhäuserbund.

erbeutet einen Kollegen, auch einen Zwerg / Lebende Hammel als Beute / Frauen erwarteten, ermordet zu werden... auch die Farbigen glaubten der Gegnerpropaganda / Der Angriff auf die *Rangitane* / Für 45 Millionen Mark Landung an Bord / *Rangitane*=Offiziere wollten Kapitän Upton zum Widerstand zwingen / Junge britische Lady kann nicht gerettet werden / *Komet*=Kommandant Eyssens Nauru=Plan / *Pinguins* Erfolge mit dem zweiten Auge / Als die *Maimoa* und *Port Brisbane* sanken / Der Fall mit den *Automedon*= Dokumenten / Die geheimsten britischen Fernostpläne in deutscher Hand / Samurai=Schwert für Rogge, denn Singapore fiel.

Nervöse alliierte Schiffahrt / *Orion* trifft einen alten Bekannten und *Komet* will nicht mitmachen / *Orion*=Kommandant verweigert *Komet*=Befehle / Die *Triona* in der Falle und Verbitterung auf *Orion* / Die Polinnen und der Götz von Berlichingen / Britische Lady ent= deckt auf *Orion* ihr Brautkleid / *Komet* überlistet „unter zwei Flag= gen" Norweger vor Nauru / Nur 8000 Meter vor der Nauruküste vollzieht sich eine Katastrophe / Ein Rettungsboot mit Frauen und Kindern und ein einsam schwimmender brennender Frachter / Der Fall *Triadic* / Duell der *Komet*=Funker mit den Ocean=Islands / Bri= tische Gute=Reise=Wünsche für die getarnten Antifaschisten auf *Komet* / Schiffe antworten nicht auf Funkanrufe / Ein Kapitän flog von der Brücke / *Orion* und die *Triaster* / Gefangene werden auf der Insel Emirau ausgeschifft / Eyssens übertriebene Menschlichkeit und deren vom Gegner heute bestätigte Folgen / Briten braten Hilfs= kreuzerseeleuten einen Ochsen / Eingeborene Inselpolizei macht preußisch=militärisch korrekte Meldung in deutscher Sprache / Des *Atlantis*=Kommandanten neuer „boy" / *Atlantis*: Inder kochen Reis — Chinesen servieren ihn / *Thor* im Gefecht mit dem britischen Hilfskreuzer *Alcantara* / Augenzeugenberichte und hochinteressante Pressekommentare / Die Briten: Angreifer war ein als Handelsschiff getarntes Kriegsschiff. Granaten prallten einfach ab / Eyssen und der Angriff auf Nauru / Eyssen warnt die Bevölkerung / Der Fall mit den „zwei Flaggen" / Geschickte japanische Regierungserklärung / 500 000 Tonnen Phosphate fielen durch *Komet*=Angriff aus / *Atlantis* feiert Weihnachten auf den antarktischen Kerguelen / Meister= leistung der *Atlantis*=Techniker / 900 Glas Punsch und Dr. Mohrs Gedanken / Die Bayern wollten hoch hinaus / Vitamine aus Ker=

Pinguin / Britischer Kreuzerkommandant schießt Ehrensalut für die Gefallenen auf HSK *Pinguin* / *Orion* begegnet dem Vernichter der *Pinguin*... und entwischt / *Komet* nimmt sich der mutterlos gewordenen *Adjutant* an / Gegner peilt sogar Kurzsignale ein — aber er legt sie falsch aus.

XII

Allen, die durch Überlassung von Photomaterial die
reiche Bebilderung des Werkes ermöglichten, insbeson=
dere den Kommandanten bzw. deren Angehörigen, Herrn
Dr. Ulrich Mohr (S. 33), Herrn Erich Gröner (Seitenrisse),
Herrn Curt Saupe, Herrn H. W. Koschella, dem Moewig=
Verlag und Ullsteins Bilderdienst (5) sei auch an dieser
Stelle verbindlichster Dank ausgesprochen. Besonderer
Dank gebührt auch noch der „Arbeitsgemeinschaft für
Marine= und Schiffahrtsgeschichte und für maritime Pu=
blizistik" sowie allen, die Erinnerungen und Tatsachen=
material in Form von Aufzeichnungen, Briefen und münd=
lichen Erläuterungen zur Verfügung gestellt haben, und
schließlich dem Schulschiffskameraden des Verfassers,
dem jetzigen Hauptbootsmann Werner Krüger für seine
Mühe mit den vielen Auszügen aus den in englischer
Sprache erschienenen Werken.

Zu unserer graphischen Darstellung auf dem Vorsatzblatt, der Innenseite des
vorderen Einbanddeckels: Die Darstellung versucht, die Erfolge der einzelnen
Hilfskreuzer in Form einer Gesamtdarstellung plastisch sichtbar zu machen.
Dabei werden auf der linken Seite die von den einzelnen Hilfskreuzern auf=
gebrachten und als Prisen in Marsch gesetzten Schiffe dargestellt, rechts alle
Schiffe die von den Hilfskreuzern versenkt wurden.
    Die in die einzelnen Schiffsbilder eingezeichneten Zahlen sind Tausender=
Zahlen der Schiffsgröße in Bruttoregistertonnen, jeweils nach oben oder nach
unten abgerundet. Schiffe, deren Größe unter 500 BRT lag, wurden aus Dar=
stellungsgründen mit keiner Zahl versehen. Die Idee zu dieser Darstellung
stammt von Admiral a. D. Werner Fuchs, Kitzeberg bei Kiel, ehemals Chef
des K.=Amtes im OKM.

XIV

BILDERVERZEICHNIS

XVI

KAPITEL 1

DIE TARNUNG BEGANN, SCHON BEVOR ES BEGANN

Zur Lage: In den Jahren bis zum Kriegsausbruch im Herbst 1939 befand sich
die Deutsche Kriegsmarine erst im Aufbau. Das deutsch-britische
Flottenabkommen vom 18. Juni 1935, ergänzt durch ein Zusatz-
abkommen vom 17. Juli 1937, begrenzte den Ausbau der Kriegsmarine. Das Stärkeverhältnis der deutschen zur britischen Flotte
sollte sich danach im Verhältnis 35:100 bewegen.

In den Kreisen der Kriegsmarine wurde die Ansicht vertreten,
daß es nicht noch einmal zu einem Kampf mit England kommen
dürfe. Da Hitler dieselbe Auffassung vertrat, wurde England
in die strategischen Planungen mehr oder weniger nicht mit einbezogen. Diese zielten daher auf eine zwar kleine, aber homogene
Flotte ab, in der alle Kriegsschiffklassen ihrer Bedeutung nach vertreten sein sollten.

Die Sudetenkrise hatte im Gefolge, daß Admiral Raeder sich ernsthaft sorgte, es könnte bei einer gewaltsamen Lösung der „Kor-
ridor"-Frage doch zu einem Krieg mit England kommen. Im
Winter 1938/39 schlug er Hitler zwei Wege vor. Der eine sah in
der Hauptsache U-Boote und Panzerschiffe mit großem Aktionsradius vor und war schneller zu realisieren. Er würde auch eine
gewisse Bedrohung im Zufuhrkrieg für England darstellen, wäre
aber insofern einseitig, als die gesamte deutsche Flotte in einer
solchen Zusammensetzung einem Kampf mit der britischen Flotte
nicht gewachsen wäre. Der andere Plan, der sogenannte Plan „Z",
sah — allerdings unter Umgehung des Flottenabkommens mit England — eine starke schlagkräftige Flotte vor, die über die stärksten
Schiffstypen verfügen sollte. Diese Flotte wäre in der Lage, die
britische Seezufuhr ebenso entscheidend wie die britische Flotte
selbst zu bekämpfen. Dieser Plan würde aber wesentlich mehr
Zeit beanspruchen als der zuerst genannte. Hitler entschied sich
für den zweiten Weg. Er betonte, daß er die Flotte bis zum Jahre
1946 für seine politischen Ziele nicht benötigen würde. Da Raeder
für die Durchführung des „Z"-Planes die Zeit bis 1948 veran-
schlagte, forderte Hitler lediglich, das Programm sei bereits 1946
abzuschließen.

Raeder ließ keinen Zweifel daran, daß der deutschen Marine,
käme es vorher zu einem Kriege mit England, nur der Weg bliebe,
kämpfend und in Ehren unterzugehen.

Hitler versicherte selbst noch im August 1939, er würde einen
Krieg mit England in den nächsten Jahren zu vermeiden wissen.

Als er trotzdem ausbrach, war die Kriegsmarine den Gegnern zahlenmäßig weit unterlegen. Sie konnte sich nur den beiden Hauptzielen widmen,
  nämlich die deutschen Küsten zu sichern
  und im Rahmen des Möglichen Handelskrieg gegen die See=
  mächte England und Frankreich zu führen.
Für den großräumigen Handelskrieg in außereuropäischen Ge=
wässern standen lediglich die drei dafür prädestinierten Panzer=
schiffe, Motorenschiffe mit großem Aktionsradius, und die U=Boot=
waffe zur Verfügung, die noch nicht einmal die im Flottenabkom=
men festgelegte Sollzahl erreicht hatte.
Um den Handelskrieg vor allem gegen das auf überseeische Zu=
fuhren angewiesene England so wirksam wie möglich zu ent=
wickeln, mußte auf Hilfskreuzer zurückgegriffen werden. Diese
Schiffe aber standen zur Stunde für den Mob=Fall lediglich auf
dem Papier, das heißt, sie existierten zwar als Handelsschiffe, auf
die die Marine nach Kriegsausbruch zurückgreifen konnte, sie
waren aber weder für diese Zwecke gebaut noch bewaffnet, noch
verfügten die vorgesehenen Kommandanten über eine aufeinander
eingespielte und einexerzierte Besatzung.
Wie die Besatzung überhaupt aussehen sollte, wußte keiner der
Hilfskreuzerkommandanten am Tage der Beauftragung.
Die gesamte Hilfskreuzeraktion war — und das erschwerte alle
Praxis — zudem ausgesprochene Chefsache mit allerhöchster Ge=
heimhaltungsstufe...

September 1939 in Bremen.

Im Columbus=Hotel, in einem der angesehensten Häuser an der deut=schen Nordseeküste, hat sich in den frühen Morgenstunden ein neuer Gast in das Anmeldeformular eingetragen. Die Rubrik, in der die Be=rufsangabe gefordert wird, bleibt ohne Eintragung. Auf die Frage des Empfangschefs „Wie lange bleiben der Herr?" gibt er knapp, aber nicht unhöflich zurück „Ich denke, es wird wohl etwas länger als eine Woche dauern."

Er nickt kurz, greift zu seinen grauen Handschuhen und seinem steifen Hut und folgt dem Boy mit seinem Gepäck.

Der neue Gast, eine große, stattliche Erscheinung, trägt einen dunklen Mantel. Darunter einen schweren weißen Seidenschal, wie ihn manchmal Offiziere der Kriegsmarine bei festlichen Anlässen tragen.

Aber ein Seeoffizier mit einem Börsenhut auf dem Kopf?

Undenkbar!

Dem selbstsicheren Auftreten nach zu urteilen, ist der Gast ein ehe=maliger Passagierschiffkapitän, der an Land einen Job als Schiffs=

inspektor gefunden hat, ein Beruf, in dem solche Bomben zum Berufs=
hut wurden, weil sie so etwas wie ein ziviler Stahlhelm sind und im
Labyrinth fremder Schiffe vor Beulen schützen.

Die Zimmertür hat sich kaum hinter dem neuen Gast geschlossen,
da fällt alle vorher zur Schau getragene, bürgerlich=brave Beschaulich=
keit von ihm ab. Aus dem Zivilisten wird wieder der Fregattenkapitän
Bernhard Rogge.

Er kam nach Bremen, um sein Schiff zu suchen.

Jawohl, zu suchen!

Die Biedermannsmiene, die er unten zeigte, sie war Tarnung, ein
Wort, das in Rogges Leben seit dem 1. September mit dem Inkrafttreten
der Mob=Order und auch in Zukunft in Versalien geschrieben wird.

Am Abend zuvor hatte er von Kiel aus mit der Kriegsmarine=Dienst=
stelle in Bremen telefoniert. „Wissen Sie, wo mein Schiff liegt?"

„Ihr Schiff? Einen Augenblick bitte . . .", hörte Rogge sagen und ver=
nahm danach debattierende Stimmen im Hintergrund. Schließlich mußte
er erfahren, daß man über ein für ihn bestimmtes Schiff nichts wisse.

„Gut, dann werde ich mich selbst davon überzeugen. Ich komme mor=
gen mit dem Frühzug nach Bremen."

„Bitte. Aber wie gesagt, wir wissen von nichts. Ihr Name wird hier
nicht in Verbindung mit irgendeiner Einheit oder irgendeinem Schiff
geführt."

Erst war Rogge betroffen, dann aber fühlte er sich erleichtert, fand
er doch bestätigt, daß der Geheimhaltungsbefehl in Sachen Hilfskreuzer
offenbar sehr gründlich beachtet wurde . . .

Rogge verläßt das Hotel in Zivil und in nun wieder angemessener
Gelassenheit. Draußen aber beeilt er sich, zu den Dienststellen zu kom=
men. Schließlich findet er doch sein Schiff. In der Deschimag=Werft. Es
heißt *Goldenfels* und ist ein modernes Motor=Frachtschiff der DDSG
HANSA*) in Bremen.

Rogge spürt auch seine ihm zugewiesene Besatzung auf. In der in der
Bremer Kunstschule provisorisch untergebrachten, neu geschaffenen
Marine=Aufstellungsabteilung reicht man ihm einen Stapel Karteikarten
hin. — Rogge fühlt, wie er blaß wird.

Auf jeder Karteikarte mit dem Namen und dem Dienstgrad des je=
weiligen Besatzungsmitgliedes steht der Hinweis: „Bestimmt für den
Schweren Hilfskreuzer II!"

Ausweise seien mit dem gleichen Vermerk auch an die Männer aus=

---

*) Deutsche Dampfschifffahrtsgesellschaft HANSA, ein Schiffahrtsunter=
nehmen, das die Routen nach Persien, Ceylon, Indien und Burma mit aus=
gesprochenen Schwergutschiffen befährt.

gegeben worden, hört er wie aus nebelhafter Ferne den Leiter der KMD mit großer Selbstverständlichkeit sagen.

In Rogge braust es auf, ein offenes Wort zu reden. Das aber würde Außenstehende erst recht auf dieses Schiff aufmerksam machen.

Allein schon der Dienstgrad Rogges ist verdächtig genug. Ein Fregat=tenkapitän für ein Handelsschiff? Ein Offizier, der als Kommandant eines Segelschulschiffes über den guten Durchschnitt der Seeoffiziere weit herausragte — als Offizier, Seemann, Psychologe und Mensch.

Er murmelt etwas von einem „Schiff 16" und von einem Irrtum.

„Was so alles mit dem Begriff Hilfskreuzer belegt wird", brummt er verdrießlich und vollendet beherrscht. „Küstenklatsch! Bilgenkrebsparo=len!" fügt er noch verständnisvoll und milde lächelnd hinzu.

Er befiehlt, die ihm zugewiesenen Männer schnellstens einzusammeln und im Aufstellungsstamm „Schiff 16" zusammenzufassen.

Der Begriff Hilfskreuzer ist tot.

Und dieses „Schiff 16" kann alles mögliche sein: Sperrbrecher, Ver=sorger, schwimmende Dienststelle eines Gruppenbefehlshabers, Trup=pentransporter . . .

Als Rogge die für ihn bestimmte Besatzungsauslese prüft, sträuben sich ihm beinahe die Haare. Haarsträubend ist in der Tat, was sich der eingeweihte Chef der Personalstelle bei der Auswahl einer Hilfskreuzer=besatzung gedacht hat. Er hat andere Vorstellungen als Rogge, der für eine ebenso ungewisse, aber mit Sicherheit nervenzehrende Unterneh=mung nur in sich gefestigte Charaktere fordern muß. Man hat Rogge allerlei Elemente zugeschoben. Vorbestrafte, Seeleute, die mit ihren Kommandanten und Vorgesetzten nicht klar kamen und solche, für die die Marine das klangvolle Attribut „Luschpäckchen" erfunden hat.

Nur einige Brauchbare sind darunter.

Rogge wird deutlich. Energisch aber dennoch freundlich sagt er dem Personalamts=Chef unverblümt seine Meinung. „Sie glauben wohl, daß für ein solches Himmelfahrtskommando das schlechteste Personal ge=rade noch gut genug ist, so ungefähr nach der These: wenn die absaufen, ist's nicht schade drum. Nicht wahr? Weit gefehlt meine Herren! Ich brauche eine Elite, damit Sie klarsehen, eine ausgesprochene Elite. Die Besten unter den Besten."

Rogge lehnt nach einer Musterung in Bremerhaven, bei der er sich nach dem Studium der Unterlagen mit jedem Mann eingehend befaßt, über 50 Prozent der Besatzung rundweg ab.

Als Rogge bei der Werft nach den Umbau= und Ausrüstungsplänen seines Hilfskreuzers forscht, bekommt er lakonisch zu hören: „Haben wir nicht".

4

Bei Telefonaten mit dem OKM erhält er dieselbe Antwort.

Pläne für den Umbau eines Frachtschiffes in einen Hilfskreuzer sind einfach nicht vorhanden.

Hilfskreuzer, wie sie sich im letzten Kriege bewährt hatten, standen zwar auf dem Plan . . .

Das war aber auch alles.

Wohin mit den Geschützen? Eine der wichtigsten Fragen. Weder die Werft, noch der Kommandant, noch der Artillerieoffizier können eine verbindliche Antwort geben. Mit den Werftingenieuren rätseln sie über die verschiedensten Lösungen.

Rogge sucht den berühmtesten Hilfskreuzerkommandanten aus dem Ersten Weltkrieg auf: Fregattenkapitän Nerger, einst Kommandant des schon legendär gewordenen Hilfskreuzers *Wolf*. Mit seiner 450 Tage andauernden Seefahrt erregte er damals Aufsehen und Bewunderung.

Nerger wird zu einem wertvollen Verbündeten. Seine Ratschläge sind die e i n z i g e n brauchbaren Unterlagen, die Rogge aus der Kriegs= marine überhaupt erhält. Alles andere muß er mit seinen Offizieren und mit der Werft auf immer neuen Erfindersitzungen selbst ausknobeln.

Diese Sitzungen fressen manche Nacht.

Inzwischen beginnt der Umbau der *Goldenfels*.

Was Rogge in diesen Wochen mit seinen Abschnittsleitern und diese wiederum mit ihren zuständigen Oberfeldwebeln leisten, ist eine Sisy= phusarbeit. Nichts, auch nicht die geringste Kleinigkeit, darf beim Umbau des Schiffes wie bei seiner Ausrüstung vergessen werden. Später auf See, wenn die Unternehmung, die Rogge auf mindestens über ein Jahr ver= anschlagt, angelaufen ist, steht kein Telefon zur Verfügung, sind Werf= ten und Ausrüstungsdepots in weite, unerreichbare Ferne gerückt . . .

Und über all diesen Vorbereitungen steht das Wort Tarnung.

Geheimhaltung der Aufgabe dieses Schiffes ist ungeschriebenes Ge= setz. Und diese Geheimhaltung erschwert alle diese Vorbereitungen. Es sind da nicht wenige Stellen, die berechtigte Einwände erheben, wenn die Ressortleiter Mengen anfordern, wie sie für eine normale Ausrü= stung unüblich sind. So müssen die Rogge verantwortlichen Offiziere oft erst Hintertüren öffnen, um das in langen Nächten mit rauchenden Köpfen errechnete Mindestsoll über andere Quellen zu beschaffen.

Die Marine hat eine fast offiziell gewordene Vokabel dafür, sie nennt es „organisieren".

*

Die gleichen Probleme bewegen auch die anderen Hilfskreuzerkom= mandanten:

Da ist einmal der Fregattenkapitän Kurt Weyher. Die Skl in Berlin beglückt ihn mit einem der ältesten aller vorgesehenen Schiffe. Ihm wird die 1930 erbaute *Kurmark* zugewiesen, ein HAPAG=Frachtturbinen= schiff, dessen Zylinderkessel und Turbinen bereits auf der *New York* gedient, um nicht zu sagen, ausgedient hatten. An Höchstgeschwindig= keit verspricht der HSK 1, das „Schiff 36", von Weyher später mit allerhöchster Genehmigung nach dem himmlischen Jäger *Orion* be= nannt, knappe 14 Meilen in der Stunde. Aber von einem Kurt Weyher erwartet man, daß er auch mit diesem alten Zampan klarfahren wird. Ein Unmöglich gibt es — das ist bekannt — in seinem Sprachschatz nicht.

Er ist zudem eine eigenwillige, stark profilierte Persönlichkeit.

Als er noch die goldenen Ärmelstreifen eines „kleinen" Kapitän= leutnants trug, war er in der Marine bereits als „Bubi" Weyher ein Begriff, hatte er seine vorn stets flott eingeknifte Deckelmütze sehr zum Kummer seiner Vorgesetzten angebraßt auf dem Kopf, steppte der quirlige, schlanke kleine Westpreuße im vertrauten Kreise wie ein Mexikaner auf der Back, machte es ihm gar nichts aus, auf dem Segel= schulschiff auf der Royal Rah einen Handstand zu produzieren, daß es dem Alten an Bord die Sprache verschlug und die Kadetten vor Be= wunderung nicht in den Schlaf finden konnten.

Sein männlicher Charme und seine seemännischen Qualitäten, seine Beliebtheit bei seinen Untergebenen und seine stets korrekte Haltung sicherten ihm trotz mancher „Bolzen" das Wohlwollen seiner Vorge= setzten. Wenn einer mit einem solchen Eimer — so meinte man — nicht nur zur See fahren, sondern auch noch Erfolge erringen wird, dann nur er, der „Bubi" Weyher.

Die, die in ihn allerdings Hoffnung auf außergewöhnliche, nennen wir das Kind beim Namen, auf verrückte Operationen setzten, etwa: Austra= liens Ministerpräsidenten nachts aus der warmen Koje zu schanghaien und zugleich auch den Tresor mit den Staatsgeheimnissen abzumontie= ren und zu klauen, wurden enttäuscht.

Als Kommandant des Hilfskreuzers *Orion* zeigte sich Weyher später weniger als tollkühner Draufgänger, sondern als ein nüchtern abwägen= der, vorsichtiger, in den Augen seiner Besatzung manchmal zu vorsichtig operierender Seeoffizier. Auf der anderen Seite leistete er mit seinem vergammelten Untersatz scheinbar Unmögliches und in der Seekriegs= geschichte Einmaliges. Als Führer seiner Mannschaft meisterte er alle Situationen — und auch die unternehmungsbedingten menschlichen Kri= sen innerhalb seiner 377=köpfigen Besatzung mit psychologischem Fin= gerspitzengefühl . . .

*

Da ist weiter der Kapitän zur See Ernst=Felix Krüder, dem der HSK 5, das „Schiff 33", anvertraut wurde. „Schiff 33", später von Krüder we= gen des Spezialauftrages in *Pinguin* benannt, ist das kurz nach Kriegs= ausbruch aus Südostasien heimgekehrte Motorschiff *Kandelfels* der DDSG HANSA in Bremen. Es ist ein Schwesterschiff des Kapitän zur See Rogge zugewiesenen *MS Goldenfels*. Beide Frachter waren erst in den letzten Jahren vor dem Kriege in Dienst gestellt worden. Beide schafften ihre 16 kn.

Wie Rogge und Weyher, so war auch der aus dem Mannschaftsstand stammende Krüder für eine solche abenteuerliche und fast tollkühn zu nennende Unternehmung prädestiniert. Im Ersten Weltkriege hatte er die Skagerrakschlacht auf dem Flaggschiff des III. Geschwaders *SMS König* mitgemacht, auf das sich das Feuer der britischen Hauptstreit= macht konzentrierte. Ohne Abitur wurde er 1917 Seeoffizier. Er stand nach dem Kriege bei der Marinebrigade Ehrhardt, wurde wieder aktiv bei der Marine und sammelte auf Minensuchbooten und in der Admiral= stabsabteilung der Marinestation der Ostsee viele praktische und theo= retische Erfahrungen. Als Kommandant eines Minensuchbootes be= währte er sich als Alleinverantwortlicher vor seiner Bordgemeinschaft. Als Rollenoffizier erlebte er mit der *Karlsruhe* die weite Welt, und als dritter Admiralsstaboffizier im Stabe des Befehlshabers der Aufklärungs= streitkräfte erweiterte er seine strategischen Kenntnisse. Später war er Einstellungsoffizier für den Offiziernachwuchs, und vor Kriegsbeginn sah man ihn im Referat „Amt für Kriegsschiffbau" als Fregatten= kapitän . . .

Krüder, eine temperamentvolle, aber dennoch beherrschte und aus= geglichene Persönlichkeit, ein Mann mit fast jungenhaftem Schalk, mit viel Sinn für Humor, mit einer fast empfindsam zu nennenden Seele, ist mit einer von den wenigen Seeoffizieren, die das OKM für eine so schwierige Bestallung als Hilfskreuzerkommandanten als geeignet be= trachtet.

✳

Fregattenkapitän Hellmuth von Ruckteschell wird der letzte Kom= mandant für den HSK 3, das „Schiff 21", das als Hilfskreuzer *Widder* in die Geschichte des II. Weltkrieges zur See eingehen soll. Vorher waren die Kapitäne zur See Peters und Thiele vorgesehen, dann die Korvettenkapitäne Gröber und Förster und schließlich der Kapitän zur See Schiller. Sie alle stiegen wieder aus, der eine aus gesundheitlichen Gründen, der andere, weil er den Aufgaben doch nicht im ganzen Um= fang gewachsen schien. Einer fiel durch das Sieb hindurch, weil er als eingeschworener Abstinenzler glaubte, auf die Mitnahme von Bier und genügend Rauchwaren verzichten zu können: „Granaten und Kartoffeln sind wichtiger..." Ein untragbarer Mann, unmöglich als Kommandant auf Schiffen ohne Werft und Hafen.

Der Hilfskreuzer, den von Ruckteschell in das große Abenteuer führen soll, ist das ehemalige Turbinenschiff *Neumark* von der HAPAG, eben= falls ein alter, schon 1929 erbauter Frachter. Wie „Schiff 36" schafft er auch nur 14 Knoten.

Aber der von Ruckteschell hat ja schon ganz andere Leistungen voll= bracht...

Im Ersten Weltkriege erzielte er als U=Bootkommandant überragende Erfolge. Die Alliierten setzten ihn nach 1918 auf die schwarze Liste. Er hatte zuviel versenkt. Er war ihnen zu hart, wenn auch stets korrekt und als Mensch absolut einwandfrei. Von Ruckteschell entkam damals nach Schweden, und er entging der von den Siegern geforderten Aus= lieferung durch erneute Flucht nach Lappland. Hier tauchte er unter falschem Namen unter und als Holzfäller wieder auf. Nach Deutschland heimgekehrt, trat der Ex=U=Bootkommandant in die Schreinerlehre ein. Holz hatte es ihm angetan. Ein Schnitzer in Oberammergau, mehr Künstler als Handwerker, war sein Lehrmeister. Eine Tischlerwerkstatt wurde ihm im Schwarzwald zur neuen beruflichen Heimat.

Bis der Weltkrieg Zwo ausbricht und man sich am Tirpitzufer in Berlin eines Mannes erinnert, der alle Qualitäten für einen Hilfskreuzer= kommandanten in sich vereint. Eines Seeoffiziers übrigens, der sich gern den Scherz erlaubte, erlauchte aristokratische Kreise mit seiner Vorstel= lung zu shockieren: „Gestatten Ruckteschell, Kaiserlicher Fregatten= kapitän a. D. und Tischlermeister."

Man hört den Aufschrei einer ohnmächtig werdenden Baronesse...

*

Kapitän zur See Kähler hat der Mob=Befehl als Kommandant des HSK 4, „Schiff 10", vorgesehen.

„Schiff 10", der spätere Hilfskreuzer *Thor*, stellt sich ihm als Fracht= Turbinenschiff der OPDR in Hamburg vor. Es ist ein 18 kn schneller Neubau aus dem Jahre 1938.

Blättert man in Kählers beruflichem Lebenslauf, so finden wir ihn als Kommandanten des Segelschulschiffes *Gorch Fock* vermerkt, auf einem Schiff also, das vom Kommandanten in gleichem Maße hohe see= männische wie auch menschliche Qualitäten erforderte, waren ihm doch der gesamte Offiziers= und Unteroffiziersnachwuchs anvertraut.

Kurz vor Kriegsbeginn sah man ihn als Führer der Vorpostenboote West, ebenfalls ein Kommando, bei dem ihm der enge Kontakt auch mit dem kleinsten und jüngsten Mann an Bord nicht verloren ging.

Der Frankfurter Robert Eyssen, Sohn eines Kaffeeplantagenbesitzers in Guatemala, erhält als Kapitän zur See mit seinem Hilfskreuzer *Komet*, dem „Schiff 45", als HSK 7 eine ihm auf den Leib geschriebene Spezialaufgabe. Er soll, wenn die Verhandlungen in Moskau günstig verlaufen, seinen Hilfskreuzer als ersten deutschen, ja als ersten nicht= russischen Frachter überhaupt durch den Nordsibirischen Seeweg in den freien Pazifik manövrieren.

Eyssen war lange Zeit Kommandant des Marine=Vermessungsschiffes *Meteor*. Als solcher verfügte er über Erfahrungen, auch in nautisch schwierigen und gefährlichen Gewässern zu navigieren. Er ist auch typ= mäßig eine Persönlichkeit, die gegebenenfalls mit den Russen fertig werden wird.

Auch äußerlich!

HSK *Komet* ist der Zwerg unter den ausgewählten Hilfskreuzern. Das nur 3 287 BRT große, 1937 erbaute Schiff ist die ehemalige *EMS* unter Schlüsselflagge des NDL in Bremen. Mit ihren 16 Knoten ist sie ein zur Zeit bemerkenswert schneller Frachter.

Als HSK 6, „Schiff 23", wird in den Listen der Seekriegsleitung noch die 1936 erbaute, nur 14 kn schnelle *Cairo* der Atlas=Levante=Linie ge= führt. Sie wird zwar ebenfalls aus ihrer bisher so friedfertigen Lauf= bahn herausgerissen, aber zunächst nicht als Hilfskreuzer umgebaut. Sie soll vorerst als Minenschiff in der Ostsee fahren.

Erst später findet sie als HSK *Stier* unter dem Kommando von Kapitän zur See Horst Gerlach in Verbindung mit der sogenannten „Zweiten Welle" Verwendung als Handelsstörer . . .

Soweit ein kurzer Überblick über die für den Einsatz als Hilfskreuzer bei der Handelsflotte beschlagnahmten deutschen Handelsschiffe*, wie auch eine kurze Charakteristik der einzelnen Kommandanten, von deren Persönlichkeitswerten die einzelnen Unternehmen mehr oder weniger bestimmt und getragen werden.

*

---

*) Der fachlich interessierte Leser findet genaue Angaben über diese Schiffe im letzten Abschnitt des Buches.

Berlin, Frühjahr 1940!

Bei dem Schiffahrtshistoriker Erich Gröner sprechen Offiziere verschie=
dener Hilfskreuzer vor.

Draußen auf See sollen sich die Hilfskreuzer ja als Schiffe fremder
Nationen tarnen. Aber in welche Schiffe? Im OKM hatte sich bisher
keine Abteilung mit diesem Problem befaßt. Wozu auch, wenn Hitler
noch am 25. August 1939 Raeder versicherte, es würde zu keinem Kriege
mit England kommen. Dies geschah obendrein an dem gleichen Tage, an
dem die Weltpresse berichtete, die letzten britischen und französischen
Schiffe hätten die deutschen Häfen verlassen, das letzte polnische Schiff
sei aus den deutschen Hoheitsgewässern herausgelaufen . . .

Nun aber ist dieser Krieg schneller da, als selbst Skeptiker im Stabe
des Marinebefehlshabers befürchteten.

Gröner hört sich die Wünsche der Besucher an. Die Herren brauchen
Vorbilder unter den neutralen Schiffen der Welt, also Schiffstypen, in die
sich der jeweilige Hilfskreuzer mit den ihm zur Verfügung stehenden
Mitteln verwandeln kann. Dann fragt er:

„Die Hilfskreuzer sind also auf der Werft bereits umgebaut?"

„Bis auf Kleinigkeiten ja . . . Die Masten und der Schornstein können
verkürzt und verlängert werden . . . Wir haben zusätzliche Ladegeschirre,
Windhuzen, Pfosten, Decksaufbauten, Decksladungen für die Tarnung
an Bord . . ."

„Und die äußere Form wurde ebenfalls grundlegend nach vorliegenden
Beispielen verändert? Ich meine, wurden die Brückenaufbauten versetzt,
wurde der Steven oder das Heck umgebaut?"

„Das natürlich nicht. Die äußere Grundform blieb erhalten. Für die
Tarnung dienen genannte Einrichtungen."

„Dann wird ein Fachmann zum Beispiel die *Kandelfels* oder die *Gol=*
denfels auch bei bester Maskerade als ein Schiff der ‚Fels'=Klasse an=
sprechen."

„Trotz der Tarnung?"

„Na klar", sagt Gröner und lacht schallend. „Trotzdem, meine Herren,
trotzdem. Gerade diese Klasse ist in ihrer Formgebung so typisch, daß
auch die mit ihren Mitteln durchgeführte raffinierteste Tarnung nicht
allzuviel nützen wird. Die ‚Fels'=Klasse bleibt eine ‚Fels'=Klasse. Aber
wie gesagt, das wird nur ein Fachmann erkennen. Hoffen wir, daß die
britische Handelsmarine und Kriegsmarine nicht über derart ausgesuchte
Experten unter ihren Offizieren verfügen."

„Was bleibt zu tun?"

„Sie hätten v o r dem Umbau zu mir kommen sollen. Nicht hinterher."

Nur die gebotene Eile, der überstürzte Umbau, die Kommandierung von Kommandanten, die nicht im Traum daran gedacht hatten, auf den Spuren der abenteuerlichen Fahrten eines Hilfskreuzers *Wolf* segeln zu müssen, und daher in nichts vorbereitet waren, sind Milderungsgründe.

✳

Nächtelang brüten die Kommandanten über beste Tarnmöglichkeiten und über die von Gröner gelieferten Unterlagen.

Für seine *Goldenfels* findet Rogge unter den neutralen Schiffstypen 26 Schiffe heraus: acht Japaner, fünf Amerikaner, vier Holländer, vier Grie=chen, zwei Franzosen, zwei Italiener und einen Belgier.

Wie aber lautet das Funk=Rufzeichen der Amerikaner? Wo stehen je=weils die Schiffe der Franzosen, Belgier oder Holländer? Besteht nicht Gefahr, daß der Gegner über sein ausgedehntes und ausgezeichnet ein=gespieltes Agentennetz laufend auch über die Standorte der Frachtschiffe neutraler Staaten informiert wird? Was, wenn ein britisches Schiff den Namen des als Franzose getarnten Hilfskreuzers funkt und die Britische Admiralität schnell herausbekommt, daß dieser Frenchman in Wirklich=keit ganz wo anders schwimmt? Auch bei den Griechen kommen Rogge Bedenken. Ihr Tarnanstrich ist zu auffällig.

Übrig bleiben für ihn nur die Japaner.

Alles andere wird die Praxis ergeben, eine Praxis ohne zeitnahes Vor=bild.

Fragen, Probleme, Sorgen.

Sie bewegen nicht nur Rogge. Sie beschäftigen alle HSK=Komman=danten.

Konzentrisch laufen sie auf die Hilfskreuzerkommandanten zu. Auf ihren Schultern ruht eine Last an Arbeit und Verantwortung, wie sie kei=nem anderen Kommandanten der Kriegsmarine aufgebürdet wird.

Beweis genug, welche überragenden Persönlichkeiten für eine solche Aufgabe ausgewählt werden mußten.

Nicht nur der Umbau der Schiffe, nicht nur die Bewaffnung und die Montage der meist alten, aus der Zeit des Ersten Weltkrieges stammen=den Hauptgeschütze, nicht nur die Tarnmittel und die Tarnmöglichkeiten selbst, die Zusammenstellung einer Besatzung, der neben körperlicher auch eine ungewöhnliche seelische Belastung zugemutet werden darf, sondern auch die Unterbringung der verschiedenen Lasten und Werk=stätten an Bord bereiten Kopfzerbrechen.

Werkstätten aller Art müssen vorhanden sein. Jede Arbeit, wie sie nur auf einem Schiff anfällt oder anfallen könnte, in See und fern der Heimat, muß mit Bordmitteln erledigt werden können. Das erfordert nicht allein Werkstätten und Werkzeuge, das verlangt auch erlesene Handwerker unter der Besatzung. Wie gut, daß die Marine bei Einstel= lungen bewußt gelernten Handwerkern den Vorrang gab.

Die Unterkünfte für die Männer: ein anderes Problem und ein sehr wichtiges dazu.

Freizeitgestaltung an Bord: ein entscheidendes Kapitel. Kino, Biblio= thek, Bastelwerkzeuge und Spiele dürfen nicht fehlen, um dem drohen= den Phantom der Langeweile und damit der Unzufriedenheit zu begeg= nen.

Das Schiffslazarett darf kein normales Lazarett sein. In ihm müssen auch schwierige Operationen durchgeführt und auch Seuchenfälle isoliert werden können ...

Wie verhält es sich mit den völkerrechtlichen Fragen? Mit dem See= kriegsrecht? Mit der Prisenordnung? Mit den Fragen um den Handels= krieg und den Minenkrieg? Und wie mit einer eventuell notwendig wer= denden Versorgung im Hafen eines neutralen Landes?

Fragen, Fragen, Fragen!

Die Nächte werden zum Tage.

Was aber auch an Problemen anfällt ..., sie werden dennoch ge= meistert ...

*

Wie unvorbereitet die Marine in Sachen Hilfskreuzer in den Krieg ein= zog, beweist im Gegensatz zum Beispiel Rogge, daß in anderen Fällen von anderen Marinedienststellen die Besten unter den Besten für das Hilfskreuzerkommando ausgewählt wurden. Gemeint ist damit, daß es keine festen Richtlinien für solche Kommandierungen gab.

Und das bei der Ka=Em*), bei der selbst für die Benutzung einer Müll= tonne mit „Deckel=Klapp" gedruckte Gebrauchsanweisungen den Etat belasteten und zahllosen Schreibergasten eine militärische Daseins= berechtigung bescheinigten.

Hier ein Fall, der den HSK *Komet* betrifft:

„Sie sind ja ein ganz unmilitärischer Haufen. Sie ... Sie ... Was den= ken Sie sich denn, wo Sie eigentlich sind? Ihre Bildung lassen Se man zu Hause!"

Fragend und mit zornlodernden Augen sieht der Schreiberfeldwebel der Marine=Nachrichtenkompanie den herbeizitierten Signalgefreiten Van Hülst an. Dieser hält es für sinnvoll, auf diese Frage zu schweigen. Angestrengt sucht er in seiner Erinnerung, was wohl die Ursache zu

---

*) Ka=Em = im Bordjargon der „Lords" die Abkürzung für Kriegsmarine.

diesem vulkanischen Ausbruch des Feldwebels vom Innendienst sein könnte. Der aber hat auch gar keine Antwort erwartet.

„Aufgefallen sind Sie . . ." fährt der „Schreiberfeld" fort. „Auf Ihrem Kursus. Haben da mit der besten Note abgeschnitten."

Van Hülst kommt sich vor, wie ein aus dem Wasser gezogenes Huhn. Er wagt dann aber doch einen Einwand: „Ich bin dann doch aber gar nicht aufgefallen, der Kompaniechef . . ."

„Halten Sie's . . . hm . . . halten Sie Ihren Mund. Wenn Sie glauben, einen Dummen vor sich zu haben, sind Sie gerade an den Richtigen gekommen. Ein guter Soldat fällt überhaupt nicht auf. Weder nach der guten noch nach der anderen Seite. Ein Soldat, der auffällt, ist kein guter Soldat. Raus . . .!"

Später, vom Kompaniechef vorgeladen, erfährt Van Hülst, daß er ab= kommandiert sei. Seine guten Zeugnisse, die er von der Nachrichten= schule mit zurückgebracht habe, seien die Ursache dafür gewesen, ihn für ein Spezialkommando vorzusehen. Das sei nicht sehr schön, denn er ver= zichte ungern auf ihn.

Unvermittelt wechselt der Kompaniechef seinen freundlichen Ton. Er wird sachlich und militärisch. „Ihre Papiere erhalten Sie in der Schreib= stube."

Van Hülst ist kommentarlos entlassen. In den Papieren findet er ver= merkt, er habe sich in Hamburg bei der Dienststelle des Admirals Ham= burg zu melden. Diese soll Van Hülst an das hier nur mit einer Feld= postnummer bezeichnete Kommando weiterleiten.

Oben in der rechten Ecke ist ein roter Stempel aufgedrückt. „Gekados" „Geheime Kommandosache."

Van Hülst denkt sich nichts weiter dabei, Schreibstubenlöwen machen sich manchmal wichtiger, als sie es sind.

In Hamburg bummelt er die Alster entlang und in einer Nebenstraße findet er dann auch das Haus der Dienststelle des bezeichneten Admirals.

„Kennen wir nichts davon", brummt ein Feldwebel, in dessen Zimmer Van Hülst gewiesen und gelandet ist. Eine weitere Antwort erhält er nicht.

Van Hülst geht in das nächste Zimmer.

„Ham' mer nich", die Antwort. „Kommt auch nich' wieder rein", kräht der Hauptgefreite, uraltes Marinesemester, abgeschoben auf das Haupt= gefreitengleis, dem Sackbahnhof der Unverbesserlichen, aber nicht ganz Entbehrlichen, als Sprachrohr seines „Oberfelds" hinterdrein. Hülst will schon gehen, da besinnt sich der Herr „Oberfeld" auf den roten Stempel. Rot ist eine Farbe, die auch bei der blauen Marine Respekt einflößt und Gekados ein Wort, das auch einen Hartgesottenen innerlich stramm ste=

hen läßt. Der Oberfeldwebel greift zum Telefon. Er verhandelt so leise, daß Hülst kein Wort davon versteht.

Leise legt er den Hörer hin, und ehe er ausspricht, was er eben von einem Offizier erfuhr und weitergeben soll, sieht er sich noch einmal im Zimmer prüfend um.

„Also", beginnt er gedehnt, „also, da liegt also im Hafenbecken Acht ein Schiff, auf dem melden Sie sich beim Wachhabenden. Kein Kriegs=schiff, 'nen Frachter, verstehen Sie. Fragen Sie an Bord, ob Sie richtig auf „Schiff 45" sind. Erst dann zeigen Sie Ihre Papiere."

Als Hülst geht, spürt er fast durchdringend den mitleidigen Blick, den dieser wohlgenährte Bürolöwe hinter ihm her sendet, als habe dieser einen zu Fuß ohne Schuhe und ohne Proviant in die Wüste geschickt.

Im bezeichneten Becken liegt gleich vorn an, unter dem Gitterwerk eines Kranes ein kleiner, im Vergleich zu den anderen Ozeanriesen, fast unscheinbarer Dampfer. Hülst besteigt ihn über das Fallreep. Er ritzt sich beim Aufwärtsgehen jeden Schritt, den er gegen die Leisten des schrägstehenden Laufsteges haltsuchend setzt, in sein Gedächtnis ein.

„Wer bist du denn?" fragt ihn unweit der Gangway ein an Deck herumstehender, auffallend vierschrötiger Mann. Ein Zivilist, eine Mütze wie einen Lotsendeckel auf dem Kopf. Goldene Knöpfe schmücken seine Jacke. Aber keine Streifen.

Aha, denkt Hülst, das ist einer von den Werftleuten, und er erwidert: „Das geht dich einen feuchten Kehrricht an."

„Vielleicht biste verkehrt hier an Bord, mein Sohn."

„Das mit dem Sohn laß man schön bleiben, Kumpel. Ist das hier das Schiff 45?"

„Ist es", brummt der Zivilist durch die Zähne und mustert den Neuen unverhohlen von oben bis unten. „Soll'ste hier an Bord?"

„Schon mal gesagt, geht dich nischt an. Ihr Werftgrandis könnt ja das Maul nicht halten."

„Oh", sagte der Vierkantuntersetzte vergnügt. „Zu deiner Unterrich=tung, ich spiele hier den Alten an Bord, wenn das ein Begriff für dich ist."

Alter? denkt Hülst. Ist doch sowas wie'n Kapitän. Sieht eigentlich gar nicht danach aus, dieser Kerl in seinem öl= und farbenverschmierten Jackett. Hat vielleicht mal 'nen Schlepper oder 'ne Hafen=Barkasse als „Käppen" gefahren . . .

„Na schön", sagt Hülst, „dann erfahre aber gleich von mir, daß ich mir von Zivilisten nicht in'n Kram reinreden lasse."

„Dann haut's gewißlich hin. Tschüß bis morgen . . ."

„Tschüß auch." Die selbstsichere Gelassenheit des anderen verwun=dert Van Hülst ein wenig.

Augen hat der Kerl ... wie Röntgenlampen.

Hülst trifft endlich einen Uniformierten, einen Obersteuermann, und im Geiste legt er sich seine zackige Meldung zurecht, verbessert seine Haltung und ...

„Moin", sagt der Obersteuermann auf Van Hülst's tönendes „Heil Hitler".

Hülst reißt die Knochen zusammen. Der andere aber winkt ab. „Komm, komm, übertreib' nur nicht, alles zu seiner Zeit und an seinem Platz. Hierher kommandiert?"

„Jawohl."

Hülst reicht die Marschpapiere hin.

„Fein, kommen Sie, ich zeige Ihnen Ihre Unterkunft und Ihre Kamera= den." Und so beiläufig spricht er dahin. „Den Kommandanten haben Sie ja schon kennengelernt?"

„Den Alten? Sie meinen doch nicht etwa den vergammelten Zivilisten da von vorhin?"

„Sie sprechen von Kapitän zur See Eyssen, Van Hülst. Daß er sich als Zivilist tarnt, hat seinen guten Grund."

Van Hülst fühlt es eisigkalt an sich herunterrieseln, und in seinem Kopf kribbelt es, als sei ein Bienenschwarm eingefallen.

*

Fregattenkapitän Weyher bekommt durch einen reinen Zufall einen wertvollen Mann an Bord, einen, der später als „Bord=Großvater" zur seelischen und moralischen Stütze seiner aktiven jungen Unteroffiziere und seiner Männer wurde:

Es war während der Umbauzeit des Hilfskreuzers, als man den Welt= krieg=Eins=Teilnehmer und Hauptgefreiten der Reserve Saupe als Wacht= posten auf die in der Werft liegende *Kurmark* schickte, die, so munkelte man, in „irgendein" Hilfskriegsschiff umgebaut werden sollte. Über den geplanten Verwendungszweck dieses ehemaligen HAPAG=Schiffes war nur ein kleiner Kreis unterrichtet.

Der Hauptgefreite Saupe aber hatte ebensowenig Ahnung wie die Werftarbeiter bei Blohm & Voß. Ihm genügte der Befehl, keine Person ohne Sonderausweis an Bord zu lassen ...

In diesen Tagen klettert ein schlanker Zivilist über die Stelling, grüßt kurz und will sich an Saupe vorbeischieben. Der aber vertritt ihm den Weg.

„Was willst'n hier? Hast'n Ausweis?"

„Ich brauche keinen Ausweis. Komm, laß mich vorbei, ich habe keine Zeit."

„So siehst du aus, damit ich nachher um so mehr Zeit habe, in einem kleinen Zimmer mit vergitterten Fenstern drüber nachzudenken, dat ich dich an Bord jelassen habe."

„Reden Sie keinen Unsinn, Kerl. Ich komme von der Werftdirektion."

Saupe reckt sich drohend. „Erstens bin ich keen Kerl, du Werftgrandi, sondern wohlbestallter Hauptgefreiter, zweitens rede ich keenen Unsinn, und drittens: hau ab oder zeige deinen Ausweis. Ohne Ausweis hat hier nich mal Hermann Jöring wat zu suchen."

Der Zivilist wird energisch, und Saupe wird es auch. Er, der gut einen Kopf größer als der Fremde im blauen Mantel ist, packt kurzerhand zu: „Los, komm! Komm mit zur Wache. Du bist festgenommen!"

Als sie die weißgekalkte Wachstube betreten, brüllt der Wachhabende, ein aktiver Obermaat, „Achtung!" und macht dem Zivilisten, den er mit „Herr Kapitän" anredet, eine formvollendete Meldung.

„Weisen Sie mich diesem Hauptgefreiten hier aus", verlangt der Zivilist.

„Jawohl, Herr Kapitän! Hauptgefreiter: Dieser Herr ist der Herr Fregattenkapitän Weyher."

„Ha", lacht Saupe unbekümmert, „det kann ja jeder sajen. Und wenn der Kerl da bloß so aussieht wie der verehrenswerte Herr Fregattenkapitän? Wat'n dann?"

„Mann, was erlauben Sie sich!" brüllt ihn der Wachhabende an. „Dieser Kerl ist kein Kerl. Dieser Herr ist ein Herr Fregattenkapitän der Kriegsmarine."

„Reg dir man nicht uff, Obermaat, wenn dir so viel Wind um die Nase jewiet is wie mir, dann biste vorsichtig, und als gewiefter oller Berliner wärst's erst recht. Und außerdem: Mein Befehl lautet: Keine Person ohne Sonderausweis darf dieset Schiff betreten. Der da hat keenen."

„Dann übernehme ich die Verantwortung und weise hiermit den Herrn Fregattenkapitän Weyher aus."

„Jib mir det schriftlich!"

Der Obermaat macht ein Gesicht, als hätte er Backpulver gefuttert. „Sie..., Sie..., was nimmst du dir denn heraus? Ich...", er schnappt nach Luft wie ein Dorsch auf dem Trockenen.

Seine Mannen warten auf einen Knall.

„Geben Sie es ihm schon, Obermaat!" sagt Weyher ruhig und betrachtet mit faltiger Stirn und leicht zusammengekniffenen Augen den Hauptgefreiten.

Drei Tage später muß Saupe zum Rapport.

Er klopft an der ihm gewiesenen Tür an, tritt ein und meldet sich. Einer der Offiziere ist jener Zivilist, jetzt in der Uniform eines Fregat= tenkapitäns mit drei dicken goldenen Streifen an jedem Jackenarm.

Und was jetzt folgt, lassen wir Saupe erzählen:

„Ick dachte mir, jetzt machen se dir fertig, oller Saupe, jetzt bekommste den ersten Knast in deinem Leben aufgeholzt. Aber wissen Se, wat je= schah? Et jab keenen Knall. Der Fregattenkapitän tippte uff'n Stuhl und saachte: ‚Nehmen Sie Platz, Herr Hauptgefreiter.' Komischer Rapport, dachte ick so bei mir. Und dann bot der Weyher mir 'ne Zigarette an. Na scheen, als ick nach vier Stunden dat Zimmer valieß, war'n bißchen Luft in 'n paar Buddels gekommen, und ick hatte dem Bubi Weyher in de Hand versprochen, uff seinem Schlurren einzusteigen. Und ick habe ja zu diesem Himmelfahrtskommando gesagt. Jeden andern hätt' ick ausjelacht."

✳

Solcher Art sind die Männer, die auf den Hilfskreuzern einstiegen:

Auf den HSK *Widder* ist der Obermaschinist Buscher kommandiert worden, auch ein „alter" Mann, hat Buscher doch schon den Ersten Weltkrieg mitgemacht, aus dem er als ROA und Ingenieur=Aspirant ent= lassen wurde. Man legt Wert auch auf „Alte".

Der gesunden Mischung wegen.

Buscher spricht mit dem IO, Kapitänleutnant Fischer:

„Herr Kaleunt, ich bin im letzten Weltkriege als Reserve=Offiziers= Anwärter entlassen worden. Ich lege Wert darauf, daß ich hier an Bord auch als ROA geführt werde."

Fischer überlegt. Dann erklärt er, diesen Punkt mit dem Kommandan= ten durchsprechen zu wollen. Schon am nächsten Tage läßt Fischer den Obermaschinisten zu sich bitten.

„Buscher", so beginnt er, „der Kommandant sieht ein, daß Sie sich diesen Anspruch auf eine Offizierslaufbahn über Ihre Leistungen im Ersten Weltkrieg verdient haben. Ich muß Sie leider abkommandieren. Ich betone leider, denn ich glaube sagen zu dürfen, daß wir in Ihnen einen wertvollen Techniker verlieren. Aber der Kommandant möchte mit ihrem Schicksal zufriedene Männer an Bord. Das hat nichts mit Ihrer Person zu tun, Buscher. Einen Gin, Buscher?"

„Danke, Herr Kaleunt. Den trinke ich aber nur mit Ihnen, wenn ich dennoch an Bord bleiben darf."

„Dann müssen Sie auf den ROA verzichten, zumindest für die Dauer der Unternehmung."

„Ich verzichte, Herr Kaleunt."

✳

In den Tresoren der Hilfskreuzer=Kommandanten liegen die Befehle. Sie umreißen, auf den jeweiligen HSK abgestimmt, die Operationsgebiete. Überall auf den Meeren der Welt sollen Hilfskreuzer wie Gespenster= schiffe auftauchen ... im nördlichen und südlichen Atlantik ... im Indi= schen Ozean und selbst im Pazifik.

Diversionswirkung ist das Lieblingskind der Skl.

Diversionswirkung zu erzielen, ist die Waffe des Schwächeren.

Der Rahmenbefehl für alle Kommandanten lautet:

„... Der Kommandant hat für die bestmögliche Erfüllung der dem Schiff zugewiesenen Aufgaben einzustehen. Er trägt eine hohe und hei= lige Verantwortung. Auf sich allein gestellt, von jeder Verbindung mit der Heimat abgeschlossen, feindlichen Täuschungsversuchen sowie man= cherlei Gerüchten und Zweifeln, oft vielleicht auch zaghaften Regungen oder Ratschlägen ausgesetzt, möge er sich stets vor Augen halten, d a ß es das oberste Gebot seines Handelns sein muß, den Namen seines Schiffes und die Flagge, die es führt, von jedem Makel rein zu halten!

... Sind seine ursprünglichen Kriegsaufgaben erfüllt oder wegen Be= schädigung des Schiffes oder aus anderen Gründen undurchführbar ge= worden, so soll der Kommandant unter Einsatz von Schiff und Besatzung neue Kriegsaufgaben suchen.

... Schiff und Besatzung für die Erfüllung der darin gestellten Auf= gaben im Zustand höchster Leistungsfähigkeit zu halten, muß das stän= dige Streben des Kommandanten sein.

... Aber erst wenn nach Ausfall der Waffen oder der Munition alle Mittel, den Gegner zu schädigen, *restlos* erschöpft sind und wegen See= unfähigkeit ein Durchbruch des Schiffes in die Heimat nicht möglich ist, können Versenkung des Schiffes oder Stillegung im Hafen eines zuver= lässigen neutralen Staates und Rückführung der Besatzung in die Hei= mat in Frage kommen.

... *Aufgabe:* Kreuzerkriegführung in außerheimischen Gewässern und Durchführung einer Minenverseuchung gemäß Anlage.

Der Schwerpunkt der Aufgabe liegt in der Bindung feindlicher Streit= kräfte zur Entlastung der Heimat und in der Schädigung des Gegners,

a) durch den Zwang zur Geleitzugbildung und verstärkten Sicherung seiner Schiffahrt, auch in den entfernten Seegebieten,
b) durch Abschreckung der neutralen Schiffahrt,
c) durch weitere nachteilige Folgen handelspolitischer und finanzieller Art.

Zur Lösung der Aufgabe ist eine langandauernde Bindung und Beun=

ruhigung des Gegners wichtiger als eine hohe Versenkungsziffer bei schnellem Aufbrauch des Hilfskreuzers.

... Es muß vermieden werden, mit feindlichen Seestreitkräften, auch Hilfskreuzern, in Gefechtsberührung zu kommen .

... Auf gesicherte Geleitzüge ist nicht zu operieren. Passagierdamp= fern ist auszuweichen, da die feindlichen Passagierdampfer im allgemei= nen an Geschwindigkeit und Bewaffnung überlegen sind und im Erfolgs= fall durch die Stärke der Besatzung und die Zahl der Passagiere zu einer erheblichen Belastung werden können ...

... Mit allen Mitteln muß der Kommandant bestrebt sein, durch pflegliche Behandlung von Personal und Material die Seeausdauer seines Schiffes bis zum äußersten auszunutzen ...

KAPITEL 2

DURCHBRUCH TROTZ BLOCKADE

Zur Lage: Plan der Seekriegsleitung in Berlin ist es, auf allen Ozeanen gleichzeitig mit dem Hilfskreuzerkrieg gegen die gegnerische Zu=fuhr zu beginnen. Im Atlantik, im Indischen Ozean und im fernen Pazifik sollen als harmlose Frachter getarnte Gespensterkreuzer gegnerische Frachtschiffe jagen. Die erhofften Erfolge sind:

1. Reduzierung der gegnerischen Tonnage.

2. Schwächung des seemännischen Personalbestandes der Gegner durch Gefangennahme und Heimbringen der Besatzungen auf=gebrachter Schiffe.

3. Aufbesserung des eigenen Tonnagebestandes durch Einbringen von Prisen. Hier kommt hinzu, daß dadurch dem Deutschen Reich kriegswichtige Rohstoffe und überseeische Produkte zu=geführt werden können, die auf den betreffenden Frachtern als Ladung mitgeführt werden.

4. Die gegnerische Schiffahrt soll zu zeitraubenden Ausweich=kursen, Umwegen oder längeren Hafenliegezeiten gezwungen werden. Die Zeitspannen dafür dürften für den Gegner Impon=derabilien sein, solange es den Hilfskreuzern gelingt, in immer neuen, florettähnlichen Vorstößen die betreffenden ozeanischen Seegebiete zu beunruhigen. Ausweichkurse, Umwege und Hafen=liegezeiten sind, da wertvolle Ladung verzögert und die gegne=rische Kriegswirtschaft dadurch verlangsamt wird, gleichbedeu=tend mit indirektem Tonnageverlust.

5. Unter der gegnerischen Flotte wird eine Diversionswirkung erwartet, das heißt eine Zersplitterung, die keine gezielte Schwerpunktbildung gestattet. Australien, als Beispiel, wird keine Einheiten seiner Flotte zur Entlastung der Schlacht im Atlantik entsenden können, im Gegenteil, es wird Verstärkun=gen brauchen, um die Schwarzen Schiffe im Pazifik im Osten und im Indischen Ozean im Westen mit einigermaßen Aussicht auf Erfolg zu jagen.

Um eine schlagartige Störung der gegnerischen Zufuhr auf allen Meeren zu erreichen, werden die Auslauftermine der einzelnen Hilfkreuzer („Schiff 33" — Pinguin — ausgenommen) so gelegt, daß die HSKs mit den längsten Anmarschwegen in ihre Opera=tionsgebiete zuerst in See geschickt werden.

Die Reihenfolge sieht vor:

1. Ende März: „Schiff 16" — HSK Atlantis — in die Indische See;

2. Anfang April: „Schiff 36" — HSK Orion — in den Pazifik;

3. *Anfang Mai: „Schiff 21" — HSK Widder — in den Nord= und Mittelatlantik;*
4. *Anfang Juni: das schnelle „Schiff 10" — HSK Thor — in den Mittel= und Südatlantik;*
5. *Anfang Juli: „Schiff 45" — HSK Komet — über die Nordpassage in den Pazifik und*
6. *dazwischen, Mitte Juni: „Schiff 33" — HSK Pinguin — in die Indische See.*

Für jeden der großen Ozeane sind also je zwei Hilfskreuzer der Ersten Welle als Handelsstörer abgestellt. Ein riesiges Netz für den wohl abenteuerlichsten Fischzug auf allen Meeren.

Es ist vorgesehen, zu einem späteren Zeitpunkt auch noch die nach dem Umbau 1939/40 (Vormars) in einen Schweren Kreuzer umbenannte Admiral Scheer im Zufuhrkrieg im Atlantik und im Indischen Ozean einzusetzen, dies, um die Verwirrung beim Gegner noch nachhaltiger werden zu lassen, weiß er doch bei spurlos verschwundenen Schiffen dann nicht, ob dieser Frachter das Opfer eines Kriegsschiffes oder eines „Black Raiders" wurde . . .

Erstes und zunächst wohl auch größtes Hindernis ist der Durch= bruch in den freien Atlantik. Der Skl bieten sich zwei Wege:

einmal die sich zwischen Grönland und Island erstreckende Dänemarkstraße,

zum andern die Enge zwischen Island und Färöer.

Die letztere scheidet wegen zu großer Nähe der britischen Insel aus, außerdem, und das ist noch wichtiger, können die Hilfs= kreuzer im östlich vorgelagerten Seeraum nicht ungefährdet auf Wartestellung gehen, um günstiges, das heißt schlechtes Wetter für den eigentlichen Durchbruch abzuwarten. Anders dagegen bei der Dänemarkstraße, die den Hilfskreuzern im hohen Norden eine mehr oder weniger bedrohte Warteposition gestattet und deren Wetterbedingungen, durch das Eis unter Grönlandsküsten bedingt, eine größere Häufigkeit an schlechtem Wetter, vor allem aber auch an Nebel, erwarten lassen. Die Straße selbst wird von britischen Kriegsschiffen nur ungern befahren. Das Risiko, auf Eis zu treffen, müssen die deutschen Hilfskreuzer wohl oder übel auf sich nehmen.

Es sei vorausgeschickt, daß kein deutscher Hilfskreuzer und auch kein deutsches Kriegsschiff in der von Gegnern bewachten Däne= markstraße gestellt oder angegriffen wurde. Das ist unbestritten mit ein Erfolg der auf diesen Einheiten eingeschifften Meteoro= logen gewesen. Außerdem war das Netz der Bewachung niemals so engmaschig, um nicht doch noch einen Durchschlupf zu gestatten. Obwohl England, unterstützt durch Frankreich, über eine zahlen= mäßig weit überlegenere Flotte verfügte, wurde die Masse der Einheiten, sofern sie nicht an überseeische Stützpunkte gebunden waren, für den Schutz der Geleitzüge benötigt.

21

Als die deutschen Hilfskreuzer zum Durchbruch rüsteten, be=
reiteten auch die Briten eine Besetzung Norwegens vor, der die
Deutschen, wie von Churchill nach dem Kriege auch zugegeben,
nur um Stunden zuvorkamen.

Für den Ende März ausgelaufenen HSK Atlantis blieben diese
Operationen Vorbereitungen ohne direkte Einwirkungen, im Ge=
genteil, das Schiff passierte die Dänemarkstraße ohne irgendeine
Behinderung. Anders dagegen verlief der Ausbruch des HSK
Orion, dessen Kommandant aus übertriebener, einem Hilfskreuzer=
kommandanten gegenüber völlig unverständlicher Geheimhaltung
nicht über den Sinn der zu erwartenden Flottenoperationen im
Raum der norwegischen Gewässer eingeweiht wurde.

Der 8. April 1940, 17.45 Uhr.

Nordwestlich von Südnorwegen.

Die Sicht ist mäßig gut. Der Himmel ist mit tiefsegelnden grauen
Wolken bedeckt. Es weht in Windstärken zwischen fünf und sechs.

Während vor Norwegens Küsten deutsche und britische Seestreit=
kräfte aufmarschieren und um die so wichtige strategische Schlüssel=
stellung ringen, während sich die deutschen wie auch die britischen See=
karten mit einem verwirrenden Spinngewebe der Linien gefahrener
Kurse der Schlachtschiffe, Kreuzer, Zerstörer, U=Boote und Transporter
überdecken und der Äther mit sich jagenden Operationsfunksprüchen
erfüllt ist, stehen hier in diesem Seegebiet vier britische Zerstörer.

Sie geleiten den Minenleger *Teviot Bank.*

Auf Nordkurs liegend, schiebt sich für die Ausguckposten der südlich
stehenden Zerstörer ein Frachtschiff über die diesige Kimm, ein Einzel=
fahrer. Angesichts der Zerstörer legt er seinen Kurs etwas nach Steuer=
bord. Der britische Gruppenchef gibt zwei Zerstörern den Befehl, den
Fremden genauer in Augenschein zu nehmen.

„Ein Holländer!" brummt der eine Kommandant beruhigt. Dann wen=
det er sich aber doch mit allem durch die Stunde gebotenen Mißtrauen an
seinen WO. „Vergleichen Sie unsere Beobachtungen mit unseren Unter=
lagen."

Und der Wachoffizier notiert: Schwarzer Rumpf mit gelben Seiten=
streifen, weiße Aufbauten mit gelbgetönten Masten und am Schornstein
eine grün=weiß=grüne Marke auf gelbem Grund. An der Bordwand, zwi=
schen den aufgemalten niederländischen Farben in großen Lettern der
Name *Beemsterdijk,* daneben das Wort „Holland".

„Diese in Rotterdam beheimatete *Beemsterdijk* ist echt. Auch die
Größe stimmt mit dem gesichteten Frachter überein", meldet der WO
schließlich.

„Warum aber, zum Teufel, segelt dieser Dutchman einen so unge=
wöhnlichen Kurs?" argwöhnen die beiden Zerstörerkommandanten.
Sie tasten durch ihre Gläser die Aufbauten ab. Sie vermögen bei allem
Mißtrauen aber nichts Ungewöhnliches zu entdecken.
Auf der Brücke steht, in einen dicken Mantel eingehüllt, der Wach=
habende. Nur hin und wieder einmal sieht er gelangweilt zu den Zerstö=
rern hin. Sonst aber kümmert er sich nicht um die Briten. In das offene
Schott der Kombüse hat sich der Smut geklemmt. Naja, Schiffsköche
aller Welt sind neugierige Leutchen. Auf dem Luk III macht sich ein See=
mann zu schaffen. Er dreht den Zerstörern gelassen und mit einem „ihr
könnt uns mal" die Hinterfront zu, beobachtet sie aber, das entgeht dem
Briten, in seiner gebückten Haltung durch die Beine.
Die Zerstörerkommandanten beruhigen sich und ihre Wachoffiziere
auch über den ungewöhnlichen Kurs des Holländers, denn jeder neutrale
Kapitän möchte sich so weit wie nur möglich von den deutschen U=Boot=
Warngebieten absetzen. Und der durch den Nordkurs angedeutete
Marsch durch die Dänemarkstraße dürfte im Augenblick die sicherste,
wenn auch längste Route zu den Osthäfen Nordamerikas sein.
„Und außerdem", so fügt der Erste Offizier hinzu, „läuft der Bursche
nicht sehr viel. Ist nach dem Register schon im Jahre 1922 erbaut. Wäre
der da drüben ein deutscher Blockadebrecher — oder gar ein Hilfskriegs=
schiff, er wäre gewißlich nicht ein so müder, altmodischer Zossen."
„Das meine ich auch", bekräftigt der Kommandant und gibt Befehl,
zur *Teviot Bank* zurückzulaufen.
Die Ahnungslosen. Sie hätten der Britischen Admiralität viele Sorgen
und den Verlust von einigen zigtausend Tonnen an Schiffsraum und
Fracht ersparen können.
Aber der Holländer sah ja so echt aus . . .
Er war gar kein Holländer, er war ein deutscher Hilfskreuzer mit der
taktischen Nummer „Schiff 36", von seinem Kommandanten auf den
Namen des himmlischen Jägers Orion getauft.
Auf der *Orion* stand Fregattenkapitän Weyher gerade mit seinem
Ersten Offizier von Blanc und seinem Navigationsoffizier über die Ope=
rationskarte gebeugt im Kartenhaus, als der Salingausguck die gegneri=
sche Schiffsgruppe meldete.
„Himmel, Arsch und Wolkenbruch, ist denn hier der Teufel los? Wie
im Zirkus Sarrasani rollt eine aufregende Nummer nach der anderen ab."
Aus dem Steuerhaus beobachtet er die sich langsam über den Horizont
herausschälenden Schiffe. Vier Zerstörer und einen Frachter.
Engländer.
„Da haben die mir in Berlin und bei der Gruppe etwas von einer

gewissen deutschen Flottenoperation erzählt. Das Ganze stinkt mir viel=
mehr nach einer zweiten Skagerrakschlacht", wettert Weyher, noch
immer ahnungslos, daß eine für die damalige Zeit größte Landungs=
operation im Gange ist.

In den ersten Morgenstunden, 10.25 Uhr, hatten sie bereits einen
Frachter gesichtet, neben dem ein britischer Zerstörer auftauchte. Sie
konnten eben noch in eine vom wohlgesonnenen Himmel geschickte Re=
genbö abdrehen und untertauchen.

Zwei Stunden später sind sie wieder auf Nordkurs gegangen. Dann
kam, 13.53 Uhr, der warnende Funkspruch von der Deutschen Marine=
gruppe West:

„An Orion: 13.48 Uhr standen zwei feindliche Schlachtkreuzer, ein
Schwerer Kreuzer und sechs Zerstörer auf nördlichem Kurs im Quadrat
7360 AF, 20 Seemeilen."

Nach der Karte operierten diese bösen, kanonengespickten Nachbarn
auf Parallelkurs nur 60 Seemeilen östlicher von Orion. Es war für Wey=
her schwer zu berechnen, nach welcher Seite der gemeldete Gegner dre=
hen würde. Um davon überhaupt erst einmal freizukommen, ließ Weyher
aber nur zwei Strich nach Backbord abdrehen. Er glaubte, nunmehr Ruhe
zu haben. Und er tat diese an sich nur knappe Kursänderung, knapp des=
halb, um möglichst schnell und weiter Nord zu machen, mit den Worten
an seinen Navigationsoffizier ab:

„Eigentlich ein Gemisch aus Feigheit und Geiz."

„Welch' lobenswerte, auch so ungermanische Selbsterkenntnis, Herr
Kapitän", grinste der NO, ein ehemaliger Handelsschiffskapitän.

Da alarmierte nun, wenden wir uns wieder dem gegenwärtigen Ge=
schehen zu, diese neue Sichtung die 377 Gemüter auf dem ungepanzerten
Hilfskriegsschiff mit seinen museumsreifen Kanonen aus dem Ersten
Weltkrieg an Bord . . .

Orion dreht nach Steuerbord ab, nunmehr also direkt auf die durch
Gruppen=FT gemeldeten Schlachtkreuzer zu.

„Ich habe das ungute Gefühl, daß das Frachtschiff da drüben ein Kol=
lege von uns ist. Durchaus möglich, daß sie den kurz vor uns ausgelau=
fenen Hilfskreuzer Atlantis überlistet haben und nun einzubringen ver=
suchen", überlegt der Erste Offizier.

„Daran dachte ich eben auch", sagt Weyher und gibt Anweisung,
auch das Frachtschiff genau zu beobachten.

„Vielleicht geben sie da drüben ein Winkzeichen durch ein Bullauge,
wenn es wirklich unsere Atlantis ist", fügt er nach einer Pause hinzu.

Zwei Zerstörer lösen sich aus dem Verband. In hoher Fahrt jagen sie
auf Orion, auf die falsche Beemsterdijk, zu.

24

Weyher befiehlt volle Gefechtsbereitschaft.

Alarmhupen dröhnen durch das Schiff. Füße trappeln. Die Männer rasen auf ihre hinter den Tarnungen liegenden Gefechtsstationen.

Mit ruhiger Stimme warnt Weyher: „Nicht die Nerven verlieren, Jungs! Nicht an den Hebeln und Zurrings der Tarnungen herumfum=meln. Es darf auf keinen Fall eine Klappe oder eine sonstige Tarnung aus Versehen fallen."

„Also gut", sagt er nach dieser Anweisung an die Geschützbedienun=gen zu seinen Offizieren hin: „Wenn es schon sein muß, daß unsere Reise dort schon endet, wo sie eigentlich anfangen soll, dann nehmen wir wenigstens einen oder sogar beide Zerstörer mit in die Tiefe."

Er wendet sich an seinen Artillerieoffizier, einen gelassen dreinblicken=den Mann von schmächtiger Gestalt, eben noch groß genug, um ohne Fußbank über die Reling blicken zu können. „Oder trauen Sie sich das mit Ihren alten Kanonen nicht zu, German?"

„Geht in Ordnung, Herr Kapitän, wenn die beiden Zerstörer nur nahe genug und in unseren Feuerbereich kommen. Die Ausbildungszeit war kurz, aber die Nerven verlieren meine Männer trotzdem nicht."

Diesen Seitenhieb auf Weyhers Beruhigungsworte an die Besatzung kann er sich nicht verkneifen.

Weyher überhört ihn und ruft German zu: „Prima, German. Solange die da drüben nicht einwandfrei erkennen, daß wir nicht die *Beemster=dijk*, sondern ein deutsches Schiff, womöglich ein Hilfskreuzer sind, wer=den sie mit einem harmlosen Neutralen wohl keinen Streit anfangen."

„Ich denke, unsere Tarnung ist gut", läßt der Erste einfließen.

„Was die da drüben von uns wissen wollen, können sie höchstens hier an Bord erfahren und sehen."

„Wenn sie ein Prisenkommando aussetzen, um uns zu untersuchen, ist es so weit, German. Dann raus, was raus geht."

„Und wenn sie einen Stoppschuß schießen?"

„Dann auch, denn ohne Fahrt sind wir trotz unserer Waffen ein wehr=loses Wild."

„Es sind aber vier Zerstörer, Herr Kapitän", bemerkt der NO.

„Na und? Mit etwas Glück bleiben nur zwei übrig, bevor unsere *Orion* durchlöchert ist. Sollte es möglich sein, einen oder beide der sich nähern=den Zerstörer zu vernichten, dann werden die beiden anderen auf Ab=stand operieren und mit ihren an Reichweite überlegenen Geschützen ein Scheibenschießen veranstalten. Das nur noch, damit wir uns für den Fall der Fälle keinen falschen Hoffnungen über unser Schicksal hingeben."

Näher schieben die beiden Zerstörer heran.

Oberleutnant German läßt die sich laufend und schnell ändernden

Artillerie=Werte an die Geschütze übermitteln, deren Aufsatztrommeln von den Bedienungen in traumwandlerischer Sicherheit fortlaufend da= nach eingestellt werden. Die Rohre können noch nicht laufend mitrich= ten. Ihre Mündungen sind noch von den verriegelten Tarnklappen ver= deckt.

In dieser, dem ahnungslosen Gegner unsichtbaren Gefechtsbereitschaft liegt die größte Stärke des Hilfskreuzers.

Viele hundert Hände sind bereit.

Mit dem Befehl zum Enttarnen werden überall die Hebel und Zur= rings bei den Tarnungen zurückfliegen, werden die schnell ausgeschwenk= ten Rohre nur Sekunden später schon die erste gezielte Salve ausspuk= ken.

Auch die Torpedo=Drillingssätze sind „klar zum".

Jetzt sind beide Gegner bereits im Feuerbereich der deutschen Waffen. Die 7 000 tons große *Beemsterdijk* sieht ja so friedlich aus. Die alte Öl= feuerung läßt nur bläulich quirlenden Dunst nach oben. Der Schornstein qualmte früher wie zehn Lokomotiven. Aber das hat der Leitende Inge= nieur in zäher Ausbildung und mühevoller Regulierung der Brennstoff= pumpen und der Luftzufuhr längst abgestellt.

377 Mann sind von dem einmütigen Willen beseelt, daß der erste und letzte Angriff mit wenigstens einem Erfolg gekrönt wird. Ihre einzige Chance ist, danach das sichere Ende ihres Schiffes zu überstehen.

Es werden wohl nicht viele sein...

Aber vielleicht ist der Alte vernünftig, *Orion* vorher noch aufzugeben und zu sprengen...

Wo aber endet für einen Kommandanten die Pflicht und wo beginnt die Vernunft? Das muß Weyher in dieser tödlichen Situation für sein weit unterlegenes Schiff mit sich und seinem soldatischen Gewissen allein abmachen.

Er kann nicht vorher beim OKM rückfragen.

Er muß handeln.

Er muß schnell entscheiden.

„Treffer in die Feuerleitanlage des Gegners würden genügen. Oder in eine Munitionskammer..." arbeitet es in German.

„Sehen Sie doch, Herr Kapitän", fährt der IO auf der Brücke von sei= nem Sehschlitz hoch, „sie drehen ab"!

Weyher antwortet nicht. Er schiebt nur mit dem Daumen seine quer= gebraßte Mütze etwas hoch. Eine Geste des Aufatmens, der Erleichte= rung, die der IO nicht übersieht.

Es ist beruhigend zu wissen, denkt von Blanck, daß in diesem Drauf= gänger trotzdem das Herdfeuer einer hausväterlichen Verantwortung für die ihm anvertrauten Männer brennt.

24 Minuten sind seit dem Alarm vergangen.

Jede Minute, jede Sekunde eine Ewigkeit.

Stunden später hat die falsche *Beemsterdijk* den Aufmarschraum der britischen Gegenoperationen zur deutschen Norwegen=Unternehmung passiert.

Aber der Durchbruch ist noch nicht geschafft. Voraus liegt die Däne=markstraße.

„Kaum anzunehmen, daß die Briten dort zur Zeit eine starke Bewa=cherkette auf Position gelegt haben", meint der Kommandant auf seinem weiteren Vormarsch, nachdem ihm klar geworden ist, daß sich die ihm vor seinem Auslaufen angedeutete Flottenoperation gegen Nor=wegen selbst richtet. Selbst Skeptiker unter seinen Offizieren pflichten ihm erleichtert bei.

Aber man soll den Tag nicht vor dem Abend loben.

Weyher, der die ganzen Nächte auf der Brücke stand, der in den letz=ten Tagen keine Koje mehr sah, hat sich auf das ungepolsterte sparta=nisch harte Ledersofa im Kartenhaus ausgestreckt. „Rufen Sie mich, wenn was los ist."

„Jawohl, Herr Kapitän, morgen beim Durchbruch durch die Straße werden Sie bestimmt nicht dazu kommen."

Weyher braucht nicht gerufen zu werden, als der Funker ins Karten=haus tritt. Schon an dem Schritt des Mannes hat er bereits eine neue Hiobsbotschaft verspürt.

„Wir haben auf offener Welle ein FT für die echte *Beemsterdijk* mit=bekommen."

„Oha", sagt Weyher nur.

„Stimmt aber, Herr Kapitän. Erwischten sie eben vor ein paar Mi=nuten."

„Na schön", knurrt Weyher und reibt sich die Augen, „und wo steht unser Ebenbild nun wirklich?"

„In westlichen Gewässern vor der US=Küste, Herr Kapitän."

„Schiet!"

„Gehorsamst, Schiet, Herr Kapitän! Wenn unsere Zerstörer oder die Britische Admiralität diesen Spruch ebenfalls mitbekommen haben, stehen wir, so wie wir jetzt aussehen, auf dem atlantischen Fahndungs=blatt. Dann hetzen sie uns wie Hunde einen armen kleinen Hasen."

„Hm", brummt Weyher. Er rappelt sich nun doch von seinem Sofa auf. „Bloß mit dem Unterschied, daß wir vorher zubeißen werden."

Mit einem „Danke" winkt er dem Funker ab, und er lächelt, als er an seinen Wahlspruch am Decksbalken des Steuerhauses denkt.

„Wir segeln mit klarem Blick, am Ruder die Faust und — das Glück."
Glück ist nicht immer launischer Zufall.

Man kann auch nachhelfen.

Eine halbe Stunde später tarnt die *Beemsterdijk*, bereits in Sichtweite der Treibeisgrenze stehend, in das russische Werkstattschiff *Sovjet* um. All hands sind aufgescheucht, auch jene, die von den Wachgängern ob ihrer ruhigeren und wärmeren Kugel unter Deck beneidet werden, ob= wohl auch dort keine Heizung angestellt ist, um allen Dampf für die Maschine zur Verfügung zu haben.

Die Polarnacht naht mit sanften Schwingen.

Es ist bitter kalt.

Der eisige Wind frißt sich durch die dicksten Vermummungen. Soviel kann gar keiner anziehen, um nicht zu frieren. Aber die Arbeit des Um= tarnens schafft ein bißchen Wärme, und die gemeinsame Sorge um das Schiff läßt die schneidende Kälte vergessen.

Sie schäumen über vor Eifer. Sie streichen das im Seegang schwer arbeitende, mit wechselnden Kursen Treibeis und Eisfelder ausmanöv= rierende Schiff von oben bis an die Wasserlinie.

Schwarz werden Masten. Schwarz die Windhuzen, schwarz der Schornstein, den nur ein roter Ring mit Hammer und Sichel belebt, und schwarz der Rumpf.

Ein echter Russe.

Im grünlich kalten Licht der Nordmeernacht schuften sie. An der Bordwand hocken sie auf Stellingen, auf starken Bohlen, die man an Tampen über die Bordwand gefiert hat. Dazu kommen noch die durch den Seegang ausgelösten Bewegungen des Schiffes, die diese freilufti= gen Arbeitsplätze erst recht zu keinem begehrenswerten Job werden lassen.

Eine Hand für dich — eine für das Schiff.

Das heißt festhalten und gleichzeitig die dicken Quasten schwingen, oft unter akrobatischen Verrenkungen.

Der IO läßt laufend warmen Kaffee ausgeben. Wenn das belebende Getränk über die Bordwand in die fast steifen Hände der Seeleute ge= langt, ist es nur noch lauwarm, und wer es nicht gleich hinuntergießt, bekommt echten Eiskaffee serviert.

Polareiskaffee.

Mittschiffs entsteht auf beiden Seiten ein großes rotes, weiß umrahm= tes Feld. Darauf pinseln sie in Weiß die Buchstaben CCCP. Trotz klam= mer Hände, trotz der ruckenden und schaukelnden Stellung werden die Buchstaben so säuberlich und so gerade wie im Hafen abgesetzt. Man muß nur den Augenblick ausnutzen, wenn das Schiff sich nach der an=

deren Seite überlegt und die Stelling einigermaßen stabil an der schräg zurückfallenden Bordwand klebt, dann schnell eine Rundung oder einen geraden Strich gezogen.

Die einen fluchen, die anderen singen, anderen ist das Maul wie dicht gefroren.

Aber alles pinselt.

Mann, Maat und Offizier.

Der Kommandant macht keine Ausnahme. Er, dessen duftige Aqua= relle und schmissige Federzeichnungen in Friedenszeiten auch in dies= bezüglichen Fachkreisen Aufsehen erregten, packt genauso zu. Wo ge= rade auf der Brücke eine Hand fehlt, springt Bubi Weyher ein.

Alles muß echt sein.

Auch Kleinigkeiten.

Als sich am 11. April eine noch schläfrige Sonne aus dem stahl= blauen Bett des Polarmeeres erhebt, als ihre ersten Strahlen die Eis= kristalle auf dem Wasser diamanten aufblitzen lassen, ist die Verwand= lung geschafft.

Die *Beemsterdijk* ist nicht mehr.

Das Werkstattschiff *Sovjet* — auch die Aufbauten wurden verändert — gebietet auch dem mißtrauischsten Gegner Vorsicht. Es könnte ja wirk= lich der Fall sein, daß dieser Russe ein echter Russe ist, und auch der schneidigste britische Kriegsschiffskommandant wird erst per Funk nachfragen, ehe er diplomatische Verwicklungen mit Rußland und wo= möglich das Ende seiner Laufbahn heraufbeschwört. Das aber wäre wie= der Zeitgewinn für den Hilfskreuzer.

„Towarischtsch" Verwaltungsoffizier läßt die Rumbuddel kreisen. Einen daumenbreiten Schluck für die „Genossen".

Drüben liegt hinter einer kilometerbreiten Eisbarriere Grönland. Er= starrt in Eis. Voraus die Dänemarkstraße.

Ein Flaschenhals nur um diese Jahreszeit.

Der Marsch durch die Enge verläuft ohne eine Sichtung. Der Gegner vermutet alle deutschen Seestreitkräfte im norwegischen Raum. Er be= trachtet die Bewachung der Straße im Augenblick als strategisch nicht notwendig.

Mit Südkurs strebt *Orion* seinem befohlenen Operationsgebiet*) zu . . .

✳

---

*) Entgegen der Darstellung im Britischen Seekriegswerk „The war at sea", Band I, hatte *Orion* nicht die Aufgabe, im Nordatlantik zu operieren. Weyhers OP=Befehl lautete unter anderem:
„... Sollten sich im Nordatlantik Gelegenheiten zu Handelskriegsmaßnah=

Der 4. Mai 1940 ist ein Sonnabend.

In den Lichtspieltheatern von Kiel werden nacheinander die Vorstel=
lungen unterbrochen. Licht flammt auf. Eine Stimme im Lautsprecher
bittet Leitende Ingenieure und Wachmaschinisten im Hafen liegender
Kriegsschiffe in das Foyer. Draußen wartet ein schweißüberströmter
Obermaschinist. Er braucht eine Flasche Azetylen und 20 Sack Säge=
mehl. Er hat vorher bereits von sich aus zusammen mit einigen Leuten
mit einem Motorboot alle Schiffe im Hafen, Kriegsschiffe, Frachter und
Fischdampfer abgefahren.

Umsonst.

Die meisten der Verantwortlichen waren an Land. Einige im Kino...
Es ist ja Sonnabend.

Keiner der Herausgerufenen verfügt über Azetylen an Bord, keiner
über Sägemehl, das man an Bord braucht, wenn Heizöl aus zerschosse=
nen Rohrleitungen fließt.

Der Obermaschinist alarmiert schließlich die Feuerwehr. Und diese
stellt halb Kiel auf den Kopf. Sie stöbert endlich den Mann auf, der den
Schuppen mit den Gasflaschen im Hafen verwaltet. Sie findet ihn
in einer Kneipe im gemütlichen Kreise. Hinter Bier und würzigem

---

men bieten, so sind diese nur gegen feindliche Handelsschiffe und so über=
raschend durchzuführen, daß eine Meldung des Hilfskreuzers vermieden
wird. Südlich 20 Grad Nord ist jede Begegnung mit fremden Fahrzeugen zu
vermeiden..." — „...Das Hauptoperationsgebiet ist durch den Stillen Ozean
anzusteuern. Kap Horn ist möglichst weit südlich zu passieren und der Marsch
durch den Stillen Ozean unbemerkt durchzuführen..."

„Der Tanker *Winnetou* hat Anweisung, in den Südatlantik zu gehen und
in Großquadrat GV XX (Anmerkung des Verfassers: Seegebiet zwischen
38 Grad Süd — 36 Grad Süd und 37 Grad West — 26 Grad West) auf weitere
Befehle zu warten. Drei Wochen nach Auslaufen des Tankers wird er von
der Seekriegsleitung in diesem Gebiet auf bestimmte Standlinien befohlen
werden. Nach erfolgtem Zusammentreffen mit *Winnetou* sind alle weiteren
Befehle und Weisungen an diesen durch den Kommandanten des Hilfskreuzers
zu erlassen." — „Anlage 1: Anweisung für die Durchführung der Minen=
verseuchung.

Schiff 36: Als Sperrgebiete werden freigegeben:
A. *Hauraki Golf* (Auckland)... B. *Kap Otway*... C. *Adelaide*... D. *Fre=
mantle*... — Die Sperrgebiete sind in der Reihenfolge ihrer Wichtigkeit auf=
geführt In dem Sperrgebiet A. sind alle Minen einzusetzen..." „...Sollte
die Minenverseuchung bei Auckland nicht durchzuführen sein, so sind die
Gebiete B., C. und D. mit Minen zu verseuchen. Die Verteilung der Minen
auf diese Gebiete bzw. auf ein oder zwei dieser Gebiete ist dem Komman=
danten überlassen."

Schluck. Erst flucht der Mann. Dann macht er große Augen, als ihm der Obermaschinist das Stichwort zuflüstert.

„Selbstverständlich! Sofort! Komme gleich mit", erklärt er und ist wie umgewandelt.

Das Stichwort lautet „Schiff 21".

Der Obermaschinist heißt Buscher.

Sein LI, Kapitänleutnant (Ing) Penzel, hatte ihn losgehetzt. Die Werft hatte kurz vor Dienstschluß nur eine Flasche Azetylen aus den Bord=beständen beim Schweißen verbraucht und nicht ergänzt. Penzel be=drängte Buscher. „Sie müssen die Flasche ergänzen. Egal wie Sie das machen. Und das Sägemehl ist auch noch immer nicht an Bord ... Also los. Sie sind der richtige Mann."

Zustand wegen einer Flasche Azetylen und ein paar Säcken Säge=mehl? Buscher gab das zu denken. Sollte die Stunde des Auslaufens zur Unternehmung gekommen sein?

Hatte der Wachtmeister aber nicht noch gestern durchblicken lassen, daß er eine neue Urlaubsliste für zwei Törns vorbereite?

Buscher behält seine Überlegungen für sich.

Am Sonntagmorgen ist Gottesdienst. Eins=Null Fischer gestattet keine Ausnahme. Es gibt keine noch so wichtigen Arbeiten an Bord. Der Gottesdienst geht heute vor.

Ohne daß die Besatzung eine Andeutung erfuhr, geht „Schiff 21" am anderen Morgen ankerauf.

Es dreht auf die Holtenauer Schleuse zu. Das Bordgerücht murmelt etwas von einer Reise nach Wilhelmshaven.

Auf der Schleusenmauer wartet ein Mann vom Arsenal. Er hockt ob des gestörten Sonntagsfriedens mit finsterer Miene auf fünf Säcken.

Es sind die Säcke mit dem Sägemehl. Nur fünf, aber besser als gar keine. LI Penzel sagt „prima" zu Buscher. „Die anderen bekommen wir in Schlicktown", fügt er betont laut und allen anderen Ohren zu=gänglich hinzu.

Also doch Wilhelmshaven ...

Sie passierten die Holtenauer Brücke. Oben lehnen sich zwei Frauen über das Geländer. Sie winken mit einem Tuch, so groß wie ein Bett=laken. Es ist nicht zu übersehen. Auf *Widder* sehen sie ihren Komman=danten das Megaphon ergreifen. „Auf Wiedersehen ...!"

„Auf Wiedersehen ... Auf Wiedersehen und viel, viel Glück!" kommt es von oben zurück. Die eine Dame ist von Ruckteschells Frau.

Wilhelmshaven zerplatzt wie eine schillernde Seifenblase.

„Schiff 21", in allem für mindestens ein halbes Jahr ausgerüstet, nimmt Kurs auf Norwegen.

Zur Ausrüstung gehört auch ein Verbrennungsofen. In ihm sollen leere Zigarettenschachteln, alte Zeitungen und dergleichen verbrannt werden. Nichts, aber auch nicht ein Briefschnitzel darf ab jetzt mehr über Bord geworfen werden.

Bergen schenkt *Widder* noch eine Ruhepause. Sie warten hier auf gutes, also auf schlechtes Wetter für den Durchbruch.

Als Schwede getarnt laufen sie endlich aus.

Ein U=Boot=Alarm dazu als Ouvertüre.

Ein britisches U=Boot versucht sich vorzusetzen. „Schiff 21" dreht auf Gegenkurs und sucht Schutz in einem Norwegenfjord, an Oberdeck und auf der Brücke bewegen sich bedächtig ausgesucht große Männer. Sie haben dicke blaue Sweater an und Pudelmützen auf dem Kopf. Auch das gehört zur Tarnung. Alle anderen Mitglieder der *Widder*=Besatzung haben unter Deck zu bleiben.

Norwegische Fischer wollen Fische verkaufen. Sie rudern auch um das Heck des „Schweden" herum.

An Oberdeck hören die, die Norwegisch verstehen: „Das ist ja gar kein Schwede. Der kommt aus Hamburg. Den haben sie nur getarnt."

Die Norweger wittern Unrat. Sie verzichten auf das lockende Geschäft und pullen zurück, dem Land zu.

Von Ruckteschell setzt ein Boot aus. Tatsächlich! Die Namen *Neu= mark* und des Heimathafens Hamburg sind trotz der Übermalung zu lesen. Die Werft hatte die erhaben aufgeschweißten Buchstaben zwar weggehauen, nicht aber die Schweißnähte beseitigt.

„Schiff 21" geht ankerauf. Raus hier, nichts wie raus, ehe die über die neugierigen Fischer alarmierten Widerständler britische U=Boote be= nachrichtigt haben.

Strahlende Sonne auf dem Marsch gen Norden. Rast in den Ge= wässern um Jan Mayen. Weitermarsch bei diesiger werdendem Wetter. Dicht unter der Eisgrenze Grönlands entlang.

Der Wind, der von der leichentuchfarbenen weißen Fläche herüber= weht und leise in den Stagen und Wanten singt, ist feucht und kühl.

Als käme er aus einer Gruft.

*

Dem HSK *Widder* folgen in Abständen die anderen HSK's. Wie alle anderen Hilfskreuzer mit sechs, durchweg alten, wenn auch noch nicht veralteten 15=cm=Kanonen als Hauptbewaffnung, mit einer An= haltekanone auf der Back und verschiedenen modernen Schnellfeuer= waffen bestückt.

Als nächster HSK verläßt *Thor*, „Schiff 10", die deutschen Gewässer.

Ihm folgt das „Schiff 33" ...

Wie jedes Besatzungsmitglied an Bord, so mußte auch der Torpedo=
offizier, Oberleutnant Friedrich Carl Gabe, seinen nächsten Angehörigen
gegenüber über seine Aufgaben schweigen. Erst von See aus, mitten im
Atlantik, gab er nach langer Zeit seinen besorgten Eltern ein Lebens=
zeichen. Dieser Brief, der sich auch mit dem Auslaufen befaßt, atmet
noch die jungenhafte Unbekümmertheit und die gläubige Siegeszuver=
sicht der jungen Helden:

... Da der Überbringer dieser Zeilen, wie Ihr Euch denken könnt,
nur ein deutsches Schiff sein kann, seht Ihr, daß auch die deutschen
Seefahrer noch etwas auf dem Weltmeere zu sagen haben, jedenfalls
mehr, als den Engländern angenehm ist ...

Man ist schon nach diesen paar Wochen völlig aus der Gewohnheit
des Briefschreibens heraus. Aber eben war ich noch bei einem Kame=
raden, der hatte schon sechs Seiten geschrieben und meinte, er müßte
sich direkt abstoppen. Ja, ja, der Mann ist ja auch verlobt! —

Ich habe mir erst mal den Schlips abgebunden und den Kragen ge=
öffnet. Es ist lausig heiß und schwül in dieser Gegend. Seit Tagen laufen
wir in kurzen Hosen und Polohemd herum. Meine Beine sehen aus, als
wenn ich sie mit Mennige bemalt habe. Ich war vor einigen Tagen etwas
unvorsichtig mit der Sonne. Es geht jetzt aber wieder und schmerzt
nicht mehr.

Ja, am 8. Juni war ich zuletzt bei Euch. Wir gingen dann am Montag
nach Gotenhafen. Dort verblieben wir einige Tage. — Da ich Euch über
unseren Krieg ja doch nichts genaueres schreiben darf, kann ich ja ruhig
mal über etwas anderes sprechen. — In Danzig=Oliva hatte ich in letzter
Zeit eine kleine niedliche Freundin. Wenn ich also wachfrei war, konnte
man mich abends stets in Danzig, Oliva, Zoppot oder Gentkau finden.
Watt'n Nummer! — Vater wird jetzt wieder sagen, so'n dummer Jung',
wieter nix als Deerns im Kopp. — Ich nehme aber an, daß Ihr mir unter
den jetzigen Umständen diese kleine Freude gönnt. —

Am Mittwoch und Donnerstag also noch schnell ein kleines Rendez=
vous. Am Freitag durften wir Gotenhafen nicht mehr verlassen. Bis
22.00 Uhr durften wir im Ort selbst noch an Land gehen. Ich sah mir
einen Film an und ging anschließend in die „Meereswellen" am Adolf=
Hitler=Platz zum Abendbrotessen. Dort traf ich unser Offizierkorps. Der
Kommandant, eben aus Berlin zurückgekehrt, war auch dabei. Er sprach
andauernd und ein bißchen auffallend viel von Kiel und Bremerhaven
als nächsten Hafen.

Verd..., unser alter Kahn schaukelt wieder lausig, man kann kaum
anständig schreiben! —

Ich dachte, mich verblüfft ihr nicht! An der vorzüglichen Stimmung der Herren merkte ich gleich: es geht los. Also nochmal fix ein gutes Essen: Lachs vom Rost, mit einem Kameraden zwei Pullen Wein, einen Cognac und eine Tasse Mokka! (dieses war auch das einzige Lokal in G., wo es Mokka noch gab.) Ohne mit der Wimper zu zucken, legte ich dreizehn Mark auf den Tisch des Hauses. Es war aber auch ein gepflegtes Essen! Ihr kennt doch das schöne Seemannslied:

„Heute ist mir nichts zu teuer, morgen geht die Reise los!"

Nun, wie mir mein Instinkt dann auch richtig gesagt hatte, kam es dann auch so. Eine Stunde später machte ich den letzten Schritt für lange Zeit auf deutschem Boden. Nachts 01.00 Uhr seeklar. Ich hatte gleich Wache bis 04.00 Uhr und steuerte unser Schiff aus dem Hafen . . ."

Es sollte Gabes und vieler seiner Kameraden letzter Schritt auf festem Boden gewesen sein . . .

✳

Bleibt noch der HSK *Komet*, der Zwerg unter den Schiffen der Ersten Welle.

Auffallend waren bei seinem Umbau lediglich die Sonderanweisungen des OKM, neben den zweckdienlichen Veränderungen auch eine Eisverstärkung über die volle Länge bis zur dreifachen Stärke der Außenhaut einzubauen; ungewöhnlich auch die zusätzliche Ausrüstung, die Kapitän zur See Eyssen an Bord schaffen ließ, nämlich eine komplette Polarausrüstung: Schneeschuhe, Schlitten, Pelze, Kochgeschirre und dergleichen mehr . . .

Stichwort der Tarnung dafür: Dieses Schiff soll im hohen Norden des besetzten Norwegens als Sperrbrecher eingesetzt werden . . .

Während es für alle Hilfskreuzerkommandanten ungeschriebenes Gesetz war, Zweck und Aufgabe ihrer Einheiten auch gegenüber den sie aus den heimatlichen Gewässern hinausgeleitenden Sicherungsschiffen strengstens geheimzuhalten, und zwar so konsequent, daß nicht einmal die Kommandanten oder Flotillen-Chefs der Zerstörer, M-Boote oder U-Boote unterrichtet wurden, sieht Kapitän zur See Eyssen keinen Grund, seines Schiffes Tarnung noch länger geheimzuhalten.

Am 9. Juli aus Bergen ausgelaufen, läßt Eyssen, auf der Höhe der Färöers stehend, bei einem „Alarm zur Übung" die Biedermannsmaske seines scheinbar harmlosen Frachtschiffes fallen.

Die verblüfften Besatzungen der das „Schiff 45" begleitenden M-Boote sehen plötzlich in die Mündungen der Rohre von 15-cm-Kanonen, die hinter Bordwänden und Lukendeckeln gespenstisch auftauchen. Sie erleben, wie an Steuerbord und Backbord Torpedorohre sichtbar

und geschwenkt werden, wie das hintere Deckshaus wie eine Theater=
kulisse auseinanderfällt und eine 3,7 Schnellfeuerkanone ausspeit, und
wie in den Masten, wie von Zauberhand gesteuert, 2=cm=Waffen hoch=
gefahren werden. Was sie nicht sehen, sind die ebenfalls „Klar zum"
befohlenen Torpedorohre unter der Wasserlinie, das Seeflugzeug und
das Schnellboot in den Laderäumen.

„Ihnen möchte ich aber nicht in die Hände fallen", morst der M=Boot=
Flottillenchef der Sicherungsstreitkräfte an Eyssen zurück, als er sich
vom ersten Erstaunen, um nicht Schrecken zu sagen, erholt hat.

„Das möchte ich Ihnen auch nicht geraten haben", bescheinigt ihm
Eyssen und entläßt den Sicherungsverband nach diesem demonstrativen,
wenn auch der Geheimhaltung wegen unangebrachtem Verwandlungs=
schauspiel.

So völlig anders sich Eyssen beim Abschied von den M=Booten ver=
hielt, so anders ist auch der von ihm dem OKM entworfene Durch=
bruchsplan in das ihm zugewiesene Operationsgebiet im Pazifischen
Ozean . . .

Eyssen wählt die Nordpassage, den unter strengster russischer Kon=
trolle stehenden nordsibirischen Seeweg.

Der Durchbruch über die Nordpassage soll gleichzeitig ein Test sein,
inwieweit der Russe auch in Zukunft Deutschland hier entgegenkom=
men wird und inwieweit dieser Seeweg, der nur zur sommerlichen
Jahreszeit passierbar ist, in der Praxis überhaupt für den Verkehr mit
dem befreundeten Japan in Frage kommen könnte.

Die schwierigen Verhandlungen, den Russen die Passage eines deut=
schen Handelsschiffes über den nordsibirischen Seeweg abzuringen,
brachte der deutsche Marineattaché, Kapitän zur See Norbert von Baum=
bach, zu einem erstaunlich günstigen Abschluß.

Die Russen sagten sogar den Einsatz ihrer schweren Spezialeisbrecher
zu.

Ein unglaubliches Entgegenkommen, wenn man berücksichtigt, daß
diesem Seeweg während der Navigationsperiode zwischen den Monaten
Juli bis September auch eine strategische Bedeutung zukommt, und daß
es erst 1932 einem russischen Forschungsschiff gelang, ihn ohne Über=
winterung zu befahren.

Ende Juli steht der als der deutsche Frachter *Donau* getarnte deutsche
Hilfskreuzer bereits in der Barents=See und kurze Zeit später in Sicht=
weite vor der russischen Insel Nowaja=Semlja.

Kalenderblatt um Kalenderblatt wird abgelegt.

Immer wieder sucht sich das scheinbar so harmlose deutsche Fracht=
schiff ein neues Versteck, um anderen Frachtschiffen auszuweichen.

Der 13. August!

„Das ist heute auch gleichzeitig der dreizehnte Standortwechsel",
sagt der Steuermannsmaat zu seinem Navigationsoffizier im Karten=
haus, als er die neue Position in die Seekarte einträgt.

Man mußte erneut einer über der Kimm auftauchenden Rauchfahne
ausweichen, um nicht unter Umständen einem Engländer oder einem
Schiff einer mit England befreundeten Macht zu begegnen.

Voraus steilen sich drohend die schnee= und eisbedeckten Felsen der
Insel Nowaja=Semlja aus dem Meer. Ihr Anblick ist so düster und un=
heilvoll wie die Gefahren, die auf jedes Schiff hinter dieser Insel auch
während der nur kurzen Navigationsperiode lauern.

„Wenn die Zahl dreizehn eine Glückszahl ist, dann müßte heute der
Funkspruch der Russen eingehen", hofft der NO. Der Funkspruch wird
von dem russischen Eisbrecher *Lenin* erwartet. Er soll, so ist es über den
deutschen Marineattaché von Baumbach mit dem russischen Schiffahrts=
minister im Kreml abgesprochen, den deutschen Frachter nach Passieren
der nur wenige Kilometer breiten Matoschkin=Straße, der gewundenen
Durchfahrt zwischen den Inseln Nowaja und Semlja, durch die pack=
eisgefährdete Kara=See geleiten.

Am 14. August endlich, geht der ersehnte Funkspruch ein:

„an deutscher frachter donau stop sofort einlaufen matoschkin=straße
stop unterschrift kapitaen eisbrecher lenin."

Am gleichen Tage noch stößt *Komet* in die Matoschkin=Schor=Straße
zwischen der Nord= und Südinsel Nowaja=Semlja vor, in der bereits
zwei russische Eislotsen in den Holzhütten einer geophysikalischen
Station auf den als Frachtschiff getarnten Hilfskreuzer warten sollen.

Daß der Frachter *Donau* ein Hilfskreuzer ist, wissen die Russen
natürlich nicht.

Ob sie etwas ahnen, verraten sie nicht.

Die Fahrt durch die Straße wird zu einem einmaligen Erlebnis. Zu
beiden Seiten wachsen bizarre Formen bis zu über 1000 Meter hohen
Felsen aus der See, im Scheine der Mitternachtssonne von fahlgelbem
Licht überflutet, an impressionistische Gemälde titanenhafter Urwelt er=
innernd. Der Prisenoffizier Hanz Balzer, der erst nach der absoluten
Blockade der Briten im Oktober 1939 als vierter Offizier mit der
General Artigas von Buenos Aires kommend durch die Dänemark=
straße die Heimat erreichte, schrieb über seine Eindrücke: „Vielleicht
hat Richard Wagner sich so die Götterdämmerung vorgestellt. Die Mit=
ternachtssonne erinnert in ihrem Schein an das einmalige Gelb Grüne=
walds."

Die beiden Eislotsen, vom Eisbrecher *Lenin* in der Straße auf Warte=

stellung abgesetzt und dem von der Leitstelle in Moskau abhängigen Eiskommissar für den westlichen Teil des Sibirischen Seeweges unter= stehend, überfallen die Schiffsführung mit genau präzisierten Fragen, mit Fragen nach der Beschaffenheit des Schiffes, nach der Eisverstärkung, der Ruderanlage, nach dem Tiefgang, der Manövrierfähigkeit und wei= teren Einrichtungen. Sie äußern schließlich erhebliche Bedenken, mit einer solchen Ausrüstung die Eisfahrt zu wagen.

„Was Sie da vorhaben, ist tollkühn. Verzeihen Sie, wenn wir offen zu Ihnen sprechen und Ihnen sagen, daß diese Fahrt purer Wahnsinn und glatter Selbstmord ist. Sie kennen das Eismeer nicht und auch nicht seine Tücken, Sie nicht!"

„Ich fürchte nichts", lächelt Eyssen und schiebt mit lässiger Geste seine Hände in die Außentaschen seines Mantels.

„Wie Sie wollen, Kapitän. Wir erfüllen nur einen Befehl. Werten Sie unsere Sorgen als unsere persönliche Meinung und denken Sie daran: Es ist schon fast zu spät für ein Befahren dieses Seeweges. Das ist die größte Drohung für Sie und das Schiff!"

„Eben darum bitte ich Sie, daß wir keine Zeit verlieren."

Die *Donau* reißt die Anker aus dem Grund, um *Lenin*, die zur Stunde einen russischen Geleitzug durch die Kara=See bringt, einzuholen.

Aber eine Eisbarriere schiebt sich wie eine Panzersperre dazwischen. Neun Ball Eis!

Das heißt neun Zehntel der Wasseroberfläche sind mit meterdickem Packeis bedeckt.

„Zurück zur Matoschkin=Straße!" befiehlt der Leiter des Westsibiri= schen Seeweges über einen Funkspruch.

„Zurück" bedeutet neuen Zeitverlust.

Auf der *Komet* dampft die Erregung und läßt die nasse Kälte ver= gessen.

Aber es bleibt Eyssen kein anderer Weg. Er braucht die Russen.

Er darf sich diesem Befehl nicht widersetzen.

Das Entgegenkommen der Russen grenzt schon ans Unwahrschein= liche. Es ist wie ein dünner Faden, der bei der geringsten Belastung durch einen Widerspruch zerreißen würde.

Qualvolle Tage verzehrender Ungeduld folgen. Die *Donau* wartet, in einer kleinen Bucht der Matoschkin=Straße vor Anker liegend, auf weitere Order. Ihre wachfreie Besatzung amüsiert sich inzwischen in den bizarren Felsen einer kleinen Insel.

Die Männer haben Vertrauen zu ihrem Kommandanten gefaßt.

Es wird schon klargehen.

Ihr Alter ist nicht der Mann, der vor den Russen kapitulieren wird.

Inzwischen zeichnet der Prisenoffizier Hans Balzer täglich an einer Eiskarte von dem vorausliegenden Seegebiet. Ihm hilft dabei ein an sich als Dolmetscher eingeschiffter Regierungsrat von der Deutschen Botschaft in Moskau, der sich auf die Entschlüsselung des russischen Eismeerfunkverkehrs mit den ständigen Meldungen über Eis=, Nebel= und Windbeobachtungen über die Mittelwelle versteht.

Eyssen bombardiert die Russen mit rückfragenden Funksprüchen.

Endlich, am 19. August, kommt der Befehl: „Laufen Sie aus! Eis= dichte beträgt jetzt nur drei bis fünf Ball!"

Und wieder versperrt ein unübersehbares Packeisfeld den Weiter= marsch. Die Lotsenkapitäne haben keine Meinung, die Barriere durch= zustoßen. Nach einer zweistündigen Fahrt in, wie gemeldet, drei bis fünf Ball starkem Packeis erreichen sie freies Wasser.

Die *Donau* bestand ihre erste Bewährung.

„Ein gutes Schiff, Towarischtsch Eyssen, ein erstaunlich gutes Schiff!" loben die Russen die *Donau*. Und dieses Lob ist echt. Eyssen sucht ver= gebens nach einem Klang des Mißtrauens in der Russen Worte. Sind sie, Landsleute eines Potemkin, noch bessere Meister der Tarnung?

Orkanhafter Sturm zwingt den Hilfskreuzer, Schutz in der Bucht der Tytrow=Inseln zu suchen. Da die Vermessung dieses Seegebietes noch sehr unzulänglich ist und die Seekarten sehr lückenhaft sind, beschreibt der Leiter des Westsibirischen Seeweges über seine Hauptfunkstelle auf der Port=Dickson=Insel die Umrisse der anzusteuernden Insel Tytrow.

Hier geht ein FT von der *Lenin* ein.

Sie ist jetzt klar und bereit, den deutschen Frachter durch die Wil= kutzkistraße zu schleusen. Die Straße ist der Weg um das Kap Tesch= juskin, um die Nordspitze Sibiriens.

Sie ist auch während der Sommermonate eisgefährdet.

Im Geleit der *Lenin* gelangen sie um das düstere Kap, das auf der Nachtwache am 26. August auf 78 Grad Nordbreite gerundet wird, in die Laptew=See. Die Eisfelder bereiten dem wegbahnenden 6000 Tonnen großen Eisbrecher keine Schwierigkeiten. Das im Vorderteil besonders schwer gehaltene Spezialschiff ist im Bug so flach gebaut, daß es sich auf das treibende Packeis hinaufschieben kann. Mit seinem Gewicht zer= bricht es so das stärkste Eis. Das Wetter kann nicht besser sein. Die Mitternachtssonne scheint, und in der Nacht bildet der Mond mit seinem eiskalten Licht einen seltsamen Kontrast zum eben noch über den Hori= zont dahinwandernden Tagesgestirn. Es ist bitter kalt — aber die See ist ohne Eis.

In der Laptew=See kommt noch der Eisbrecher *Stalin* der *Donau* zu Hilfe.

Es scheint alles gut zu gehen, viel besser, als es anfangs schien.

Aber Eyssen hat die Rechnung ohne den Wirt gemacht, ohne die Russen mit ihrer so zwiespältigen Seele.

Und auch ohne den Wettergott.

Es wird plötzlich diesig. Die Kimm wird unklar und die Luft naßkalt. Eis kündigt sich an.

Bald schon quält sich die *Donau* durch neun Ball starkes Packeis. Bis zu sieben Meter Höhe haben sich Schollen ineinandergeschoben und auf= getürmt.

Als ein neues Eisfeld den Horizont mit seinen aufgetürmten Packeis= spitzen zerhackt, wird der als biederer *Donau*=Kapitän getarnte Hilfs= kreuzerkommandant Eyssen auf die *Stalin* gebeten.

„Wir sehen keine Möglichkeit, Ihr Schiff durch das vorausliegende Packeisfeld ohne Schaden hindurchzubringen! Es wird das beste sein, Sie kehren um."

Zum ersten Male fällt das russische Wort „Stoi!" Halt! Bis hierher und nicht weiter!

Umkehren? rumort es in Eyssen.

Jetzt umkehren, da er bereits 5000 Kilometer vom Heimathafen ent= fernt ist?

Sind die Warnungen der beiden Eisbrecherkapitäne und des auf der *Stalin* eingeschifften Leiters des Sibirischen=Seeweges=West seemännisch kameradschaftliche Bedenken? Haben die Eislotsenkapitäne auf der *Donau* nicht unter Umständen Anhaltspunkte gefunden, daß die *Donau* in Wirklichkeit kein harmloser Frachter ist? Schiebt man die tödlichen Gefahren eines Weitermarsches durch die Packeisfelder nicht nur vor?

Der *Donau*=Kapitän läßt sich nicht überzeugen. Heiter, aber innerlich an den Rand der Verzweiflung getrieben, setzt er sich über die Bedenken der Eisbrecherkapitäne hinweg. Sein Schiff sei ein deutsches Schiff. Es sei stabil und kräftig genug, um im Packeis zu bestehen.

Die bisher so gutherzigen Eisbrecherkapitäne wagen in Gegenwart ihres Chefs nicht zu nicken, obschon sie selbst erlebten, daß die *Donau* stärker war, als irgendein anderer normaler Frachter.

„Wenn Sie glauben, die Verantwortung vor Ihrer Besatzung über= nehmen zu können, gut, so fahren wir weiter."

Die nächsten Eisfelder sind acht Ball stark. Aber nicht das Packeis ist die größte Gefahr, viel schlimmer ist der Nebel, der das Manövrieren erschwert. Immer wieder verliert die *Donau* den Kontakt mit den mit Scheinwerfern zurückblinkenden und den freigebrochenen Weg weisen= den Eisbrechern. Schließlich wird die Waschküche so dick, daß auch nicht einmal mehr Andeutungen der Lichtzeichen zu sehen sind.

Die *Donau* kann jetzt nur noch nach den dumpfdröhnenden Nebel=
signalen der *Stalin* manövrieren.

Die Ausguckposten auf dem Bug der *Donau* melden plötzlich dicke
Ölspuren in dem freigewordenen Wasser. Ist da voraus eine Katastrophe
im Gange?

Aber die Schiffsführung beruhigt die Männer.

„Auf die Ölspuren achten! *Stalin* lenkt verbrauchtes Öl, um uns da=
mit den Weg durch das freigewordene Wasser zu weisen."

Und wieder fassen sie Vertrauen zu den russischen Kapitänen.

Sie haben es also doch ehrlich gemeint, als sie Eyssen warnten...?

Am Abend liegt das riesige Packeisfeld hinter ihnen. Voraus ist freies
Wasser.

„Ich verlasse Sie jetzt. Hinter der Bäreninsel wartet die große starke
Kaganowitsch auf Sie. Unsere besten Wünsche begleiten Sie und Ihre
tapfere Besatzung", funkt die *Stalin* und geht auf Gegenkurs.

Der Dunst der ekelhaft naßkalten Luft saugt den plumpen Koloß auf.
Kaganowitsch hat den Leiter des Ostsibirischen Seeweges an Bord. Hin=
ter dem 11 000 Tonnen großen Eisbrecher=Riesen kommen sie anfangs
auch recht flott vorwärts. Meter um Meter arbeitet sich die *Donau* vor=
an, von Schneeböen und starker Drift zusätzlich behindert. Das Eis ruht
zum Teil als sogenannter Stamuchi auf Grund. Wegen des zu großen
Tiefganges kann der deutsche Frachter nicht dichter unter Land fahren,
um diesem Grundeis auszuweichen.

Prisenoffizier Balzer kommentiert diese Erkenntnis: „Diese Tatsache
stellt die Zukunft des ganzen Sibirischen Seeweges bereits für mittel=
große Frachtschiffe in Frage."

Am 31. August — die Tage werden immer kürzer — beginnt es hart zu
werden. Sturmhafter Wind schiebt das Eis immer dichter zusammen.

Neun Ball bedecken das Wasser.

Die *Donau* arbeitet sich hinter der *Kaganowitsch* durch die freige=
brochenen Eisblöcke hindurch. Das stöhnende und ächzende Schiff erbebt
in allen Verbänden. Wie bei einem Trommelfeuer links und rechts ein=
schlagender Granaten wird der kleine Frachter bei seinem Kampf mit
den grünlich schimmernden Eismassen gebeutelt.

In der Nacht, dem Scheinwerferlicht der *Kaganowitsch* folgend, fährt
die *Donau* mehrmals fest.

Verzweifelte Maschinenmanöver: Zurück! Voraus! Zurück! Voraus!

Und sie arbeiten sich immer wieder frei aus der Umklammerung.

Wie lange noch?

Wann sitzt *Komet* endgültig fest?

Es ist die vierte Morgenstunde.

Der Mann am Ruder wird blaß. Das Schiff gehorcht ihm nicht mehr. „Ruder versagt!" brüllt der Mann. Er wirft beide Arme in die Höhe. Die *Donau* sitzt fest.

Eyssen unterrichtet durch Morsespruch die Schiffsführung der *Kaga= nowitsch.*

„Ich komme und helfe", ist die prompte Antwort.

Aber der Eisbrecher=Koloß hat selbst schwer zu kämpfen. In immer neuen Anläufen versucht er, das die *Donau* bedrängende Eis zu zermal= men. Eiskalter Todeshauch umweht den bedrohten Frachter. Das Stöh= nen der unter dem Preß des Eises arbeitenden Verbände ist wie das ge= quälte Jammern eines getretenen Tieres. Die Luft ist erfüllt von dem erdbebenhaften Dröhnen brechender Eisblöcke. Es ist noch Nacht und Dunkelheit macht die Situation nur noch unheimlicher.

Stunden vergehen, Stunden eines verzweifelten Kampfes, das töd= liche Schicksal des kleinen Frachtschiffes abzuwenden, das noch immer bewegungslos zwischen den mahlenden und pressenden Zangen des Packeises ruht.

Die Schiffsführung läßt immer wieder die Rudermaschine an.

Und da! Sie arbeitet!

Das Ruder bewegt sich!

Es ist nicht gebrochen. Es war nur verklemmt und ist verbogen.

Bis zu 25 Grad nach beiden Seiten läßt es sich aber bewegen.

Also weiter, weiter! Weiter.

In den nächsten acht Stunden kommt man ganze zehn Seemeilen voran!

Das sind etwas mehr als zwei Kilometer in der Stunde.

Stunden später ruft die *Kaganowitsch* die *Donau* an.

„Ich habe einen Funkspruch aus Moskau vorliegen. Er besagt, daß ich Befehl habe, das Geleit für die *Donau* abzubrechen."

„Das ist doch nicht möglich!" gibt man von der *Donau* zurück.

„Es stimmt. Ich habe darüber hinaus Befehl, die *Donau* bis zur Kap Schelagski=Ajon=Tschaunbucht zu geleiten. Dort soll die *Donau* ankern und weiteren Befehl aus Moskau abwarten."

„Hat Moskau eine Erklärung für diesen unverständlichen Rückzug?"

„Jawohl. Moskau meldet, in der Beringstraße seien britische und amerikanische Kriegsschiffe gesichtet worden. Moskau befürchtet diplo= matische Verwicklungen."

„Das kann doch nur ein Irrtum sein. Was sollten denn britische und amerikanische Kriegsschiffe schon in der Beringstraße suchen?"

„Das kann ich nicht beurteilen. Ich muß mich an meine Befehle halten."

„Dann fahre ich allein und ohne Eisbrecherhilfe weiter."

„Und in den sicheren Tod, Kapitän Eyssen."

„Mag sein, aber es gibt für uns kein Zurück."

„Denken Sie an Ihre Besatzung. Diese letzten Meilen sind das gefähr=
lichste und furchtbarste Stück der ganzen Nordpassage."

„Ich fahre trotzdem — und wenn Sie mich nicht begleiten wollen, dann
eben allein."

Jede weitere Diskussion scheint Eyssen sinnlos und Zeitvergeudung.
Er bleibt bei seinem Entschluß, den Weitermarsch allein fortzusetzen. Die
Russen sind derart verblüfft, daß sie Eyssen keine Schwierigkeiten
machen.

Nur noch 400 Seemeilen trennen die *Donau* von den eisfreien Ge=
wässern hinter der Beringstraße.

400 Seemeilen wären unter normalen Umständen etwas mehr als ein
Tagesmarsch.

Die *Donau* nimmt wieder Fahrt auf, und sie stößt bald in eine neue
Eisbarriere hinein, und das in einem Seegebiet, für das keine zuverläs=
sigen Karten vorliegen.

Voraus! — Zurück! Wieder voraus! Wieder zurück!

So kämpft sich der Hilfskreuzer Meter um Meter durch das Eis. Immer
beängstigender wird das Dröhnen im Schiff, immer höher türmen sich die
Eisblöcke voraus, links und rechts neben dem Frachter.

Manchmal ist ein kreischend hoher Ton in der Luft. Es hört sich an,
wie wenn Eisen zerreißt.

„So kommen wir nicht weiter. Das hält der Rumpf nicht mehr so lange
aus", sorgt sich der Erste Offizier zum Käpt'n.

„Nein, gut geht das nicht", bestätigt Eyssen.

„Aber . . . Wir müssen durch."

In dieser Notstunde erinnert er sich der vor der Matoschkin=Straße aus
der See aufgefischten Baumstämme. Er läßt sie als Querschiffsstützen für
die Bordwände im Innern des Schiffes einbauen. In das Krachen der Eis=
schollen, das Ächzen der stählernen Bordwände mischt sich das Geräusch
der Sägen, das Poltern der Zimmermannsbeile. In viehischer Arbeit wer=
den diese Stützen in Höhe der Wasserlinie von Bordwand zu Bordwand
festgekeilt.

Neue Eispressungen bedrohen die *Komet*, die entlang der Küste mit
den markanten Sibirischen Höhenzügen gegen die letzten schweren Bar=
ren ankämpft.

Halten die Stützen dem furchtbaren Druck noch stand?

Gigantenschläge hämmern gegen den Schiffsrumpf.

Die Eisschollen sind mehrere Meter dick.

„Dunkler Fleck voraus", schreit der Ausguck.

Und das Dunkle, das sie über die weißgraue Masse des Packeises hin=
weg erkennen, ist Wasser, freies Wasser. Nur hier und dort treiben noch
Packeisberge, die die *Komet* ausmanövrieren kann.

Eyssen legt den Kurs dicht unter die Küste Nordwestsibiriens. Das
Wasser bleibt bis auf kleinere, ungefährliche Felder eisfrei.

Sie arbeiten sich bis zur Beringstraße durch.

Und sind gerettet!

Am 5. September stehen sie im Bering=Meer.

Achttausend Kilometer von der Heimat stehend, haben sie mehr als
1300 Kilometer schwerstes Packeis durchfahren.

Prisenoffizier Balzer berichtete nach dem Kriege darüber:

„Das Fazit gezogen aus unserer äußerst glücklich verlaufenen Fahrt
und den Berichten von Nansen, Sverdrup, Amundsen oder Nordensköld:
Handelsschiffe, Hände weg vom Sibirischen Seeweg. Es sei denn, die
Sowjets bauen ein Atomkraftwerk im Hohen Norden und heizen den
Weg."

„Hier ist ein Funkspruch von der *Kaganowitsch*, Herr Kapitän!" mel=
det der wachhabende Funker seinem Kommandanten.

Eyssen liest ihn durch: „Befinde mich im allerschwersten Packeis und
komme nur mühsam auf meinem Rückmarsch vorwärts. Eis hat bis zu
zehn Ball Dichte. Kapitän Eisbrecher *Kaganowitsch*."

Der Funkspruch ist nicht für Eyssen, er ist für Moskau bestimmt.

In Moskau ruft um diese Zeit der russische Volkskommissar den
Marineattaché der Deutschen Botschaft an, denselben deutschen Seeoffi=
zier, mit dem er vor Monaten die Rückführung des Schnelldampfers
Bremen trotz stärkster britischer Gegenspionage gedeichselt hatte.

„Ich habe keine Hoffnung mehr", so sagte der rote Schiffahrtsminister
im Kreml, „daß Ihre *Donau* noch schwimmt. Wenn unser im Eis bewähr=
ter *Kaganowitsch*=Kapitän einen dringenden Funkspruch sendet, ver=
zweifelte Anstrengungen machen zu müssen, gegen immer stärker wer=
dendes Packeis anzukämpfen, dann ist da draußen die Hölle los, dann
ist selbst die bärenstarke *Kaganowitsch* ernsthaft bedroht. Ich kenne
ihren Kapitän. Er sagt eher zuwenig als zuviel. Ich rufe Sie privat an,
Kapitän, als Seemann — verstehen Sie mich?"

„Ich danke Ihnen", gibt von Baumbach zurück. Langsam legt er den
Hörer nieder und raucht, hastig in seinem Zimmer auf und ab gehend,
eine Zigarette nach der anderen. Und am Ende seiner Überlegungen hat
er sich entschlossen, mit einer Meldung an das Marine=Oberkommando
in Berlin noch zu warten.

Warum, weiß er nicht.

Rein gefühlsmäßig hat er noch Hoffnungen.

Komet dagegen macht inzwischen im nunmehr eisfreien Wasser mun=
ter Fahrt. Um sich „umzuziehen", verkriecht er sich südlich der Bering=
straße in die einsame Anadry=Bucht. Als die Schraube wieder zu mahlen
beginnt, ist in Steinwurfweite des sibirischen Festlandes aus der braven
Donau der russische Frachtdampfer *Dejnew* aus Leningrad geworden.

Diese *Dejnew* ist kein Phantasieprodukt.

Die echte fährt wirklich unter Hammer und Sichel.

Die Jagd geht auf.

Komet dringt in ihr Operationsgebiet ein, in den riesigen Stillen
Ozean. Seinem Namen macht er in einem Punkt alle Ehre.

Es bleibt still um den Kaperkreuzer.

Als sie auf dem Großkreis Vancouver=Tokio in Kreuzschlägen ihre
Netze auslegen, um ihren ersten britischen Fisch zu fangen, scheint tat=
sächlich eine Beute über die Kimm zu winken. Wie ein fiebriger Schüttel=
frost hat es die Besatzung gepackt, als der Mastkorb=Ausguck zwei
Strich an Backbord eine Sichtung meldet.

Eyssen meint verdrießlich, es könne sich ja nur um den Chilenen
Castillo handeln. Nach dem Funkbild der letzten Stunden vermutet er
ihn jetzt in unmittelbarer Nähe des Hilfskreuzers.

Trotzdem läßt er *Komets* Fahrt erhöhen und auf Kurs drehen.

Das Prisenkommando macht sich, ohne den Befehl von der Brücke ab=
zuwarten, inzwischen bereit. Der Verwaltungsoffizier fleht die Meeres=
götter an, der Fremde möge frisches Obst und Kartoffeln an Bord haben,
und im Kartenhaus spitzen sie die Bleistifte an, um auf bereitgelegtem
Millimeterpapier die Angriffsoperation in allen Phasen festzulegen.

Komet hastet schnaufend vor Aufregung auf die Sichtung zu.

Jetzt ist auch von der Brücke aus ein dunkler Punkt an der Kimm aus=
zumachen.

Ein sonderbares Schiff.

Ein Schiff ohne Masten.

Ein U=Boot etwa?

Ein gekenterter Frachter, der kieloben auf seiner Ladung treibt?

Die Meinungen prallen heftig aufeinander.

„Wenn mich nicht alles täuscht", sagt Prisenoffizier Kurt Balzer und
grinst, „ist's 'n Wal."

Und was für einer.

Der Gestank, der von dem toten, verwesenden Riesenviech vom Wind
über die *Komet*=Reling gewedelt wird, ist so bestialisch, wie die Enttäu=
schung groß ist.

Die Männer trösten sich.

„Was schlecht anfängt, wird gut enden."

Um Haaresbreite hätte Tage später ein anderer Gegner als britische Kriegsschiffe der *Komet* ein vorzeitiges Ende beschert, ein ausgewachsener, nicht gemeldeter tropischer Wirbelsturm, dem *Komet* nicht mehr ausweichen kann und in dessen Zentrum sie vierkant hineingerät.

Die Windstärke zwölf ist eine harmlose Brise im Vergleich zu dem fürchterlichen Wüten der Windgewalten eines Taifuns. Bei der Windstärke zwölf hat der Schöpfer dieser Windskala, der Franzose Beaufort, 29 Metersekunden für diese höchste Windgeschwindigkeit vorgesehen. Auf *Komet* schlägt das der Windmessung dienende Schalenkreuzmanometer bis an die Endzahl der 40 Metersekunden an . . .

und zerbricht.

40 Metersekunden sind über 140 Kilometerstunden!

Wer einmal mit einem Kraftwagen 150 Kilometer Stundengeschwindigkeit fuhr und dabei versuchte, die Hand aus dem Fenster zu halten, wohlbemerkt versuchte, der wird ermessen können, welch eine brachiale Gewalt das kleine, nur knapp 4000 Tonnen große Schiff überfiel.

Über sich das wasserblaue Zyklopenauge des Kerns des Taifuns, wird *Komet* vier Stunden lang im windstillen Zentrum gebeutelt und in der hier hochgehenden, wilden und kreuz und quer durcheinanderlaufenden, gefährlichen See hin- und hergeworfen, um dann wieder, in die Orkanspiralen vorstoßend, erneut von dem Furioso der Taifunbahn gepackt zu werden.

Vier Stunden Zentrum!

Vier Stunden im Trommelfeuer schwerster Seen!

Stoff für einen Roman!

Komet setzt sich in weniger orkangefährdete Zonen ab. Ein Vorstoß in den zwischen Neuguinea und den Salomonen gelegenen Bougainville-Kessel wird eine neue Enttäuschung.

Es kommt kein Schiff in Sicht.

KAPITEL 3

SPURLOS VERSCHWINDEN SCHIFFE AUF ALLEN MEEREN

Zur Lage: Während sich Komet noch durch das Eis des nordsibirischen See=
weges kämpfte, haben die anderen Hilfskreuzer bereits mit ihren
ersten Operationen begonnen. Obwohl für Orion und Atlantis
der Skl=Befehl bestand, ohne Angriffshandlung den mittleren und
südlichen Atlantik zu durchlaufen und erst im Pazifik bzw. im
Indischen Ozean als Handelsstörer aufzutreten, ändert das OKM
den ursprünglichen Operationsbefehl. Die Skl erhofft sich durch
das Auftreten dieser beiden Ende März und Anfang April aus=
gelaufenen Hilfskreuzer im atlantischen Raum eine Entlastung der
Lage für den norwegischen Kampfraum.
Die noch im Nordatlantik stehende Orion erhält Befehl, ein
Panzerschiff vorzutäuschen.

Atlantis, nach den Koppeltafeln beim Ablaufen des Unterneh=
mens „Weserübung" bereits südlicher schwimmend, soll in diesen
Seegebieten feindliche Seestreitkräfte binden.

Orion glückt es am 24. April, als Grieche Rocos getarnt, in den
ersten Morgenstunden den britischen Frachter Haxby aus der
für den Hilfskreuzer lichtgünstigen Seite so überraschend anzu=
greifen, daß der gegnerische Funker eine RRRR= statt eine QQQQ=
Meldung in den Äther funkt. Das RRRR lassen die Orion=Funker
ungestört, bei der Meldung des Schiffsnamens und der Position
aber hacken sie dazwischen. Der Gegner stellt nach sechs Minuten
das Funken ein. Die Überlebenden werden von Orion übernommen.
W e n n die gegnerische Funkbeobachtung das RRRR=Notsignal
aufgenommen hat, m u ß die Britische Admiralität mit der Anwesen=
heit eines deutschen Kriegsschiffes rechnen, denn RRRR ist das
Signal für Kriegsschiffe, QQQQ der Alarmruf für Hilfskreuzer.

Atlantis greift auf der Route Kapstadt—Freetown den britischen
Frachter Scientist an. Die Scientist kann noch, und das ist im Sinne
des Skl=Befehls, eine QQQQ=Meldung abgeben, ehe die Antenne
durch Granatbeschuß zerstört wird.

Beide Einheiten haben damit den ihnen gefunkten Befehl erfüllt
und sind nun frei für Operationen nach Plan.

Im Juni trifft Orion in ihrem eigentlichen Operationsgebiet, also
im Pazifik, ein. Befehlsgemäß werden sämtliche Minen vor dem
neuseeländischen Hafen Aukland geworfen. Die Kreuzfahrt be=
ginnt, und das erste Opfer wird am 16. Juni gestellt: der Brite
Tropic Sea, zugleich auch Orions erste Prise.

Atlantis wirft ebenfalls ihre Minen, und zwar vor Kapstadt über der Agulhas=Bank. Sie zieht sich nach der Minenoperation vor= übergehend in südliche Gefilde zurück, tarnt in den Holländer Abberkerk um und beginnt im Indischen Ozean mit dem Handels= krieg. Am 10. Juni wird der Norweger Tiranna *aufgebracht und als Prise entlassen.* Atlantis *nimmt im Bereich des ihr von der Skl abgesteckten Operationsgebietes Kurs auf die Gebiete südlich der Bengalischen See.*

Inzwischen hat auch Widder *ihre Operationen wieder aufge= nommen und östlich von Westindien am 13. und 26. Juni zwei Gegnerfrachter versenkt.*

Im Monat Juni verliert der Gegner durch die Tätigkeit der deutschen Hilfskreuzer insgesamt vier Schiffe mit zusammen 32 194 BRT.

Im Juli laufen die Hilfskreuzeroperationen auf allen Ozeanen im größten Umfang an. Während Orion *trotz weitausholender Kreuzschläge im Pazifischen Inselgebiet keine Sichtung bekommt, versenkt die im mittleren Nordatlantik operierende* Widder *er= neut zwei Feindfrachter zwischen Westindien und Nordwestafrika.*

Thor, *inzwischen in ihr befohlenes Operationsgebiet im mittle= ren und südlichen Atlantik eingelaufen, fügt dem Gegner mit gleich sechs nacheinander aufgebrachten Schiffen den größten Scha= den zu. Von den sechs Feindfrachtern mit zusammen 35 201 BRT wird einer als Prise in die Heimat entlassen.*

Im Indischen Ozean erhöht Atlantis *ihr Erfolgskonto um zwei weitere Schiffe, die südöstlich von Ceylon gestellt werden, und nördlich der Insel Ascension greift* Pinguin *den Britenfrachter* Domingo de Larrinaga *an. Obwohl* Pinguin *erst in der Indischen See ihre Operationen aufnehmen darf, entschied sich ihr Kom= mandant, der Sichtung im Mittelatlantik nicht befehlsgemäß aus= zuweichen. Er hatte berechtigte Gründe dafür ...*

Der 31. Juli 1940.
HSK *Pinguin* bereitet die Linientaufe vor ...

Noch einmal reibt sich der Matrose Schneekloth, der im Vormast auf Ausguck sitzt, die Augen, ehe er begreift, daß es kein Trugbild ist. Einer dünnen, kleinen Wolke gleich, windet sich hauchzart eine Rauchsäule über die Kimm in den ausgedörrt blaßblauen Äther.

„Rauchfahne in 355 Grad."

Der Wachoffizier stürzt aus dem Kartenhaus. Im Augenblick ist auch der Kommandant bei ihm.

Krüder beobachtet lange den immer stärker werdenden Rauch. Dann setzt er das Glas ab. Und mit auf dem Rücken verschränkten Armen be= ginnt er, mit großen Schritten auf der Brücke auf und ab zu gehen. Mit

einem plötzlichen Ruck hält er ein, setzt das Glas wieder an — und wie=
der ab. Seine Augen sind ein schmaler Strich.

Da war doch vor ein paar Tagen Aufruhr im Äther ...

„Läufer, bitte, den FTO mit der Funkkladde auf die Brücke!"

Charley Brunke meldet sich, das Buch mit den Funksprüchen unter
dem Arm, zur Stelle. Krüder kontrolliert die letzten Meldungen der Skl
über die Standorte deutscher Hilfskreuzer. Ferner liegt ein aufgefangener
offener Funkspruch vor, nach dem am 28. Juli der schwerbestückte
22 209 BRT große britische Hilfskreuzer *Alcantara* von einem deutschen
Handelsstörer angegriffen und schwer beschädigt worden sei. Der Brite
habe Rio de Janeiro mit schweren Beschädigungen und Toten und Ver=
letzten an Bord als Nothafen anlaufen müssen.

Entschuldigend fügt man über Reuter=Press hinzu, daß es sich bei dem
Angreifer wohl schwerlich um einen normalen Handelsstörer gehandelt
haben könne. Die Vermutung läge vielmehr nahe, daß der viel kleinere
deutsche Hilfskreuzer ein als Handelsschiff umgetarnter Schwerer Kreu=
zer gewesen sei.

Krüder entnimmt den deutschen Schlüssel=M=Meldungen den genauen
Standort des Gefechts.

Er trägt den Ort — er liegt ca. 600 Seemeilen östlich vom Westindi=
schen Trinidad — in die große Übersichtskarte des mittelatlantischen
Raumes ein.

„Sie kennen doch das Schiff, das den Briten angeknackt hat, Michael=
sen?"

Und als dieser bejahend nickt, fährt Krüder fort:

„Was meinen Sie, wie lange unser Schwesterschiff, der Hilfskreuzer
Thor, bis zu unserem augenblicklichen Standort wohl brauchen würde?"

„Nun, wenn er sich gleich nach dem Gefecht in Richtung unserer
augenblicklichen Position mit Höchstfahrt abgesetzt hätte, dann wäre er
übermorgen, vielleicht aber auch erst einen Tag später hier."

„Hm", sagt Krüder und zieht bedächtig an seiner nußbraunfarbenen
Zigarre. Auf der Stirn verdichten sich die Falten zwischen den Augen.

„Hm, ich habe da folgende Gedanken:

Erstens werden die Briten es sich einiges kosten lassen, *Thor* zu jagen.
Zweitens aber haben wir es jetzt in der Hand, unseren Kameraden zu
helfen und dabei die Briten auch noch ganz gehörig über die wahre Ge=
schwindigkeit der *Thor* zu täuschen." Krüder macht eine Pause, feuchtet
den Zeigefinger seiner rechten Hand an und klebt, wie behutsam bei sei=
ner Größe, ein Tabakblättchen an seiner Zigarre wieder fest. Er reckt
sich und sagt:

„Wenn wir den jetzt ausgemachten Frachter angreifen und wenn die=

48

ser funkt, was ja nicht mit Bestimmtheit zu verhindern ist, dann könnte die Britische Admiralität annehmen, daß wir der gleiche Angreifer, also HSK *Thor*, sind, der die *Alcantara* attackierte. Das bedeutet, daß der *Alcantara*=Angreifer, kriechen die Briten auf diesen Leim, eine erheblich höhere Geschwindigkeit gelaufen sein muß.

Thor müßte — jedenfalls nach meiner rohen Schätzung — mindestens 24 Knoten machen, hätte sie heute, zu dieser Stunde also, hier sein wol= len. Diese Täuschung über die Höchstgeschwindigkeiten deutscher Rai= der dürfte nicht nur *Thor*, sondern auch uns wie auch allen anderen deut= schen Hilfskreuzern zugute kommen. Außerdem ziehen wir die zur Jagd auf *Thor* angesetzten Streitkräfte ab, ohne uns selbst dabei zu schaden, da wir ja nicht die geringste Absicht haben, in diesem Gebiet und im Südatlantik zu verbleiben."

„Ausgezeichneter Plan, Herr Kapitän. Unter diesen Umständen wäre es trotz der Skl=Weisung zu vertreten, schon vor Erreichen unseres Ope= rationsgebietes anzugreifen."

„Eben, das ist meine Meinung und meine Absicht."

An Deck hat sich die Besatzung zu dichten Haufen geballt. Ihr Inter= esse gilt mal der Rauchfahne und dann wieder verstärkt der Brücke, auf der sie jetzt wieder den Kommandanten so ruhig wie bei den Manövern in der Ostsee sehen. Und wie ein Blitz fährt dann die Nachricht in sie hinein:

„Wir greifen an."

Krüder setzt den Kurs auf den inzwischen näher stehenden, jetzt über die Kimm herauskommenden Frachter ab.

Der Gegner dreht sofort ab. Sein schlechtes Gewissen stinkt zum Him= mel. Es liegt kein Grund vor zur Annahme, daß der andere die Alarm= meldungen über den Angriff auf die *Alcantara* etwa nicht auch aufgenom= men hat, daß er die Annäherungsmanöver eines fremden, ihm verdäch= tig erscheinenden Schiffes etwa bagatellisieren wird.

Die Antwort kommt dann auch prompt und schnell.

Funkobergefreiter Lindener bringt dem Kommandanten eine Meldung aus dem FT=Raum.

Der Gegner funkt Position und QQQQ.

„Fein", sagt Krüder zu Lindener. Trotz der angespannten Situation hat der Kommandant ein Lächeln für den Funker übrig, als er dessen Gesicht sieht. „Geh schon, Lindener. Machst ja ein Gesicht wie ein Dackel, der sich auf einen heißen Eierkuchen gesetzt hat. Ist alles in Butter. Laß ihn funken. Er s o l l sogar funken!"

„Es wird bereits versucht, die Gegnerwelle zu stören", sagt Lindener noch.

Krüder nickt nur flüchtig und gibt den Befehl: „Beide Maschinen zwo=
mal AK."

Langsam holen sie auf. Die Entfernung ist gar nicht mehr so groß.
40 Hundert hat der E=Messer eben von dem noch getarnten Stand auf
dem oberen Peildeck gemeldet. 40 Hundert sind 40 mal 100 Meter, nach
Adam Riese also 4000 Meter oder 4 km.

Noch immer funkt der Brite seine verzweifelten Hilferufe in die Ge=
gend.

Es ist der 5400 BRT große Frachter *Domingo de Larrinaga*.

Er fährt seine typische gelb=rot=gelb=rot=gelbe Schornsteinmarke auf
schwarzem Grund bei schwarzer Kappe. Aus der Gruppierung der Ma=
sten, Brücke, Schornstein und Aufbauten ließe sich zwar nicht feststel=
len, wie der Zampan heißt. Aber die übermalten Namen am Bug und
Heck können mit der stark vergrößernden E=Meßoptik gelesen werden.
Und außerdem findet sich der Name schön deutlich oben am Peildeck der
Brücke in mittelgroßen Buchstaben aufgemalt. Tief, weit über die Lade=
marke der Eichung „north atlantic wintertime" beladen, liegt die *Do=
mingo de Larrinaga* im Wasser.

Kommandant an AO:

„Warnschuß vor den Bug!"

In den Mast steigt, sich weit entfaltend, die Kriegsflagge empor. Über
die außenbords aufgemalte griechische Flagge und den Tarnnamen
Kassos entrollt sich eine Segeltuchbahn mit der daraufgemalten deut=
schen Nationale.

Rums. Ein Blitz. Ein Feuerstrahl.

Man hört ein orgelndes Brausen in der Luft. Es stinkt gallig=giftig nach
Schwefel und heißem Eisen. Dicht vor dem Bug der *Domingo de Lar=
rinaga* bricht es silbern aus der See. Ein wohlgezielter Schuß.

Funkraum an Brücke:

„Gegner funkt weiter! Beschreibt jetzt Aufbauten und Umrisse von
uns."

„Das geht zu weit. Das ist nicht im Sinne unserer Spielregeln", wet=
tert Krüder. Er befiehlt einen neuen Stopschuß. Er hätte jetzt schon das
auch moralisch vertretbare Recht, gezieltes Feuer eröffnen zu lassen, aber
er hofft noch auf Vernunft und Einsicht der Gegenseite.

Er will keine Menschen opfern.

Ein zweiter und unmittelbar darauf ein dritter Schuß vor den Bug
verlassen die museumsreife Anhaltekanone. Diesmal liegen die Ein=
schläge so nahe, daß da drüben die Splitter an Deck zischen müssen.

Sie funken weiter!

Mit einem Ruck wendet sich Krüder an den IAO:

„Geschütze enttarnen! Salve in die Brücke!"

Riegel und Halterungen fliegen zurück. Die Männer in den Geschütz=
räumen hatten keine Sekunde die Hände von diesen gelassen, bereit, sie
sofort aufzureißen. Die Rohre liegen nun frei. Sie schwenken aus. Sie
sind im Augenblick gerichtet.

„Salve!"

Pinguin erbebt wie unter unterirdischen Hammerschlägen. Bleistifte
werden vom Kartentisch geschleudert. Eine Kaffeetasse, sie stand eben
noch auf dem Kasten für die Ledertücher der Ferngläser, hüpft in weitem
Bogen herunter, zerschellt dumm klirrend auf dem Teakholzdeck der
Brücke.

Dann ist's mit einem Mal erschreckend still ...

Die erste Vollsalve hat die Rohre verlassen.

„Treffer!" schreit einer. Oder waren es alle? Aus der Brücke des Briten
schießt die grellgelbe Glut einer Stichflamme. Balken, Bretterzeugs wir=
beln durch die Luft, und aus der sich explosionsartig ausdehnenden Deto=
nationswolke, die im Augenblick die Mittschiffsaufbauten der *Domingo
de Larrinaga* verhüllt, stieben, als hätte ihnen ein Gigant einen Fußtritt
versetzt, zwei Figuren heraus. Es sind zwei Menschen, die im hohen Bo=
gen aus dem pechschwarzen Pulverqualmgewölk herausfliegen, als kämen
sie direkt aus dem Schlund der Hölle. Irgendwo, nicht weit vom
Schiff, endet ihre unfreiwillige Luftreise im Bach. Sie müssen wohl leben.
Es scheint so, denn sie bewegen sich und versuchen, mit wilden Ruder=
bewegungen von dem Dampfer wegzukommen.

Fast rauchlos gehen die in tropischer Hitze ausgedörrten Holzaufbauten
des britischen Frachters in Flammen auf. Die vernichtende Wirkung der
ersten scharfen Salve der *Pinguin* hat den Britenkapitän zur Besinnung
gebracht. Er stoppt sein Schiff. Kaum ist die Fahrt aus dem schwerbela=
denen Frachter gekommen, als auch schon ein deutscher Kutter längsseits
geht. Das Untersuchungskommando entert den brennenden Gegner=
frachter. Als erster betritt ihn Leutnant Warning. Ihm folgen Stabsarzt
Dr. Wenzel und zwei Sanitätsgasten. Krüder hatte den Schiffsarzt noch
in letzter Minute in das bereits abfahrtsklare Boot geschickt, um den Ver=
wundeten schneller Hilfe gewähren zu können.

Das Schiff ist als Prise verloren.

Warning läßt durch Morsespruch eine Meldung an *Pinguin* abgeben.

„Gefangene von Bord, Schiff sprengen", ist die schnelle Antwort.

Ein Wettlauf zu den Booten hebt an. Malaien, Schwarze, Chinesen,
Engländer und Inder drängen in heilloser Verwirrung an die Davits und
in die Boote. Mit Mühe gelingt es einigen deutschen Seeleuten, Ordnung
in dieses panische Durcheinander zu bringen.

Die Boote sind abgesetzt. Warning und der Arzt verlassen als Letzte das Schiff. Die Sprengladungen brennen.

Ein Torpedoschuß beschleunigt das Vernichtungswerk.

Erst langsam und dann schneller neigt sich der Frachter. Das ersterbende Fauchen entweichenden Dampfes erinnert an das Keuchen eines zu Tode getroffenen Tieres. Mit einer gentlemanliken Verbeugung zur *Pinguin* hin kentert die *Domingo de Larrinaga* und versinkt dann schnell und entschlossen.

Eine Wolke aus Rauch und Wasserdampf steht über der Untergangs=stelle. Kein Windhauch bewegt die Luft.

Der Äther ist in Aufruhr.

Eine Meldung jagt die andere.

Ob britische Flotteneinheiten ausliefen, ist nicht bekannt geworden.

Krüders Angriff blieb tatsächlich nicht ohne Folgen. Nach Berichten, die norwegische Kapitäne der in der Antarktis später aufgebrachten Wal=Fangflotte gaben, wurden die Geschwindigkeiten der deutschen Hilfskreuzer bedeutend überschätzt und sogar mit 25 Seemeilen in der Stunde benannt. Praktisch bedeutet dies, daß der Gegner bei Such= und Verfolgungsaktionen nach deutschen Hilfskreuzern völlig falsche Vor=ausberechnungen anstellte.

Krüders Entschluß beruhte, wie aufgezeigt wurde, nicht auf einer sorgsamen Planung. Er wurde aus der Situation heraus geboren und er, Krüder, war bereit, jede Verantwortung gegenüber der Seekriegsleitung in Berlin zu tragen.

Außerdem, übersehen wir diese Tatsachen nicht, leistete er seinem Kameraden Kähler, dem Kommandanten des Hilfskreuzers *Thor*, einen beachtlichen Dienst, daß er dessen Verfolger in Verwirrung brachte, auf sich zog und die gegnerischen Suchaktionen auf eine falsche Fährte lenkte.

*

Und wie reagierte die Gegnerseite auf die Notmeldungen, auf das spurlose Verschwinden von Handelsschiffen?

Heute, nach dem Kriege, erfahren wir über Captain Roskills halbamt=liches Seekriegswerk „The war at sea" und andere Publikationen mehr über die britischen Maßnahmen, um diese, wie die Briten schreiben, „schrecklichen Kaperschiffe" zu jagen:

Am 18. Juli erreichten Überlebende eines von einem getarnten Raider*) angegriffenen und versenkten britischen Frachters eine kleine Insel des Westindischen Archipels. Diese Überlebenden, so berichtet Roskill, waren die erste bestätigte Nachricht, daß solche Schiffe im freien See=

---

*) Es handelt sich hier um den HSK *Widder*.

raum des zentralen Atlantiks operierten. Der hier zuständige Com=
mander in Chief stoppte sofort alle in seinem Gebiet in den Häfen aus=
laufbereiten Handelsschiffe, und er verlegte die Routen der Geleitzüge
dichter unter die amerikanische Küste, um die Seewege zwischen und um
Westindien besser kontrollieren zu können. Zehn Tage später kam es
nordöstlich von Brasilien, ca. 600 Seemeilen von Trinidad entfernt, zu
einem Gefecht mit einem bewaffneten deutschen Handelsschiff und dem
britischen Hilfskreuzer *Alcantara* von der Süd=Amerika=Division ...

Die Briten vermuteten, daß es sich bei diesem Angreifer um das gleiche
Kaperschiff handele, das auch für die im vergangenen Monat in Höhe der
Westindischen Inseln erfolgten Versenkungen verantwortlich zu machen
war, wenn nicht gar, so folgerte man, noch ein zweiter Raider im Atlantik
arbeiten würde.

Zur zusätzlichen Unterstützung der bereits in See stehenden Einheiten
wurden die Schweren Kreuzer *Dorsetshire* aus Freetown und *Cumber=
land* aus Simonstown in See geschickt, um die ozeanischen Gebiete
durchzukämmen. Wieviel Kriegsschiffe im mittleren und südlichen Atlan=
tik zu dieser Zeit überhaupt Jagd auf die „schrecklichen" Kaperschiffe
machten, wird indessen schamvoll verschwiegen. Wohl aber bekennen
die Briten freimütig ihre ergebnislosen Anstrengungen in der entschuldi=
genden Feststellung:

„Aber der Feind war viel zu listig, um von so wenigen Jägern erwischt
zu werden."

Zu den Jägern zählte auch, wie in Verbindung mit dem Raider *Thor*
von Roskill erwähnt wird, der Hilfskreuzer *Alcantara*. Konteradmiral
Harwood, Kommandierender Admiral der Süd=Amerika=Division, hatte,
beunruhigt durch das spurlose Verschwinden verschiedener britischer
und in britischen Diensten fahrender Frachtschiffe im Südatlantik, die=
sen Hilfskreuzer in die Gewässer nördlich von Brasilien entsandt. Er
selbst operierte mit seinem Flaggschiff, dem Leichten Kreuzer *Hawkins*
und dem Leichten Kreuzer *Enterprise* im Gebiet zwischen Rio de Janeiro
und dem La Plata.

Admiral Harwood hatte richtig getippt.

Sein Hilfskreuzer spürte einen der beiden deutschen Raider auf ...

„Aber die *Thor*", so geben die Briten heute nach dem Kriege zu,
„übertrumpfte die *Alcantara* ohne Anstrengung."

Thor, das sei kurz dargestellt, hatte den Gegner in den ersten Mor=
genstunden des 28. Juli an Backbordseite ausgemacht. Näher heran=
drehend erkannte Kapitän zur See Otto Kähler in dem fast fünfmal
größeren Passagierschiff einen britischen Hilfskreuzer. Nicht, weil Käh=

ler ein Gefecht mit einem britischen Hilfskreuzer fürchtete, versuchte er abzulaufen, sondern weil es nicht seine Aufgabe war, sich mit gegneri= schen Streitkräften herumzuschlagen und weil weiter Trefferschäden, auch wenn sie nicht unbedingt lebensgefährlich für den deutschen Hilfs= kreuzer waren, unter Umständen zum Abbruch der Unternehmung füh= ren konnten, sollten diese Schäden mit Bordmitteln nicht zu beheben sein.

Der Gegner drehte sofort nach. Er forderte, langsam näherkommend, Schiffsnamen und Erkennungssignal des ihm verdächtigen Fremden. *Thor* eröffnete das Feuer, das von der *Alcantara* sofort erwidert wurde.

Hier der Bericht eines Besatzungsmitgliedes, des Gefreiten Ferdinand Reimer. Als Ansetzer an einem der 15 cm=Geschütze erlebte er das Gefecht:

Wir schossen einen sehr schnellen Salventakt. Mir als Ansetzer gab dieses mörderische Tempo keine Sekunde Zeit zum Verschnaufen. Ich mußte schließlich aufgeben, denn einmal kam ich nicht schnell genug mit dem Ansetzer vom Verschluß hinweg. Durch den Rückstoß wurde ich so hart getroffen, daß ich mich mehrmals überschlug. Ich glaube, durch mich sind wir mit unserem Geschütz sogar eine Salve ausgefallen.

Die Salven des Gegners lagen sehr gut und so nahe, daß die Wasser= fontänen unser Batteriedeck überschwemmten. Die ersten Einschläge hatten eine gelbliche Farbe. Wir waren alle entsetzt, dachten wir doch, der Gegner würde mit Gasmunition schießen. Aber unser Feuerwerker beruhigte uns, indem er erklärte, daß diese Färbung der Sprengwolken der Beobachtung der Einschläge diene.

Beim weiteren Abdrehen stieß unser Geschütz bei einer Breitseite an den Begrenzungsstollen. Unser Rohr lag so nahe an der inneren Kante des Batteriedecks, daß uns bei dieser Salve der Luftdruck des Mündungs= feuers die Beine wegriß. Wir drehten ab zum Heckgefecht und nebelten uns ein. Beim Ablaufen konnten wir noch weitere Trefferwirkungen auf den Gegner beobachten, denn die *Alcantara* hatte gestoppt und lag jetzt mit leichter Schlagseite in der See.

Als das Kommando kam „Halt! Batterie! Halt!", wurde uns leichter ums Herz.

Wir hatten unser Leben wiedergewonnen.

Auf unserem Torpedodeck sah es traurig aus.

Ein Treffer hatte das Deck oberhalb durchschlagen. Drei Kameraden waren tot.

Ein Treffer im Vorschiff, ein Blindgänger, ging an der anderen Seite wieder heraus. Verschiedene Splitter waren durch den Schweinestall gefahren. Ein Schwein war verendet, ein anderes verletzt. Der Arzt nähte ihm die Wunden und legte einen Verband an, um den noch nicht reifen Frischproviant zu retten.

Später setzten wir unsere Kameraden bei. Kapitän zur See Kähler sprach ein Gebet und die Bedienung vom dritten Geschütz schoß drei=fachen Ehrensalut.

Der Kommandant hielt dann eine Ansprache.

Er versicherte uns, n i e m a l s wieder einen gegnerischen Hilfskreuzer anzugreifen, denn die *Alcantara* hätte bei etwas mehr Glück und besse=rer Schießtechnik unsere Unternehmung frühzeitig beenden können.

„Es ist ein schwerer Entschluß für mich gewesen, das schon fast ge=wonnene Gefecht abzubrechen", so erklärte Kapitän Kähler und sagte weiter: „Die eigene Sicherheit und die uns gestellte Aufgabe, gegneri=sche Handelsschiffe zu versenken und Unruhe zu schaffen, ist wichtiger, als uns mit feindlichen Hilfskreuzern herumzuschlagen."

Soweit Ferdinand Reimer.

Daß Kähler das Gefecht abbrach, hatte noch einen anderen Grund. Durch die Funkmeldungen der *Alcantara* war der ganze mittlere Atlan=tik alarmiert worden. Die Gefahr, daß jeden Augenblick weitere über=legene Kriegsschiffe auftauchen könnten, lag auf der Hand. Kähler ver=zichtete auf die totale Vernichtung des schwer angeschlagenen, artilleri=stisch und an Geschwindigkeit überlegen gewesenen Hilfskreuzers.

Die Presse der ganzen Welt befaßte sich mit dem unwahrscheinlichen Gefecht eines kleinen deutschen Hilfskreuzers, mit der großen, schwer=bewaffneten britischen *Alcantara*.

Die größte Zeitung Rio de Janeiros, die „A Noite" meldet mit dem 2. August 1940:

„Der in den hiesigen Hafen eingelaufene englische Hilfskreuzer *Alcantara* ist in dem Gefecht mit dem deutschen Hilfskreuzer im Süd=atlantik so schwer beschädigt worden, daß die englische Botschaft bei der brasilianischen Regierung vorstellig geworden ist, die im inter=nationalen Recht für den Aufenthalt eines Kriegsschiffes in einem neutralen Hafen vorgesehene 24=Stunden=Frist auf mindestens 4 Tage zu verlängern. Sieben schwerverletzte Engländer und zwei Tote wur=den von der *Alcantara* an Land gebracht. 23 Leichtverwundete be=finden sich im Schiffshospital."

Roskill noch zu dem Gefecht: Als die Admiralität die Berichte von der *Alcantara* erhielt, unternahm sie energische Schritte, um die Reich=weite und die Feuerkraft ihrer Hilfskreuzer zu verstärken. Aber schnelle Verbesserungen waren nicht möglich. *Thor* konnte ihre Kreuzfahrten fortsetzen . . .

*

Aberglaube gehört zum Seemannsberuf wie der Anker zum Schiff.
Die Zahl 13 spielt dabei eine dominierende Rolle.
Die Dreizehn bringt ja Glück.
Das glauben auch die *Widder*=Männer.
Sonderbar genug ist es schon:
Am 13. Juni 1940 versenkte *Widder* ihr erstes Schiff, dreizehn Tage
später folgt ihm das zweite Opfer in die Tiefe, und nach einigen Zwi=
schenversenkungen winkt einen Monat später, am 13. Juli, die nächste
Beute in Gestalt des 5 224 BRT großen Briten *King John*.
Die Quersumme von 5 224 ist 13!
An Bord des HSK *Widder* zweifelt keiner daran, die Argonauten=
fahrt etwa nicht zu überstehen.
So zuversichtliche Soldaten sind schon ein halber Sieg.
Da gerade von Zahlen die Rede ist.
Obermaschinist Buscher auf HSK *Widder* berichtet:
Zu Beginn der Fahrt in das große Abenteuer war im Deck unseres
Schiffes eine Weltkarte aufgehängt. In diese trug unser Steuermann
mit der gleichen Gewissenhaftigkeit, die er auf der Brücke für seinen
Dienst aufwandte, die jeweiligen Positionen und unsere Route ein. Doch
eines Tages hatten nicht nur unser an sich so großzügiger Kommandant,
sondern auch andere Dienstgrade Bedenken.
Könnte nicht der absurd scheinende, aber dennoch nicht von der
Hand zu weisende Fall eintreten, daß es dem Gegner gelingt, uns zu
überlisten und HSK *Widder* zu entern? Er braucht uns ja nur in der
Nacht mit einem Handelsschiff zu beschäftigen, während zur gleichen
Zeit ein britisches U=Boot, unter Wasser fahrend, an den Hilfskreuzer
heranschleicht, dicht neben dessem Rumpf auftaucht und schwerbewaff=
nete Enterkommandos übersteigen läßt ...
Der Brite hat die U=Boot=Fallen erfunden ...
Warum sollte er nicht auch Hilfskreuzer=Fallen entwickeln? Warum
nicht?
Die Weltkarte mit unserer gefahrenen Route, so sehr ihr steter Anblick
auch die Stimmung der Besatzung aufmöbelte, verschwand jedenfalls.
Der Kommandant verbot gleichzeitig jedem Besatzungsmitglied, sich
auch nur irgendwelche Aufzeichnungen zu machen. Mehr noch, jeder
Mann an Bord, mußte eine schriftliche Meldung abgeben, daß er kein
Tagebuch führe oder wenn bisher geführt, diese Unterlagen dem Schiffs=
kommando zur Vernichtung übergeben habe.
Wenn Aberglaube zum Seemannsberuf gehört wie Möwen aufs Was=
ser, dann auch des Seemanns Kunst, zu improvisieren und einen Aus=
weg zu suchen und zu finden.

Die genaue Tonnenzahl der versenkten Schiffe zu notieren, war also auch verboten.

Aber dieser Befehl ließ sich leicht umgehen.

Die einen trugen Geldbeträge mit versetzten Kommas in ihr Notiz= buch ein, andere vermerkten Tankpeilungen an bestimmten Tagen. Meine Geldbeträge stimmten am Schluß der Reise genau mit der ver= senkten Tonnage überein.

Aber Scherz beiseite. Es gab auch genügend kleine und große Sorgen: Da war die Sache mit den Ersatzthermometern für die Kühlanlage. Wir hatten davon genügend mit an Bord genommen. Als wir in heißere Zonen kamen, gingen sie zu Bruch. Man hatte sie, die maximal nur zehn Grad Wärme aushielten, im Maschinenstore aufbewahrt.

Der Kommandant fluchte nicht, als er davon hörte.

Ebenso erging es uns mit unserer Notbeleuchtung. Auch bei ihr machte die Tropenhitze einen dicken Strich durch die Rechnung. In wärmeren Zonen wurden die Stearinkerzen weich und unter dem Feder= druck zu skurrilen Gebilden geformt.

An Land hätte es nur eines Telefonats bedurft, um Ersatz anzufordern.

Für uns aber wurde der Ausfall der Notbeleuchtung zu einem Alp= druck.

✱

Es geschah am 13. Juli 1940, der ein Sonnabend war.

Südlich von Ceylon schwamm auf der vom Nordwest=Monsun leicht bewegten See der 7 770 BRT große britische Fahrgastdampfer *Kem= mendine* in die ausgebreiteten Netze des Raiders *Atlantis* hinein.

Es verlief anfangs alles nach Plan.

„Schiff 16" konnte sich dem fremden Schiff bis auf 5,4 Kilometer nähern.

10.09 Uhr hatte Rogge enttarnen lassen, gleichzeitig begannen die schweren Geschütze ihr Salvenfeuer. Die fünfte und sechste Salve lag im Ziel.

Der Gegner zeigte den Wimpel „K".

Wimpel „K" heißt „Ich stoppe".

Funkverkehr wurde nicht beobachtet. Rogge atmete erleichtert auf. Er war froh, das Feuer einstellen zu können und die Beute ohne Lärm im Äther aufgebracht zu haben, ein nun schon selten gewordener Ideal= fall in diesem „guerre de courses".

Atlantis dampfte zum Heck des Gegners auf, der, wie man deutlich durch die Gläser erkennen konnte, seine Rettungsboote bemannte und zu Wasser brachte. Sie erkannten Frauen und auch Kinder in den Kut=

tern. Ein Grund mehr, sich über die Vernunft des Gegnerkapitäns zu freuen.

Rogge träumte schon von einer schönen Prise.

Da blitzte es da drüben am Heckgeschütz auf.

Die Granate orgelte direkt, wohl kaum nur eine Handbreit, über die Brücke der *Atlantis* hinweg.

Rogge erstarrte.

Was war denn? Der Gegner hatte doch kapituliert? Er hatte Boote ausgesetzt, er hatte auf der Brücke auch das Signal „Ich brauche ärzt= liche Hilfe" gesetzt.

Rogge mußte das Feuer erneut eröffnen.

Ziel der Granaten war diesmal das Heck des aufgebrachten aber so aufsässigen Briten. Auf die kurze Entfernung wirkte das Feuer ver= nichtend. Von der *Atlantis*=Brücke sahen sie jetzt, daß nur ein ein= zelner Mann an der Kanone stand und diese jetzt in wilder Flucht verließ.

Korvettenkapitän Kamenz schrie seine Beobachtung mit sich über= schlagender Stimme in den Gefechtslärm hinein. „Der Kerl muß doch ein blutiger Wahnsinniger sein, der nicht weiß, was er tut und was er damit anrichtet . . ."

Was nun weiter geschah, lassen wir Oberleutnant Dr. Ulrich Mohr, Rogges Adjutant, weitererzählen. Dieser Dr. Mohr zeigte sich auf „Schiff 16" als ein eigenwilliger, energischer, langer und durch seine Hagerkeit noch länger wirkender Mann. Reservist und studierter Che= miker von Beruf, war er von Rogge vor dem Auslaufen aus einem Hilfsschiffsverband herausgefischt worden. Und Rogge tat einen guten Griff . . . Doch das nebenbei. Wenden wir uns der *Kemmendine* und Dr. Mohrs Schilderung zu:

Rogge gab keine Antwort, winkte dann aber zögernd ab „Feuer ein= stellen!"

Er war ziemlich ärgerlich, er hatte ja auch allen Grund dazu. Er hatte mit dem Beschuß sofort aufgehört, als ihn eine Bemerkung von Kamenz auf die Möglichkeit eines Blutbades aufmerksam gemacht hatte, das wir in den überfüllten Booten hätten anrichten können. Diese Über= legung verstärkte nur seinen Zorn. Darüber hinaus haßte Rogge jede unnütze Zerstörung und ebenso jede Verschwendung, und des briti= schen Kanoniers offenkundig blödsinnige Handlungsweise hatte nun beide Tugenden Rogges verletzt.

Als es offenbar wurde, daß Frauen und Kinder um ein Haar in unsere Vergeltungsaktion hereingezogen worden wären, erreichte Rogges Ärger seinen Höhepunkt.

58

Frauen ...!

Kinder ...!

Im Geiste fluchte ich auf den verdammten irrsinnigen Krieg, als ich mich auf das Deck der *Kemmendine* schwang.

Ich fotografierte den Speiseraum, der in seiner Verwüstung so beispielhaft für sinnlose Zerstörungen des Krieges schlechthin war und auch einen stummen, aber anklagenden Kommentar bot für die Plötzlichkeit, mit der geordnetes und alltägliches Leben gefährlichen, ja tödlichen Bedrohungen ausgesetzt sein kann.

Aus dem glimmenden Holz der Täfelung stiegen Tausende von Funken auf. Wie Glühwürmchen fielen sie auf den mit dicken Teppichen ausgelegten Boden.

Als ich meine Kamera einstellte, ging gerade ein frisch gestärktes Tischtuch in Flammen auf, kleine weiße und gelbe Zungen, die sich fast mit einem Schlag zu einer blendenden Feuerfläche vereinigten. Einige Minuten später fegte schon die prasselnde Feuerglut durch die Trümmer des vor kurzem noch so elegant eingerichteten Raumes, während um mich ein Durcheinander von Messern, Gabeln und Geschirr herum lag, das unsere Granaten neben den umgeworfenen Stühlen angerichtet hatten.

Die Minuten waren kostbar.

Ich eilte zur Kajüte des Zahlmeisters, um hier alle noch greifbaren Akten und Dokumente sicherzustellen. Doch kaum hatte ich mit meiner Suche nach der Kammer des Pursers* begonnen, als sich der Decksgang mit Rauch füllte. Er wälzte sich schwarz und erstickend gegen die Tür, gefolgt von prasselndem Feuer. Ohne mich weiter aufzuhalten, ließ ich von meinem Vorhaben ab und eilte an Deck. Meine Augen tränten und brannten, und die Hitze war mir auf den Fersen. Es bot sich keine Gelegenheit, auch nur irgend ein Schriftstück oder ein anderes Stück von Wert mitzunehmen. Das Bergungskommando war auch dabei, sich aus den brennenden Aufbauten an Deck in Sicherheit zu bringen.

„Da ist nun heute die 13. Sprengung fällig", brüllte Fehler. „Und wir sind noch nicht einmal in der Lage, dieses verdammte Schiff jetzt sofort in die Luft zu jagen. Was wir noch retten müssen, sind ..."

„Donnerwetter", sagte ich.

„... die Chargen, die Offiziere und Unteroffiziere!" schloß Fehler.

Wir hatten sie auf Deck zusammengetrieben, als wir die *Kemmendine* untersuchten. Nur gut, daß Fehler an sie erinnerte. Jetzt fanden wir sie. Zu unserem Schrecken von lodernden Flammen umringt.

---

*) Purser = engl.: Zahlmeister, vor allem in der deutschen Handelsmarine gebräuchlich.

„Über die Reling!" brüllte ich.

Die Männer, unverständlich, daß sie überhaupt so lange gewartet hatten, reagierten jetzt blitzschnell.

Wir auch.

Wir fielen fast ins Boot, wir verließen das Schiff in einer solchen Eile, daß wir keine Gelegenheit hatten, auch nur irgend ein Stück mitzuneh= men, ausgenommen einen Kinderteddybär und ein Kaninchen, das ich mir aus einem kleinen Stall auf dem Bootsdeck herausgeangelt hatte . . .

Ich fand Rogge in seiner Kabine. Er war immer noch zornig über die Wiedereröffnung des Feuers nach der Übergabe der *Kemmendine*.

„Wirklich eine ärgerliche Geschichte", sagte er. „Wir müssen uns mal um den Kanonier kümmern. Was wissen wir eigentlich über seine Her= kunft?"

„Na, er ist jung und draufgängerisch, und ziemlich unerfahren. Er kommt von London, hab ich gehört, und war in Friedenszeiten Fen= sterputzer."

Rogge lächelte. „Ein Fensterputzer!"

„Ja, so erzählte man mir."

Rogge zuckte die Schultern. „Na schön, was kann man von einem Fensterputzer schon erwarten."

Ich selbst dachte daran, daß einige unserer braven Reservisten und Freiwilligen einst Straßenbahnen gefahren, andere Milch ausgetragen, wieder andere in Zementfabriken gearbeitet hatten, und ich konnte nicht einsehen, was die Tätigkeit in Friedenszeiten mit der seemännischen Tüchtigkeit zu tun haben sollte.

„Also kein Kriegsgerichtsverfahren?" fragte ich erleichtert.

„Unter diesen Umständen nicht", antwortete Rogge, der sich gerade mit einigen Papieren beschäftigte. In diesem besonderen Falle hatte der sogenannte „Fensterputzer" — wir alle wußten, daß er im Frieden in London so etwas wie ein Rechtsanwalt gewesen war — durchaus korrekt gehandelt, wie wir erst jetzt durch die Ergebnisse der Untersuchungs= kommission erfuhren. Es stellte sich nämlich heraus, daß eine unserer ersten Granaten die Dampfpfeife der *Kemmendine* getroffen hatte. Diese heulte nun fürchterlich. Mit ihrem Krach wurde jede Verstän= digung unmöglich gemacht. Zur gleichen Zeit wurde jedwede telefo= nische Verbindung mit der Brücke getrennt. Dadurch hatte der Kanonier an dem Heckgeschützt nicht erfahren können, daß sich das Schiff be= reits ergeben hatte.

Und das Ziel war doch so verlockend!

Rogge ließ eine diesbezügliche Aktennotiz ausarbeiten. Der *Kem=*

mendine=Kapitän R. D. Reid, unterzeichnete sie am 14. Juli. Der Kapi=
tän der *City of Bagdad* fungierte als neutraler Zeuge. Jeder fremde
Kapitän an Bord erhielt eine Abschrift des Protokolls, das Vorwürfen
begegnen soll, *Atlantis* habe Rettungsboote mit Schiffbrüchigen mit
Frauen und Kindern beschossen.

Für uns, die wir seit fünf Monaten kein Kind mehr gesehen hatten,
wurde die Anwesenheit der kleinen Buben und Mädchen an Bord der
Atlantis zu einem wirklichen Erlebnis, und die Aufgabe, sie zu unter=
halten, wurde von einigen Familienvätern unter den Bordkameraden
mit großem Ernst und mit sehr viel Eifer angefaßt.

Zunächst richteten wir einen Kindergarten ein.

Trotz des großartigen, viel versprechenden Namens bestand er eigent=
lich aus nichts weiter als aus einem Sandhaufen in einer stillen Ecke,
wo wir bis jetzt unser Reserveschwimmbad eingerichtet hatten. Den
Sand nahmen wir aus unseren Ballastbeständen. Wir gaben den un=
schuldigen Kindern auch Spielsachen. Einige aus der Mannschaft bastel=
ten sie. Für die Mütter stellten wir Liegestühle in der Nähe des Spiel=
platzes auf. Die Ladys konnten nun im Sitzen ihre Zöglinge beob=
achten.

Obwohl der Platz recht primitiv eingerichtet war, wurde er bald schon
von den Kindern bevorzugt. Stundenlang spielten sie dort, wenn sie
nicht mit Ferry, Rogges Scotch=Terrier und unserem Schiffsmaskottchen,
herumtollten.

Nach und nach wurde dieser Kindergarten zu einem Treffpunkt für
Deutsche und Engländer. In diesem Wettstreit um die Zuneigung der
unfreiwilligen kleinen Passagiere blieben unsere Gegner siegreich. Vor
allem tat sich hier ein britischer Quartermeister hervor. Mit seinem
phantastischen Seemannsgarn verstand er es, die Herzen der Kinder im
Sturm zu erobern; er erzählte ein Garn, in dem er, wie ich schmunzelnd
feststellte, immer wieder als Held und der Retter in der größten Not
die Hauptrolle spielte.

Besonders erinnere ich mich an Robin, der wegen seines technischen
Interesses auffiel, das kaum zu befriedigen war. Sein Lieblingsplatz war
neben der Übungskanone, die er mit glänzenden Augen beobachtete,
wenn sie mit Übungsgranaten geladen und „abgefeuert" wurde.

Unsere wachsamen Freunde, die Feinde an Bord, hatten schnell er=
kannt, daß wir Robins Anwesenheit auch beim Geschützexerzieren wie
auch bei anderen Gelegenheiten duldeten. Sie versuchten, ihn, aller=
dings ohne sein Wissen, als Spion auszunutzen. Nach jedem seiner Aus=
flüge in das Schiff fragten sie ihn über die Gespräche der Deutschen aus.

Zwei kleine Inder wurden ebenfalls schnell unsere Lieblinge:

Gopi, ein sechsjähriger Junge und Bati, ein siebenjähriges Mädchen. Eines Tages, als sie wieder einmal auf das Erscheinen des Kochs warteten, wurde eines von ihnen zufällig von einer unvorsichtig geöff= neten Tür angestoßen und zu Boden geworfen.

Was für ein Geschrei!

Bati heulte wie am Spieß. Sie beruhigte sich erst, nachdem der Chef= koch ihr ein Stück Schokolade gereicht hatte. Als Gopi sah, was für einen Trost er durch Tränen erlangen konnte, heulte auch er fürchter= lich los und mußte in gleicher Weise durch Süßigkeiten beruhigt wer= den. Die Kinder erkannten schnell, was sie mit Tränen erreichen konn= ten. Seit dieser Erkenntnis sah man die beiden tagsüber immer wieder hoffnungsvoll an der Kombüsentür herumlungern. Hier stießen sie Schreie des Schreckens und der Schmerzen aus, sobald die Tür geöffnet wurde. Einmal erwischte man sie aber doch, nämlich, als sie losheulten, bevor die Tür aufging.

Aber sie bettelten so andauernd, daß der Koch ihnen den süßen Trost trotzdem nicht versagen konnte.

Soviel Sonnenschein uns die Kinder auch schenkten, wir sehnten doch den Tag herbei, daß wir sie an eine Prise oder an ein deutsches Ver= sorgungsschiff abgeben konnten . . .

Soweit Dr. Ulrich Mohr.

Inzwischen sorgen sich an Land nicht nur die Briten, sondern auch die gesamte indisch=burmesische Öffentlichkeit. Befanden sich doch auf der *Kemmendine* viele Angehörige höherer Beamter und viele indische, aus Gibraltar ausgewiesene Kaufleute.

Burmas Presse und Rundfunk kommentieren das spurlose Verschwin= den der der British=India=Burma=Line gehörenden *Kemmendine*, die sich auf der Reise von Glasgow via Gibraltar—Kapstadt nach Rangoon befunden hatte:

„Der Verlust des Schiffes hat sich wie ein Schatten über Burma gelegt."

Und an Indiens Küsten erzählt man sich, ein deutscher Hilfskreuzer habe voll besetzte Rettungsboote beschossen . . .

In den Ohren der meisten in Südostasien lebenden Weißen wie auch in den Ohren der Masse der Inder ist diese Behauptung kein Küsten= klatsch!

*

„Trotz weit ausholender Kreuzschläge bekam *Orion* für die nächste Zeit kein Schiff in Sicht", heißt es im vorangestellten Lagebericht.

Sechs Wochen dauerte dieser Zustand . . . !

Sechs Wochen Gammel auf einem Hilfskreuzer . . .!
Wie die *Orion*=Männer damit fertig wurden . . .?
So:
Fremdartig, zugleich aber auch heiter klingende Namen tauchen auf
den Spezialkarten jener Südseegebiete auf, die *Orion* in sparsamer
Marschfahrt in nimmermüden Kreuzschlägen durchfurcht: Nanumea,
Nanumanga, Vaitupu, Funafuto, Nukufetau, das sind nur einige der
paradiesischen Flecken der Gilbert=Inseln. Uea, Rotuma, Niuafa heißen
den Fidji=Inseln vorgelagerte Atolle; Varau, Haabai, Tofua gehören zu
den Tonga=Inseln, an deren Ostseite sich die Tonga=Trench hinzieht,
ein Meeresgraben mit größten Wassertiefen aller Ozeane.

Eine lichtblaue Himmelsglocke spannt sich seidig glänzend über das
sich sanft wiegende Schiff und seine einsamen Männer. Sie wirkt wie
ein Gemälde aus alter Meisterhand — und ist doch echt. Wenn die Sonne
schlagartig über die farbenentflammte Kimm aus dem Wasser steigt,
welch ein Schauspiel, welch eine unkomplizierte Tagesgeburt, die sich
nicht wie in unseren Breiten in quälender Langsamkeit vollzieht — und
wenn sie in ihr nasses Bett steigt, welch eine tropisch verschwenderische
Pracht an Farben, deren Leuchtkraft — welch ein Glück und Trost zu=
gleich — noch kein Maler auf die Leinwand zu bannen vermochte.

Sternennächte, wie aus Träumen geboren, und eine See, so transpa=
rent, wie ein kostbarer Edelstein. Hin und wieder tauchen, saphirblau
gefaßt, Inseln meergeborener Atolle aus Korallenfelsen auf. Von hei=
ßem Südseewind bewegte Palmen nicken herüber, und ein messer=
scharfer, brandungsumtobter Strich, der Strand, trennt die tiefblaue
See von dem Inselland. Manchmal beleben dunkle Tupfen die See, Ein=
geborenen=Segler, mit unbeschwerten fröhlichen Menschen an Bord,
deren Leben so sonnig verläuft, wie sie selbst sonnig an Gemüt und
heiter wie ihre Inselheimat sind.

Wer aber meint, die Männer ob ihrer Kreuzfahrt durch dieses Süd=
seeinsel=Paradies zu beneiden, der irrt. Auf einer Luxusjacht oder auf
einem mit Klimaanlagen und anderen Schikanen ausgestatteten Passa=
gierschiff ist es zweifelsohne ein bewegendes Erlebnis, die Südsee zu
schauen — und im weichen, warmen Fahrtwind der Nacht die himmli=
schen Diamanten zu bewundern. Das aber auch nur für eine kurze Zeit.
Eine Woche, zwei Wochen, vielleicht auch drei, dann aber wird auch
in der gepflegten Umgebung eines Luxusschiffes solche Schönheit zu
viel und reizlos, dann ist jedem dieses erträumte Buen Retiro über.

Auf *Orion* sind Klimaanlagen unbekannt.

Die Besatzung lebt im ehemaligen Frachtbauch des Schiffes, in Räu=
men ohne Bullaugen, ohne irgend eine andere Außenlichtzufuhr.

In diesen Wohnunterkünften, in denen den ganzen Tag über elek=
trisches Licht brennen muß, staut sich feuchtwarme Hitze, vermischt mit
den körperlichen Ausdünstungen, mit süßen, sauren, würzigen Essens=
gerüchen und manchen anderen Düften.

Für die Männer in der Maschine wird die Hitze zu einer Kräfte ver=
zehrenden Qual. Das bißchen Fahrtwind, das durch die Windhuzen in
die glutheißen Kesselräume dringt, verschafft kaum Linderung. Und
an Deck? Wo die Sonne ihr Spiel treibt und auftrifft, sind die Eisen=
platten so heiß, daß man sich selbst durch die Sohlen der Segeltuch=
schuhe die Füße verbrennt. Gegen Kälte vermag man sich zu schützen —
gegen Hitze kaum, nein, gar nicht. Sie tragen alle den „kleinen Tropen=
dienstanzug": Segeltuchschuhe, Shorts und loses Sporthemd, vielleicht
noch ein Schweißtuch um den Hals. Die Offiziere sind noch schlechter
dran, sie müssen im Polohemd mit Binder erscheinen. Weyher ist der
Auffassung, daß die Offiziere sich schon äußerlich auch im Anzug mehr
Zwang auferlegen müssen, als alle übrigen Besatzungsmitglieder. Das
färbt auch auf die innere Haltung ab.

Der Schweiß läuft in Strömen, und was man anfaßt, ist naß und
widerlich klebrig vom Salzgehalt der feuchten Luft. Müdigkeit droht
alle Initiative zu lähmen.

Trägheit und Schlappheit des Körpers lähmen auch die geistige Reg=
samkeit.

Seewasserduschen und ein Badesegel schaffen in dem 30 Grad warmen
Wasser nur eine relativ geringe Linderung. Auch die täglichen Kino=
vorstellungen vermögen die erschöpften Gemüter nicht mehr zu be=
leben. Das Kino ist zur Sauna geworden, denn das Theater im Luk 3
muß ja völlig verdunkelt, also auch von der Außenluft abgeschlossen
bleiben.

Am allerwenigsten, abgesehen von dem technischen Personal in den
Maschinen= und Kesselräumen, sind die Funker in ihrem engen, mit
Geräten vollgepfropften Kabuff zu beneiden, höchstens um ihre Tätig=
keit, da das anstrengende Überwachen der gegnerischen Frequenzen
und des Heimatfunkverkehrs sie geistig frisch hält und seelische Er=
müdungserscheinungen gar nicht erst aufkommen läßt. Diese Männer
werden daher auch leichter mit der feuchtwarmen Hitze fertig und auch
mit den nun seit Wochen ausbleibenden Erfolgen.

Dieses wochenlange, ergebnislose Kreuzen in Verbindung mit dem
wenig abwechslungsreichen Routine=Dienstplan, der neben laufenden
Übungen an den Tarnungen und Waffen meistens Reparatur= und Ar=
beitsdienst vorsehen muß, um das Schiff seefähig und gefechtsfähig zu
erhalten, der zermürbende Wachdienst tags und nachts machen das

Zusammenleben auf engstem Raum eines derart überbelegten Schiffes nur noch unerträglicher.

Das festgefügte Band der Frontkameradschaft, in der ersten Zeit der Unternehmung durch militärische und operative Ereignisse immer wie= der erneuert und wie Stahl unter Hammerschlägen nur noch stärker erhärtet, ist zum Zerreißen gespannt. Manche labil veranlagten Männer werden reizbar und unsachlich. Sie nörgeln am Essen herum. Nun, wel= cher Seemann tut das nicht. Schwerer wiegt ihre Kritik an den Maßnah= men der Schiffsführung, am Verhalten ihrer Kameraden, ja sogar ihrer besten Freunde. Die sonst so amüsanten, mit Seemannsjargon gewürzten Streitgespräche an der Back oder während der Freiwache an Deck be= kommen einen falschen Unterton. Die aufgezwungene geschlechtliche Enthaltsamkeit bildet ein weiteres Attribut in der Kette dieser die Schiffsführung beunruhigenden Nervosität und Unzufriedenheit.

Die Last, die auf den Schultern des Kommandanten ruht, eines Offi= ziers, für den die Männer auch durch die Hölle marschieren würden, geschähe nur in dieser Hinsicht etwas, wächst mit jedem Tag, der keine Sichtung bringt.

Was nützen alle Erklärungen der Brücke, daß die Tatsache des jetzt leergefegten Südseeraumes schließlich und endlich ein viel größerer Erfolg der *Orion* sei, als die Versenkung von einem oder ein paar Einzelfahrern.

Weyher ist sich darüber im klaren:

Es muß etwas geschehen, um die Bordgemeinschaft, von der die Ein= satzbereitschaft des Schiffes und damit alle künftigen Erfolge abhängen, nicht weiter abbröckeln zu lassen. Lange schon hat der IO, Korvetten= kapitän von Blanc, einen Tropendienstplan eingeführt, um zunächst einmal den Stunden der größten Tageshitze zu entgehen. Das Wecken der wachfreien Besatzungsteile wird auf 5.30 Uhr vorverlegt, die Mit= tagspause um drei Stunden verlängert. Weyher sieht es gern, wenn sich seine Männer in dieser Freizeit mit irgendetwas beschäftigen. Er hilft mit guten Ratschlägen und gibt Anweisung, das erforderliche Ma= terial zum Angeln von Haifischen auszugeben. An diesen eleganten Meeresbestien mangelt es nicht, und auch nicht an denen an Bord, die sich nicht nur die Schwanzflosse zur Erinnerung an ihre Südseefahrt präparieren, die auch das Haifischfleisch zu einer Delikatesse erklären. Wenn das tranige Fleisch auch scheußlich schmeckt, dieses Festessen bildet neuen Gesprächsstoff.

Mit zusätzlichem Dienst allein werden die seelischen und geistigen Ermüdungskrisen unter dem Gros der Besatzung nicht zu überbrücken sein. Das ist Weyher völlig klar. Ihm kommt ein Kreis von Aktiven und

Reservisten aller Dienstgrade entgegen, die sich schon früher bereit fanden, zwanglose Arbeitsgemeinschaften zu gründen. Das Ergebnis sind regelmäßige Vorträge, die der Allgemeinbildung dienen und die von den an sich mit einem gesunden Wissensdurst und Kritikvermögen ausgestatteten Seeleuten mit Begeisterung und Eifer besucht werden. Navigation, Sternkunde, Meteorologie, Mathematik, Chemie, Schiffs= bau und Maschinenkunde, verschiedene Handwerke in Kunstgewerbe, Modellbasteln, Englisch, Französisch und Spanisch z. B. füllen jetzt die Zeit mit aus. Diese Stunden werden bewußt in die Dienstzeit gelegt. Nicht selten werden aus den Offizieren Schüler dieser Unterrichtsge= meinschaft, wenn der „Lehrer" als einfacher Gefreiter, Maat oder als Feldwebel ein Reservist aus einer besonders interessanten Berufs= sparte ist.

Jetzt zeigt es sich, wie gut es war, nicht nur aktive Soldaten zu ver= pflichten.

Ein Lob der guten Mischung.

Um den menschlichen Kontakt zwischen Offizier, Unteroffizier und Mann zu fördern, verteilen sich die Offiziere, der Kommandant einge= schlossen, von Fall zu Fall an die Backen der Divisionen. Bei einem Smok und bei japanischem Bier lockern sich die Zungen und manche seelische Spannung löst sich, findet sie in dem älteren und lebenserfah= renen Offizier ein kameradschaftliches, väterliches Ohr.

Der Kommandant erfindet eine Sondergesellschaft, um den älteren Männern mal eine Flasche Bier mehr zukommen zu lassen und sie see= lisch besonders zu betreuen. Sie bilden den in allem mäßigenden Kern in der Besatzung. Alle, die schon im Ersten Weltkrieg dabei waren, tref= fen sich ohne Unterschied des Dienstgrades in gewissen Abständen zu einem Sonderumtrunk. Der Kommandant, der schon seit seinem 16. Le= bensjahr in der Kaiserlichen Marine an Bord gedient hat, ist mit von der Partie.

Es spricht für den Geist dieser Vagabunden auf See, daß niemand von der Besatzung, diesen Weltkrieg=Eins=Veteranen den Sonder= schluck neiden würde. Im Gegenteil, die Männer haben schnell eine Be= zeichnung für diesen Klub gefunden. Es heißt nur noch „Raum klar= machen für den ‚Kyffhäuserbund'!"

Die Klippen der Tatenlosigkeit scheinen umschifft.

Vorerst jedenfalls.

Aufgabe des Kommandanten ist es, jetzt schon der nächsten Krisen= welle vorzubeugen.

Die Aufbringung einer Beute kann er nicht erzwingen, wohl aber Kraft der Stärke seiner Persönlichkeit das Amalgam der untrennbaren

Gemeinschaft, deren Größe sich erst zeigt, wenn die festgefügte Ord=
nung ins Wanken gerät, vorausschauend festigen. Seine Tapferkeit er=
weist sich weniger beim Angriff.

Mut vor dem Feind zu zeigen, erwartet man von einem Offizier, im
höchsten Maße von einem Kommandanten. Dessen größere Tapferkeit,
dessen größerer Mut und dessen größere Verantwortung sind indessen
seine ausgeglichene Beherrschung, sein Ausharrungsvermögen und seine
soldatische Nüchternheit, die er mit niemandem an Bord teilen kann.

Sie suchen und suchen weiter. In Gegensatz zu den anderen, wesent=
lich moderneren Hilfskreuzern, kann *Orion* nicht in einem Jagdgebiet
mit niedrigem Dampfdruck liegen bleiben und treiben. Der in diesem
Falle sehr feuchte Dampf verhindert ein schnelles aber so entscheidend
notwendiges Hochfahren der Antriebsanlagen. Man würde Stunden bis
zur AK=Fahrt brauchen. Wie ein gehetzter Ahasver muß *Orion*

fahren,

fahren,

fahren,

um aktionsfähig zu bleiben. Und dieses ewige Fahren verschleißt die
Maschinen — und

kostet Öl,

kostbares Öl!

Der Ölverbrauch beträgt bei *Orion* bei AK=Fahrt 50 Tonnen, gegen=
über nur 14 Tonnen auf dem Hilfskreuzer *Atlantis* bei Höchstfahrt=
stufe, der Verbrauch bei der ökonomischsten Fahrt, nämlich bei der Ge=
schwindigkeitsstufe von zehn Seemeilen liegt bei 20 Tonnen, dieweilen
HSK *Atlantis* bei neun Knoten nur acht Tonnen, also weitaus weniger
als die Hälfte verbraucht.

Die latente Unsicherheit mit den veralteten Antriebsanlagen ist zu=
dem wie eine unberechenbare Bremse, die der Kommandant in all sei=
nen Überlegungen und Planungen einbauen muß. Wieviel besser ha=
ben es dagegen die Hilfskreuzer=Kommandanten auf den Motorschiffen.

Endlich, am 16. August, wird ein in der Nacht ausgelaufener Frachter
im Seeraum vor Französisch=Nouméa gestoppt.

Es handelt sich um die mit 3 900 ts beladene *Notou*, ein für Neu=
kaledonien bestimmtes französisches Schiff.

Der Bann ist gebrochen.

KAPITEL 4

PRISEN – BRÜCKEN ZUR HEIMAT

Zur Lage: Von Fall zu Fall melden die deutschen Hilfskreuzer der Skl in der Heimat Position und bisherige Erfolge. Sie tun dies über chiff= rierte, nur über den Schlüssel „M" zu entschlüsselnde Kurzsignale. Längere Funksprüche verbieten sich der eigenen Sicherheit wegen von selbst. Der Gegner verfügt an fast allen ozeanischen Küsten über Stützpunkte, er hat auf fast allen Meeren der Welt Kriegs= schiffe in See zu stehen, so daß die Gefahr der Einpeilung längerer FTs zu jeder Tages= und Nachtstunde ständig akut ist.

Die Skl braucht aber Unterlagen über die bisherige Tätigkeit der einzelnen Handelsstörer...

...über das jetzige Aussehen britischer oder in britischen Dien= sten fahrender Frachtschiffe...

...über das Verhalten der gegnerischen Handelsschiffskapitäne bei der Annäherung eines anderen Frachters, in diesem Falle also eines getarnten deutschen Hilfskreuzers...

...über die Abwehrmaßnahmen der gegnerischen Kapitäne...

...über die verschieden gelagerten, aus der Praxis und den Umständen heraus geborenen Angriffstaktiken der Hilfskreuzer= kommandanten...

...über die Verkehrshäufigkeit auf bestimmten ozeanischen Verbindungswegen sowie über bekanntgewordene Verlegungen solcher Routen...

...über eine hier und dort mit Erfolg angewandte List bei der Überrumpelung eines Gegners...

...über innerbetriebliche Vorgänge an Bord der HSKs, die wert sind, allen in See stehenden Hilfskreuzern zugänglich ge= macht zu werden...

...über erbeutete Geheimunterlagen, vor allem über solche des britischen Handelsschiffs=Codes...

und dergleichen mehr.

Es ist zwar vorgesehen, die Hilfskreuzer in Verbindung mit einem Wechsel ihrer Operationsgebiete auf geheimen, abseits der Schiffahrtsrouten liegenden Versorgungstreffpunkten zu einem Erfahrungsaustausch zusammenzuführen, aber solche Treffen las= sen sich indessen nur sporadisch realisieren.

Die einzige, wenn auch risikoreiche Verbindung mit der Heimat sind erbeutete gegnerische Frachter, die sich als Prisen eignen und als solche nach deutschen Stützpunkten entlassen werden. Bis An= fang August ist aber lediglich eine Widder=Prise heimgekehrt,

alle anderen schwimmen noch in See, an Bord unter anderem auch
eine KTB=Kopie des betreffenden HSK oder dazu noch KTBs von
anderen Hilfskreuzern, die diese auf deutschen Versorgungs=
schiffen für heimkehrende Prisen hinterlegten.

Solange also die Auswertung der KTBs durch die Skl nicht er=
folgen kann, solange sich den verschiedenen Hilfskreuzern noch
keine Gelegenheit zu einem Erfahrungsaustausch bietet, solange
müssen die Kommandanten weiter improvisieren, sind sie sich
auch noch nicht einig, daß der bisher geübte klassische Tages=
angriff mit Stopschuß durch die Anhaltekanone fast schon jetzt
überholt ist...

Wieviel härter der Hilfskreuzerkrieg schon jetzt geworden ist
und wieviel konsequenter der Gegner jedes Mittel in Anwendung
bringt — auch, wenn es gegen die Grundregeln seemännischer Fair=
neß verstößt — um die deutschen Hilfskreuzer zu vernichten, zeigt
das Beispiel Orion.

„Schiff 36" operiert noch immer im Pazifik. Im August dringt
der Hilfskreuzer sogar in die Seegebiete zwischen Australien und
Neuseeland ein. Querab von Brisbane und kurz vor der neukale=
donischen Insel Noumêa wird am 16. August die französische
Notou gestoppt, ohne auf Widerstand zu stoßen, besetzt und
später versenkt. Orion läuft mit Südkurs ab. Weyher erhofft auf
der Schiffahrtsroute zwischen der Cook=Straße Neuseelands und
den Osthäfen Australiens neue Beute...

Der 20. August.

Im größten Lichtspieltheater des australischen Hafens Melbourne
erwarten biedere, vom Krieg weder betroffene noch beunruhigte australische Bürger, Seeleute im Hafen liegender Frachtschiffe und Besatzungs=
mitglieder des australischen Kreuzers *Perth* um die sechste Abend=
stunde des 20. August den Höhepunkt der filmischen Liebesromanze.
Doch bevor das versöhnende Happy=End dieses anspruchslosen Erzeug=
nisses amerikanischer Traumfabriken über die Leinwand flimmert,
stoppt der Film, als sei er gerissen.

Licht flammt auf.

Vor die Bühne hastet der Theaterbesitzer, ein kleiner, korpulenter
Mann. Er schnappt nach Luft und rudert mit seinen Armen, als müsse
er einen Schwarm Hornissen abwehren.

Endlich hat er sich gefaßt. Er wischt sich den Schweiß von der Stirn.
Hastig bricht es aus ihm heraus: „Leute! Es ist was passiert. Der Krieg
steht vor der Haustür. Vor Neuseeland ist ein deutscher Raider auf=
getaucht. Männer und Frauen, in dieser Stunde, in dieser Minute sterben britische, australische und neuseeländische Seeleute, schießen sie

unser neuseeländisches Frachtschiff *Turakina* zusammen. Der Kom=
mandant der *Perth* hat mich beauftragt, alle hier im Kino anwesen=
den Besatzungsmitglieder des Kreuzers an Bord zu rufen. Los, Boys,
rennt auf den Kreuzer und jagt dieses bloody black ship."

Das filmische Happy=End interessiert nicht mehr.

Hier nicht und auch in den anderen Kinos nicht.

Auch in Wellington und Sydney werden die Vorführungen unter=
brochen, um in diesen Häfen die Besatzungsmitglieder des neuseelän=
dischen Kreuzers *Achilles* zu alarmieren. Der Rundfunk gibt laufend
Durchsagen und reißt mit seinen Alarmmeldungen die Landgänger aus
dem Kreise ihrer Freunde und den Armen ihrer Mädchen.

Auf *Orion* aber erfahren sie über dieses Rundfunkpalaver, welche
Gegenmaßnahmen die australische und neuseeländische Marine ein=
leiten. Man wird nicht nur mit diesen beiden schnellen Kreuzern rech=
nen müssen. Andere Kriegsschiffe sind womöglich schon ausgelaufen.
Und in der Luft hängen sicher schon die Bienen der australischen und
neuseeländischen Luftwaffe.

Der Gegner kennt die genaue Position des Schauplatzes.

Die *Turakina* ist inzwischen gesunken, aber in der von dem sturm=
haften Wind aufgewühlten See schwimmen noch Überlebende.

Sie trotz der soeben mitgehörten Alarmmeldungen zu retten, ist für
Weyher vordringlichste seemännische Pflicht.

So begann es, das *Turakina*=Drama . . .

Orion stand in der östlichen Tasman=See.

Etwa eine Tagesreise von Wellington entfernt.

Dr. Geil, der Bordmeteorologe, hatte bedeckten Himmel versprochen.

Weyher glaubte, es unter diesen Umständen verantworten zu können,
dichter an die von Flugzeugen leicht zu kontrollierenden Gebiete von
Neuseeland heranzugehen.

Nachmittags hatte der Steuerbord=Saling=Ausguck einen mit Ostkurs
auf die Cookstraße Neuseelands steuernden Frachter gemeldet.

Orion, die bei einem ihrer Kreuzschläge gerade auf Westkurs lag,
geht auf Gegenkurs. Sie will versuchen, dem zur Stunde nach Kopp=
lung elf Knoten laufenden fremden Schiff den Weg abzuschneiden.

Inzwischen werden die an Deck befindlichen Gefangenen in ihre
engen Quartiere zurückgeführt. Die Freiwache nimmt ihr Abendessen
ein.

Erst gegen 17.30 Uhr, es dunkelt langsam, läßt Weyher stillen Alarm
geben. Der Fremde ist ein bewaffnetes Gegnerschiff. Seine Aufbauten
und seine Größe sind mit der 9950 t großen *Turakina* der New Zea=
land Shipping Company identisch.

Die Jagd hat begonnen.

Laufend ändert der Hilfskreuzer seinen Kurs, um in Vorausstellung und näher an das Feindschiff heranzukommen.

Unverständlicherweise dreht der Gegner bei 146 hm Entfernung plötz= lich nach Steuerbord und dreht direkt auf *Orion* zu, statt nach den An= weisungen der Britischen Admiralität sofort von dem ihm Fremden ab= zulaufen.

In dem Regendunst muß die gegnerische Schiffsführung wahrschein= lich den Kurs der *Orion* falsch geschätzt haben. Der Hilfskreuzer ma= növriert noch mehr nach Backbord, um die Entfernung schneller zu reduzieren. Auf keinen Fall darf dieser bewaffnete Frachter nach Osten durchbrechen und in die heraufziehende Dunkelheit der Nacht ent= kommen. Seine Höchstgeschwindigkeit ist mit 14 Knoten größer als die des langsamsten aller deutschen Hilfskreuzer.

Aber Weyher wird nicht mit seiner Backbordseite angreifen.

Er will seine Steuerbordseite enttarnen, da er vor dem eigentlichen Angriff auf Gegenkurs gehen will. Schlagartig können dann die vier Steuerbord=Fünfzehner eingesetzt werden, damit der *Turakina* keine Möglichkeit bleibt, mit ihrer höheren Geschwindigkeit aus dem wirk= samen Feuerbereich der Artillerie zu entkommen, während sie selbst, das muß in Kauf genommen werden, aus ihrer Heckkanone den Hilfs= kreuzer beschießen könnte.

Wind und hoher Seegang zwingen außerdem zu dieser taktischen Maßnahme.

Nach weiteren Kursänderungen beträgt die Entfernung ca. 100 hm, dann, etwas später, nur noch 65 hm.

Näher heran. Noch näher heran.

„Ist der Alte denn noch gesund, so dicht heranzugehen!" sorgen sich die Offiziere wie auch die Männer.

55 hm. Erst jetzt fordert *Orion* auf Weyhers Befehl mit der Klapp= buchs zum Stoppen und zur Nichtbenutzung der Funkanlage auf.

Das Gegnerschiff zeigt klar, gibt aber kein Verstandenzeichen. Die Steuerbordgeschütze melden das Ziel aufgefaßt: Entfernung 50 hm. Die Backbordwaffen schwenken bis zu ihrer vorderen Begrenzung. Sie mel= den ebenfalls klar.

Weyher zögert. Er wartet noch einen Augenblick auf die Verstanden= meldung. Des Gegners Antwort kommt nun schnell. Aber sie fällt an= ders aus, als erhofft.

Er funkt QQQQ

Er meldet seine Position mit 260 Seemeilen nordwestlich vom Kap Egmont und 400 Seemeilen von Wellington.

Seine Silhouette verschiebt sich.

Die *Turakina* zeigt ihr Heck.

Sie läuft mit hoher Fahrt von *Orion* ab.

Und funkt, funkt, funkt.

Weyher folgt dem fliehenden Schiff und eröffnet mit der Steuerbord=batterie auf 48 hm das gezielte Feuer. Die *Turakina* erwidert mit ihrem 12 cm=Heckgeschütz fast im gleichen Augenblick.

„Treffer in Brücke! Gut so und schnell!" hört man des AO's, Ober=leutnant Germans, helle Stimme nach der dritten Salve. Das ist ein aus=gezeichnetes, schulmäßig zu nennendes Ergebnis, denn *Orion* rollt schwer in der starken Dünung, und die Geschützführer können das Ziel nur schwer aufgefaßt halten.

Die *Turakina* brennt im Vorschiff. Bei den Luken zwischen Brücke und Schornstein zerplatzt ein neuer Feuerball. Von explosionsartig sich ausweitendem Rauch gefolgt, schießen irgendwelche Teile wie Torpedo=geschosse heraus. Ein neuer Treffer.

„Das ist doch glatter Selbstmord. Steht denn da ein Wahnsinniger auf der Brücke. Denkt der Kerl denn nicht an seine Leute?" Der IO flucht, und er schlägt, ehrlich verzweifelt, mit der flachen Hand auf die Reling.

Weyher sieht seinen IO von Blanc mit zusammengekniffenen Augen nachdenklich von der Seite an.

„Was dachten Sie, wie ein Brite sich in einer solchen Situation be=nimmt? Etwa anders, als Sie oder ich an seiner Stelle handeln würden?"

„Aber der Kerl muß doch einsehen, daß das Ende seines Schiffes nur noch eine Frage von Minuten ist. Daß . . ."

Ein Aufschrei. Jemand brüllt „Warschau!"

Eine Granate orgelt dicht über die Köpfe der Brückenmannschaft hin=weg. 50 Meter hinter *Orion* springt eine weiße, grünlich schillernde Wassersäule aus der See.

Weyher grinst Eins=Null von Blanc an, zieht mit spitzen Fingern seelenruhig eine Zigarette aus der Packung und sagt vollkommen ruhig: „Oh, nur ein paar Millimeter niedrigere Rohrerhöhung bei denen da drüben, und ihr Schießen hätte doch einen Sinn gehabt."

„Engländer funkt noch immer", meldet der Funkraum. „Radio Bris=bane hat AN ALLE wiederholt!"

„Verdammt zähe Burschen", bewundert Weyher des Gegners An=strengungen, Zeit zu gewinnen, um mit der Zeit die Chancen eines Treffers zu verdichten und um weiter die Bestätigung zu erhalten, daß australische und neuseeländische Flottenstützpunkte die Notrufe emp=fangen haben.

Dem Gedanken folgt die Antwort auf dem Fuße.

In einer Pause der Salve um Salve feuernden *Orion*=Geschütze gibt der BÜ eine neue Nachricht der FT=Station weiter. Der Mann muß brüllen.

„FT an Brücke: Neuseeland bestätigt!"

Neue Treffer auf der *Turakina*, hinter der jetzt eine riesige Rauch= wolke wie eine Trauerfahne herschleppt.

Wieder übertönt der BÜ den Gefechtslärm:

„FT an Brücke: Australien bestätigt!"

Durch die Gläser sehen sie auf dem Hilfskreuzer, wie nach einer neuen Salve der vordere Mast wie ein Getreidehalm im Sturmwind umknickt und über Bord geht. Und mit diesem auch der britische Stückmeister, der von diesem Stand das Abwehrfeuer leitete.

„FT an Brücke: Gegner funkt nicht mehr!"

Mit dem Mast wurde also auch die Antenne zerstört.

Zu spät.

In den australischen Häfen laufen nach der aufgefangenen Notmel= dung bereits die Gegenmaßnahmen an.

Auch das Heckgeschütz des Gegners schweigt.

Der Frachter ist ein brennendes, zum Tode verurteiltes Wrack.

Weyher befiehlt Feuereinstellung. Gleichzeitig schiebt er den Ärmel seiner weißen Jacke zurück und blickt auf die Uhr: „18 Minuten haben sie uns hingehalten. Ausspreche Anerkennung, meine Herren Eng= länder. Unbeugsame Kerls in der Not."

„Englischer Charakter ist im Grunde genommen deutscher Charakter", sagt einer.

„Stimmt — aber nur bedingt", läßt der Kommandant fallen und fügt mit Betonung hinzu: „Er ist veredelt durch Freiheit. Und das ist der Unterschied."

Der NO: „Sollen wir näher rangehen? Bei diesem Feuerwirbel kann doch kein Mensch mehr an Bord bleiben."

„Ja, tun Sie das. Ich glaube kaum, daß sie noch ein heiles Boot zu Wasser bekommen."

„Es wird Tote und Verwundete gegeben haben", schaltet sich der IO ein.

„Leider, aber tun wir, was wir können." Und mit einem Schritt zum Arzt hin: „Doktor, machen Sie sofort Ihren Operationsraum klar."

Mit langsamer Fahrt tastet sich die *Orion* näher an den brennenden Dampfer heran.

Sie will helfen und retten.

Da, Weyher fährt hoch und preßt sich an die Reling. Er hat am Heck, die tropische Nacht ist ohne Dämmerung hereingebrochen, ein kurzes Aufblitzen gesehen. Da kracht es auch schon. Einige Meter neben *Orion*, in Brückenhöhe, stampft eine Granate eine Fontäne aus der See.

„Feuer frei!" schreit Weyher. Die noch gerichteten Geschütze brüllen auf und decken erneut die *Turakina* ein. Ihr Heckgeschütz hat völlig unerwartet wieder zu schießen begonnen, gerade, als *Orion* nur noch 30 hm von der riesigen Schiffsfackel abstand.

Auf der *Orion*=Brücke sind sie eher betroffen als wütend, daß ihre seemännisch=kameradschaftlichen Absichten einem in Brand geschos= senen Gegner gegenüber, den man schon aufgegeben glaubte, mit einer solchen Antwort bedacht werden. In das Breitseitenfeuer der Fünfzehner fallen jetzt auch die 3,7= und 2=cm=Waffen des Oberleutnants Ellmen= reich ein.

Der Widerstand muß mit allen Mitteln und vor allem schnell ge= brochen werden. Bei der geringen Entfernung droht ein verhängnisvoller Treffer jetzt mehr denn zuvor. Frißt sich nur eine der flachgehenden Granaten durch die Bordwand in den Maschinenraum, dann gute Nacht *Orion*.

Das sind nicht die einzigen Sorgen, die Weyher bewegen. Das wild brennende Schiff ist gut und gern 25 bis 30 Seemeilen weit zu sehen. Einen besseren Ansteuerungspunkt können sich die alarmierten gegne= rischen See= und Luftstreitkräfte gar nicht wünschen. Die See muß diesen Frachter fressen, nur schnell, damit diese verräterische Fackel erlischt.

„Thomsen, frage Torpedowaffe?" wendet sich Weyher an seinen Torpedooffizier.

„Klar an Steuerbord, Reichweite ja, Herr Kapitän, Entfernung 19 hm."

„Dann raus mit einem Fangschuß!"

Man hört ein wütendes Zischen, dann ein Aufklatschen. Der Aal läuft. Aber er steuert sich nicht auf die vorgesehene Tiefe ein. Infolge des starken Schlingerns des Hilfskreuzers bricht er aus der hochlaufen= den See heraus und rast als Oberflächenläufer weiter. Aber er packt eben noch das Heck. Doch ohne sichtbare Wirkung.

„TO noch einen", befiehlt Weyher. „Entfernung 1200 Meter."

Unter dröhnendem Krachen detoniert der Torpedo in Höhe des ach= teren Mastes.

Aus dem Flammenmeer, an Oberdeck werden rot durchzuckte Rauch= wolken in den nächtlichen Tropenhimmel geschleudert.

Aus!

18.29 Uhr fährt die *Turakina* über das Heck in die Tiefe der Tasman=See. Wie ein Spuk verlöschen mit einem Ruck die Brände. Um die Männer auf *Orion* ist pechschwarze Nacht.

74

Und eine plötzliche, fast körperlich schmerzhafte Stille.

Das Kriegstagebuch verzeichnet nüchtern: „Breite 38 Grad 33 Minuten Süd, Länge 167 Grad 12 Minuten Ost, Dampfer gesunken".

Erst nach Minuten haben sich die vom Feuer geblendeten Augen an die Dunkelheit gewöhnt. Einige Platten des Hilfskreuzerrumpfes sind durch Granatdetonationen eingedrückt.

„Was sind das denn da für auf und ab tanzende Lichter?" hört man den NO das Heulen des Windes übertönen.

„Ja, ich sehe sie auch schon. Vermute, es sind Rettungslichter an Schwimmwesten Überlebender."

Ein Ausguckposten brüllt gegen den Wind an „Ich höre Schreie!"

Tatsächlich, in das Heulen des Sturmes, der an den Stagen und Wanten zerrt, mischen sich Hilfeschreie.

„Help, help, help!"

Eines besonderen Befehls bedarf es nicht, daß sich die nicht auf Station befindlichen Männer der *Orion*=Besatzung sofort um die Überlebenden kümmern. Boote kann die Schiffsführung jetzt in der Nacht nicht aus= setzen. Außerdem geht die See zu hoch. Aber Schlauchboote erfüllen fast den gleichen Zweck. Man bringt sie an der Leeseite aus. Mit jeweils zwei Mann besetzt, arbeiten sie sich, mit *Orion* durch eine Leine verbunden, durch die wilde See an die Überlebenden heran. Viele der Schiffbrüchigen sind so erschöpft, daß sie zu keiner Bewegung mehr fähig sind, als man sie in das Schlauchboot zerrt, in dem sie wie leblos, aber mit weit auf= gerissenen Augen liegenbleiben.

Auf *Orion* zieht man die Boote längsseits, holt die Geretteten auf, nimmt Fahrt auf zu einer anderen, weiter abgetriebenen Gruppe . . .

Die mühsamen Manöver beginnen von neuem.

Während fünf kostbaren Stunden jagen sich auf der *Orion*=Brücke die Maschinenbefehle.

„Voraus . . . !" „Halbe Fahrt zurück . . . !" „Halbe Fahrt voraus . . ." „Halbe Fahrt zurück . . ." „Zweimal langsame . . ." „Stop . . . !"

So manövrieren sie sich auch an das entfernteste Licht heran. Als sie nichts mehr sehen, fährt Weyher noch einmal kreuz und quer die Unter= gangsstelle ab.

Weyhers Navigationsoffizier warnt. „Wir müssen verschwinden, Herr Kapitän. Wir haben bis jetzt gut 60 Seemeilen an Distanz verloren!"

„Das brauchen Sie mir nicht zu sagen, NO. Aber Sie sind doch auch Seemann wie die dort im Wasser. Wir werden sie alle rausholen! Alle!"

„Ich meinte ja nur. Wir müssen aber auch an die Sicherheit unseres Schiffes und an die unserer eigenen Männer denken."

In Weyhers Augen glimmt Ärger auf. Er erspart sich aber eine Ant=

wort, wirft die eben erst angezündete Zigarette weg und gibt Befehl, noch einmal zurückzufahren. Trotz allem, ganz wohl ist ihm dabei auch nicht; denn außer den Kreuzern werden die Australier und Neuseeländer auch ihre Luftwaffe alarmiert haben.

Als auch jetzt kein Licht mehr in Sicht kommt, dreht *Orion* in südwest= licher Richtung ab. Weyher beabsichtigt, sich in die einsamen Zonen des südlichen Eismeeres zu verkriechen. Er rechnet damit, daß der Gegner seine Schiffe zunächst konzentrisch auf den Platz der Katastrophe zu= segeln läßt.

Die Kompaßnadel hat sich kaum auf die südwestliche Richtung einge= spielt, da fährt ein Brückengast zusammen.

„Herr Kapitän, ich habe eben Schreie gehört!"

„Wird ein Albatros gewesen sein. Bist nervös, mein Junge", beruhigt der WO, da Weyher noch schweigt.

„Mann, halten Sie doch Ihren Mund, und sperren Sie dafür Ihre Ohren auf", fährt ihn Weyher an.

Zu sehen ist nichts. Aber da! Da ruft einer! Das ist ein Mensch! Das ist keine Halluzination der erregten Nerven.

„Wir müssen mit dem Scheinwerfer leuchten", überlegt Weyher vor sich hin.

„Auch das noch, ausgerechnet hier", erregt sich einer auf der Brücke, aber nicht leise genug, daß es Weyher nicht verstand.

„Scheinwerfer leuchten! Sofort!" brüllt Weyher gegen das Heulen des Sturmes an: „Langsame Fahrt . . .!"

Der Maschinentelegraf klingelt.

„Gut so, etwas mehr nach Steuerbord. Recht so!"

Aller Augen starren in die See.

An einer Planke klebt ein Mensch.

Es ist der einundzwanzigste.

Sie zerren einen Jungen an Bord. Er mag kaum 17 Jahre alt sein.

Er reibt sich die vom Salzwasser geröteten Augen und sieht sich dann um. Seine flehenden Augen werden immer größer, sein hastig hin und her wandernder Blick immer unruhiger. Auf einmal platzt es aus ihm heraus, in deutscher Sprache, in wienerischem Dialekt.

„Ja mei, wo san denn hier unsre Treffer? Ich sehe koa Schäden."

„Gott sei Dank, da wirst du auch vergeblich danach suchen", bestätigte ihm ein deutscher Seemann.

„Aber wir haben doch so gut geschossen, genauso gut wie ihr!"

Dann bricht er zusammen, so plötzlich, daß keiner der Herumstehen= den noch zupacken kann. Lang schlägt er an Deck hin.

Hilfsbereite Hände tragen ihn ins Hospital.

76

Um 24.00 Uhr wird der französische Dampfer *Notou* laufend von Noumêa=Radio auf Neukaledonien gerufen. Aber er kann nicht mehr antworten. *Orion* hat ihn schon vor einigen Tagen vor Noumêa versenkt. Der 21. August, 13.30 Uhr.

Um diese Stunde trifft der Kreuzer *Achilles* an der Untergangsstelle ein, während die *Perth* den südwestlichen Teil der Tasman=See durch= sucht. Flugzeuge von australischen und neuseeländischen Plätzen sind ge= startet und suchen die Seegebiete in weitem Umkreis ab.

Jäger, Bomber, Aufklärungsmaschinen, Transportflugzeuge und sogar Verkehrsmaschinen sind an diesem und in den nächsten Tagen in der Luft. Aber der Himmel ist mit dichten Wolken verhangen, die Sicht ist behindert. Das ist *Orions* Glück.

Ein paarmal hören sie auf *Orion* den Flugzeugtelefonverkehr mit der Bodenstelle in allernächster Nähe. Aber entdeckt werden sie nicht.

Das Opfer der tapferen *Turakina*=Besatzung war und bleibt ver= gebens.

An Bord des Hilfskreuzers stirbt am gleichen Tage der britische See= mann S. Mander. Er war es, der das Geschützfeuer der *Turakina* aus dem Vormars geleitet hatte, bis der Mast von einer Granate weggefegt wurde und Mander an Deck stürzte. 17.45 Uhr folgt der tote Seemann S. Mander seinem tapferen Schiff. Mit bloßem Haupt entbietet ihm die *Orion*=Besatzung die letzte Ehre, als der Tote, nach Seemannsart in Segel= tuch eingenäht und mit der britischen Flagge bedeckt, in der See versinkt. Die Geretteten der *Turakina* und der *Notou* sind ebenfalls auf dem Achterdeck angetreten. Die transportfähigen Verwundeten nehmen, in Liegestühlen liegend, Abschied von ihrem Kameraden. Als die Flagge auf halbmast sinkt und der Wind das Lied vom guten Kameraden über Feind und Freud hinwegträgt, senken alle den Kopf.

Wo Mander versank, kreisen die Albatrosse.

Ihre Schreie sind eine aufrüttelnde Klage.

Später bittet der Rollenoffizier, Kapitänleutnant Warnholtz, den ge= retteten Dritten Offizier der *Turakina* in seine kleine Kammer.

„Mein Kommandant läßt Sie fragen, warum Ihr gefallener Kapitän Laird nicht gestoppt hat. Er hätte seine 57 Mann Besatzung retten kön= nen. So aber sind mit dem Matrosen Mander 37 Mann gefallen und tot."

„Muß ich ausgerechnet Ihnen, einem deutschen Seeoffizier, darauf eine Antwort geben?"

Schweigen baut sich zwischen diesen beiden Männern auf. Aber es ist keine unüberwindliche Mauer. Über Tapferkeit vor dem Feinde und den höchsten Einsatz für sein bedrohtes Vaterland braucht unter Männern nicht gesprochen zu werden. Tapferkeit ist hier so selbstverständlich wie die Mutterliebe einer Frau, die sich lieber selbst opfert, als ihr Kind in Gefahr bringen läßt.

Von sich aus beginnt der britische Schiffsoffizier zu sprechen.

Langsam fallen seine Worte:

„Gleich Ihre ersten Salven haben schwere Verwüstungen auf unserem Schiff angerichtet. Kaum eine Viertelstunde war vergangen, da war bereits die Hälfte der Besatzung gefallen. Viele wurden verwundet. Weitere gaben ihr Leben hin, da unser Kapitän hoffte, Ihnen nach Ihrer Annäherung einen vernichtenden Treffer beizubringen."

„Hatten Sie denn da drüben nicht überlegt, daß der Hilfskreuzer näher kam, um von Ihrem fürchterlich brennenden Schiff die Überlebenden zu bergen?"

„Natürlich waren diese Absichten Kapitän Laird und auch uns klar."

„Und Sie heißen Lairds erneuten Angriff dennoch gut?"

„Sir", braust der Brite auf. „Unter welcher Flagge fahren Sie sonst auf den Meeren umher? Doch nicht unter der deutschen, nicht wahr?! Tarnung und List ist doch Ihre stärkste Waffe. Wollen Sie uns, den in diesem Falle Schwächeren, übelnehmen, was bei Ihnen die Regel ist?"

„Das ist aber ein Unterschied. Wenn wir angreifen, bekennen wir unsere Farben."

„Jawohl, das haben Sie getan", gibt der Brite zu, „aber erst dann, als es für uns kein Entrinnen mehr gab. Daß Sie die Überlebenden retten wollten, haben Sie aber nicht bekanntgemacht."

„Wenn Sie Ihr in Flammen gehülltes Schiff gesehen hätten, Sie hätten nie einen nochmaligen Widerstand befürchtet. Und wenn wir es getan hätten...?"

„Wir hätten trotzdem geschossen, wie ich unseren Kapitän kannte, es sei denn, Sie hätten Boote ausgesetzt, dann allerdings nicht... Wie dem auch sei. Die Begegnung mit der *Turakina* wird Ihrem Kommandanten eine Lehre für die Zukunft sein."

„Allerdings, aber auch in Ihrem eigenen Interesse, solange Sie als Gefangener auf unserem Schiff leben müssen. Aber sagen Sie, wie ging es weiter..."

„Nach dem ersten Torpedo — wir sahen ihn als Oberflächenläufer auf uns zukommen — gab Kapitän Laird den Befehl, das Schiff zu verlassen. Beide Backbordboote waren zum Teufel. Aber ein Steuerbordkutter kam mit drei Offizieren und elf Mann, darunter sieben Verwundeten, zu Wasser. Aber er sank kurze Zeit später. Seine Insassen haben Sie ja dann auch aus der wilden See herausgefischt. Meinen Dank dafür, Sir. In das zweite und letzte Steuerbordboot ließ Laird Verwundete schaffen. Dabei trieb es vom Schiffsrumpf ab. Es verging einige Zeit, ehe wir es wieder

78

längsseits bringen konnten. Käpten Laird wollte unbedingt noch den schwerverwundeten Funkoffizier retten und ins Boot fieren lassen. Ein großartiger Kerl, dessen Rettung unserem Alten besonders am Herzen lag."

Der britische Dritte Offizier sieht, wie sich Warnholtz bei diesen Worten aufrichtet. Erläuternd fährt er fort:

„Er wurde gleich in den ersten Minuten schwer verletzt. Sein rechtes Bein wurde ihm durch einen Splitter einer auf der Brücke krepierenden Granate weggerissen. Er schrie nach Morphium. Wir gaben es ihm, andere banden den blutenden Beinstumpf ab ..."

Warnholtz hebt die Hand, und der andere hält mit seinem Bericht ein.

„Und er hat weitergefunkt?"

„Jawohl, er hat weitergefunkt. Umflossen von Rauch und Qualm und der sengenden Hitze der brennenden Brückenaufbauten. Er funkte ... bis er Antwort bekam, bis Australien, Neuseeland bestätigten, bis die Antenne zum Teufel ging. Im selben Augenblick, da wir ihn ins Boot fieren wollten, krepierte Ihr zweiter Torpedo. Nur 21 Mann, darunter der IV. Offizier, der Zahlmeister, zwei Ingenieure, na ja und ich, der Dritte, überlebten das Ende. Kapitän Laird blieb auf seinem Schiff. Ob gefallen oder lebend im Strudel der *Turakina* hinabgerissen, wer weiß das."

„Und die Geschützbedienung?"

Der Brite hebt etwas die Schultern und schüttelt den Kopf.

„Es tut mir leid. Aber solange ihre Kanone noch schoß, solange wir mit Widerstand rechnen mußten ..."

Der Brite winkte mit einem müden Lächeln ab. „Schon gut, Sir".

„Und Ihre Männer haben die Befehle des Kapitän Laird widerspruchslos befolgt?"

„Daß der Widerstand last not least für unser aller Schicksal sinnlos war, bestreite ich nicht, das wußte auch Laird. Aber: Selbst wenn Sie in diesem Falle noch einmal davonkommen sollten — ich gönne es Ihnen und Ihren Kameraden, obschon ich es nicht wünsche —, man ist wach geworden in Australien und Neuseeland. Man wird zum Gegenschlag ausholen. Und was unsere Leute betrifft, keiner hat auch nur den Versuch unternommen, einen Befehl zu verweigern. In Sydney hatten sie noch einen Film gesehen. Er hieß „The Power and the Glory", ein Film über die Leistungen der britischen Handelsmarine, ein Propagandafilm."

„Was Propaganda vermag, brauchen Sie mir nicht zu erzählen. Wenn Sie wollen, sind auch wir ein Opfer dieser teuflischen Macht. Noch einen Whisky?"

*

Auch auf den anderen Ozeanen beunruhigen im August deutsche Ge=
spensterkreuzer wieder die gegnerische Handelsschiffahrt, und ebenso
nachhaltig auch die Britische Admiralität und deren Kommandostellen in
Übersee, nachdem die bisher einzige Aktion — die Begegnung des mäch=
tigen und schnelleren britischen Hilfskreuzers *Alcantara* mit dem klei=
nen, langsameren deutschen HSK *Thor* — für die Engländer so wenig
ruhmreich ausgelaufen war.

In die Indische See ist nun auch *Pinguin* eingebrochen. In Englands
„eigenem Meer" operieren gleich zwei dieser verdammten deutschen Black
Raider. Durch die Rahmenbefehle der Skl räumlich abgegrenzt, jagt
„Schiff 33" südlich und südöstlich von Madagaskar, während „Schiff 16",
Atlantis, östlich und nordöstlich von Madagaskar operiert. Kapitän zur
See Rogge ist ob der Zuweisung des Indischen Ozeans ausgerechnet an
HSK *Pinguin* mit Recht beunruhigt. Wie *Atlantis* als ex *Goldenfels* ist
ja auch *Pinguin* als ex *Kandelfels* ein ehemaliges „Hansa"=Schiff mit sei=
nen typischen, auch durch die beste Tarnung nicht wegzuwischenden
Merkmalen der „Fels"=Klasse.

Pinguins Beute sind drei am 26. und 27. August südöstlich von Mada=
gaskar gestellte Gegnerschiffe:

a) der norwegische Tanker *Filefjell*, dessen Aufbringung noch an an=
derer Stelle ausführlicher behandelt werden wird,

b) der 7 000 BRT große britische Regierungstanker *British Commander*,
der in der Nacht beim Verholen der *Filefjell* gesichtet und angenom=
men und der, da er trotz Verbots heftig weiterfunkte, durch mehrere
Vollsalven in Brand geschossen und schwer beschädigt wurde, und

c) der moderne, ja rassige Norweger *Morviken*, dessen Kapitän, welch
eine Tragik, mit dem Hilfskreuzer=Navigationsoffizier Michaelsen
von früher her eng befreundet ist.

Hilfskreuzer *Atlantis* erbeutet im Indischen Ozean am 2. August die
6 731 BRT große *Talleyrand*, einen Norweger, der von Sydney über Kap=
stadt nach England unterwegs ist. Trotz der wertvollen Ladung an:
16 000 Ballen Wolle, 22 686 Sack Weizen, 4 500 t Stahl und 240 t Teak=
holz, muß Rogge den Norweger versenken, da dieser nur noch 400 cbm Öl
an Bord hat und im Augenblick kein deutscher Versorger in der Nähe
steht.

Am 24. August läuft der *Atlantis* die britische 4 744 BRT große *King
City* kurz vor Dämmerungsbeginn über den Weg. Da das Rogge nach
dem Namen und der Nationalität noch unbekannte Schiff plötzlich seine
Fahrt reduziert, wird es vom mißtrauischen *Atlantis*=Kommando als
Hilfskreuzer angesprochen, denn welch Handelsschiffskapitän fährt solche
verdächtigen Manöver? Die durchaus nicht von der Hand zu weisende Be=

fürchtung, daß der Fremde *Pinguin* sein könnte, bewahrheitet sich nicht, denn der andere hat ein zu tiefes Vordeck, einen zu kleinen Rumpf und auch andere typisch britische Merkmale. Kapitän Rogge entscheidet sich angesichts des Risikos, mit größter Wahrscheinlichkeit einen britischen Hilfskreuzer vor sich zu haben, für einen plötzlichen Feuerüberfall ohne vorherige Warnung. Die erste Salve erzielt, aus 2 400 Meter geschossen, sofort drei Treffer.

Atlantis stellt unverzüglich das Feuer ein, als Rogge sieht, daß sie da drüben Boote ausschwingen und zu Wasser lassen und daß außerdem das jetzt im Morgenlicht gut sichtbare Heckgeschütz unbemannt bleibt.

Im Atlantischen Ozean jagen noch immer *Thor* und *Widder*.

Thor, die für ein paar Wochen von der Bildfläche verschwinden mußte, hat sich nach dem Gefecht mit dem Hilfskreuzer *Alcantara* in den mitt= leren südlichen Atlantik abgesetzt, in ein Seegebiet also, in dem kaum mit britischen Kriegsschiffen und mit gegnerischen Handelsschiffen schon gar nicht zu rechnen ist.

Widder dagegen hat ihren erfolgreichen Fischzug weiter fortgesetzt. Am 4. August wurde der 6 114 BRT große Norweger *Beaulifu* ver= senkt. Am 8. fiel *Widder*, weiter östlich und fast genau zwischen den Bermudas und den Kanaren, der 5 059 BRT große Holländer *Oostplein* zum Opfer. Zwei Tage später, etwas nördlicher, beendet eine 1 817 BRT große finnische Viermastbark ihr Dasein. Die gesamte *Widder*=Besatzung darf sich das Schauspiel der Versenkung mit ansehen.

Genugtuung und Freude über diesen Erfolg empfindet keiner.

Nicht wenigen werden die Augen blank,

als sich der Dom aus Segeln nach vorn über neigt,

als die Bark über den Bug abzusacken beginnt,

als die Masten brechen . . .

Im gleichen Operationsgebiet winkt *Widder* erneut das Glück. Die 5 596 BRT große *Anglo Saxon*, ein Brite, wird am 21. August gestellt und versenkt.

Waren bisher alle Gegnerfrachter am Tage aufgebracht worden, so wurde die *Anglo Saxon* tagsüber lediglich beschattet und erst in der Nacht angegriffen. Fregattenkapitän von Ruckteschell ist einer der ersten Hilfskreuzerkommandanten, der damit von sich aus von dem bisher ge= übten klassischen Tagesangriff abgeht.

Über die Versenkung der schon früher benannten Gegnerfrachter ver= merkt Obermaschinist Buscher:

„So nach und nach bekamen wir eine stattliche Anzahl an Gefangenen an Bord. Sie wurden stets sofort ärztlich betreut, sie durften sich täglich für ein paar Stunden an Oberdeck die Beine vertreten, sie erhielten die

gleiche Verpflegung wie wir und neben einer täglichen Rauchwarenzutei=
lung auch trockene neue Bekleidung.

Ich sehe noch immer das Bild der Schiffbrüchigen des angegriffenen,
sinkenden Tankers vor mir. Die Überlebenden schwammen in einer
dicken Ölschicht auf dem Wasser.

Der Kommandant hatte auf *Widder* sofort Holzplanken auslegen las=
sen, damit diese Männer nach ihrer Bergung nicht mit nackten Füßen auf
dem heißen Achterdeck stehen sollten.

Der Arzt und das Sanitätspersonal reinigten den Überlebenden die
Augen, dann bekam jeder ein Frischwasserbad. Dabei standen uns selbst
pro Tag und pro Kopf nur zehn Liter Süßwasser zur Verfügung, eine
Menge, die für Trinkwasser, für das Sichwaschen wie auch für die Zeug=
wäsche ausreichen mußte."

Die Zahl der im August von deutschen Hilfskreuzern aufgebrachten
und versenkten Tonnage beträgt elf Frachter mit zusammen 61 767 BRT.
Eigenverluste: keine.

Apropos Prisen . . .

Wenn die Kommandanten der einzelnen Hilfskreuzer ihr Bestes bisher
taten, Opfer auf der Gegenseite durch gezielten Beschuß zu vermeiden,
zum Beispiel: wenn ein gestellter Frachter trotz Warnschuß und Auffor=
derung munter weiterfunkte, wenn die betreffenden Kommandanten sich
neben dem Einsetzen des eigenen Störfunks damit begnügten, zunächst
weitere Warnschüsse, diesmal mit einer 15=cm=Kanone zu geben oder den
Gegner durch absichtlich weit gezielte Breitseiten zur Einstellung des Wi=
derstandes, also auch der Funk=Notrufe zu zwingen, dann verbanden sie
damit auch egoistische Interessen.

Gewiß, es ist allen Kommandanten der deutschen Hilfskreuzer — noch —
oberster traditionsgebundener Grundsatz, Menschenverluste auf der Ge=
genseite unter allen Umständen zu vermeiden.

Ihr Kampf gilt dem Schiff, der Tonnage, nicht aber den Mitgliedern der
gegnerischen Besatzung, wenn man auch diese in einem deutschen Inter=
nierungslager besser aufgehoben meint, als an Bord der die Insel Eng=
land versorgenden Frachter.

Jeder Hilfskreuzerkommandant aber möchte den gestellten Gegner
natürlich möglichst unbeschädigt in seine Gewalt bekommen. Sein Unter=
suchungskommando soll erst prüfen, ob dieses Schiff unter Umständen
als Prise entlassen werden kann oder nicht.

Voraussetzung dafür sind, daß das Gegnerschiff

a) über genügend Brennstoffmengen verfügt oder daß zumindest Aus=
   sicht besteht, seine Brennstoffreserven über ein in dessen Fahrbereich
   stehendes deutsches Versorgungsschiff zu ergänzen und

b) die Ladung des Gegnerfrachters das Risiko einer so unwägbar risiko=
reichen Prisenfahrt auch lohnt.

Abgesehen davon ist jeder Hilfskreuzerkommandant froh, auf diese
Weise seine Gefangenen abzugeben. Kein Kommandant möchte diese
Männer länger als notwendig den Gefahren der Hilfskreuzerfahrt aus=
setzen.

Auch das ist eine der an beste alte gute Tradition gebundenen Grund=
regeln, die später, nach dem verlorenen Kriege, auch bei fanatischen Geg=
nern und Deutschenhassern vorbehaltlose Anerkennung fand.

Und ein solches Gefangenenschiff braucht auch „Schiff 16".

Dringend!

Schon der auf dem Hilfskreuzer täglich, ja stündlich gefährdeten
Frauen und Kinder wegen. Jeden Augenblick kann es zu einem Gefecht
mit gegnerischen HSK's oder gar Kriegsschiffen kommen. Entsetzlich der
Gedanke, Frauen und Kinder in ungepanzerten Räumen eingesperrt zu
wissen.

Gleich Anfang September kamen noch die Besatzungen von zwei weit
östlich von Madagaskar aufgebrachten und versenkten Feindfrachtern
hinzu. Die Begegnung mit dem ersten Schiff verlief sogar hochdramatisch,
auch sie war typisch für die wachsende Härte und Kompromißlosigkeit
der Gegner . . .

Am 9. September war es.

Östlich von Madagaskar ist ein Schiff gesichtet worden.

Da der Fremde nicht nur durch seine Bewaffnung als Gegnerschiff er=
kannt wird, sondern dem sich in einer Regenbö schnell heran gestaffelten
Hilfskreuzer durch das Zeigen des Union Jacks als Brite zu erkennen gibt,
eröffnet *Atlantis* ohne Warnung das Feuer. Für den Gegner unerklärlich,
fällt der Angreifer nach Steuerbord ab, denn auf *Atlantis* klemmt das
Ruder. Erst stoppt der Tanker seine Notrufe, besetzt dann aber nach der
Feuereinstellung der *Atlantis* seine Geschütze und schießt zurück.

Aus zwei Geschützen und einer Fla=Kanone mittleren Kalibers.

Rogge hat das Handruder klarmachen lassen, der Hilfskreuzer dreht
wieder in Gefechtsposition und bombardiert den Gegner mit pausen=
losem Salvenfeuer.

Der Tanker, die 9 557 BRT große *Athelking*, stoppt endlich und er=
bittet ärztliche Hilfe.

Ist das wieder so ein Trick wie bei der *Kemmendine?*

Rogge wartet.

Atlantis hat kaum bestätigt, da funkt der andere erneut.

Und wieder fällt ein Feuerorkan, nunmehr mit allen Waffen, über den
hartgesottenen Gegner her.

Bis der britische Funker schweigt.

Rogge nimmt sich die beiden geretteten britischen Funker vor, um sie wegen der Wiederaufnahme der Notrufe nach Anforderung der ärztlichen Hilfe zur Rechenschaft zu ziehen. Von ihnen hört er, daß sie selbst nicht mehr gefunkt und die FT=Station auch verlassen hätten. „Wer war es denn sonst?" knurrt Rogge.

„Wer sonst als Captain Tonkins. Er war noch auf der Brücke."

War er es wirklich? Oder war diese überlaute QQQQ=Meldung nicht eine Wiederholung durch ein in der Nähe stehendes Schiff?

Darauf gibt es keine Antwort.

Doch wie steht es mit dem Gefangenenschiff, mit der ersehnten Prise, die Rogge sucht und braucht?!

Wann und wo wird ein Gegner noch ohne Widerstand die Flagge streichen?

Um die Mitternachtsstunde des 20. September . . .

Bereits im Bereich der ewigen Westwinde des vierzigsten Südbreiten= grades stehend, arbeitet sich, genau südlich von der von den Briten noch beherrschten Paradiesinsel Ceylon stehend, ein mächtiges Schiff mit typi= schen Passagierschiffsaufbauten durch die nachtdunkle See. Eine hohe Dünung läßt die brüllenden Vierzig ahnen, der Wind aber weht noch aus Südost.

Sie marschieren auf der Scheidelinie der Westwindtrift.

Die See ist unruhig.

Mit acht Glasen hat die Brückenwache auf dem ehemaligen französi= schen 10 061 BRT großen Passagier=Liner *Commissaire Ramel* gewech= selt. Der Erste Offizier, ein Franzose, hat seinen britischen Kollegen ab= gelöst. Er fügt sich wortlos, als älterer und ebenfalls berufserfahrener Seemann die Hundswache zu übernehmen, seitdem die Briten nach der Niederlage Frankreichs das in Suva liegende Schiff beschlagnahmt und nun, mit Fett, Häuten, Seife, Obst und Konserven beladen, auf die Reise nach England geschickt haben.

Als neuer Wachhabender hat der Erste Offizier das Journal überprüft, sich kurz um den Kurs gekümmert und ist nun in die Steuerbordbrücken= nock getreten, um seine Augen an die Nacht zu gewöhnen. Er legt keinen Wert darauf, sich mit dem ihm beigegebenen britischen Offizier zu unter= halten, was allerdings auf Gegenseitigkeit beruht.

Aus dem Schornstein quillt dicker schwarzer Rauch. Die Kohlen, die sie im letzten Hafen an Bord nahmen, sind nicht die besten.

Aber es ist Nacht, und man steht südlich, sehr weit südlich sogar.

Wozu auch sorgen?

Daß in der Indischen See die Norweger *Tiranna, Filefjell* und *Talley=*

rand so spurlos verschwanden, ist kein Beweis dafür, daß die Schiffe wirklich von deutschen Kriegsschiffen aufgebracht wurden. Wer weiß, ob nicht die norwegischen Kapitäne einen afrikanischen Kolonialhafen, der mit den Deutschen befreundeten Italiener angelaufen haben ...

Na, und wenn schon, sagt sich der Erste.

Plötzlich blitzt aus dem sammeten Dunkel ein Licht auf. Der Schein zittert aus ziemlicher Nähe über das Wasser.

Ein Schiff, im Schein der Lampe kann man seine Umrisse nicht genau erkennen, ruft sie mit dem Buchstaben Anton an.

Der Erste Offizier gibt seine Anweisungen.

„Geben Sie ein Verstandenzeichen."

Und nach diesem liest er den nun folgenden Spruch des sich schatten= haft gegen den dunklen Horizont abzeichnenden Fremden ab „Don't use wireless! — Gebrauchen Sie nicht Ihre FT."

„Geben Sie verstanden", befiehlt der IO.

Als Antwort kommt zurück „Stop or you will be gunned".

„Ich habe verstanden", antwortet die *Commissaire Ramel* gehorsam. Der Erste verspürt absolut keine Lust, sich in ein Abenteuer einzulassen. Er hat Frau und Kinder daheim. Lange kann der irrsinnige Krieg nicht mehr dauern, seitdem die Deutschen die Städte und Rüstungszentren der britischen Insel bombardieren, seitdem sie diese ausradieren, wie sie sagen.

Wozu also noch den Hintern riskieren. Schon gar nicht für diese Leimis.

„What ship?" wünscht der andere zu wissen.

„Commissaire Ramel", blitzt die Antwort über die im vorderen Mast angebrachte Morselampe zurück.

„Verstanden. Warten Sie auf mein Boot."

Inzwischen hat die Maschine auf dem ehemaligen Franzosen klar ge= zeigt, nachdem der Erste den Maschinentelegraphen auf Stop gelegt hat. Jetzt entweicht fauchend und zischend der abgeblasene überschüssige Dampf. Langsam kommt die Fahrt aus dem Schiff.

„Gehen Sie zum Kapitän Mac Kenzie", sagt der Erste zu einem Ma= trosen. „Er sitzt im Salon mit Kapitän Sabouret."

Gleichzeitig gibt er Befehl, die Positionslichter zu zeigen, die Rettungs= boote auszuschwingen und auszusetzen.

Kapitän Sabouret, ein in der Normandie geborener Franzose, voll= endeter Seemann und Gentleman in einer Person, ist der frühere Kapitän dieses Schiffes. Die Briten ließen ihn nach Frankreichs Kapitulation durch den in Sidney lebenden, schon in den Ruhestand getretenen britischen Kapitän Mac Kenzie ablösen, denn Sabouret ist Reserveoffizier. Er könnte unter Umständen mit Admiral Darlan sympathisieren.

Mac Kenzie haben die australischen Marinebehörden direkt vom Golf=platz weggeholt. So eilig hatte man es, auch die *Commissaire Ramel* für die Inselversorgung einzusetzen. Sein Vorgänger läßt in ausgesuchter französischer Höflichkeit seine wahren Empfindungen nicht durchblicken. Mac Kenzie redet auch nicht auf ihn ein, dennoch versucht er, mit dem sonst schweigsamen Franzosen, der nun als Passagier an Bord mitfährt, ein erträgliches Betriebsklima zu schaffen.

Wie jeden Abend hat er ihn zu einer Partie Bridge in den Salon ge=beten.

Und der schottische Whisky ist gut.

So sitzen sie auch an diesem Tagesausgang wieder hinter den Karten.

Das Klingeln des Maschinentelegraphen entgeht Sabouret nicht. Er fährt hoch und läßt unachtsam seine Hand mit den Karten auf den mit Spiegelglas belegten Tisch sinken . . .

„Sie sind dran . . .", muntert ihn der Schotte auf.

„Aber hören Sie doch. Das Schiff stoppt ja."

„Wird irgend etwas unklar in der Maschine sein. Der Chief wird es schon melden."

„Nein . . . da oben ist etwas los . . . da hören Sie doch . . . Schritte . . . Sie blasen Dampf ab . . ." Sabouret springt auf. Die Karten flattern auf den Boden.

Mac Kenzie folgt ihm widerstrebend. Dann aber beschleunigt er seine Schritte. Schließlich läuft er.

Auf der Brücke übersieht der schottische Kapitän schnell die Situation. Ohne sich aber in seiner betont herausgekehrten Selbstherrlichkeit über das bisher Veranlaßte zu kümmern, weist er mit schneidender Stimme den Funkraum an, die von der Britischen Admiralität befohlene Not=meldung auf der 600=Meter=Welle zu funken.

Die Antwort auf diesen Äther=Alarm wird Mac Kenzie postwendend präsentiert.

Der unheimliche Fremde eröffnet gezieltes Feuer. Ein paar Granaten stanzen aus der Bordwand riesige Löcher heraus.

Aber die *Commissaire Ramel* ist ein großes Schiff.

So schnell wird sie nicht sinken.

Auf dem Ex=Franzosen stoppen sie das Funken. Es hätte ohnehin kei=nen Sinn, denn der Gegner hackt mit einem Löschfunksender dazwischen.

Das sieht auch der jetzt wieder auftauchende Mac Kenzie ein.

Er will gerade gehen. Plötzlich dreht er sich auf dem Absatz brüsk wieder um.

„Funken Sie noch einmal auf der 18=Meter=Welle", fordert er.

„Mauritius hat verstanden gemeldet. Andere Stationen wiederholten unsere 600=Meter=Wellen=Q=Meldung bereits", erklärt der Funker, wischt mit der Hand durch die Luft, um auszudrücken, daß dies doch voll= auf genüge.

„Das genügt nicht", sagt Mac Kenzie ruhig und kalt.

Er will dieses Schiff nicht unversehrt in die Hände der Deutschen fal= len lassen. Gleich bei der Ausreise hat er sich einen Plan für den Eventual= fall zurechtgelegt. Er ist Seemann durch und durch. In seinen langen Be= rufsjahren hat er manchen Orkan abgeritten. Flucht im offenen Rettungs= boot, danach steht ihm der Sinn.

„Die schießen uns in Grund und Boden, wenn wir noch einmal funken, Sir!" wendet der ältere der beiden Funker genauso ruhig, aber auch genauso bestimmt ein.

„Wollen Sie funken oder nicht?!" Mac Kenzies brüllende Stimme ist drohend. Des Kapitäns rechte Hand fährt in die Jackentasche. Diese Geste ist unmißverständlich. Ein Nein des Funkers wäre jetzt offene Meuterei vor dem Feinde.

Der eine der beiden Funker hebt vielsagend die Schultern. Er schaltet auf die 18=Meter=Welle um. Nach vier RRRR Buchstaben drückt er noch die Position und den Namen des Schiffes in die Taste.

Zu einer Wiederholung der Notmeldung kommt er nicht . . .

Erdbebenhafte Erschütterungen schütteln die *Commissaire Ramel.*

Ein Feuerorkan auf kürzeste Entfernung geschossener Granaten trom= melt auf den Dampfer ein. Dazwischen Schreie. Von Verwundeten. Von Sterbenden. Und Befehle.

Dazwischen das Krachen und das Prasseln entfachter Brände.

Leichenblaß steht der Erste Offizier vor dem Britenkapitän.

„Was soll geschehen, Sir", schreit der Franzose, um den fürchterlichen Lärm zu übertönen.

„Was? Das Schiff verlassen, was sonst! Beeilung."

Auf der Feuerleeseite fieren sie die bereits ausgeschwungenen Boote ins Wasser, Rettungskutter, die nur mangelhaft ausgerüstet sind.

Auf dem brennenden Heck hat sich eine Gruppe dort wohnender Be= satzungsmitglieder versammelt. Sie wurden im Schlaf von dem Angriff überrascht. Der Weg nach mittschiffs ist ihnen durch die Brände ver= sperrt. Aber der Bootsmann hat eine Taschenlampe bei sich. Mit dieser morst er zu dem noch immer schießenden Schiff hinüber.

„Send a boat . . . send a boat . . . send a boat . . .!"

Plötzlich schweigt das Geschützfeuer des unheimlichen Angreifers.

Eine Motorbarkasse nähert sich mit tuckerndem Geräusch im Lichte eines Scheinwerfers und der Glut der hell lodernden Brände der *Commis= saire Ramel.*

In dem Rettungsboot, in das Mac Kenzie eingestiegen ist, setzen sie Segel.

„Los, boys, wir müssen verschwinden."

„Mit diesem Boot, Kapitän? Ohne Proviant? Ohne ausreichend Wasser an Bord?"

„In diesem Boot! Noch bin ich Kapitän! Verstanden! Aber beruhigt euch! Sie werden uns, durch unsere Notrufe alarmiert, suchen, und sie werden uns finden!"

Gefunden werden sie, aber noch vor ihrem Untertauchen in der Weite der See. Die Motorbarkasse des Angreifers holt sie ein und bringt sie zurück. Erst jetzt erkennt Mac Kenzie Einzelheiten des Gegners.

Kein Kriegsschiff!

Ein Frachtschiff!

Ein Hilfskreuzer!

Mac Kenzie meldet sich, die Hand an die Mütze legend, bei dem deut= schen Kommandanten.

Kapitän zur See Rogge ist außer sich.

Wütend nimmt er den Engländer an: „Was haben Sie sich denn dabei gedacht, nach Ihrem Verstandenzeichen und damit Ihrem Einverständnis zu stoppen und nicht zu funken, trotzdem eine Notmeldung herauszu= jagen? Fahren bei Ihnen lauter Trottels zur See. Das ist doch ein glattes Verbrechen, Ihre Besatzung auf Ihrem bereits gestoppt liegenden Schiff dem notwendig gewordenen Beschuß auszusetzen. Die Toten kommen auf Ihr Konto, Kapitän. Nur auf Ihr Konto..."

Der alte, grauhaarige Brite schweigt.

Er weiß ja auch nicht, daß Rogge dieses Schiff unversehrt aufbringen wollte, um seine Gefangenen dort einzuschiffen und loszuwerden, und er weiß auch noch immer keine Einzelheiten über die vorausgegangenen Maßnahmen seines französischen Ersten Offiziers.

„Notrufe sind ständige Befehle", wendet er lediglich ein.

„Was mir am meisten leid tut", sagt Rogge abschließend, nachdem er über die Aussagen der Funker und des Ersten die wirklichen Zusammen= hänge erfuhr, „ist, daß die Gefangenen bei mir an Bord, meist Lands= leute von Ihnen, die Vernichtung Ihres Schiffes so hart büßen müssen. Vielleicht wäre es doch besser gewesen, Sie hätten sich über die Vorgänge draußen unterrichtet, ehe Sie den törichten Befehl zum Funken gaben."

Der alte Brite zuckt zusammen...

Richtig, der Erste, der Franzose, hatte ja die Brückenwache...

*

Mit seinen ersten Prisen hat Rogge Pech.

Prise Nummer Eins, die bei ihrer Aufbringung zwar beschossene, aber nicht lebensgefährlich beschädigte *Tiranna* sinkt nur zwei Tage später, am 22. September, direkt vor der rettenden Haustür.

Tiranna, mit 3 000 t Weizen, 72 000 Sack Mehl, 6 000 Ballen Wolle und Militärkraftwagen pp. beladen, mit 274 Gefangenen an Bord, hatte sich bis in die Biscaya durchgemogelt. 18 Deutsche fuhren das Schiff, be= wachten die Gefangenen, gingen Ausguck nach Gegnern in der Luft und auf und in der See.

Nach 10 000 Seemeilen Fahrt standen sie vor der Mündung der Gironde. Kein Geleitfahrzeug kam in Sicht. Einer der Prisenoffiziere, Leutnant Mund, bewog einen französischen Fischer, ihn an Land zu pullen. Er wollte dort telephonieren.

Der zuständige Marinebefehlshaber in Royan hatte es gar nicht eilig. Am nächsten Tage, nicht mehr heute, würden Geleitfahrzeuge die Prise auf dem Treffpunkt X vor der Mündung erwarten. Als Mund besorgt auf Gefahren durch britische U=Boote hinwies, wurde der Herr am an= deren Ende der Leitung erst böse, dann lachte er den Prisenoffizier schal= lend aus.

Am nächsten Tage trafen die Torpedos des britischen U=Bootes *Tuna* die Prise *Tiranna*. Neben der Ansteuerungstonne versank das wertvolle Schiff.

Sechzig Gefangene fuhren mit in die Tiefe.

Die Überlebenden wurden schließlich von Flugzeugen gesichtet und später gerettet.

Denn man hatte vergessen, die Geleitfahrzeuge hinauszuschicken . . .

*

Ein ähnliches, wenn auch nicht so tragisches Schicksal hatte schon vor= her die *Orion*=Prise *Tropic Sea* . . .

Ihr Kommandant war der umgestiegene Kapitän des deutschen Ver= sorgers *Winnetou*, Kapitän Steinkrauß, Käpt'n Allright genannt. An Bord befanden sich die Überlebenden der im Atlantik versenkten *Haxby*.

Auf der Höhe von Kap Finisterre packte ein britisches U=Boot zu. Kapitän Steinkrauß bekam noch die Boote zu Wasser, mußte aber die Gefangenen an das U=Boot abgeben. Ihn selbst holte man auch an Bord, ließ ihn dann aber wegen der Raumnot in der Röhre wieder frei.

In ihrem Rettungsboot erreichten die Deutschen Spaniens Küste, und Käpt'n Allright später Berlin.

Wochen später taucht er in Japan auf.

Er soll eine andere *Atlantis*=Prise übernehmen . . .

KAPITEL 5

TROJANISCHE SEEPFERDE

*Zur Lage: Im Monat September: Hilfskreuzer Komet ist im Pazifik einge=
troffen. Auf allen drei Weltmeeren operieren nunmehr je zwei
deutsche Hilfskreuzer als Handelsstörer.*

*Im Indischen Ozean: Atlantis bringt drei Gegnerschiffe zur
Strecke, darunter auch die Commissaire Ramel, ein von den Briten
beschlagnahmtes französisches Passagierschiff. Pinguin erbeutet
zwei Frachter, den einen, den Norweger Nordvard, am 16. Sep=
tember, knapp hundert Seemeilen von der Position der Atlantis
entfernt. Durch die von der Skl befohlenen Operationsgebiete
waren Überlappungen entstanden, die unbedingt hätten vermie=
den werden müssen. Aber zu ändern vermögen es weder Rogge
noch Krüder, solange sie sich nicht selbst über diese unglückliche
Abgrenzung der Operationsgebiete unterhalten können.*

*Im Atlantischen Ozean: HSK Thor ist wieder aktiv ge=
worden. Aber nur ein einziges Schiff ist die Beute tagelanger
Suchoperationen vor Pernambucos Küsten, allerdings eine gute
Beute — diese 17 801 BRT große norwegische Walkocherei mit
17 662 t Walöl an Bord. Leider macht Kähler nicht den Versuch,
dieses wertvolle Schiff als Prise in die Heimat zu schicken, ob=
wohl er außerdem noch Sorgen mit dem Übersoll an Gefangenen
an Bord hat. Kähler ist das Schiff mit seinen markanten Auf=
bauten zu auffällig und mit neun kn auch nicht schnell genug. Die
Walkocherei Kosmos wird versenkt...*

*Widder hat — soweit es die Zahl an gesichteten und aufgebrach=
ten Schiffen anbetrifft — im mittleren Gebiet zwischen Westindien
und der Westküste Nordafrikas mehr Glück. Sie kapert in den
ersten Septembertagen, am 2. und am 8., zwei mittelgroße Frachter.
Sonst aber hat Widder Kummer. Die Maschinenanlagen sind den
ununterbrochenen Belastungen nicht mehr gewachsen. Die Schwie=
rigkeiten mehren sich von Tag zu Tag. Mit Bordmitteln sind die
Schäden nicht mehr zu beheben. Aber von Ruckteschell will nicht
aufgeben. Er zögert noch immer, der Skl den Zustand der Ma=
schine zu melden, denn ein solches FT würde den sofortigen Rück=
ruf bedeuten.*

*Im Pazifik: Orion ist untergetaucht. Die Skl ist über das Aus=
bleiben von Kurzmeldungen von „Schiff 36" nicht weiter be=
unruhigt. Orion, so vermutet Berlin, wird sich nach dem Äther=
lärm, den der Turikana=Fall auslöste, in Seegebiete verholt haben,
in denen man den Hilfskreuzer am allerwenigsten erwartet.*

So ist es auch...

Tatsache ist: Weyher hat sich zwar nicht versteckt, er hat sich lediglich in für Hilfskreuzer noch jungfräuliche Seegebiete verholt. *Orion* beschnuppert die von Südafrika kommenden Friedensrouten nach Kap Leeuwin, Hobart, Melbourne und Adelaide.

Kein Schiff zeigt sich auf den im Frieden so stark frequentierten Routen. Die Überlegung drängt sich auf: der Gegner wird nach den letzten Alarmmeldungen wohl seine Schiffahrtswege bis dicht unter die australische Küste verlegt haben. Dort genießen die Frachter, wie die Australier sagen, den Schutz der von Tag zu Tag s t ä r k e r werdenden Luftaufklärung.

Ist die australische Küstenluftwaffe wirklich so stark, wie sie der australische Rundfunk hinstellt?

Sind diese Meldungen nicht bloß ein Bluff?

Auf *Orion* wird nur hin und wieder Funkverkehr der Patrouillenflugzeuge mit den Bodenstellen beobachtet.

Weyher drängt es aber nicht danach, die Probe auf das Exempel zu machen. Man wird noch früh genug merken, ob die Luftverteidigung der Australier bloß auf dem Papier steht oder ob tatsächlich etwas dran ist.

Verschwinden, ohne aber diesen Australtreck gestört zu haben, das ist nun auch nicht nach Bubi Weyhers Sinn.

Er will auch hier Verwirrung und Unruhe säen.

Aber wie, wenn hier im Augenblick keine Schiffe fahren, sondern erst morgen, übermorgen oder erst in Wochen wieder . . .

Sie unterhielten sich lange, der Kommandant und der Sperrwaffenoffizier.

Am Ende steht die Arbeit:

Aus leeren, eisernen Biertonnen werden Scheinminen hergestellt. Die ein Meter hohen Fässer werden unten mit soviel Zement gefüllt, daß sie noch eben unter der Wasseroberfläche schwimmen, die angebrachten Bleikappen aber über Wasser sichtbar bleiben. Ja, auch richtige Hörner werden in den oberen Faßdeckel eingelassen und raffinierterweise so eingerichtet, daß sie bei geringster Berührung schon eine kleine Zündladung auslösen. Durch diese Explosion, die das Faß mit Sicherheit zerstören wird, will Weyher verhüten, daß diese Minen gefischt und als Scheinminen erkannt werden.

Leider geht dieser Plan nicht ohne Panne über die Bühne.

Beim Einbau der 250 Gramm schweren Sprengladung passiert es . . .

Ein Schraubenschlüssel kommt beim Überholen des Schiffes in Bewegung und knallt gegen die bereitgelegte Zündung.

Die Ladung detoniert und zerreißt das Eisenfaß.

Der Mechaniker Harder überlebt seine schweren Verletzungen nicht.

Der Mechanikergefreite Karl Putz hat Splitter= und Brandwunden an Gesicht, Händen und Oberleib abbekommen.

Sein linkes Auge kann nicht mehr gerettet werden, in das rechte ist ein großer Eisensplitter eingedrungen. Wird er nicht entfernt, ist auch dieses gefährdet.

„Nur ein starker Magnet kann da noch helfen", berichtet der Schiffs= arzt Dr. Raffler dem Kommandanten. „Alle anderen Mittel versagen."

„Dann bauen wir einen! Los, kommen Sie mit, Doktor, wir sprechen sofort mit dem LI."

LI Kolsch macht sich mit den Elektro=Mechanikern an die Arbeit. Es schlägt die acht Glasen der Mitternacht und auch die acht Glasen der Hundewache . . .

Als der Morgen dämmert, ist der Magnet fertig . . .

Aber seine Leistung ist zu schwach.

Der Schiffsarzt ist verzweifelt.

Ruhig und gelassen bleibt nur der LI.

„Der Magnet ist gut. Wenn wir alle elektrischen Energien an Bord dahinterschalten, muß es gehen."

Der Kommandant ist damit einverstanden, daß für diese Zeit auch die Stromversorgung für die Artillerie und die Funkanlage ausfällt, ein nicht geringes Risiko bei der von den Australiern proklamierten stärkeren Luftüberwachung der Küstenvorfelder.

Der Himmel ist mit tiefliegenden Wolken verhangen.

Die Sicht ist schlecht.

Das mildert die Bedenken.

Behutsam bringen nun die Ärzte den schweren Magneten an das Auge des auf dem Operationstisch liegenden Karl Putz heran.

„Fertig?" der LI.

„Fertig!"

„Sie können einschalten lassen."

„Ein!"

„Ist eingeschaltet."

„Noch einmal aus." „Aus." „Wieder ein." „Ein." „Ist eingeschaltet." „Aus." „Ist ausgeschaltet."

„So, und nun laßt uns sehen. Nehmen Sie den Magneten bitte zu= rück", fordert Dr. Raffler und nähert sich dem Auge.

„Der ist raus, na also. Bitte die Lupe."

Durch das Glas betrachtet er die Stelle, an der der Eisensplitter saß. „Gott sei Dank, das Auge scheint nicht verletzt. Bitte, die Packung . . . so . . . jetzt die Augenbinde . . . Na ja, in ein paar Tagen werden wir weitersehen. Beruhige dich Putz, du behältst dein Augenlicht."

„Danke, Herr Stabsarzt."

„Schon gut. Jeder an Bord tut nicht mehr als seine Pflicht, mein lieber Kamerad Putz." Dr. Raffler, von dem niemand an Bord außer dem Kom=mandanten weiß, daß er selbst an einer tödlichen Krankheit leidet, nimmt seine schlanke Hand vom Kopf des Verwundeten und sieht den Kom=mandanten an. „Herr Kapitän, Sie können über alle Stromquellen ver=fügen. Ich danke Ihnen."

„Quatsch, wozu den Dank?" brummt Weyher, dreht sich um und verläßt den Raum. Nur der Schiffsarzt weiß diesen schnellen Abtritt und die hart klingende Antwort zu deuten. Über sein Gesicht fliegt ein güti=ger Zug des Dankes und der Verehrung für diesen Offizier.

Im Schiff rasseln die Telephone. „Achtung Feuerleit: Strom ist wieder klar..." „Achtung Funkraum: Strom wird in einigen Minuten einge=schaltet..."

Am gleichen Tage, an dem sich der Operationsraum in eine Augen=klinik verwandelte, als eben vor einer Stunde der Strom wieder auf alle Gefechtsstationen und Verbraucher geschaltet wurde, brüllen die Alarm=hupen.

Fliegeralarm. Auf dem 130 sm vom D'Entre=Chasteaux=Point abstehen=den, auf Parallelkurs zur australischen Küste liegenden Hilfskreuzer ist bei der trotz niedriger Wolkendecke jetzt unangenehm klaren Sicht ein Lookhead=Hudson=Bomber ausgemacht worden.

„Die suchen uns also immer noch", knurrt der NO und läßt seine Hand über den Hinterkopf gleiten.

„Sie werden ihre Luftstreitkräfte und Aufklärungsflüge eher verstär=ken als vermindern. Ellmenreich, sind Ihre Flakbedienungen klar? Die Leute sollen nicht nervös werden, wenn der Vogel uns dichter anfliegt. Es darf sich vorher keiner außerhalb der Deckung blicken lassen. Den Feuerbefehl gebe ich."

„Selbstverständlich, Herr Kapitän. Wird wohl auch nicht notwendig sein. Da, sehen Sie, die Maschine behält ihren Kurs stur bei."

„Bißchen mehr nach Steuerbord zur Küste zu halten. Zwei Dez ge=nügen. WO lassen Sie die Fahrt auf acht Knoten reduzieren. Nur nicht durch ein zu schnelles Schiff auffallen", sind Weyhers Befehle.

„Da, sie drehen auf uns zu."

Das Flugzeug wendet und wird schnell größer. In 600 Meter Entfer=nung umfliegt es dreimal den Hilfskreuzer, der stur wie eine Holpütz seinen Weg dahintrottet. Ein paar Matrosen in Zivil stehen lässig an Deck. Zwei Zivilisten auf der Brücke winken.

Durch die getarnten Gläser kann die Brückenwache alle Einzelheiten in der Führerkanzel ausmachen.

„Wenn mich nicht alles täuscht, haben die Kerls einen Filmapparat an Bord", unterbricht der IO die atemlose Stille im Steuerhaus.

„Sie täuschen sich nicht, die Brüder filmen wirklich", bestätigt Weyher.

„Frage an FT=Raum: was macht die Funkbeobachtung?"

„FT=Raum an Brücke: kein Telephonverkehr mit der Bodenstelle Bus= selton bei Albany."

Ohne verdächtige Flugmanöver wendet sich die Lookhead=Hudson ab und geht auf Heimatkurs. Im FT=Raum der *Orion* beobachten sie ange= spannt den Funkverkehr. Der Kommandant hat sich auf einen Hocker gesetzt und sieht den Arbeiten seiner Funker zu.

Plötzlich strafft sich der eine.

Weyher springt auf.

„Nichts Aufregendes, Herr Kapitän. Die Maschine landete eben im Flughafen. Uhrzeit 11.30."

„Ich schätze, daß wir in einer Stunde mehr wissen", sagte Weyher, das Schott öffnend, zu seinem Funkoffizier. Der macht ein Gesicht wie einer, der zum ersten Male in seinem Leben etwas von einem Cosinus hört. Weyher lacht. „In einer Stunde werden sie den Film, den sie von uns kurbelten, entwickelt haben. Und da die Herren Kollegen von der anderen coté genau wissen, wer sich hier in diesen Gewässern herum= treiben darf und wer nicht — ich erinnere an das Stichwort ‚Fairness Lon= don' und an den Code ‚C B 300 A (38)', Anweisungen, die wir auf dem Franzosen *Notou* fanden, werden wir bald mit bombigem Besuch rechnen dürfen."

„Und dann?"

„Dann hilft uns nur noch der liebe Gott und ein bißchen Glück. Dr. Geil hat Regen versprochen."

„Sein Wort in Gottes Ohr."

„Melden Sie, wenn Sie den Start der ersten Maschine hören."

Es verstreicht nicht einmal eine Stunde, da meldet der Funkraum der Brücke eine startende Maschine. Fünf Minuten später: „FT=Raum an Brücke: zweites Flugzeug startet, wahrscheinlich Bomber." Fünf Minuten später eine neue Meldung über eine andere abbrausende Maschine. So geht es weiter.

Die Jagd beginnt. Sie wissen, wer der Fremde vor Australiens Küste ist:

Der verdammte Kaperkreuzer!

Das gesuchte Schwarze Schiff!

Die Aussagen und nach dem Gedächtnis gezeichneten Silhouetten der von einem britischen U=Boot von der selbst versenkten Prise *Tropic Sea* abgeborgenen *Haxby*=Überlebenden sind weitere, sogar ausgezeichnete

Unterlagen darüber, wie der deutsche Gespensterkreuzer in rohen Zügen aussieht, welche Heck= und welche Bugform er hat, wie groß er ist ...

Mindestens sechs Bomber tauchen ständig im Funkbild auf.

Routiniert wertet der NO die Peilzeichen aus, über die sich die Bomber den rechtweisenden Richtstrahl ihrer Bodenstelle geben lassen. Er kreuzt diesen Richtstrahl mit seiner eigenen Peilung. So ist die Brücke über die Standorte der Bomber, die bis zu 180 sm seewärts aufklären, genaue=stens unterrichtet.

Orion rettet sich mit AK in eine Regenbö und läuft von der Küste ab. Es brist immer mehr auf. Aber die Flugzeuge, es sind jetzt auch noch Maschinen von Perth hinzugekommen, bleiben trotz des sich verschlech=ternden Wetters in der Luft. Einer der Bomber überfliegt *Orion*, die im Augenblick der undurchsichtige Regenmantel vor der Entdeckung be=wahrt.

Das Glück ist mit dem Schwarzen Schiff.

Die Unsichtigkeit hält bei stürmischen Winden und bis auf 100 m ab=gesunkener Wolkendecke bis in die Nachmittagsstunden an.

16.00 Uhr meldet der wachhabende BÜ aus dem Funkraum mit ver=ändert bebender Stimme: „Erster Bomber landet."

18.00 Uhr: „Keiner der Jäger ist mehr in der Luft."

Dann ist Ruhe. Allerdings nur in der Luft. Auf *Orion* hat sich die Spannung gelöst.

„Um Haaresbreite hätten sie uns ..."

„Wer Pech haben soll, dem brechen die Masten auch bei Flaute ...", lacht Weyher.

*

Wie Weyher, so hoffte auch Rogge, den Gegner durch eine List zu täuschen ...

Atlantis hatte ihre 92 Minen über der Agulhas=Bank gelegt, da ließ Rogge eine brandrote Rettungsboje mit der weißen Aufschrift U 37 über Bord werfen. Sie soll, so hofft man auf *Atlantis*, den Gegner zu der Annahme verleiten, die Minen seien von einem U=Boot gelegt.

Am Tage darauf.

Die Gefangenen von der versenkten *Scientist* schaffen sich an Ober=deck auf dem ihnen zugewiesenen Raum mit kurzen Schritten Bewegung. Unvermittelt hält der Britenkapitän an. Er spricht den Posten an und grinst.

„Gott sei Dank, daß die Teufelseier von Bord sind."

„Ich verstehe nicht."

„Na, die Minen, die gestern Nacht gelegt worden sind. Kein ange=

nehmes Gefühl gewesen, mit einer solchen Fracht im Bauch Ihres Schiffes in ein Gefecht zu kommen."

„Sie spinnen wohl, Captain", sagt der Posten auf Deutsch.

„Please, was sagten Sie?"

„Daß Sie spinnen."

„Sorry, I don't understand."

Rogge wird unterrichtet. Er geht der Sache nach. Der Britenkapitän vermutet, daß die Minen vor Durban gelegt wurden, also weiter östlich, als sie in Wirklichkeit liegen.

Was Rogge einmal begonnen hat, führt er auch konsequent zu Ende; in diesem Falle den mit der Rettungsboje schon begonnenen Bluff, die Minen würden von einem U=Boot stammen. Es ist durchaus drin, daß die Gefangenen, wenn sie mit einer Prise oder einem Versorger in die Heimat geschickt werden, bei einer Begegnung mit britischen Seestreit= kräften ihre Freiheit wiedergewinnen. Sie werden dann auch ihre Ver= mutungen über die Minenoperationen äußern. Hat der Gegner aber in= zwischen das Minenfeld erkannt, nun, so sagt sich Rogge, dann soll sein Verdacht nur noch genährt werden, daß diese Eier doch ein U=Boot legte.

Also muß ein U=Boot her.

Ganz abgesehen davon, daß der BdU Admiral Dönitz froh ist, wenn er wenigstens ein paar einsatzklare U=Boote für Operationen im Nord= atlantik frei hat, sind Typen mit solchen Reichweiten erst im Bau. Im= merhin, der Gegner wird beunruhigt, wenn er, da er den Deutschen durchaus zutraut, solche U=Kreuzer schon vor dem Krieg im geheimen gebaut zu haben, wirklich U=Boote in diesem Raum vermutet.

Also wird ein Türke gebaut.

Die Gefangenen werden unter Benennung von an den Haaren herbei= gezogenen Erklärungen früher als sonst unter Deck geschickt. Das macht sie, wie von Rogge gewünscht, natürlich mißtrauisch. Sie spitzen die Ohren, als der Hilfskreuzer plötzlich stoppt. Sie hören die überlaute Stimme des Kommandanten. Dann wieder — nach einer Pause — scheint es just so, als ob sich dieser Rogge lauthals mit jemandem neben dem Schiff unterhält. Ein Boot wird lärmend zu Wasser gefiert und tuckert los. Zwischendurch macht der Hilfskreuzer verschiedene Maschinenmanöver.

„Voraus!"

„Zurück!"

„Langsame voraus!"

Er legt sich, das bleibt den verhalten atmenden Briten nicht verborgen, etwas über. Also fährt er mit Ruderhartlage einen Bogen ... Auf ein Ziel zu.

Mit viel Geräusch wird das Fallreep gefiert. Seite=Pfiffe schrillen, Füße trappeln. Danach wogen großes Palaver und fröhlicher Gesang durch das Schiff.

Es ist schon spät, als wieder Seite=Pfiffe ertönen, als nach einer wohl= abgewogenen Pause die Sirene einen Abschiedsgruß ertönen läßt und schließlich die Motoren wieder angeworfen werden.

„Mohr, peilen Sie die Lage, ob die Briten auf den Leim gekrochen sind", fordert Rogge seinen Adjutanten auf.

Adju Dr. Mohr macht ohne auffällige Hast den üblichen abendlichen Kontrollgang vor dem Befehl „Ruhe im Schiff". Die Gefangenen schmun= zeln herausfordernd, als sie Rogges „linke Hand", den Adjutanten, sehen.

„Soviel Umstände waren doch gar nicht nötig, Doktor", spricht der Britenkaptitän den Adju an.

„Was für Umstände? Ich verstehe Sie nicht."

„Na, uns unter Deck zu jagen."

„Bei den Maschinen= und Bootsmanövern beim Treffen mit einem deutschen Blockadebrecher hätten Sie uns nur im Wege gestanden. Das verstehen Sie doch."

„Daß wir das deutsche U=Boot nicht sehen sollten . . ."

„Ein U=Boot? Sie machen aber Witze. Seit wann haben wir denn U=Boote mit einer solchen Reichweite, Käpten, schön wärs."

„Wenn die Deutschen sie nicht haben . . .", fällt der Chefingenieur als technischer Praktiker ein. „Wer denn sonst?"

„Aber meine Herren. Sie sehen Gespenster", lacht Oberleutnant Dr. Mohr und fährt mit der Hand durch die Luft.

„Auf Gespenster verstehen wir Briten uns besser, Doktor, und als alte Wasserhasen hören wir das Gras wachsen und können auch ohne Brille und Aussicht ein U=Boot von einem Frachter unterscheiden. Es gibt da gewisse Merkmale, junger Freund."

„Wie Sie meinen, werden Sie glücklich mit Ihrem Unterwasserge= spenst. Gute Nacht und angenehme Ruhe."

Dr. Mohr berichtet seinem Kommandanten.

Der Streich hat geklappt.

*

Einer List bediente sich auch Kapitän zur See Ernst=Felix Krüder, un= bestritten jener Kommandant, der auf diesem Gebiete eine erstaunliche Begabung entwickelte und es hier nachgerade zu einer Meisterschaft brachte.

Seine Luftaufklärung hatte in der Indischen See einen Tanker, den Norweger *Filefjell*, erwischt . . .

Die He 115 war sofort nach der Sichtung zur *Pinguin* zurückgeflogen.

Fliegeroberleutnant Müller berichtete dem Kommandanten über Position, Kurs und Geschwindigkeit des fremden Schiffes . . .

Krüder hantiert, ohne die erlösende Antwort zu geben, mit Stechzirkel und Kursdreieck in der Karte. Seinem vor Erregung leicht geröteten Ge= sicht sieht man es an, daß kaum eine Hoffnung besteht, das fremde Schiff noch vor Anbruch der Dunkelheit in Sicht zu bekommen.

Betretenes Schweigen im Kartenhaus.

Da zuckt es in Krüders Gesicht, als sei ein Stein in den See seiner schlummernden Gedanken gefallen. Krüder greift noch einmal mit dem Zirkel die Karte ab, wirft ein paar Zahlen in die Schmierkladde und wen= det sich an Müller:

„Sie werfen einen Meldebeutel ab. Inhalt: eine englisch geschriebene Anweisung: ‚Steuern Sie 197 Grad — Süd zu West 1/2 West. In Ihren vorausliegenden Kursquadraten operiert ein deutscher Hilfskreuzer. gez. Hopkins, Kommandant HMS *Cumberland'*.“

„Aber Herr Kapitän . . .“

„Ich weiß, was Sie einwenden wollen . . .

Was aber können wir dafür, wenn die Herren da drüben eine He 115 nicht von einer britischen Swordfish=Maschine unterscheiden können. Trojanische Pferde sind der Hilfskreuzer stärkste Waffen.“

. . . .

Ins Riesenhafte wachsen die Aufbauten des Tankers in den Himmel. So ähnlich, wie wenn man auf eine flimmernde Filmleinewand zu= schreitet, die gerade eine Großaufnahme abrollen läßt. Ganz niedrig flie= gen sie, um denen da auf dem Schiff keine Möglichkeit zu geben, den Flugzeugtyp näher zu studieren, denn den Typ zu erkennen, ist deren einzige Chance, weil auch die Hoheitsabzeichen vertauscht worden sind. Die He 115 führt unter den Tragdecken nicht das Balkenkreuz . . . sie fliegt mit den britischen Pfauenaugen an . . .

Näher . . . Immer näher 'ran.

Immer größer wird der Rumpf.

Da! Menschen.

Aufgeregt und aufgescheucht wie die Hühner auf dem Hof, über dem ein Habicht schwebt, laufen sie hin und her. Sie zeigen mit ausgestreck= ten Armen auf das Flugzeug. Einige strecken sie abwehrend aus, als wollten sie den schnellen Flug der Maschine aufhalten.

Der mit der weißen Mütze, das ist sicherlich der Kapitän. Oder der Wachhabende Offizier. Ist ja auch egal im Augenblick.

Ein dumpfes, kurzes Geräusch, wie wenn ein Sektpfropfen in die Ge= gend knallt . . . der Oberleutnant hat die Signalpistole abgeschossen. Rauchfäden ziehend fahren die sprühenden Leuchtkugeln aus der Pistole.

Grellrot entfalten sich Sterne. Dem Flug der Maschine voraus ... Auf der anderen Seite des Tankers. Ganz wie gewünscht, verläuft der Plan. Der mit der weißen Mütze sieht mit einem Ruck zu den Sternen. Das Ablenkungsmanöver klappt ...

Auch die andern vergessen für Sekunden das Flugzeug, wenden die Köpfe zum „Feuerwerk" hin.

Weit muß sich der Beobachter vorbeugen, weit 'raus aus der Maschine, daß ihm der Fahrtwind den Atem verschlägt, die Nase zusammenpreßt, als hätte sich eine Faust darauf gelegt. Seine rechte Hand umkrallt den beschwerten Meldebeutel. Sein Körper ist wie eine Sehne gespannt. Viel zu eng ist doch solche Kombination.

Nicht ganz hundert Meter sind es bis zum Tanker ...

Himmel ...

Wir nehmen doch den Mast mit.

Mensch, Kumpel, der Mast. Ziehen mußt du die Maschine. Ziehen ...

Ist der verrückt? So was müßte man besser selbst fliegen ... Aber wer würde dann den Meldebeutel schmeißen, daß er auch trifft ... Egal.

Jetzt. Ja, — Jetzt ...

Es sind noch zwanzig Meter. Alle Berechnungen haut der Kerl mit seiner Heckenspringerei über den Haufen. Man hat sich alles schön aus= gerechnet, die Höhe, den Fahrtwind, den anderen Wind, die Gegnerfahrt und die Sturzparabel des Beutels.

Mit einem Ruck schleudert die Hand den Beutel in die Tiefe. Was heißt hier Tiefe? Es sind bloß noch ein paar Meter. Unten fallen einige flach an Deck, suchen Deckung ... Einen Augenblick, einen winzigen Augen= blick nur sieht der Oberleutnant den sich überschlagenden Beutel davon= fliegen.

Dann wird der Schall anders.

Hohl und blechern und prasselnd.

Wie ein Geschoß rasen sie über den Tanker weg.

Alle Einzelheiten verwischen sich.

Der Beobachter fällt schwer atmend in seinen Sitz zurück. Mit dem Handrücken wischt er sich den Schweiß von der Stirn. Als er sich wieder= findet, liegt der Tanker schon weit hinter ihnen; ist wieder ein Strich ge= worden, ein Fleck auf der blauseidenen Tischdecke des Indischen Ozeans.

Im weiten Bogen umkreisen sie das Schiff. Eine rote Flagge haben sie dort auf dem Peildeck ausgelegt. Und ein blaues Kreuz ist in dem Rot. Ein Norweger also. Wie vermutet.

Aufmerksam beobachten beide die Instrumente am Armaturenbrett und dann wieder den Kurs des gegnerischen Schiffes.

„Haut hin."

Der Flugzeugführer hat es zuerst bemerkt. Der Tanker wandert aus. Minuten später liegt er auf dem befohlenen Kurse, der ihn geradewegs in die ausgebreiteten Arme des deutschen Hilfskreuzers führen wird ...

*

Mit mittlerer Marschfahrt ackert HSK *Widder* durch die leuchtend blaue atlantische See.

Es ist wieder ein heißer Tag. Aber der Nordost=Passat mildert die ärgste Hitze.

Von Ruckteschell hat sich über die Mittagsstunden in seiner Kammer ein wenig ausgestreckt. Man kann nie wissen, was am Abend und während der Nacht für Überraschungen Schlaf und Ruhe rauben.

Hilfskreuzerdasein ist in allem ständige Prophylaxe ...

Es klopft an der Tür.

Ruckteschell horcht. Der Eins=Null ist es nicht. Der klopft zweimal kurz und energisch. Der BÜ? Auch nicht. Der Steward? Der klopft meistens gar nicht und wenn, dann stößt er, da er die Hände voll hat, sonst mit dem Fuß gegen das Schott.

Es klopft wieder.

Ganz zart, aber nicht ängstlich.

Von Ruckteschell ruft herein.

Die Tür öffnet sich langsam.

Von Ruckteschell blinzelt verschlafen dem größer werdenden Spalt zu. Komisch, komisch ...

„Herein, habe ich gesagt!"

Aber die Tür öffnet sich nicht schneller. Endlich, als sie ganz geöffnet ist, erkennt der Kommandant mehr. Er wischt sich mit dem Rücken der rechten Hand über die Augen. Ich träume doch nicht, durchfährt es ihn. Wir sind doch nicht in Kiel oder Schlicktown ...

Ich bin doch völlig nüchtern ...? Oder leide ich an krankhaften Vorstellungen ...?

Mit einem Ruck fällt von Ruckteschell von der Koje. Instinktiv fährt seine Hand über die Haare, um sie zu glätten, an den Hemdkragen, ob der Binder auch einigermaßen gerade sitzt. Dann schlüpft er in seine weiße Messejacke, denn die Besucher sind —

Damen.

Eine alte Omi und eine junge Dirn:

Die Omi unter der Last der Jahre ergraut, sonst aber frisch und blühend im Gesicht, das Mädchen in ihrer Begleitung wasserstoffblond und gelockt, Augenbrauen nachgezogen und Lippen verführerisch kirschrot geschminkt.

„Verzeihen Sie, lieber Herr von Ruckteschell, daß wir Sie in Ihrer Mittagsruhe gestört haben, daß wir uns nicht vorher telefonisch ange= kündigt haben, aber Sie wissen ja, die Engländer, diese verdammten Eng= länder, sie haben wieder Bomben auf Wilhelmshaven geworfen und die Fernsprechleitungen zerstört. Aber wir konnten unseren Besuch nicht länger aufschieben . . . Es handelt sich um meine Nichte . . . Gefällt sie Ihnen? Nicht wahr, sie ist doch reizend . . ."

Von Ruckteschell ist näher getreten, hat den Damen inzwischen, ohne den Wortschwall der Omi unterbrechen zu können, die Hand gereicht.

„Bitte, meine Damen, bitte nehmen . . ."

„Hach ja, meine Nichte, mein lieber Herr von Ruckteschell . . . ich sehe es Ihren Augen an, daß Sie sie gleich in Ihr Herz geschlossen haben . . . hach, sie ist auch ein bezauberndes Geschöpf . . . zu schade, daß Ihre verehrte Frau Gemahlin im Augenblick abwesend ist, zu schade, mein lieber Herr von Ruckteschell . . . Gern nehmen wir Platz . . . Nur für zehn Minuten . . .

„Darf ich Ihnen . . ."

„Ja, ja Sie dürfen, mein lieber Herr von Ruckteschell, Sie dürfen . . ." kommt die Omi des Kommandanten Angebot mit hoher Fistelstimme entgegen, setzt sich, zupft ihren wallenden Rock zurecht und legt, als sich Ruckteschell umdreht und an den Getränkeschrank begibt, schnell etwas „Rouge" auf.

Sie sitzen drei Stunden zusammen:

Der Kommandant und die beiden altersmäßig so unterschiedlichen Damen. Sie trinken Likör, Ruckteschell Whisky. Die Oma versucht sich sogar an Zigarren, den Rest holt sie mit geübtem Rollgriff aus der Kiste. Die Zigarren verschwinden in der Busengegend.

„Das ist der sicherste Platz, Herr von Ruckteschell . . ."

„Bei Ihnen ganz gewiß", grinst Ruckteschell und beendet das Kostüm= fest, indem er um Entschuldigung bittet, da ihn dienstliche Aufgaben rufen würden . . .

Die *Widder* wiehert.

Von vorn bis achtern.

Und daß von Ruckteschell auf den Spaß seiner Männer so ernsthaft eingegangen war, das werden sie ihm nie vergessen.

Zwei Matrosen waren auf diesen verrückten Gedanken gekommen. Sie hatten in der Kleiderkammer, die für Tarnungszwecke bestimmten Frauenkleider entdeckt. Der Bekleidungsunteroffizier war sofort mit von der Partie, und der Friseur machte die Damen auch sonst zurecht.

Weil ein von Ruckteschell ihr Kommandant ist, konnten sie sich die= sen Scherz erlauben.

Er freut sich mit seinen Männern, er teilt aber auch ihre Sorgen.

Und er bleibt auf seinem Schiff doch Kommandant, im Sinne des Wor=
tes, er bleibt das, was sie bei der Christlichen so treffend mit drei Worten
ausdrücken:

Master nächst Gott.

*

Greifen wir dem Ablauf der in dieser Arbeit gemachten historischen
Entwicklung um zwei Monate vor:

Hier noch ein weiteres Beispiel der Kriegslist auf See, ein sogar aus=
gewachsenes trojanisches Seepferdchen, mit dem Kapitän zur See Rogge
die Hürden nahm.

Der 10. November 1940.

Ort der Handlung ist der südliche Teil des Golfes von Bengalen.

Es ist kurz nach der Abenddämmerung.

Fahles Mondlicht geistert über eine glatte, nur durch die Dünung be=
wegte See.

Auf dieser treibt der norwegische Tanker *Ole Jacob*. Er hat 9 247 t
Fliegerbenzin an Bord genommen und soll diese explosive Ladung in
die Häfen des Suez karren. Auf dieser Fahrt hat nun im Dunkel der
Nacht ein sich als britischer Hilfskreuzer ausgebender Frachter den Tan=
ker zum Stoppen aufgefordert ...

An *Ole Jacob's* Mittschiffsreling erwarten Schiffsoffiziere und See=
leute, so an die zehn Mann zusammen, die von dem jetzt im Kielwasser
schwimmenden fremden Schiff ausgesetzte Motorbarkasse. Die Männer
haben Pistolen und Gewehre in den Händen, aber sie beruhigen sich, als
ihr Erster mit seiner Stablampe in das herantuckernde Motorboot hinein=
leuchtet. In der in der Dünung auf und nieder torkelnden Barkasse hok=
ken zwei britische Seeoffiziere, das weisen die Dienstgradabzeichen an
den Uniformjacketts und auch den Mützen aus. Sie sehen im zitternden
Schein der Lampe auch den Bootssteuerer, einen echten britischen Matro=
sen, echt, soweit es sein Äußeres und seine seemännische Sturheit und
Desinteressiertheit betrifft.

Also schwimmt da drüben tatsächlich der britische Hilfskreuzer HMS
Antenor, dessen Untersuchungskommando sie jetzt erwarten.

HMS *Antenor* ist dasselbe Schiff, das von *Ole Jacob*, kurz nach Ein=
bruch der Dunkelheit entdeckt, als unbekannter und verdächtiger Frem=
der über ein QQQQ=Signal gemeldet wurde, das aber nicht abzuschüt=
teln war, und das sie nun eben angemorst und das Untersuchungskom=
mando angekündigt hat.

Vorsichtshalber hat Kapitän Leif Krogh schnell noch einen Funkspruch

auf der 600=Meter=Welle absetzen lassen, daß er durch ein ihm unbe=
kanntes Fahrzeug angehalten würde . . .

Und nun warten sie auf das sich heranarbeitende Boot . . .

Bis auf die drei Mann, die beiden Offiziere und den Bootssteuerer, ist
die Barkasse leer. Nur ein Bündel Segeltuch liegt noch drin. Es verdeckt
irgendwelche Fässer oder Kisten, wohl um diese vor Regennässe zu
schützen.

Oh, ahnungslose Wikinger . . .

Unter der Persenning ruhen keine harmlosen Fässer, dort lauert der
sprung= und enterbereite Feind . . .

„Are you British" schreit der norwegische Erste den Männern in der
jetzt an der Bordwand aufschwoienden Barkasse entgegen . . .

Als Antwort hört er vom Winde verwehte Wortfetzen in britischer
Sprache. Eine starke Lampe blitzt den Norwegern entgegen. Ihr Licht=
kegel nähert sich ihnen schnell mit dem auf dem Rücken der Dünung an
der Bordwand emporschwebenden Boot.

Und nun geht alles blitzschnell, so schnell, daß sich die Norweger
später gar nicht mehr an Einzelheiten erinnern vermögen.

Plötzlich jumpt eine Gestalt über die Reling . . .

Eine . . .? Oder sind es zwei? Oder drei . . .?

Was ist denn das? Tragen die Briten nicht den Hoheitsadler mit dem
Hakenkreuz an ihrer Uniform? Haben sich diese Kerls nicht plötzlich
verwandelt?

Den verdutzten Norwegern werden die Gewehre zur Seite geschoben,
aus der Hand gerissen. Die Waffen fliegen über Bord. Was diese un=
heimlichen Kerls da zwischen den Zähnen haben . . . das sind ja Pistolen.
Jetzt packen sie diese Waffen, richten ihren Lauf gegen die Leiber der
zurückweichenden Norweger.

„Hands up!" hören die Norweger die vermeintlichen Briten brüllen.
Dazwischen fallen andere Worte.

Deutsche Worte!

„Raufkommen! Los raufkommen!"

Der norwegische Erste versteht ein bißchen Deutsch . . .

Also Germans! Keine Briten! Raufkommen? schrieen sie. Die beiden
sind also nicht allein . . . Aber ehe er angesichts der auf ihn gerichteten
Pistole einen klaren Plan zur Abwehr schmieden kann, huschen drei,
vier, fünf, zehn Gestalten über die Reling.

Alle schwer bewaffnet. Und alle in deutschen Uniformen.

Die Männer verteilen sich so selbstsicher über das Schiff, als habe man
diese Überrumpelungsszene wie auf einer Bühne vorher bis zur Bewußt=
losigkeit geübt.

Die beiden deutschen Offiziere hetzen zur Brücke. In ihrer Nase ist Benzin. Benzingeruch in frischer Seeluft?

Oben, am Brückenniedergang, der Kapitän, ein großer, breitschult= riger Mann. Er hebt beide Hände in den nachtdunklen Himmel.

„Ich gebe auf, Sir!" schreit er den Offizieren entgegen. Dann wendet er sich zur Seite, seinem Wachoffizier zu:

„Los Mann, laufen Sie nach achtern. Die Geschützbedienung soll weg= treten ... Los, schnell, ehe es Mißverständnisse und ein Unglück gibt."

Der eine der beiden deutschen Offiziere, der NO des Hilfskreuzers, der sich zusammen mit dem Adjutanten des Kommandanten auf dieses verrückte Überrumpelungsabenteuer einließ, tritt auf den norwegischen Kapitän zu.

„Führen Sie mich sofort zu ihrem Funkraum, Kapitän!"

Kapitän Leif Krogh nickt schwach und geht mit schweren Schritten voraus.

Dem NO folgt ein Funker des deutschen Enterkommandos.

Im Funkraum wartet der norwegische Funker noch immer auf weitere Befehle. „Gehen Sie, Torndsen, der Krieg ist aus. Diese Briten sind Deutsche." Und zu dem deutschen Offizier gewandt: „Hier Sir! Der Funkraum!"

Der NO gibt seinem Funker einen Wink.

Die von der *Ole Jacob* gefunkte Notmeldung wird mit der eigenen Sendeanlage widerrufen.

Wie Kapitän Rogge es wünschte:

Auch dieser Gegner wurde unbeschädigt aufgebracht. Kapitän Kamenz übernimmt die *Ole Jacob* als Prise. Sie wird zunächst auf den 300 sm südlich der Linie gelegenen Treffpunkt Rattang geschickt. Hier wartet auch der aufgebrachte Tanker *Teddy* auf seine weitere Verwendung.

Die Skl in Berlin schickt ein FT an Alle:

„Nach aufgefangenem englischen Schiffahrtsfunk wirkt sich das Auf= treten der Hilfskreuzer derart beunruhigend aus, daß selbst aus dem Golf von Bengalen deutsche Raider gemeldet werden — obwohl dort gar keiner arbeitet ..."

Ahnungslose Skl.

„Schiff 16" brach ja in den Golf ein. Im Operationsbefehl war das allerdings nicht vorgesehen.

KAPITEL 6

HUSARENSTREICHE RUND UM AUSTRALIEN

Zur Lage: Überall an den Schlagadern des Britischen Weltreiches taucht die deutsche Flagge auf. Der Zufuhrkrieg treibt seinen ersten Höhe= punkten zu. Nach der Besetzung Norwegens und der wenige Zeit später erfolgten Kapitulation Frankreichs sind die U=Boote wieder aktiv geworden. Von den neuen Basishäfen an der fran= zösischen Westküste haben sie nunmehr einen wesentlich kür= zeren Anmarschweg in ihr Hauptoperationsgebiet an den großen Geleitzugstraßen. Die längere Operationszeit im eigentlichen Kampfraum wirkt sich für den Gegner verheerend aus. Im Sep= tember vernichten U=Boote 59 Feindschiffe mit 295 335 BRT, im Oktober schnellt die Erfolgsquote auf 63 Schiffe mit 352 407 BRT an. Dazu kommen die Verluste durch Minen, die britischerseits für September mit 7 Schiffen mit 8269 BRT und für Oktober mit 24 mit 32 548 BRT beziffert werden. Auch die Luftwaffe ist im Zufuhrkrieg aktiv. Sie versenkt im September 56 328 BRT (15 Schiffe), im Oktober allerdings nur 8732 BRT (6 Schiffe).

Die dem Gegner durch die Hilfskreuzer zugefügten Verluste wiegen zwar nicht so schwer wie jene durch die „grauen Wölfe", sie sind aber darüber hinaus durch die bereits ausführlich behan= delten indirekten Auswirkungen auf das gegnerische Tonnage= potential wie auch auf die gegnerische Kräfteverteilung an See= und Luftstreitkräften ganz erheblich.

Während Widder im Monat Oktober wegen der laufend auf= tretenden und sich mehrenden Maschinenschäden gezwungen ist, den Rückmarsch (Brest) anzutreten, operieren alle anderen deut= schen Hilfskreuzer nach wie vor in den alten Operationsgebieten:

Orion steht im Pazifik, wo ihr im Oktober allerdings nur ein Schiff zur Beute wird, denn auch Orion, ein Schwesterschiff der Widder, hat Kummer mit ihren Maschinenanlagen... Komet kämmt ebenfalls, wenn vorerst auch noch vergeblich, den Pazifik ab.

Thor hat sich in neue Abenteuer mit vielen Unbekannten ge= stürzt. Sie operiert westlich und nordwestlich von Pernambuco, versenkt am 8. Oktober den 8715 BRT großen Briten Natia und setzt sich später wieder in südlichere Gefilde ab.

Atlantis und Pinguin, die beiden „Fels"=Schiffe, stehen noch immer wie ein Fels in der Brandung der gegnerischen Abwehr= aktionen im Indischen Ozean. Rogge erhofft sich im Gebiet un= mittelbar vor der Sundastraße einen Erfolg, Krüder, Rogge syno= nym, hat den gleichen Gedanken.

Als Pinguin *am 7. Oktober den norwegischen Tanker* Storstad *ohne Gegenwehr stoppt und durch ein Prisenkommando besetzen läßt, schwimmt* Atlantis *in fast unmittelbarer Nähe auf nahezu gleichem Kurse. Noch näher an die Sundastraße herandrehend, bringt* Atlantis *am 22. Oktober den Jugoslawen* Durmitor, *Rogges zweite Prise, auf. Sie wird, beladen mit 8200 t Rohsalz und den Überlebenden der vorher versenkten Schiffe als Gefangene an Bord, nach Mogadiscio ins italienische Somaliland entlassen.*

Drei Geschehen ragen aus der Zeit zwischen Oktober und November 1940 beispielhaft für den Hilfskreuzerkrieg heraus:

a) Die Minenoperationen des Kapitän zur See Krüder,

b) die Operationen des von Weyher angeregten und improvisierten einzigen deutschen Fernostgeschwaders und

c) die neuen Taktiken der Pinguin.

Außerdem, das darf beim Lagebericht nicht unterschneiden, ist Ende Oktober der Schwere Kreuzer Admiral Scheer *zum Kreuzerkrieg im Atlantik und im westlichen Indischen Ozean entlassen worden.* Admiral Scheers *Weg führt durch die Dänemarkstraße. Die erste Aufgabe lautet, einen vom B=Dienst ermittelten auf der mittleren Wegstrecke verhältnismäßig schwach gesicherten Geleitzug anzugreifen.*

Die Skl erwartet, daß das Auftreten eines deutschen Kreuzers im nördlichen Mittelatlantik den Gegner daran hindern wird, Kriegsschiffe zur Jagd der „Raider" in den Südatlantik, Indischen Ozean und in den Pazifik zu schicken.

Doch wenden wir uns zunächst der Pinguin *zu...*

Der 7. Oktober.

Kapitän zur See Ernst=Felix Krüder läßt den widerspruchslos aufgebrachten Tanker *Storstad* ohne Brückenkommentar im Kielwasser seiner *Pinguin* folgen. Seine Offiziere und Männer wundern sich. Etwas südöstlicher stoppen beide Schiffe.

Krüder entwickelt seinen ureigensten Plan, einen tollkühnen Plan ohne Vorbild, ohne eine Anregung durch die Skl oder das OKM.

Der Tanker *Storstad* soll auf hoher See in ein Hilfsminenschiff umgebaut und für die Dauer der geplanten Minenunternehmung in *Passat* umbenannt werden. Kommandant soll der als Sonderführer=Leutnant eingeschiffte Prisenoffizier und Handelsschiffskapitän Warning werden. Warning, ein Pommer aus Stolp, soll für die Dauer dieser Unternehmung zum Kapitänleutnant (S) befördert werden. Mit den Vollmachten eines Volloffiziers! Denn Warning muß auch die Befehlsgewalt über die bei ihm eingeschifften aktiven Offiziere zugesprochen bekommen.

Krüder hat sich über die den Befehlsbereich der Sonderführer ein=

schränkenden Bestimmungen des OKM hinweggesetzt. Nach den OKM=
Anweisungen sollten diese nautischen Sonderführer, meist Inhaber des
Patents A 6 auf Großer Fahrt, lediglich fachliche Aufgaben (vornehmlich
als Prisenoffiziere) zugewiesen, keinesfalls aber die Disziplinargewalt
eines aktiven Offiziers erhalten. Krüder hat diese Offiziere von Anbeginn
den aktiven Offizieren nicht nur gleichgestellt, er hat sie auch, ihres grö=
ßeren Alters und ihrer nicht zu bestreitenden größeren Erfahrungen we=
gen, niemals als Subalternoffiziere behandelt*).

Die zeitliche Beförderung Warnings löst auf *Pinguin* jedenfalls keinen
Mißklang aus. Alle aktiven Offiziere pflichten Krüders Beschluß bei und
die, die Warning unterstellt werden, sehen ein, daß Warning der bessere
Seemann und an Jahren erfahrenere Nautiker ist — und außerdem ein
prachtvoller Kamerad, einer der nicht viel redet — der aber schnell und
schlafwandlerisch sicher handelt.

Passat ex „Storstad" soll zusammen mit *Pinguin* eine Parallel=Minen=
unternehmung vor Australiens Ost= und Südhäfen fahren.

Storstad ist ja, wie aus den erbeuteten Papieren hervorgeht, für Süd=
australien deklariert. Sie wird in den Küstengewässern also nicht auf=
fallen.

Und einen Minenleger vermutet auch der größte Skeptiker in einem
Tanker nicht.

Die *Storstad* wird umgebaut, wenn auch äußerlich nicht verändert. Die
Minen werden in mit Matten ausgepolsterten Verkehrsbooten auf den
Tanker geschafft, eine seemännische Meisterleistung, die ihresgleichen
sucht.

Auf *Pinguin* nimmt man sie lediglich zur Kenntnis.

Das KTB registriert nur die Tatsache: „110 Minen wurden ohne Vor=
kommnisse auf *Passat* übergeben."

Pinguin selbst übernimmt den schwierigsten Teil der Minenoperatio=
nen: Minen vor New=Castle, Sydney, Port Hobart (Tasmanien) und die
Westzufahrt von Adelaide zu legen.

Passat soll mit Minen verseuchen: 1. Die Bank=Straße, 2. die Ost=
einfahrt und 3. die Westeinfahrt der zwischen Südaustralien (Victoria)
und der Insel Tasmanien hindurchführenden Bass=Straße.

Höhepunkte, an Bord der *Passat* erlebt:

In der Rubrik „Windstärke" steht heute eine nüchterne Elf. Es sind
zwei ganz schlichte Einsen, die der Steuermannsmaat dort hingemalt
hat ... Und in kleiner Schrift ist dahinter vermerkt „Zwölf in Böen".

---

*) Im Hinblick auf gewisse Spannungen zwischen den aktiven Offizieren
der KM und den zur Dienstleistung befohlenen HSOs muß bemerkt werden,
daß fast alle HSK=Kommandanten im gleichen Sinne handelten.

In Logbüchern übertreibt man nicht.

Eine Geisterwelt johlt wie das jüngste Gericht um den Tanker umher. Mit Juis und Jiffs tobt der Orkan. Gleich Furiengeheul zieht es brausend, schauerlich grölend über sie hinweg.

Aus der Tiefe der kochenden See dröhnt ein Rumoren herauf.

Nächte des Klabautermannes, dieses zotteligen, grünlich phosphores= zierenden Männleins. Er soll einen langen gezwirbelten Bart haben. Viel länger als der Kerl selbst lang geworden ist. Und auf dem Bugsprit soll er meistens seinen Platz haben.

Der Sage nach bringt er, taucht er im Orkan auf einem Schiffe auf, Unglück und Verderben über Schiff und Mannschaft. Mit wachen Sinnen hat ihn bestimmt noch keiner gesehen — aber wer nur etwas Fantasie in sich verspürt, der müßte ihn da vorne hocken sehen ...

Manchmal bäumt er sich auf, wächst ins Überdimensionale, seine schlohweißen Haare flattern wie ein Totentuch und wehen wild hinter ihm her. Immer höher reckt er sich an der Reling auf, um dann mit einem Aufschrei spielerisch in sich zusammenzusinken. Spritzer zischen über das Deck und dann grinst er plötzlich höhnisch mittschiffs über die Bordwand. Seine gekrümmte Gestalt plustert sich auf, räkelt sich, um wieder zusammenzufallen.

Das Spiel beginnt von neuem.

Welch ein Schauspiel!

Welch ein makabrer Tanz!

Der unheimliche Geselle weicht nicht mehr vom Schiff.

Nicht an diesem Tag und in dieser Nacht, nicht am nächsten Tag und in der nächsten Nacht.

Warning ist in ernster Sorge, ob der alte Tanker diesen Wirbel noch länger mitmachen wird. Er wird das Gefühl nicht los, daß sich bei jedem Male, wenn der Tanker rittlings auf einem Wellenkamm thront, alle Verbände biegen und dehnen. Das halten die stärksten Nieten auf die Dauer nicht aus. Warning hört noch, auf der schmalen Koje liegend, dem Tosen und Toben zu. Unruhig wälzt er sich hin und her. Er liegt vollkommen angezogen auf den Polstern, nur mit einer Decke zugedeckt. Es gibt keine Ruhe. Und wieder springt er auf und lauscht in die wilde Nacht. Er wankt zum Schreibtisch, auf dem sich kein Bleistift und kein Buch mehr hält. Die Seekarte, in die Warning Einblick nehmen will, muß er mit Reißnägeln festpinnen.

Es ist noch weit bis zum befohlenen Ort.

400 Seemeilen ...

Warning blättert in alten Segelhandbüchern. Nach diesen Büchern zu urteilen, kann das Unwetter in diesen Breiten noch lange dauern.

Ein Höllenwetter.

Aber ist es nicht wie geschaffen für dieses Unternehmen? Man muß sich nur das Gute aus dieser Teufelssuppe herauspicken, dann läßt sie sich schon löffeln. Immerhin, Warning kann sich nicht entsinnen, jemals einen solchen Orkan erlebt zu haben. Aber man vermag sich an Schlechtes ja immer schwer erinnern, weil nur das Gute bleibt . . .

Das Doppelte und Dreifache an Zeit wird man bis zum Punkt X wohl brauchen. Bleibt nur zu hoffen, daß die *Pinguin* genauso zu kämpfen hat, so daß auch deren Anmarsch verzögert wird.

Auch der nächste Tag zieht grau und kalt herauf. Es will gar nicht hell werden unter diesen tief segelnden Wolken. Mit der Hand könnte man sie greifen. Fugenlos scheint der Himmel grau in grau zusammengeschweißt.

Kein Loch, kein Riß zeigt sich irgendwo.

Dieses Leben auf diesem verrückt gewordenen Tanker, der sich in beängstigenden Schräglagen und wilden Bewegungen behaupten möchte, strengt an. Der Weg nach achtern wird zu einer regelrechten Unternehmung. Paß auf, Kamerad, daß die See dich nicht erwischt. Plötzlich, auf einmal langt sie über die Reling, schleudert tonnenweise Wasser über dich hinweg. Wenn du nur mit Knochenbrüchen herauskommst, hast du Glück, viel Glück gehabt.

An ein vernünftiges Essen ist schon gar nicht mehr zu denken.

„Ob man nicht mal die Buddel kreisen lassen soll", fragt einer den Kommandanten.

„Natürlich, selbstverständlich. Einen daumenbreiten Schluck für jeden zunächst . . ."

Es werden zwei Daumenbreite daraus. Das wärmt, das belebt. Man wird in zwei Stunden noch mal fragen müssen . . .

Die Stimmung ist famos. Warning bewundert diese Jungen. Als er so alt war und solch ein Wetter auf See erlebte, da . . . na, es war nicht gerade Angst. Aber die Worte von der Mutter fielen ihm ein und gruselige Geschichten von Schiffen, die die See zerschlug. Seltsam, wie wirkt doch solch ein Orkan harmlos jetzt im Kriege . . .

In den Mittagsstunden flaut der Sturm ab. Das Barometer klettert dem Schönwettersektor entgegen. Es steht nur noch eine lange See.

In der Nacht sehen sie zum ersten Male die Leuchtfeuer der fruchtbaren Insel Tasmanien.

Sie ist der südlichsten Spitze des kleinsten Erdteils vorgelagert und ist an ihren drei Seiten, einem gleichseitigen Dreieck ähnlich, gut vierhundert Kilometer lang. Ihre Riffe voll schauriger Klippeneinsamkeit haben schon manchem Schiff ein dramatisches Ende bereitet.

Der Weg zwischen den nordöstlich von Tasmanien gelegenen Inseln der Furneaux=Gruppe (Flinders=Island, Cape Barren und Clarke Island), die Banks=Straße, ist das erste Ziel der Minenoperation der *Passat*. Am 29. X., zwischen 21.00 und 23.00 Uhr, fallen im Gebiet des Eingangs des für den Verkehr zwischen dem tasmanischen Haupthafen Hobart und dem südaustralischen Hafen Melbourne so wichtigen Schiffahrtswegs 30 Minen in je zwei Feldern von 25 und fünf.

Danach wendet sich die *Passat* der zweiten Aufgabe, der Minensperre im Ostteil der Bass=Straße zu, die, von dem Briten Bass vermessen, zwischen der Südspitze Australiens und dem Nordteil der Insel Tas= manien einschließlich der nordwestlich vorgelagerten King Insel verläuft. Diese Straße ist der Hauptverkehrsweg für alle Schiffe, die aus dem Indik nach Sydney, Neuseeland oder anderen östlichen Inseln gehen oder die mit westlichen Kursen von dort kommen. Durch die Bass=Straße führt auch der Verbindungsweg zwischen Sydney und Melbourne und um= gekehrt.

In der Nacht zum 30. X. wandern die Feuer Tasmaniens und der Furneaux=Gruppe achteraus und in der Nacht zum 31. X. 1940 greifen nun vor dem Schiff, das noch immer in der hochgehenden Dünung arbeitet, neue Lichtbündel in das Dunkel. Dort liegt Australien, die Heimat der possierlichen Kängeruhs, die das Wappen dieses Erdteils wurden, der nur ein Fünftel kleiner als Europa und 25mal größer als die britischen Inseln ist.

Warning weicht nicht von der Brücke. Das schwierige Fahrwasser der Osteinfahrt der Bass=Straße erfordert seine ganze Aufmerksamkeit, läuft doch hier ein ziemlich starker Schiffsverkehr. Auch Fischereifahr= zeuge sind unterwegs.

Wie auf den anderen Schiffen, so hatten sie tagsüber auch auf der *Passat* keine Flagge gesetzt, und die Männer auf der Brücke und an Deck verhielten sich betont desinteressiert an dem ganzen Treiben. Warning mußte auch durch das schärfste Glas von Neugierigen als waschechter „Norge=Mann" angesprochen werden. Er trägt eine an Bord gefundene Mütze der norwegischen Reederei, am Rock die Ärmel= streifen eines norwegischen Kapitäns. Dabei ist er groß und gemessen langsam in seinen Bewegungen. Wie ein aus dem Film geschnittener Norweger.

Hinten im Achterschiff liegen die stählernen Leiber der Minen, an denen sich jetzt der Oberleutnant Schmidt, der Sperrmixer und eine Handvoll Matrosen zu schaffen machen. Im blaßfarbenen Scheine blauer Lampen setzen die Männer mit schlafwandlerischer Sicherheit die Zünd= sätze in die faustgroße Öffnung jeder Mine ein. Bis zum Gelenk muß jedesmal die Hand in den Bauch des Ungetüms hineinfassen, ein paar Handgriffe, die Zündeinrichtung sitzt fest. An Stelle der Muttern wer= den jetzt am Außenkörper auch die „Spargel" eingeschraubt, wie der Seemann die bleistiftlangen Bleikappen auch nennt. Wie Ungetüme aus den tiefsten Tiefen der See wirken jetzt die Minen.

Einer der Matrosen stürzt beim Überholen des Schiffes. Er wird direkt gegen eine solche Bleikappe geschleudert. Diese verbiegt sich, und der Seemann fühlt, wie der Herzschlag aussetzt. Ein Schrei entfährt seinen Lippen. Er will die Kameraden warnen . . .

„Passiert nichts", sagt der Sperrmixer beschwichtigend. „Kann ja nicht. Die Minen werden erst endgültig scharf, wenn sie geworfen sind. Wenn sie sich nach dem Werfen von ihrem Stahl gelöst haben, wenn das Minentau abgerollt ist, dann wird die letzte Zündung scharfgemacht. Aber vorsehen kannst'e dich trotzdem, du Patentseemann. Man kann nie wissen . . ."

Die Stimmung unter den Männern ist großartig. Davon künden die witzigen und humorigen Sprüche, die sie mit Kreide auf die Minen= körper malen. Es sind fürwahr keine frommen Wünsche für die Briten.

In dieser Nacht fallen 40 Minen, davon kommen zunächst drei Felder zu je zehn Minen zwischen die Inseln Dear Island und Cliffy Island.

Es herrscht noch immer lebhafter Schiffsverkehr. Dennoch werden in der dunklen Nacht bei niedriger Wolkendecke und einer durch Regen bedingten schlechten Sicht, die letzten zehn Minen südlich von Wilsons Promontery, einer in die Bass=Straße hineinragenden Landzunge von Gippsland gelegt, hinter der man, von Osten kommend, in die weit= auslandene Bucht einfährt, an deren Scheitelpunkt Port Phillip und Melbourne liegen.

Die Minen fallen sehr dicht unter der Küste, so dicht, daß die *Passat* zehn Minuten später von der Signalstation Promontory angerufen wird:

„What ship . . .? What ship . . .? What ship?"

„Sollen wir denen etwa antworten?" sorgt sich Oberleutnant zur See Lewit, Wachoffizier unter Warning.

„Daß man anfragt, ist verdächtig genug."

„Kann Routine sein, braucht aber nicht."

„Wir waren ja ziemlich dicht unter Land . . . Womöglich ist die Station von Soldaten der australischen Navy besetzt."

Lewit nickt und sagt: „Ich bin sogar überzeugt, daß dieser wichtige Ansteuerungspunkt jetzt, im Kriege, von der Navy bedient wird."

Und wieder blitzen kurze und lange Lichtzeichen von Land her auf, wieder fragt die Station auf dem Kap nach dem Namen des Schiffes, das so dicht unter Land passierte.

Mit hastigen Zügen verpaffen sie eine in der hohlen Hand gehaltene Zigarette.

„Nein, wir antworten nicht", entscheidet Warning. „Wir tun so, als hätten wir die anrufenden Morsezeichen überhaupt nicht gesehen ... Sehen Sie, meine Herren, wir wurden erst zehn Minuten nach Passieren der Station angerufen, von achteraus also ... Aus dieser Lage heraus ist es durchaus drin, daß man Morseanrufe der Station an Bord des angemorsten Schiffes übersieht. Einen Ausguckposten achteraus, wer hat den schon ..."

Dabei bleibt es. Es kommen auch keine Anrufe mehr.

Das Wetter wird erneut schlecht. Es weht aus westlicher Richtung in Stärke neun und in den Böen bis zu zehn. Es steht eine grobe See, die in Verbindung mit einer langen Westdünung gegen die auf Westkurs liegende *Passat* anrennt. Wieder heult und schleift der Sturmwind in der Takelage, wieder branden schwere Brecher über das Vorschiff des Tankers. Das Wasser der Brecher ist von gläsern=grüner Farbe, die ekel= haft giftig und kalt auf die Gemüter wirkt. Sie schreit zu den Männern auf der Brücke hinauf, immer, wenn einer der Brecher sich gegen das schwer arbeitende Schiff stemmt. Wer auf Ausguck steht, sieht so knall= rot aus wie ein gebrühter Krebs.

Am 31. X. und am 1. XI. werden wegen der Schlechtwetterlage in Abänderung des Wurfplanes in der Westeinfahrt der Bass=Straße 40 Minen geworfen, die letzte am 2. XI. um 00.38 Uhr.

Passat läuft nach Süden ab, geht auf Westkurs, um den vorgesehenen Treffpunkt im Quadrat JF 33 auf 31°30'S, 101°30'O zu erreichen.

Es wird wieder Tag.

Passat hat wieder den Mantel friedfertiger Harmlosigkeit über= geworfen. Die Ausleger für die Minen sind eingeholt, und damit niemand allzu neugierig die veränderten Heckaufbauten bewundern kann, hat Warning buntkarierte Bettlaken, Unterhosen und Tischtücher aufhängen lassen.

*

Krüders Minenoperationen vor Australien waren neben den seemänni= schen, nautischen und allen anderen bewundernswerten Leistungen der beiden Besatzungen auch von viel, ja von fast unwahrscheinlichem Glück gesegnet.

Krüders geniale Idee indessen, ein gegnerisches und daher unverdäch= tiges Handelsschiff, nämlich einen Tanker, als Hilfsminenleger anzu= setzen, wurde ihm später zum Schicksal ...

Die Skl aber nutzt später Krüders Idee . . .

Sie läßt die *Atlantis*=Prise *Speybank*, die an sich als Blockadebrecher zwischen Japan und der Festung Europa verkehren soll, mit Minen für Kapstadt an Bord in See gehen . . .

Krüder hatte mit seinen Minenoperationen nicht nur Glück, er hatte auch den Gegner auf das äußerste beunruhigende Erfolge.

Die nachstehenden genauen Unterlagen stellte das Navy Office im Department of the Navy im Commenwealth of Australia zur Verfügung.

Darin heißt es: Beide Schiffe warfen ihre Minen direkt in die Fahr=wasser vor den bedeutendsten Häfen Australiens. Und zwar:

Passat (ex „Storstad")

am 29. Oktober 1940: 30 G.Y.Typ Minen in zwei Feldern von je 25 und
    5 Minen im Gebiet des Eingangs zur Banks Strait;

am 30. und 31. Oktober 1940: 30 G.Y.Typ Minen in drei Feldern zu je
    10 Minen in der östlichen Bass=Straße (zwischen Deal Island
    und Cliffy Island); ferner wurden 10 weitere Minen gelegt auf
    der Höhe von Wilsons Promontory, Victoria (2 Felder);

am 31. Oktober und 1. November: 40 G.Y.Typ Minen in vier Feldern zu
    20 — 10 — 5 — 5 auf der Höhe von Cape Otway, Victoria.

Total also: 110 Minen.

Die Verluste des Gegners waren:

1. SS *Cambridge* (ex „Vogland"), 10.846 BRT, Brite*),
    Bauwerft: J. C. Tecklenborg, Wesermünde (1916),

---

*) Hermon Gill in *Royal Australian Navy* 1939—1942: Zur gleichen Zeit, da Kapitän Angell und seine überlebenden Männer die über das Heck sin=kende *Cambridge* verließen, standen die *Canberra* (australischer Schwerer Kreuzer) im Indischen Ozean und die *Perth* (australischer Leichter Kreuzer) westlich von Australien. Die *Adelaide* (australischer Leichter Kreuzer), in Sydney liegend, wurde sofort in See geschickt, um den Minenleger zu suchen. Die beiden Sloops *Warrego* und *Swan*, in der südlich Australiens gelegenen Nepean=Bucht stehend, der im Bereich der Baß=Straße befind=liche Minensucher *Orara* und der in Port Phillip liegende Hilfsminensucher *Durraween* wurden an den Platz der Katastrophe geschickt. Flugzeuge der Küstenkommandos in Laverton, Victoria, Richmond und New South Wales starteten und suchten die Seegebiete während der Tagesstunden ab, und der australische Rundfunk warnte laufend alle Handelsschiffe, das minen=gefährdete Gebiet im Bereich des South East Points zu meiden. Weder die Flugzeuge noch die *Adelaide* hatten eine Sichtung. Sie wurden zurückgerufen. *Orara* und *Durraween* konnten einige Minen schneiden und durch Gewehr=feuer versenken. Für die meisten der jungen Reservisten war dies die Ein=führung in die harten Tatsachen des Krieges, nachdem sie sich viele Monate lang in totaler Sicherheit gewähnt hatten.

Reederei: Federal Steam Navigation Col., Ltd.,
Heimathafen: London,
Verlustdatum: 7. November 1940,
Position: querab von Wilsons Promontory und zwar zweieinhalb See=
meilen von der Küste ab (die Explosion erfolgte, als das von Mel=
bourne kommende und für Sydney bestimmte Schiff den Süd=Ost=
Punkt rundete),
Verluste unter der Besatzung: 1 von 58.
2. SS *City of Rayville*, 5.883 BRT, USA,
Bauwerft: Oscar Daniels & Co., Tampa, USA (1920),
Reederei: United States Maritime Commission,
Heimathafen: Tampa, USA
Verlustdatum: 9. November 1940
Position: am westlichen Eingang der Bass=Straße, und zwar sechs See=
meilen südlich von Cape Otway,
Verluste unter der Besatzung: 1 von 37.
Bemerkungen: Die so lebenswichtige Bass=Straße wurde gesperrt und
erst am 14. November, nachdem Minensuchboote das zweite erst über
einen Verlust entdeckte Minenfeld abgesucht hatten, wieder für den
Verkehr freigegeben.
HSK Pinguin legte
am 28. und 29. Oktober 1940: vier Minenfelder innerhalb der Gewässer
zwischen Sydney und Newcastle, sowie in den Küstengewäs=
sern von New South Wales,
am 31. und 1. November: zwei Minenfelder in die Vorgewässer des
Hafens Hobart, Tasmanien,
am 6. und 7. November: drei Minenfelder in die Vorgewässer des Spencer
Golfs, Süd=Australien,
Total also: 120 Minen.
Die Verluste des Gegners waren:
1. Motorschiff *Nimbin*, 1.052 BRT, Brite
Bauwerft: Burmeister & Wain, Kopenhagen (1927)
Reederei: North Coast Steam Navigation Co., Ltd., Sydney,
Verlustdatum: 5. Dezember 1940,
Position: 33 15 Süd, 151 47 Ost (Neu=Süd=Wales),
Verluste unter der Besatzung: sieben von 20;
Bemerkungen der Navy Office in Melbourne: *Nimbin* war kein Minen=
suchfahrzeug, sondern ein australischer Küstendampfer.
Fast zur gleichen Zeit, nämlich am 7. Dezember, wurde ein weiteres
Pinguin=Minenfeld entdeckt, als der 10 923 BRT große britische
Dampfer *Hertford*, von Fremantle nach Adelaide unterwegs, beim Ein=

tritt in den Spencer=Golf auf eine Mine lief. Die *Hertford* machte zwar Wasser in den beiden vorderen Laderäumen, konnte aber nach Port Lincoln eingeschleppt und dort repariert werden.

2. *Millimumul* (ex „Gunner", ex „Temahani"), 287 BRT, Brite (Fisch= dampfer),
Bauwerft: Smiths Dock Co., Ltd., Middlesborough, England (1915)
Reederei: Red Funnel Trewlers Pty. Ltd., Sydney,
Heimathafen: Sydney,
Verlustdatum: 26. März 1941
Position: 33 34 Süd, 151 57 Ost (querab der Neu=Süd=Wales Küste),
Verluste: sieben;
Gesamtverluste durch HSK *Pinguin*=Minen = 18.068 BRT.

Hermon Gill in seinem Dokumentarwerk ROYAL AUSTRALIAN NAVY 1939—1942, Band I:
Die Ereignisse der letzten Monate zeigten, wie notwendig eine Ver= stärkung der Seestreitkräfte im Bereich Australiens, ebenso aber auch für den Indischen Ozean und die nordöstlichen Gebiete war. Die deut= schen Hilfskreuzer entwickelten eine erschreckende Aktivität und erziel= ten eine beachtliche Zahl an Erfolgen. Erst nach dem Kriege erfuhren wir, daß um jene Zeit gleich fünf deutsche Hilfskreuzer in der Nähe der australischen Gewässer (also im Indik wie im Pazifik) operierten.

„Schiff 36", das nach einem kurzen Vorstoß in den östlichen Indischen Ozean wieder Kurs Pazifik nahm, lief nach verschiedenen, von der Skl gesteuerten Umdispositionen und vergeblichen Suchfahrten in den alten Operationsgebieten das Ailingplapalap=Atoll zur Versorgung an. Hier wird *Orion* bereits von dem MS *Regensburg**), einem Blockadebrecher, mit gleichzeitigen Versorgungsaufgaben, erwartet.
Orion versorgt mit Beschleunigung, denn die Skl hatte gefunkt, man möge das vom Feind jetzt stärker überwachte Gebiet der Marshall=Inseln meiden.
Weyhers wie kochendes Wasser im Topf brodelnder LI muß also er= neut auf die Überholung seiner anfälligen Kessel verzichten.
900 Betriebsstunden waren in Friedenszeiten die maximale Belastung.

---

*) MS *Regensburg* = 8068 BRT.

3.000 haben sie schon wieder hinter sich.

Das Schiff steht jetzt etwa 200 Tage ununterbrochen in See.

Es sieht nicht danach aus, daß man sich vorerst in die stille Bucht einer solchen Paradiesinsel zur Kessel= und Maschinenüberholung verkriechen kann. Das ferne OKM entdeckte am grünen Schreibtisch, ein Zusammen= treffen mit HSK *Komet* zum operativen Erfahrungsaustausch könnte doch sehr nützlich sein. Man möge, so funkte man „Bubi" Weyher, sich also schnellstens zum Lamutrek=Atoll bei den Karolinen begeben. Kein schlechter Plan an sich, leider aber ohne Kenntnisse der Bordverhältnisse auf *Orion* gefaßt.

Es kostet doch wahrlich nicht übermäßig viel Geistesakrobatik, dem HSK *Orion* mit seinen, wie bekannt, alten Maschinen, eine Überholungs= pause einzukalkulieren...

Nur gut, daß Kuno Schmidt, der verantwortliche Korvettenkapitän bei der 1/Skl in Berlin, die berechtigten Flüche nicht hört, Seemannsflüche, die in keinen Spind passen und ebensowenig druckreif sind.

Nur einer kleinen Schar der *Orion*=Besatzung bringt dieser Atoll=Auf= enthalt einen Landspaziergang. Unter der Führung von Schiffsarzt Dr. Raffler schiffen sich einige Seeleute auf eine der vielen, kranzförmig ver= teilten, meist unbewohnten Inselchen aus, die anderen trifft das See= mannslos, die Häfen der Welt zu erleben und doch keine Zeit gehabt zu haben, nur einen Fuß an Land zu setzen. Dazu braucht man gar nicht erst auf einen Hilfskreuzer zu klettern. Es gibt Seeleute, die 25mal im Hafen von Sydney waren und nicht einmal in die Stadt gekommen sind. „Was brauchen wir an Land zu gehen, wir können das Land von Bord aus sehen", sagt ein humorvolles, aber so wahres Seemannswort.

Dafür entschädigen Dr. Raffler und seine Mannen mit frisch gepflück= ten Kokosnüssen. Pro Kopf der Besatzung zwei Stück. Gepflückt ist nicht der richtige Ausdruck, denn im Erklettern der kirchturmhohen Palmen war keiner geübt. Man schoß sich die Früchte mit alten, am Boden liegen= den Nüssen herab. Außer den Nüssen brachte daher jeder einen vor Schmerz lahmen Arm mit heim. Aber die Freude, den Anbordgebliebenen Freude zu machen, war größer.

Frisch aufgefüllt mit 3000 Tonnen Heizöl, mit süffigem japanischen Bier, Sodawasser, Zigaretten, mit Lebensmitteln, Früchten, Gemüse und vor allem mit langentbehrten Kartoffeln, werfen am 12. Oktober die bei= den Schiffe die sie verbindenden Leinen los und nehmen, begleitet von Eingeborenenbooten und deren wild gestikulierenden Insassen, Kurs in die freie See.

Aus *Orion* ist inzwischen der Japaner *Maebasi Maru* geworden. So ist auch in großen lateinischen Lettern auf der schwarzgepöhnten Bordwand

zu lesen. Die daruntergepinselten japanischen Schriftzeichen wird hof=
fentlich kein Brite lesen können, sollte es in den nächsten Tagen zu einer
Begegnung mit britischen Frachtern oder Flugzeugen kommen ...

Man hatte beim Auslaufen an alles gedacht, auch daran, wieviel Rollen
von jenem bewußten Krepp=Papier je Kopf ... beziehungsweise je ... na
ja, gebraucht werden würden, nicht aber an ein japanisches Schrift=
musterbuch.

„Kein Problem", überlegte der Reservist Bootsmann Saupe, griff in
seinen Spind und holte eine Rollfilmpackung heraus. Damit trabte er
auf die Brücke zum Kommandanten.

Saupe findet ihn in seiner Kajüte. Weyher wühlt und blättert mit fin=
sterem Gesicht in allen möglichen Büchern, und er knurrt den im Schott
verharrenden Saupe unwillig an, ihn gefälligst nicht zu stören.

„Sie suchen japanische Schriftzeichen in den Büchern, Herr Kapitän?"

„Woher wissen Sie das?"

„Ihre Sorgen sind auch unsere Sorgen, Herr Kapitän. Hier habe ich
etwas."

Damit legt Saupe einen Sechs=mal=neun=Agfa=Film auf den Tisch. Auf
der Exportpackung, die von dem früher in Tokio gewesenen, von dem
Hilfskreuzer *Atlantis* aufgebrachten und nun als Versorgungsschiff ein=
gesetzten ehemaligen norwegischen Tanker *Ole Jacob* stammt, sind japa=
nische Schriftzeichen gedruckt. Weyher betrachtet sie. Sein Gesicht hellt
sich auf. Er hört Saupes „Det könn'n mer doch nehmen, Herr Kapitän?"

„Mensch, Saupe, wie gut, daß du mich damals verhaftet hast. Wärst
sonst nicht bei mir an Bord. Klarer Fall, das geht."

So kamen dann doch echte japanische Zeichen unter den lateinisch ge=
schriebenen Schiffsnamen auf die Bordwand. Für den Kenner japanischer
Schriftzeichen und der japanischen Sprache bedeuten sie: „Nicht für die
Tropen bestimmt."

Weyher hat Kapitänleutnant Warnholtz, seinen Rollenoffizier und
„Asto", auf die *Regensburg* kommandiert. Er soll Kapitän Harder als
militärischer Superkargo unterstützen. Es ist Weyhers Plan, mit der
Regensburg im Verband zu fahren, um den Aufklärungsstreifen zu
verbreitern.

In der Nähe der westlich gelegenen Ostkarolinen im mikronesischen
Raum: Am funkelnden Sternenhimmel ist ein messingfarbener blank=
geputzter Mond aufgegangen. Es ist wieder einmal schön an Bord. Es hat
Abwechslung gegeben, man hat auf dem Versorger ein paar andere Ge=
sichter gesehen und gesprochen und endlich wieder mal mit richtigem
Appetit reingehauen:

Frische Kartoffeln mit frischen Eiern.

Um die zweite Morgenstunde singt der Saling=Ausguck Topplichter und kurz danach eine rote Positionslampe aus. *Orion* steht auf der dem Mond abgewandten Seite, während sich der fremde Frachter gegen das grünlichblaue Mondlicht als scharf umrissene Silhouette abzeichnet.

Ist der andere ein Japs, ein Amerikaner oder ein anderer Neutraler?

Weyer läßt vorsichtig herandrehen, so nahe, daß der Ausguck da drü= ben eigentlich den Schatten des unheimlichen Fahrtgenossen sehen müßte.

Dem Kommandanten liegt jetzt auch nicht mehr daran, nicht gesehen zu werden. Er will es mit einer List versuchen, den anderen zur Preisgabe seiner Nationalität zu überrumpeln. *Orion* hat zur Täuschung nun selbst Lichter gesetzt. Sie brennen nur schwach und erschweren dadurch eine genaue Entfernungsbestimmung. Außerdem ließ Weyher seine Positions= laternen und seine Topplichter aus ihrer Begrenzung zurückdrehen, um sie jetzt langsam in ihre vorgeschriebene Lage zurückzuschwenken. Da= bei werden die Lampen Stufe um Stufe heller geschaltet*).

Wenn man auf dem ca. 9.000 BRT großen Frachter wirklich die Posi= tionslichter auf dem nächtlichen Begleiter gesehen hat — und daran be= steht kein Zweifel — muß der Wachoffizier oder der vielleicht inzwischen geweckte Kapitän den Eindruck haben, daß der andere ein Schiff mit un= gewöhnlich hoher Fahrt ist, mit mindestens 20 Knoten und mehr.

Und so schnell läuft kein Frachter.

Auf 2000 Meter mit der Klappbuchs: „Stop at once. Don't use wireless."

Keine Antwort.

Aber es passiert auch bei der Wiederholung des Spruchs nichts.

„Stoppschuß vor den Bug. Aber genau zielen, daß mir bloß der Eimer nicht getroffen wird", verlangt Kapitän Weyher.

Das rötliche Licht der jetzt auf die Kimm abgesunkenen Himmels= laterne erleuchtet die aus dem Wasser springende Fontäne mit einem geisterhaften Licht. Der Schreck hat denen da drüben wohl die Sprache verschlagen, denn sie reagieren immer noch nicht.

„Noch einen vor den Bug, German."

Endlich antworten sie: „Motorschiff *Ringwood* — von Shanghai nach Ozean Island."

Das Handbuch sagt aus: Ringwood, 9255 BRT, Heimathafen Oslo, Reederei Olav Ringdal.

Neuer Morsespruch von *Orion*:

„Hier britisches Kontrollschiff. Bleiben Sie gestoppt. Wir senden Boot und Untersuchungskommando."

---

*) Die Einrichtung für dieses Lampen=Manöver wurde bereits in Kiel ein= gebaut, und zwar auf Anregung von Kapitän Nerger, der sich dieser List als Kommandant des berühmten HSK *Wolf* im Weltkrieg I bediente.

„OK" bestätigen die nichtsahnenden Wikinger.

Boot zu Wasser, Prisenkommando rein, ablegen. Es geht alles sehr schnell. Wenig später entern die Männer das gefierte Seefallreep, hasten an Deck und verschwinden mit einem kurzen „Good morning" in der Dunkelheit. Jeder Seemann des Prisenkommandos hat seine Aufgabe.

Auf der Brücke ist der Kapitän nicht. Er hält sich, wie der den deut= schen Offizier vor dem Kartenhaus im Dunkeln begrüßende norwegische Wachoffizier sagt, gerade im Funkraum auf. Der I. Prisenoffizier Raschke gibt dem Wachhabenden einen Matrosen bei und rast um das Kartenhaus herum zur FT=Bude. Als er die Tür öffnet, steht sein breitschultriger Funkmaat Timm, die Pistole in der Hand, mit dem Rücken zugewandt vor ihm. Vor den Geräten der Kapitän und der Funkoffizier.

„Timm, nehmen Sie die Kanone weg. So." Dann wendet er sich an die Norweger: „Bitte, meine Herren, es tut mir leid, aber es ist Krieg. Ihr Schiff ist von einem deutschen Prisenkommando besetzt."

„Das habe ich bereits gelesen", sagt der Kapitän mit bitterem Lächeln, und er zeigt auf Timms Mützenband mit der Aufschrift „Kriegsmarine".

„Wollen Sie mir bitte ins Kartenhaus folgen und die Schiffspapiere aushändigen, Kapitän."

„Ich protestiere, Sir, gegen diese Besetzung. Ich protestiere noch ein= mal."

„Bringen Sie Ihre Proteste bei Ihren Auftraggebern an und folgen Sie mir bitte. Ich bitte Sie als Ihr Kollege darum."

„Kollege? Ich bin Seemann, habe mit dem Waffenhandwerk nichts zu tun."

„Meinen Sie, das sei mein Beruf? Viel lieber würde ich Sie auf meinem Motorschiff in Rangoon auf dem Irrevadari treffen und im Strandhotel einen Black and White auf Ihr und Ihres Königs Wohl hinter die Binde kippen. Ersparen Sie mir Gewaltanwendung."

„Soso, Sie sind Handelsschiffskapitän im Frieden . . ." Die Hände des Norwegers lösen sich. Zornige Trauer steht in seinen feuchten Augen. Dann geht er und stapft durch das Schott. Er füllt die ganze Tür mit seinem riesigen Körper aus. In dem von zwei deutschen Seeleuten be= setzten Kartenhaus zieht Kapitän Parker eine Schublade auf, „Hier, das suchen Sie doch!"

Die Papiere ergeben:

Die *Ringwood* sollte Phosphat laden, nach Panama segeln, von dort nach den Bermudas oder Halifax marschieren. Hier sollte sie bewaffnet und weiter nach England geschickt werden. Die *Ringwood* untersteht also dem Schiffahrtsministerium der norwegischen Exilregierung. Und diese sitzt in London.

„Protestieren Sie noch immer, Kapitän Parker?"

„Bitte, ich kann Sie nicht hindern, Ihre Pflicht zu tun, Sir."

*

„Das ist ein Befehl, Herr Kapitän, ein unmißverständlicher Befehl der Seekriegsleitung. Sie werden es doch nicht verantworten können, Herr Kapitän, sich einem Befehl des OKM zu widersetzen."

„Es bleibt dabei — nehmen Sie das zur Kenntnis — ich lehne es strikt ab, mein Schiff von Brest nach Hamburg zu überführen, wie es die Herren am Tirpitzufer wünschen. Sie kennen meine Gründe."

„Aber das sind doch keine Gründe . . ."

„Was? Keine Gründe?" von Ruckteschells Stimme wird leise. Wer ihn kennt, weiß um seinen Zorn. „Nach Lage der Dinge, ich sage es Ihnen noch einmal, erachte ich eine Überführung des Schiffs von Brest nach Hamburg als ein zu gefährliches Wagnis. Ich sehe ein, daß die Maschinen in Hamburg besser, zumindest schneller repariert werden können, ich weigere mich aber, auch nur einen einzigen meiner braven Männer sinn=los und nutzlos den Gefahren des Kanaldurchbruchs auszusetzen. Sagen Sie Admiral Schniewind, der von Ruckteschell tauge nicht zum Vabanque=spiel. Auf Wiedersehen."

„Heil Hitler, Herr Kapitän."

Dieses Gespräch führte von Ruckteschell, Fregattenkapitän der Reserve und Kommandant des Hilfskreuzers *Widder*, sofort nach seinem Ein=laufen in Brest.

Doch das war nicht der einzige Ärger mit Berlin . . .

Widder hatte kaum festgemacht, da wurden säckeweise Postsendungen an die Besatzungsmitglieder an Bord geschleppt. Und in jedem Brief, auf jeder Karte dieselbe Klage:

„Es sind nun schon vier Monate her, daß wir nichts von Dir hörten . . ."

„Warum schreibst Du denn nicht. Deinen letzten Brief erhielten wir vor sechs Monaten. Bist Du krank . . .? Bitte, bitte, gib uns doch endlich eine Nachricht . . ."

Alle Briefe endeten in diesem Tenor.

Von Ruckteschell sah rot. Im OKM war ihm vor dem Auslaufen hoch und heilig versprochen worden, den Angehörigen seiner wie aller an=deren Hilfskreuzerbesatzungen von Fall zu Fall, aber im Monat minde=stens einmal eine beruhigende Nachricht zukommen zu lassen . . .

Nichts war geschehen.

In Berlin erhält von Ruckteschell von Großadmiral Raeder das Ritter=kreuz.

Was hinterher von von Ruckteschell vorgetragen wird, steht in keinem Kriegstagebuch vermerkt. Von Ruckteschell hielt, was er seinen Offi= zieren vor der Reise nach Berlin versprach: er rückte einige Stühle gerade. Zwischen dem OKM und der Dienststelle des 2. Admirals der Ostsee= station wurden an diesem Tage viele langatmige Gespräche geführt. Und in manchen Zimmern des 2 AdO in Kiel brannte das Licht die ganze Nacht hindurch.

363 Briefe wurden in dieser Nacht geschrieben.

Vordatiert mit dem Datum vom 29. Oktober 1940 erhielten die Ange= hörigen, — Eltern, Frauen, Verlobte — der HSK *Widder*=Crew einen Brief mit folgendem Wortlaut:

„Sehr geehrter Herr . . .!

Ihr Mann (bzw. Ihr Sohn pp.), der so und so . . ., befindet sich auf einem längere Zeit von der Heimat abwesenden Schiff. Sie können daher bis auf weiteres nicht mit Briefen rechnen.

Nach den hier vorliegenden Nachrichten befindet sich Ihr Mann (Sohn . . .) wohlauf . . ." usw.

Es folgen noch einige Hinweise für Eintreten besonderer Umstände . . .

Als die Eltern und Frauen der *Widder*=Männer mit bebenden Händen den Brief mit dem amtlichen Dienstsiegel erbrechen, als sie aufatmend lesen, daß ihre Befürchtungen null und nichtig sind, daß ihr Mann lebt . . .

besteigen die ersten *Widder*=Urlauber den in die Heimat führenden Zug.

✳

Orion nähert sich den nördlich von Neu=Guinea gelegenen Karolinen= Inseln.

Als die eine glasklare Kimm ritzenden Palmen des Atolls in Sicht kom= men, sehen sie, sich näher heranschiebend, nicht nur den Hilfskreuzer *Komet*, neben ihm ruht der deutsche Versorger *Kulmerland*.

Als *Orion* und die sie begleitende *Regensburg* ihre Anker fallen lassen, liegen vier Frachtschiffe unter der Flagge des Sonnenbanners in der pastellfarbenen Lagune eines Atolls, das früher einmal zum deutschen Kolonialbesitz zählte und heute unter japanischer Verwaltung steht.

Alle vier deutschen Schiffe tragen die typischen Merkmale japanischer Reedereien und japanische Schiffsnamen auf den Bordwänden.

Zu allem Überfluß dreht einige Stunden später noch ein Japaner in die Einfahrt des Lamutrek=Atolls.

Und dieser Japaner ist echt.

Es ist der japanische Passagierdampfer *Paulau Maru*. Passagiere und Besatzung drängen sich an der Reling. Sie gestikulieren wild. Und auf

der Brücke sieht es aus, als sei ein Stock in einen Ameisenhaufen ge=
fahren.

Die *Paulau Maru* bringt ein Boot zu Wasser. Aber die Söhne des Him=
mels werden überall höflich abgewiesen. Auf keinem der Pseudo=Japaner
ist ein Fallreep klar, auf jedem Schiff hat man mit bedauernden Worten
eine andere, einigermaßen plausible Ausrede zur Hand.

Sicherlich macht sich der Kapitän des echten Japaners einen Vers auf
dieses deutsche Flottenmeeting, aber er muß seinen Passagieren gegen=
über das Gesicht wahren. Er funkt ein japanisches Regierungsfahrzeug,
einen Küstenschoner mit dem Gouverneur für diese Inselgruppe an Bord,
herbei.

Eyssen, dessen Schiff über die beste Innentarnung verfügt, empfängt
die Herren, stellt sich als deutscher Handelsschiffskapitän vor und bittet
die Kapitäne der anderen Schiffe hinzu. Als der Gouverneur den Wunsch
äußert, das Schiff besichtigen zu wollen, wird es mulmig.

„Warum denn diesen Kleinen, mein Herr? Sehen Sie sich doch den
größten Frachter an", weicht Eyssen aus und zeigt auf die *Kulmerland*.
Der Japaner geht mit Vergnügen darauf ein und bekommt Gelegenheit,
diesen echten und unbewaffneten Frachter genauestens zu durchsuchen.
Der Spaziergang durch die vor Hitze stickigen Räume und Gänge genügt
ihm. Er zeigt keine Neigung mehr, die anderen deutschen Frachter zu
sehen. Er ist bedient, auch von deutschem Bier.

Tage später, am 20. Oktober, wird die *Regensburg* nach Japan entlas=
sen, während auf Weyhers Vorschlag die beiden Hilfskreuzer zusammen
mit dem Versorger *Kulmerland* in *Orions* früheren Jagdrevieren operie=
ren wollen.

Eyssen ist einverstanden, und *Orion* kann so im Schutze der *Komet* die
nicht mehr aufzuschiebende Kesselreinigung wenigstens in Abschnitten
durchführen. Man nimmt die unbewaffnete *Kulmerland* in die Mitte und
bildet einen Verbandssuchstreifen, der bei gegenseitigem Kontakt eine
Aufklärung in nahezu 100 Seemeilen Breite erlaubt.

Eine deutsche Flotte segelt durch die Südsee!

Anfang November stoßen die drei Schiffe auf die neuseeländische Ost=
küste zu.

Südwestlich der östlich von Neuseeland gelegenen kleinen britischen
Insel Chatham — man hatte die Leuchtfeuer der Insel in der Nacht ge=
sehen — legen die drei Schiffe am 25. November ihre Netze aus. In die
Seekarten übertragen, wirken die gefahrenen, sich überschneidenden
Kurse wirklich wie ein Netz, ausgeworfen zum Fischfang in Gewässern,
die, so hoffen die Kommandanten, vielleicht doch wieder vom Gegner
befahren werden.

122

Komet, der Zwerg unter den deutschen Hilfskreuzern, bildet den rech=
ten Flügelmann des Verbandes.

Auf ihn steuert ein kleiner Küstendampfer zu . . .

Ahnungsloser, denn noch sieht der andere Zwerg den Raider nicht . . .

Es geschah kurz nach der Weckenszeit und die Männer saßen an den
Backen, den Morgenkaffee zu genießen. In den dampfenden Duft eines
guten Bohnenkaffees hinein gellten schrill die Alarmglocken. Wie ein
elektrischer Schlag durchfuhr es die morgendlich noch dahindösenden,
tropisch bedingt noch recht unausgeschlafenen Seeleute.

Nach dem vor Tagen in allernächster Nähe gehörten regen Funkver=
kehr einer feindlichen Kriegsschiffeinheit, stand allen der Sinn nach einer
unerfreulicheren und wohl auch wenig erfolgversprechenden Begegnung.

Als sie von ihren Backen aufsprangen, war kaum einer unter ihnen,
dem das aus PK=Berichten so oft gerühmte kampfbegeisterte „Leuchten"
über die Gesichtszüge glitt. Sie waren ja Menschen wie alle anderen Ge=
schöpfe dieser Art auf der Erde auch, und die herunterpurzelnden Kaffee=
tassen, die klirrend zersprangen, hinterließen einen so schneidend ste=
chenden fast körperlichen Schmerz, einer düsteren beklemmenden Vor=
ahnung gleich, daß es diesesmal nicht bloß bei den paar zertrümmerten
Tassen bleiben würde . . .

Die getarnten Geschütze werden besetzt.

Andere eilen zu ihren Artillerie=Leitstationen, zu den E=Meßanlagen,
in das kalt und feindlich blitzende Gewirr der Treppen in den Maschi=
nenraum hinab . . .

Jeder rast auf seine Position. Fast mechanisch.

Aber nicht ohne innere fiebrige Erregung.

„Schiff ist ein kleiner Küstenfrachter" gibt der Bordlautsprecher be=
kannt.

Ein erleichtertes Aufatmen mischt sich in das unter der vermehrten
Fahrtstufe heller werdende Aufheulen der rasenden Lüfter und in das
heftiger werdende Vibrieren des Schiffes.

Die Bugkanone, eine 6=cm=Beute=Kanone, wird zum Stoppschuß klar=
gemacht.

Komet ist noch immer als Japaner getarnt.

Der Fremde wittert Unrat, dreht ab und versucht mit gewaltiger
Rauchfahne davonzulaufen. Er steht jetzt etwas weiter als der „Japaner"
von einem anderen, eben über dem Horizont sichtbar werdenden Schiff
ab. Dieser Frachter ist ein größerer, aber ebenfalls sehr harmlos aus=
schauender Dampfer.

Der Kapitän des Kleinen spricht ihn als Australier an.

Irrtum, das mit dem Australier, denn der sich über die Kimm herauf=

schiebende Dritte ist die deutsche *Kulmerland*, gefolgt von dem inzwi=
schen gewahrschauten Hilfskreuzer *Orion*.

Kapitän Weyher hat sofort geschaltet. Er dreht auf Kollisionskurs ab.

Eyssen kratzt sich am Kopf. „Na, der da drüben wird sich aber wun=
dern."

„42 Hundert", meldet die E=Meß=Stelle.

„Stoppschuß", sagt Eyssen sachlich.

Knall, Feuer, Qualm auf der Back, und eine silbern schillernde Palme
breitet sich neben dem Gnom der Südsee aus. Dann stürzt sie in sich
zusammen.

Die Reaktion auf dem Lütten ist gleich null. Dafür wird der Qualm,
der sich wie böses Drachengewölk aus dem Schornstein windet, noch
stärker und noch schwärzer.

„Zweiter Stoppschuß."

Eyssen wartet verbindlich. Als auch dann nichts erfolgt, gibt er dem
1. Geschütz Feuererlaubnis.

Im gleichen Augenblick dreht der Zwerg bei und streicht, deutlich
sichtbar, die Flagge.

Das Prisenkommando sitzt mit erwartungsvollen Gesichtern im Kut=
ter. Das Boot wird gefiert. Es legt mit dem Untersuchungskommando
ab und ackert keuchend durch die dünende See.

Vierzig Minuten später trifft vom Prisenoffizier der Winkspruch ein.

„Dampfer *Holmwood*, Heimathafen Wellington 545,84 BRT, von
Chatham=Islands, 02.00 Uhr ausgelaufen. Bestimmungshafen Welling=
ton. — Neuseeland — 17 Mann Besatzung — Passagiere an Bord: drei
Männer, sieben Frauen, fünf Kinder. Ladung: 1370 Hammel, ein Reit=
pferd, 77 Ballen Wolle und 12 Tonnen Stückgut. FT wurde nicht in Be=
trieb genommen."

Lange Gesichter auf der *Komet*=Brücke.

Ganz so klein brauchte der erste Jagderfolg ja nun wirklich nicht zu
sein.

Eyssen besänftigt die betrübten Gemüter.

„Klein anfangen Jungens, immer klein anfangen, dann kommen die
Großen ganz von alleine. Alte Kaufmannsregel."

„Wie beim Skatspiel: Die Kleinen jagen die Großen", beruhigt Smar=
ting sich und die bekümmerten Männer.

Eyssen ist ein gewandter und in jeder Lebenslage schlagfertiger Mann.
So glätten dann auch hier seine Worte die Wogen aufkommenden Ver=
drusses. Mehr noch, sein humoriges Gemüt läßt das ganze Schiff er=
grinsen als er ruft „Eins=Null haben Sie mitgekriegt? Da ist ein Pferd
für Sie an Bord. Sie werden in Zukunft auf Ihren Inspektionsgängen

über die Decks und durch die Decks reiten. Üben Sie, damit Sie dann auf Nauru auch Ihrem Landekorps vorantraben können."

Eyssen ist trotz der gebotenen Eile dafür, vor der Versenkung der *Holmwood* so einige „Portionen" aus der Hammelladung zu entnehmen. Er bestellt die Kombüsenkönige auf die Brücke, den Chefkoch, dessen Unterköche. Ob sie etwas vom Hammelschlachten verstünden?

Und ob. Schon des verlockenden Ausflugs auf die Prise wegen, sagen sie ja. Sie bewaffnen sich und einige andere, die ebenfalls behaupten, etwas vom Schlachten zu verstehen, mit blitzend geschärften Messern und klettern grinsend wie ein Enterkommando des verblichenen Störtebecker ins Boot.

Eyssen läßt außerdem einen Winkspruch an *Orion* geben. Der Hammel wegen . . .

„K an K. Was halten Sie von Hammel", winkt *Komet's* Signalgast zu Fregattenkapitän Weyher hinüber.

„Als Ragout ausgezeichnet, als Anrede nur per Distanz zu gebrauchen", kommt es von *Orion* zurück.

„OK, dann lassen Sie Ihren Smut die Bratpfanne bereitstellen."

Als das mit langen Messern bewaffnete *Komet*-Schlachtekommando die kleine *Holmwood* entert und als nun auch von den anderen, ebenfalls gestoppt liegenden Frachtern weitere solcher gefährlich aussehenden Seeleute in den herantuckernden Booten sichtbar werden, entfährt einer der Frauen auf der *Holmwood* ein Schrei des Entsetzens. Sie springt auf. Schützend legt sie ihre zitternden Hände vor ihr Kind, vor ein kleines unschuldreines Mädchenbaby, das strampelt und sich lachend und fröhlich plappernd losreißen will, weil es von alledem gar nichts versteht.

Die Frau rennt über das Deck, sie hetzt auf das Vorschiff und versteckt sich hinter dem Ankerspill.

Betroffen sehen sich die deutschen Seeleute an, dann die Frau, dann wieder untereinander.

Ach so. Daran hatte natürlich keiner gedacht. Mit den Messern in der Hand sehen sie wahrhaftig wie leibhaftige Piraten aus.

Sie legen die Messer auf den Boden, auf das Luk und tasten sich mit beruhigenden Worten an die verängstigte Frau heran, sagen dem Baby etwas von „Ei, Ei, Ei" und „Nu wat denn" und stehen nun in einer rührenden Geste der Hilflosigkeit vor der jammernden Mutter.

Der Prisenoffizier spricht perfekt englisch. Mit wenigen, sogar humorvollen Worten, klärt er die Frau auf.

Aber sie kann es noch immer nicht begreifen, daß sich die grausamen Befürchtungen — sie hat die britischen Zeitungsberichte über deutsche

Greueltaten plastisch vor Augen — nicht erfüllen. Es bedarf erst der beruhigenden Worte des *Holmwood*=Kapitäns, captain Miller, sie wie auch ihre Geschlechtsgenossinnen unter den Passagieren vollends zu besänftigen.

Alle Türen an Bord der *Holmwood* sind offen und schlagen gespen= stisch mit dem Auf und Ab der Dünung hin und her. Neugierig werfen die Seeleute einen Blick in die Kammern. Sie sehen zerwühlte Betten, aufgerissene Schränke, und sie sehen in der Passagiermesse, daß auf dem Tisch auf weißer Decke Bestecke liegen und Tassen stehen. Butter, Ku= chen, Sandwichs sind schon aufgefahren, um den zahlenden Mitfahrern einen reichhaltigen, in der Schiffahrt üblichen Frühstückstisch als Äqui= valent und Morgengruß zu bieten.

Winkspruch von *Komet* an das Prisenkommando.

„Passagiere und Besatzung sollen ihre Sachen in aller Ruhe packen. Zahnbürsten, Seife und alle anderen Toilettengegenstände nicht ver= gessen. Gepäckumfang unbeschränkt."

In der Kombüse der *Holmwood* liegt, blutigrot leuchtend, ein Batzen Fleisch auf der Anrichte. Hammelfleisch. Vielleicht von einem, der sich ein Bein gebrochen hat . . . Wie leicht kann an Bord so ein Hammel ja auch ein Beinchen brechen. Man macht gern Gebrauch davon . . . Das hat bei einer solchen Ladung jede Besatzung so im „Griff" . . .

Böse sieht es im Hammelgehege aus. Den Tieren ist, so scheints, die Seefahrt gar nicht bekommen. Sie stehen dicht an dicht mit zittern= den Flanken in einem beißend riechenden, flüssigen Kot, dessen Farbe sie angenommen haben. Sie wehren sich nicht, und sie blöken nicht, als sie von Menschenhänden ergriffen werden.

50, 60, 80, 100 Tiere sinken dahin. Das Blut fließt in Strömen.

Orion=Kommandant Weyher verzichtet auf die Metzelei an Bord. Er läßt sich die erbetenen 200 Hammel lebend herüberfahren, um sie dann nach Bedarf zu schlachten.

Das Prisenkommando findet noch einige Gebrauchsgegenstände, etwas Handwerkszeug, das der in der Freizeit eifrig bastelnden Besatzung will= kommen ist und einigen Frischproviant, den sie natürlich schon gar nicht liegen lassen.

„Sollen wir das Pferd mitnehmen", fragt ein Winkspruch *Komet*.

„Nein, aber vor der Versenkung erschießen. Soll nicht elendig ersau= fen", die Antwort.

Sonderbar, um die noch lebenden Hammel sorgt sich niemand an Bord der *Komet*.

Es sind Hammel.

Nur Hammel.

So sind die Menschen, sie messen immer in zweierlei Maßstäben. Ein Pferd, verbunden mit einer der exklusivsten Sportarten der oberen Ge= sellschaftsschicht, ist ihnen ein edles Tier. Ein Hammel ist schlechthin Vieh, großgezüchtet, um als Braten in die Pfannen zu wandern.

Der kurze scharfe Pistolenschuß gibt dem Pferd, ein heller Fuchs mit wasserhellen großen fragenden Augen, den Gnadentod. Was kann er schon für den Krieg der Menschen.

Die Männer vom Untersuchungskommando finden übrigens noch eine komplette und leicht ausbaufähige Sendeanlage an Bord, einen Löschfunksender, wie er auf britischen Schiffen in Gebrauch ist.

„Der wird uns noch einmal sehr zugute kommen", orakelt der Funk= maat und reicht die Geräteteile ins Boot.

„Fertig?" will der Offizier des Komet=Kommandos wissen.

„Noch nicht", sagt der Orion=Prisenoffizier. „Ich suche noch etwas." Seine Augen wandern prüfend über die Decks und die Aufbauten. Als sie ein Rettungsboot streifen, geht ein Leuchten über seine Züge.

Zum Verständnis dieser Suchaktion sei erklärt, daß Weyher auf Orion einen Traditionsraum, der mit Erinnerungsstücken von versenkten Schiffen ausgestattet werden soll, einrichten will. Ein solches Erinne= rungsstück sucht der Oberleutnant. Jetzt scheint er das Passende ge= funden zu haben.

Er fragt bei Kapitän Eyssen an, ob er als formaljuristischer derzeiti= ger Besitzer der Prise etwas dagegen habe, wenn Orion das Rettungs= boot an Bord nehmen würde.

„Als Andenken", fügt er entschuldigend hinzu.

„Haben Sie denn soviel Platz in Ihrer Kammer?" fragt Eyssen be= lustigt durch Winkspruch zurück. „Schlage vor, auch noch den Schorn= stein einzupacken."

Verlegenheit. Dann Heiterkeit.

„Danke gehorsamst. Das Boot genügt."

„Ihr Kommandant wird sich bannig über dieses sinnige Uhranhängsel freuen", pflaumt Eyssen.

Das Boot wird trotzdem mitgenommen.

Die beiden verängstigten Hunde aber auch.

Führerlos und verlassen treibt die Holmwood durch die See.

Eyssen nutzt die ihm willkommen erscheinende Gelegenheit für ein Übungsschießen. Eine der ersten Granaten trifft das Luk mit den Scha= fen. Einige Tiere werden durch die Luft geschleudert.

Auf Orion wendet sich Fregattenkapitän Weyher ab. Den Kommen= tar seiner empörten Offiziere überhört er geflissentlich. Es sind keine schmeichelhaften Worte, die man auf Orion für Eyssen findet.

Auch auf *Komet* murren sie . . .

In der Tat, ein Torpedo hätte schnellere Arbeit geleistet und weniger Stimmungsschaden angerichtet.

Wie auf der *Holmwood*, so trug sich übrigens auch auf *Orion* ein Schauspiel des Entsetzens zu, als dieser Hilfskreuzer ob seiner größeren Gefangenenräume, einen Teil der farbigen Besatzung übernahm.

Das geschah just in dem Augenblick, da man auf *Orion's* Oberdeck die ersten Hammel schlachtete.

Die Südsee=Sonnenkinder das Blut sehen — und über das Deck ren= nen, um auf der anderen Seite wieder herunterklettern zu wollen, ist eins.

Die Deutschen sind offenbar noch schlechter als ihr Ruf.

Ein bemerkenswerter Erfolg der gezielten gegnerischen Propaganda.

Der 26. November.

Es ist kurz vor Mitternacht. Die ablösende Brückenwache und die neuen Ausguckposten machen sich klar. Sie sind vor Antritt ihrer Wache auf das Bootsdeck getreten, um ihre Augen an die Dunkelheit der Nacht zu gewöhnen. Einige stolpern noch schlaftrunken über seit dem Vor= tage aufgestellte Rahmen, auf die Felle der erbeuteten und inzwischen geschlachteten Hammel zum Trocknen aufgespannt wurden.

Mit den Fellen wußte anfangs keiner an Bord etwas anzufangen. Der IO wollte sie schon über Bord werfen, da meldeten sich die Ein= geborenen von der Insel Ouvéa unter den Gefangenen. Heiter lärmend und rechtschaffen aufgebracht ob solcher Verschwendung machten sie dem IO klar, wie man die Felle präparieren könne.

Von Blanc stimmte zu: „Lassen Sie die Paradiesvögel nur gewähren. Unseren Leuten wird das Spaß machen. Vielleicht haben wir auch für die Felle noch einmal eine Verwendung."

So machten sich die Kanaker an die Arbeit. Sie schoren die Felle, schabten die letzten Fleischreste von den Häuten herunter und spannten diese auf schnell zusammengeschlagene Rahmen. Bei dem nach dem beschriebenen Schock wieder hergestellten guten Ruf, den die Deutschen von früher her genossen, als sie in der Südsee einige Kolonien verwal= teten, waren die Kanaker direkt stolz, diesen Männern aus dem fernen Deutschland einen Dienst erweisen zu dürfen.

Weniger angenehm war der Duft an Deck.

Aber an die Fähigkeit, Konzessionen zu machen, hatten sich die *Orion*=Seeleute unter ihrem „Bubi" langsam gewöhnt.

Nach Mitternacht beginnt es leis zu regnen.

Die Sichtweite schrumpft auf sechs bis vier Seemeilen zusammen.

02.52 Uhr durchfährt es den Steuerbord=Ausguckposten. Es kribbelt ihm vor Aufregung vom Magen her durch den ganzen Körper, der sich strafft und spannt. Der Mann preßt sein Nachtglas so dicht an die Augen, daß es fast schmerzt. Das ist doch, ja zum Teufel, das ist ein Schatten. Ein großer peinlichst abgeblendeter Schiffsschatten. Meldung an den WO, der die Sichtung prüft und dann sofort den Kommandan=ten im Kartenhaus alarmiert. Auf welchem Kurs der Fremde, sein Typ ist nicht genau auszumachen, liegt, läßt sich nicht, das heißt noch nicht feststellen.

Ein dickes Kriegsschiff mit zwei Schornsteinen etwa?

Ein britischer Hilfskreuzer?

Ein Neutraler ist der andere nicht, er führe sonst nicht abgeblendet.

„Zum Verschwinden ist es jetzt zu spät . . . Egal, wir greifen an", hört man den Kommandanten leise sagen. „Sofort Sichtung an *Kulmer=land* melden! *Kulmerland* soll bei einem Angriff weit nach Backbord ausscheren."

Mit der blau abgeblendeten Morselampe wird die jetzt in der Nacht an der Steuerbordseite auf geringen Abstand herangeschlossene, auf Parallelkurs liegende *Kulmerland* verständigt, die wiederum, einem allgemeinen Verbandsbefehl folgend, HSK *Komet* unterrichtet.

Auf Orion haben bereits die Alarmhupen geblöckt, die Gefechts=bereitschaft ist hergestellt, während der Hilfskreuzer nun mit hoher Fahrt auf den Schatten zudreht. Da der Gegner nach Steuerbord aus=wandert und jetzt plötzlich, das ihn beschattende Schiff anscheinend er=kennend, sehr hart nach Süden abdreht, besteht kein Zweifel mehr über den von dem anderen gefahrenen Kurs.

Weyher reibt sich die Hände. „Recht so, ahnungslose Freunde, wenn *Komet* sich richtig verhält, marschiert ihr genau in eine geöffnete Kneif=zange hinein. Selbst wenn der Bursche ein Kriegsschiff sein sollte, wird er im Kreuzfeuer der Breitseiten von zwei Hilfskreuzern möglicherweise einen aus den Augen verlieren."

Das Kriegstagebuch verzeichnet:

03.03 Uhr: Fahrzeug wird jetzt als großer Dampfer mit zwei Schorn=steinen ausgemacht. Kurs etwa 80 Grad.

Scheint nach Süden abzufallen.

Orion dreht mehr nach Steuerbord nach, um die Entfernung weiter zu verringern und für Artillerie günstigere Position einzunehmen. Für Augenblicke stehen *Kulmerland*, Feindschiff und *Komet* für *Orion* in Deckpeilung, so daß genaues Auseinanderhalten der drei Schiffe für die Geschützführer nicht möglich ist. Es wird daher mit Scheinwerfer=leuchten gewartet, bis Feindschiff einwandfrei aus der Peilung von *Komet* steht.

03.10: „Artillerie! Scheinwerfer leuchten!" Soweit *Orion's* KTB.

Der Scheinwerfer frißt sich nur schwer durch den feinen Staubregen, aber er läßt einen mächtigen Brocken, ein Passagierschiff mit zwei Schornsteinen und achtern auf dem Heck zwei Kanonen erkennen.

Gleichzeitig eröffnet *Komet*, für die das Feindschiff als klarumrissener Scherenschnitt vor dem Scheinwerfer von *Orion* steht, das Feuer.

Meldung aus Funkraum: Gegner funkt!

Orion ist auf 67 hm heran, ihre Geschütze haben die erste Salve auf die Reise geschickt.

Eine Minute später werden die ersten Treffer auf dem Achterschiff des Gegners in der Nähe der Geschütze beobachtet.

Mit der ersten Salve aber wird auf *Orion* durch die Druckwelle eine Wand eingedrückt und mit dieser ein Sicherungskasten.

Im gleichen Augenblick fällt die Rudermaschine aus.

Das Schiff dreht, während man mit der Beseitigung des Ruderschadens beschäftigt ist, langsam nach Steuerbord. Auf das Feindschiff zu!

Weyher läßt die Artillerie bis an die vorderste Begrenzung der Ge=schütze weiterfeuern. Nach drei Minuten — wie lange können doch drei mal 60 Sekunden sein — ist die Anlage wieder klar ...

Die plötzlich von beiden Seiten heranorgelnden Granaten sind für die gegnerische Schiffsführung wie ein böser Traum, aus dem es ein grau=sames, fürchterliches und schmerzvolles Erwachen gibt.

An Steuerbord und Backbord detonieren Treffer.

Die Brände in den hohen Mittschiffsaufbauten und am Heck, auf dem die gegnerischen Geschütze stehen, mehren sich.

Der Funker auf dem Zweischornsteiner — es ist die 16.712 BRT große *Rangitane*, ein Kombi=Motorschiff der New Zealand Shipping Company in Plymouth — jagt pausenlos Notrufe in die Nacht. Es funkt Position und Namen und läßt die ganze Welt mit seiner alarmierenden, fast un=wahrscheinlich klingenden Meldung aufhorchen, daß die *Rangitane* von mehreren Kriegsschiffen gleichzeitig angegriffen würde*).

---

*) Alle *Rangitane*=Funk=Notmeldungen kamen, wie S. D. Waters in dem neuseeländischen Seekriegswerk *The Royal New Zealand Navy* berichtet, gut durch. Sie wurden von den neuseeländischen Stationen aufgenommen. Stun=den später lief HMNZS *Achilles* aus Littelton aus und marschierte mit 25 kn auf die Katastrophenstelle zu, außerdem wurde HMNZS *Puriri* der *Achilles* nachgesandt. Die Suchaktion wurde noch durch zwei Flugboote unterstützt. Man sichtete nur Trümmer. Keine Spur von den Angreifern. Die Vernichtung der *Rangitane* hatte zur Folge, daß HMNZS *Achilles* und *Monowai* für die nächsten zwölf Monate den Geleitschutz der so wertvollen Kühlschiffe über=nehmen mußten und damit für Such= und Jagdaktionen vollends ausfielen.

Nach weiteren Minuten schweigt der Funker. Granatsplitter haben mehrere Röhren zerstört, der Strom ist ausgefallen. Chef=Operateur Hallet gibt nicht auf. Während er auf das Notaggregat umschaltet, setzen seine Funker neue Röhren ein.

Die *Rangitane* stoppt.

Die Fahrt kommt aus dem großen Schiff.

Es gelang der *Rangitane*=Besatzung nicht mehr, von der starken Be= waffnung Gebrauch zu machen. Die beiden Heckkanonen, ein 12,6 cm und ein 7,62 cm Geschütz, blieben ebenso unberührt, wie die in den Brückennocken eingebauten amerikanischen Flak=Waffen.

Der Gegner, er ist nun keiner mehr, verfügte auch sonst über mo= dernste Defensiveinrichtungen: Die Brücke war gegen Splitterwirkungen ausbetoniert worden. Das Ruderhaus war gepanzert. Für den WO stan= den auf beiden Seiten Panzerstahlschutzhütten zur Verfügung. Ferner hatte man auf dem Motorschiff ein E=Meßgerät, Minenabweisungsgeräte gegen Kontakt= und Magnetminen und sogar eine Werferanlage für Wasserbomben eingebaut.

Und trotzdem stoppt der britische Schiffsführer, Captain H. L. Upton, DSC, ADC, RNR, und master der *Rangitane* sein Schiff . . .

Es gibt nur eine Erklärung für dieses für einen Engländer so unge= wöhnliche Verhalten. Der Schock der Überraschung, von zwei Seiten von vermeintlichen Kriegsschiffen gleichzeitig angegriffen zu werden, lähmte wahrscheinlich in den ersten Augenblicken jede Initiative und Widerstandsgedanken. Der WO auf der Brücke wollte nichts ohne sei= nen Kapitän gegen eine solche Übermacht unternehmen, um die an Bord befindlichen 113 Passagiere, unter diesen 36 Frauen, und die 191 Be= satzungsmitglieder nicht sinnlos zu gefährden.

Als Kapitän Upton auf die Brücke stürzte, galt seine erste und große Sorge den Passagieren. Er gab unverzüglich den Befehl, daß sich diese im Salon versammeln sollten. Kaum war dies geschehen, als sich eine *Komet*=Salve in die Brückenaufbauten fraß. Eine der Granaten krepierte in unmittelbarer Nähe des Salons. Splitter töteten fünf Passagiere, dar= unter drei Frauen.

Um weitere und schwerere Verluste zu vermeiden, gab Kapitän Upton dem Funker unter Androhung eines Standgerichtes den Befehl, die Ab= gabe der Notrufe sofort einzustellen, dann stoppte er das Schiff und ließ die noch unbeschädigten Boote zu Wasser bringen.

Die scharfen Granaten in den *Rangitane*=Geschützen blieben in den Rohren . . .

Das Stoppen allein aber genügte nicht. Erst als Captain Upton signali= sierte, daß er Frauen an Bord habe, wurde, wie nach dem Kriege in den

australischen und neuseeländischen Seekriegswerken ausdrücklich be=
merkt, das Feuer sofort eingestellt.

Beide Hilfskreuzer setzen ihre Prisenkommandos über.

Nach der Abbergung der Überlebenden öffnen die Männer des auf
die *Rangitane* gekletterten *Komet*=Kommandos die Bodenventile.

Das große Schiff will aber nicht sinken.

Die Männer vom Prisen= und Untersuchungskommando verlassen die
brennende *Rangitane*. Ein Torpedo soll die Vernichtung beschleunigen
und vollenden.

Der Aal, den *Komet* schießt, trifft das Riesenschiff Vorkante Brücke.

Todwund legt sich die *Rangitane* über, bettet sich auf die Breitseite,
scheint sich noch nicht über die richtige Lage schlüssig zu sein, dreht
ein wenig weiter, um dann wie eine geballte drohende Faust noch ein=
mal den mächtigen Steven mitsamt dem von Wasserkaskaden überflute=
ten Vorschiff aus der See zu stecken und über den Achtersteven ent=
schlossen gurgelnd und fauchend ins nasse Grab zu fahren.

Ein paar Balken, Lukendeckel, Trümmer . . .

Der Rest von über 16 000 Bruttoregistertonnen.

Nur wer sich im Schiffbau und im Reedereigeschäft auskennt, wird
im vollen Umfang ermessen können, welch einen immensen Wert Schiff
und Ladung gehabt haben.

Den Schiffswert — einschließlich der Kühlanlagen — mit 35 Millionen
Friedens=Reichsmark anzusetzen, dürfte eher zu niedrig als zu hoch
gegriffen sein.

Noch wertvoller aber war die Ladung des vollgestauten Riesen=Kühl=
schiffes. Die „Leer=Raum"=Rubrik des vom britischen Kommando ver=
nichteten Stauplanes, die unter den Restpapieren gefunden wurde, wies
einwandfrei nach, daß die *Rangitane* bis zur Halskrause beladen war.

Es dürfte von Interesse sein, welche Mengen in ein derartiges Schiff
überhaupt gestaut werden können.

Die *Rangitane* führte an Bord:

1 433	Tonnen Bunkeröl	—	64 495 RM
23 646	Kisten Käse	—	4 550 000 RM
2 467	Kisten Pres. Fleisch	—	705 562 RM
16 947	Kisten Kalbfleisch	—	5 507 775 RM
12 868	Kisten Schweinefleisch	—	3 847 532 RM
1 675	Kisten Hammelfleisch	—	391 950 RM
1 765	Kisten Delikatessen (Herz, Nieren)		917 950 RM
124 881	Kisten Butter	—	11 239 800 RM
977	Fässer Talg	—	208 000 RM
120	Säcke Erbsen	—	4 800 RM

543 Säcke Kakao	—	120 000 RM
2 667 Kisten Milch (12 801 Dosen)	—	46 000 RM
204 Fässer Felle	—	408 000 RM
838 Säcke Häute	—	83 800 RM
4 221 Ballen Wolle	—	16 800 000 RM
32 Säcke Gummi	—	36 000 RM
73 Kisten Stückgut	—	10 000 RM
45 Barren Silber	—	100 000 RM
221 Bunde Edelholz	—	5 000 RM
		45 046 456 RM

Das sind zusammen fünfundvierzig Millionen!!!

Addiert man die Summe des Schiffswertes hinzu, verschwanden am 27. November 1940 auf 35 Grad 34 Minuten südlicher Breite und 174 Grad und 37 Minuten westlicher Länge 05.42 Uhr für 80 Millionen Reichsmark Werte in der See.

Für die Kühlraum=Lebensmittel, also für das Fleisch, die Butter und all die anderen Dinge würden bei einem Waggon=Ladegewicht von zwölf Tonnen, also Kühlwagen, 851 Waggons benötigt werden. Für die restliche Ladung, für die Felle, Stückgüter, Wolle=Ballen und so weiter wären weitere 101 Waggons erforderlich gewesen. Das bedeutet, daß bei dem üblichen Waggondurchschnitt der Güterzüge allein 19 Güter= züge hätten anrollen müssen, um die Ladung des Kühlschiffes zu über= nehmen und weiterzutransportieren.

Ein einziger Torpedo vernichtete schließlich all diese für die mensch= liche Ernährung so lebensnotwendigen Bestände. Und in China, in In= dien und auch in dem alten Europa hungern Millionen, haben Millionen nicht einmal das Notwendigste anzuziehen . . .

Welch ein Irrsinn!

Im Anfang war der Mensch gut. Darauf wurden die Menschen schlecht — und scheinen es heute noch.

Und noch ein paar Worte zu der *Rangitane*=Ladung:

3 122 025 Kilogramm Butter ergeben bei einer Wochenration von 130 Gramm 24 012 500 Wochenrationen beziehungsweise 164 660 750 Tagesrationen (auf die üblichen Rationen der Kriegszeit bezogen). Für London bedeutete dies einen Butterausfall von ganzen drei Wochen und für ganz England einen Ausfall von dreieinhalb Tagen.

Und hier die an Bord befindlichen Fleischmengen — auf eine damalige Wochenration von 400 Gramm bezogen.

Die 4 903 806 Kilogramm Fleisch hätten 12 259 650 Wochenrationen oder 85 817 550 Tagesrationen ergeben. Für London hätte das einen

Ausfall von anderthalb Wochen und für England von rund zwei Tagen bedeutet.

840 000 Kilogramm ergeben bei einem Wolle=Verbrauch von vier bis fünf Pfund pro Anzug den Rohstoff für 200 000 rein wollene An= züge . . .

Man könnte die Reihe dieser traurig stimmenden Zahlenbeispiele noch beliebig fortsetzen.

Sie genügen, um zu erkennen, daß Kapitän H. L. Upton von der *Rangitane* die Wahrheit sprach, als er von dem deutschen Prisenoffizier nach der Ladung gefragt wurde und antwortete:

„Wir haben eine Rekordladung an Bord."

Verständlich, daß sich die Hilfskreuzer=Soldaten an diesen Ziffern berauschten und eine Milchmädchen=Rechnung nach der anderen auf= stellten, wie lange es wohl dauern würde, bis auf der Insel keine Maus mehr ein Stück Brot finden würde und England „kaputt" wäre.

Aber . . . aber . . . Es gibt bekanntermaßen drei Arten von Lügen.

Die einfache Lüge,

die gemeine Lüge und —

die Statistik.

Auf *Orion* haben sie die schwerverwundete Miss Herbert Jones über= nommen. Sie ist erst 25 Jahre alt. Die Schiffsärzte ringen verzweifelt um ihr Leben. Ein Granatsplitter drang in ihren Rücken, als sie auf Befehl des *Rangitane*=Kapitäns Upton im Salon des Passagier=Frachters Schutz suchte . . .

Die Worte des gütigen Upton klangen noch in ihren Ohren: „Seien Sie unbesorgt, ich werde das Schiff aufgeben!"

Aber er hatte nicht mit der Kompromißlosigkeit seines schottischen Funkers gerechnet, der auch nach den ersten gezielten Salven der Hilfs= kreuzer und den ersten Einschlägen an Bord die Abgabe der Notrufe stur weiterbetrieb.

Einige Schiffsoffiziere hatten sich zudem gegen Upton gestellt:

„Kapitän, dieses Schiff hat Lebensmittel für England geladen! Sie dür= fen es nicht aufgeben."

„Wenn wir keine Frauen und Kinder an Bord hätten, dann ja . . ."

„Auch dann nicht, Kapitän. Der Verlust dieses Schiffes wird mehr Frauen und Kinder in England treffen, für die wir Butter, Milch und Kakao an Bord haben, als hier an Bord sind. Sie müssen dieses Opfer auf sich nehmen! Auch die Frauen auf diesem Schiff werden verstehen, wenn wir von unseren Waffen Gebrauch machen . . ."

„Nein, zum Donnerwetter . . ."

134

In diesem Augenblick, da Kapitän Upton dem Funker die Notmeldun=
gen verbieten und sein Schiff stoppen lassen wollte, krepierte die Gra=
nate in den Brückenaufbauten, und ihre weißglühenden zackigen Split=
ter bohrten sich durch die Wände bis in den Salon.

Fünf Passagiere, unter diesen drei Frauen, mußten sterben.

Und ein anderer Splitter traf Miss Jones. Er riß der jungen Frau die
halbe Lunge weg.

Nun ruht sie auf weißem Linnen im *Orion*=Schiffslazarett. Ihre
Schmerzen erträgt sie lautlos. Ihr Lächeln ist nicht mehr von dieser Welt.

Die schwerverunglückte Engländerin bewegt alle Gemüter auf *Orion*.
Wo sich der Schiffsarzt Dr. Raffler oder ein Mann des Sanitätspersonals
zeigt, brandet die Frage auf: „Wird sie durchkommen?" Und in jeder
Frage ist die stumme Bitte: „Helfen Sie ihr ..."

Aber der Arzt kann nur mit den Schultern zucken. Es liegt nicht mehr
in seiner Hand, die Schwerverwundete zu retten.

Als der nächste Morgen dämmert, hört ihr Herz auf zu schlagen.

Auch der britische Matrose Dan Mantley, der am 12,6 cm Geschütz
der *Rangitane* vergeblich auf den Feuerbefehl seines Kapitäns wartete,
erliegt seinen schweren Wunden. Er folgt seinen drei Kameraden von
der Maschine und den zwei getöteten Stewardessen.

Im Gepäck von auf *Komet* untergebrachten *Rangitane*=Offizieren wer=
den Beschreibungen des HSK *Orion* und des Tankdampfers *Winnetou*
gefunden.

Die *Haxby*=Leute haben gute Arbeit geleistet.

Die Zeichnungen sind genau, zu genau ...

✳

Anfang Dezember 1940.

Hochsommer auf der südlichen Halbkugel.

Heißeste Jahreszeit in der Südsee.

Orion und *Komet* steuern, den Versorger *Kulmerland* in ihrer Mitte,
auf die im Norden gelegene Phosphatinsel Nauru zu. *Komet*=Komman=
dant, Kapitän zur See Eyssen, war es, der bei der Besprechung im Lamu=
trek=Atoll den Plan hatte, die vor Nauru auf ihre Abfertigung warten=
den Spezialfrachter zu überfallen, die Insel im Handstreich zu besetzen
und die wichtigsten Anlagen zu zerstören.

Mit einer Beschießung oder einer Besetzung der Insel kann sich
Weyher noch immer nicht ganz anfreunden. Er fürchtet eine weitgrei=
fende Suchaktion des Gegners, bei der auch die bisherigen Treffpunkte,
die Marshall=Inseln und die Ostkarolinen, betroffen werden könnten.
Der Ausfall dieser Treffpunkte könnte unter Umständen alle weiteren

Operationen in diesem Raum ernsthaft gefährden. Eine anhaltende Be=
unruhigung der Schiffahrt in der Südsee wäre damit illusorisch gewor=
den. Nicht minder schwerwiegend sind seine Befürchtungen, ein solcher
Angriff auf Nauru könne auch die guten Beziehungen zwischen Japan
und Deutschland trüben, denn auch Japan ist in besonderem Maße auf
die Phosphat=Exporte von Nauru und den Ocean=Islands angewiesen.

Aber Eyssen ist von diesem Punkt des Nauru=Unternehmens nicht
abzubringen.

In sein persönliches Tagebuch vermerkt Weyher:

„Orion konnte bisher die ihm gestellten Aufgaben in diesen weit=
räumigen Seegebieten erfüllen, obwohl der Schiffsverkehr hier nicht nur
weit auseinandergezogen verläuft, sondern im Vergleich zum Atlantik
oder zum westlichen Indischen Ozean weniger stark, wenn auch nicht
weniger bedeutungsvoll ist.

Die Operationen des HSK Orion sind zwar nur ein Dorn im Fleisch.
Wenn er auch nicht tödlich wirkt, so beginnt er mit der Zeit doch emp=
findlich zu schwären. Das beweisen die sekundären Auswirkungen. Der
Gegner wurde im Pazifik, vornehmlich im Raum Australien und Neu=
seeland, zu einer Verstärkung seiner Streitkräfte gezwungen. Ein nicht
unbeträchtlicher Teil seiner See= und Luftstreitkräfte wurde somit ge=
bunden und vermag nicht zur Entlastung der schwer ringenden Heimat=
front im Nordatlantik und im Mittelmeer abgezogen werden. Auch im
Pazifik mußte der Gegner neuerdings ein Convoisystem einrichten, um
wenigstens die Hauptrouten der wertvollen Schiffe, meist Kühlschiffe
und Phosphat=Spezial=Frachter, abzusichern*).

---

*) In den Gewässern des Indischen Ozeans hatten die Briten bereits wenige
Monate nach Kriegsausbruch, gewarnt durch das Auftauchen des deutschen
Panzerschiffes Admiral Graf Spee, für die wichtigsten Schiffe, in erster Linie
für die Truppentransporter, einen Konvoidienst eingerichtet. Churchill dazu
in seinen Memoiren: „Der Transport von australischen Divisionen war ein
historisches Kapitel in der Geschichte des Britischen Imperiums. Ein Angriff
und damit verbundene Verluste wären einem Disaster gleichgekommen." Zu
den australischen Truppen kamen noch die neuseeländischen, die auch auf den
Transportern des ersten Geleitzuges US 1 eingeschifft wurden, nämlich auf
die Stradhaird (22 281), Strathnaver (22 283), Otranto (20 026), Sobieski
(11 030 und ein polnisches Beuteschiff), Orion (23 371), Orford (20 043),
Dunera II (11 162), Empress of Japan (26 032), Empress of Canada (21 517),
Orcades (23 456) und Rangitata (16 737 BRT). Für die einzelnen Geleitzugs=
etappen von Neuseeland und Australien nach Colombo auf Ceylon und von
dort weiter nach Aden und zum Suez wurden herangezogen das britische
Schlachtschiff Ramillies, der neuseeländische Kreuzer Leander und die au=

Da der Hilfskreuzer *Komet* bisher noch nicht in Erscheinung trat, kommen diese direkten und noch schwerer wirkenden indirekten Er= folge ausschließlich auf das Konto eines einzigen deutschen Handels= störers, auf das des HSK *Orion*.

Es ist daher von größter Bedeutung, daß die Seetüchtigkeit und See= ausdauer des Hilfskreuzers erhalten bleibt, um die geschaffene Beun= ruhigung in diesem Raum weiter wirksam sein zu lassen. Die abgespro= chenen gemeinsamen Operationen dürften, wenn der Gegner erfährt, daß jetzt sogar ein Verband deutscher Handelsstörer im Pazifik operiert, noch zu weiteren Diversionierungen der gegnerischen Streitkräfte führen."

*

Kapitän zur See Krüder hat seine Prise *Storstad* nach Erledigung der Minenaufgaben nicht gleich als Gefangenenschiff entlassen. Er hat den Tanker als Zweites Auge zurückbehalten. Ohne Zweifel verdankt er dieser Idee, seinen Beobachtungsbereich durch den Tanker zu vergrö= ßern, die stattliche Strecke der Operationstage zwischen dem 19. und 24. November: nämlich vier Frachter, wertvolle Kühlschiffe unter diesen.

Bei der *Maimoa* wandte Krüder eine neue List an:

Sie versuchten den Gegner erst durch das Flugzeug zu stoppen, denn *Pinguin* war wegen Motorenüberholung nicht voll einsatzfähig. Aber der Frachter, ein gut bewaffneter Brite, dachte gar nicht daran. Er ant= wortete mit Garben seiner Maschinenwaffen.

Auch die Flugzeugbombe vor den Bug imponierte dem Britenkapitän nicht.

Er fährt weiter und funkt, funkt, funkt ...

Flieger=Oberleutnant Müller fällt das Gespräch mit seinem Komman= danten ein: „Kein Blutvergießen! Notfalls unter eigenem Einsatz An= tenne reißen."

Jawohl Antenne reißen ...

Sie fahren die Schleppantenne der He 115 aus, rasen im Tiefflug dem Frachter entgegen, erhalten Treffer durch gegnerische Bordwaffenbe=

---

stralischen Kreuzer *Sydney, Australia, Canberra* und *Hobart,* ferner die bri= tischen Kreuzer *Kent* und *Sussex,* der französische Kreuzer *Suffren* und der britische Flugzeugträger *Eagle,* außerdem auch noch der Britenzerstörer *Westcott* als U=Boot=Sicherung befohlen. Dem Konvoi US 1 folgten weitere: US 2, US 3, US 4 usw. Der Transporterflotte wurden unter anderem später auch die *Queen Mary* (81 235), die *Queen Elizabeth* (Schwesterschiff der *Queen Mary)*, die *Mauretania* (35 793) und die *Aquitania* (44 786) zugeteilt. Die Sicherungsstreitkräfte wurden verstärkt, sie wechselten auch mit anderen Einheiten ab.

schuß, reißen aber dennoch die Antenne des Frachters, müssen dann aber notwassern. Treffer im Benzintank haben den Brennstoff auslaufen las= sen. Auch der Backbordschwimmer hat Löcher.

Die Briten lassen das notgelandete Flugzeug zufrieden.

Sie winken und grinsen — und glauben sich bereits gerettet.

Stunden später läuft *Pinguin* mit der Kraft aller in Eile klargemach= ten Motoren auf. Breitseiten! Gegner streicht die Flagge.

Ein Bein über der Reling, mit einem riesigen Colt in der Faust spie= lend, empfängt Kapitän H. S. Cox das deutsche Prisenkommando*).

Bei den letzten Gegnerschiffen entscheidet sich Krüder endgültig für den Nachtangriff. Die britischen Frachter, die in diese Seegebiete fahren, sind viel zu stark bewaffnet, um ihre Geschütze noch als Defensivwaf= fen anzuerkennen...

Wie im Atlantik der U=Bootkrieg, so wird auch der bisher so faire Kampf der Handelsstörer härter und härter:

Ab 20.00 Uhr wird Pinguin im Alarmzustand gefahren. Es besteht die Gefahr, daß der Gegner doch seinen Kurs ändert, und wenn er dies in Richtung *Pinguin* tut, muß in jedem Augenblick mit einem Zusam= mentreffen schon jetzt gerechnet werden.

Selten war eine Nacht so dunkel wie diese.

Kein Licht ist auf dem Wasser zu sehen.

Der Himmel ist bedeckt.

Sterne und Mond haben sich verkrochen.

Man kann buchstäblich die Hand vor Augen nicht sehen...

Wohl jeder der Besatzung hat ein kribbeliges Gefühl im Leibe.

Wie wird es ausgehen? Alle Wünsche, die die *Pinguin*=Männer an ihre künftige Beute stellen, werden noch einmal durchgesprochen...

Der andere soll nicht schießen, denn das kann doch einmal ins Auge gehen. Und bei der Munition, die *Pinguin* an Bord hat, sind diese Be= sorgnisse schon gerechtfertigt.

Der andere soll nicht funken. Man legt auf *Pinguin* so gar keinen Wert auf die Öffentlichkeit.

Der andere soll ein Riesendampfer sein.

Und seine Ladung soll wenigstens zu einem Teil aus Obst, Gemüse, Zigaretten und Jamaika=Rum bestehen.

Und er soll Kartoffeln an Bord haben.

---

*) Als am 20. November die *Maimoa* eine QQQQ=Meldung funkte, war der australische Kreuzer *Canberra* gerade von einer ergebnislosen Jagd nach dem Angreifer der *Ole Jacob* im südwestaustralischen Hafen Fremantle ein= gelaufen; gleichzeitig wurde der auf dem Marsch zum Roten Meer stehende und von dem australischen Kreuzer *Perth* gesicherte Geleitzug US 7 nach

Viel Kartoffeln!

„Einmal wieder Pellkartoffeln mit grünem Salat."

Das ist ein Wunsch, der durch alle Decks geistert und der oben auf der Brücke genauso wie im Mannschaftsraum mit Eifer erörtert wird.

Gegen 23.30 Uhr geht der Obersteuermann auf die Brücke. Er hat nichts mehr zu tun im Kartenhaus. Der voraussichtliche Treffpunkt ist auf dem Millimeterpapier längst festgelegt.

Plötzlich ein Ruf vom Signaldeck.

„Fahrzeug drei Strich an Steuerbord."

Fahrplanpünktlich trifft der Fremde auf dem Treffpunkt ein.

Pinguin setzt sich jetzt nach Backbord heraus, um in Schußposition zu kommen.

Die Brückenwache beginnt nervös zu werden. Der da drüben muß HSK *Pinguin* doch sehen.

Aber Krüder ist nicht aus der Ruhe zu bringen. Breitbeinig steht er hinter seinem Fernglas. Kein lautes Wort fällt. Nur im Flüsterton tau= schen sie ihre Beobachtungen aus, als ob sie befürchten, daß ein laut gesprochenes Wort von denen da drüben gehört werden könnte. Man glaubt fast, den Zigarettenrauch von den Wachgängern da drüben zu riechen.

Näher, immer näher kommt der Fremde.

Wie eine Erlösung empfinden es alle, als Krüder endlich den Befehl zum Angriff gibt.

„Feuererlaubnis!"

„Scheinwerfer leuchten. Halbe Fahrt voraus."

Schon die erste Salve liegt deckend in der feindlichen Brücke. Sie zer= stört die Funkbude und macht so wenigstens diese Gegenwehr unmög= lich. Trotz seiner schweren Bewaffnung stoppt der Fremde sofort und erwartet, ohne Fahrt in der Dünung liegend, die herüberfahrenden Pri= senkommandos. Krüder hat die Scheinwerfer wieder abblenden lassen. Der sich immer mehr ausweitende Brand auf der Brücke des gestoppten Schiffes weist den deutschen Booten den Weg.

Das Schiff ist die *Port Brisbane*. Sie ist bei der Port Line in London be= reedert, 8 739 BRT groß und hat Gefrierfleisch, Butter, Käse und Stück= gut geladen.

Wieder ein Kühlschiff.

Fremantle zurückgerufen. Bevor die *Perth* und ihre Truppentransporter den Hafen erreichten, war die mit größter Beschleunigung beölte *Canberra* wieder in See geschickt worden, um im Gebiet des Schauplatzes des neuen Raider= Angriffes erneut ihr Jagdglück zu versuchen. Der *Canberra* folgte die *Perth*. Doch beide Schiffe fanden den Angreifer nicht.

Wieder eine millionenschwere Beute, denn Kühlschiffe kosten nicht nur bis zu 40 Prozent mehr — auch ihre Ladung ist für die gegnerische Seite von größter Wichtigkeit.

Krüder ist heilfroh, die inzwischen versenkte *Port Brisbane* nicht bei Tage angegriffen zu haben. Sie war ausgezeichnet bewaffnet und hätte sich mit ihren Geschützen schon auf Distanz wehren können . . .*)

Da ist, von *Atlantis*=Adju Dr. Mohr berichtet, noch der Fall mit den Dokumenten.

Wie *Pinguin* hat auch *Atlantis* im November gute Erfolge. Nach den bereits erwähnten Norwegentankern *Teddy* und *Ole Jacob* entdeckt der Matrose Jena in den ersten Morgenstunden des 11. November eine zarte Rauchwolke im südwestlichen Sektor.

„Wenn sie da drüben jetzt ihre Funkstation benutzen . . .", denke ich, „. . . es wäre Selbstmord."

Sekunden nach unserem Warnschuß, hören wir die RRRR's und auch den Namen des uns noch Fremden. *Automedon* heißt der Frachter und ist, wie vermutet, ein Brite.

Es ist tapfer . . . es ist aber so nutzlos . . . ja, es ist Selbstmord, was sie da jetzt tun.

„Feuererlaubnis!"

Wer funkt — stirbt. Das ist neues, ungeschriebenes aber unerbittliches Gesetz des Zufuhrkrieges.

Und in den ältlichen Dampfer mit seinem langen, altertümlichen Schornstein fressen sich die Granaten hinein . . .

Ich hatte schon viele Dampfer gesehen, die vergammelt und herunter= gekommen aussahen, aber die *Automedon* ist der ärgste.

Mein erster Eindruck, als ich über die Reling springe, ist unglaubhaftes Erschrecken und leises Erstaunen, unglaubhaft, was den Grad der Zer= störungen, die unsere Granaten angerichtet haben, betrifft.

Die *Automedon* rollt hin und her und mit ihr die gebrochenen Trossen und Leinen. Sie schlängeln sich um meine Füße herum, und der entwei= chende Dampf der zerstörten Dampfpfeife übertönt die makabren Ge= räusche des hin und her schurrenden Guts.

*

---

*) *Port Brisbane* stand nordnordöstlich rund 60 Seemeilen von der *Mai= moa* entfernt, als sie die Alarmrufe des von einem Raider angegriffenen Frachters aufnahm. Captain Steele, der im Weltkrieg I als Erster Offizier auf der *Port Curtis* auf der Höhe von Brest torpediert worden war, änderte seinen Westkurs sofort in nördliche Richtung. Kurze Zeit später wurde auf der *Port Brisbane* am südlichen Abendhorizont ein Tanker mit westlichem

Der Schornstein ist wie ein Sieb durchlöchert, die Reling von Granat=
splittern durchsiebt und das in tausend Splitter zerfetzte Holz der Funk=
kabine liegt gleich einem Haufen Hobelspäne dumpf schwelend auf dem
zerstörten Deck.

Einer vom Prisenkommando pfeift durch die Zähne.

Sonst sind wir sehr ruhig. Wir schweigen vor Betroffenheit. Kaum ein
Wort wird gesprochen. Ein Teil der Unterkunftsdecks ist zusammenge=
stampft worden. Vorkante Brücke gähnt ein Loch, so groß wie ein
Scheunentor. Die Enden sind gezackt, so wie eine Dose, die mit einem
Seitengewehr aufgeschlitzt wurde. Sandsäcke sind durch den Luftdruck
der Granaten von den MG=Stellungen heruntergefegt. Sie liegen zer=
rissen und zerfetzt herum. Sie haben ihren gelbfarbenen Inhalt auf eine
verwirrende Unordnung von zerrissenen Antennen und Schwimmwe=
sten, von zerstörten Flößen und Planken verteilt.

Aber der schrecklichste Augenblick soll erst noch kommen.

Als ich die Kajüttreppe hinaufklettere, hinweg über Löcher, denn die
Sprossen sind wie Stroh abgeknickt worden, als ich immer wieder den

Kurs gesichtet. Es handelte sich hier, wie wir heute wissen, um den Prisen=
tanker *Storstad*. Kurz vor Mitternacht des 20. November legte Captain Steele
sein Schiff wieder auf Westkurs. Vorsichtshalber hatte er die Wachen ver=
doppeln lassen. Steele berichtete später: „Es war eine pechschwarze Nacht.
Der Himmel war mit einer dichten Wolkendecke bezogen, der Wind wehte
schwach, und die See war mäßig bewegt. Schließlich entschloß ich mich, be=
ruhigt durch dieses für uns so günstige Wetter, die zusätzlich aufgezogenen
Wachposten unter Deck zu schicken. Gleichzeitig ließ ich auch die austra=
lischen Reservisten von ihren beiden Sechs=Inch=Kanonen wegtreten." Knapp
eine dreiviertel Stunde später sichtete der Wachoffizier an der Backbordseite
einen dunklen Schatten. Er änderte sofort den Kurs, um den Fremden achtern
passieren zu lassen, und weckte den Kapitän. Captain Steele gab sofort Alarm,
befahl, die Warnmeldung zu funken und verlangte von seinem Chefingenieur,
das Letzte aus den Maschinen herauszuholen. Eine oder zwei Minuten später
wurde die Dunkelheit der Nacht durch grelle Blitze zerrissen und auf der
Port Brisbane detonierten Granaten. Die *Port Brisbane* erhielt Treffer in den
Rumpf, in die Brücke, in die Funkbude und den Maschinenraum. Die Ruder=
maschine fiel aus und unser angegriffener Frachter fuhr im Kreise. Befehls=
gemäß hatten die Geschützbedienungen ihre Waffen besetzt, aber Steele rief
sie zurück, bevor sie den ersten Schuß lösen konnten, weil es, wie er sagte,
keinen Sinn hatte, die Geschützbedienungen in den sicheren Tod zu schicken,
denn der Gegner schoß außerordentlich schnell und treffsicher. Captain Steele
befahl dafür, das Schiff zu verlassen. Unter den drei Rettungsbooten, die frei
von der Bordwand kamen, war auch das des II. Offiziers, der, wie der Kapitän,
über den australischen Rundfunk vom Auslaufen eines Kreuzers zur Jagd auf
den *Maimoa*=Angreifer gehört hatte. Zur Stunde des Angriffs stand dieser Kreu=

rasiermesserscharfen Enden verbogener Stahlplatten und den Hinder=
nissen durchhängender elektrischer Kabel ausweichen muß, als ich mich
endlich zum Kartenhaus hinaufziehen kann,

sehe ich den Tod.

Keiner der sechs Offiziere der *Automedon* hat den Angriff überlebt.
Sie alle müssen nach einem Treffer in die Mitte der Brücke sofort ge=
tötet worden sein ...

Kapitän Mac Ewan hat ein Volltreffer zerfetzt.

Zwischen all den Trümmern und Toten erbärmlich schreiende Ver=
wundete. Ihnen zu helfen, ist unsere erste Tätigkeit.

Danach beginnen wir unsere Arbeit im Panzerraum, und wir sind
erstaunt, daß ausgerechnet diesem altertümlichen Schiff 15 Säcke mit
geheimer Post anvertraut worden sind.

Doch da ist noch mehr.

Wir trauen unseren Augen nicht, da sind Säcke mit fast einem Zentner
Entschlüsselungstafeln, Flottenbefehlen, Artillerieanweisungen und so=
genannten Naval=Intelligence=Berichten.

---

zer, die *Canberra*, (über die *Perth* fehlen leider die Angaben), 500 Seemeilen ost=
südöstlich von der *Port Brisbane* ab. Sie lief nach Empfang der QQQQ=Mel=
dung mit 26 kn auf die ·angegebene Position zu, überzeugt, daß es sich bei
diesem Angreifer um den gleichen Raider handeln müsse, der kurz vorher
die *Maimoa* versenkt hatte. Der *Canberra*=Kommandant war sicher, den An=
greifer in nordwestlicher Richtung aufzuspüren. Daß der Hilfskreuzer nach
Nordwesten abgelaufen wäre, das bestätigten ihm auch die Überlebenden
in den drei Rettungsbooten, die *Canberra* auf ihrem Suchmarsch auffand und
aus denen sie 27 Überlebende unter der Führung des Zweiten Offiziers über=
nahm.

Die *Canberra* suchte zwei volle Tage lang und sie erweiterte ihren Sicht=
radius durch immer neue Aufklärungsflüge ihrer Bordflugzeuge. Aber es
war alles umsonst, der Raider=Kommandant, Kapitän zur See Krüder, hatte
einen Nordwest=Kurs nur vorgetäuscht und war in Wirklichkeit nach Süd=
westen abgelaufen, um in diesen ruhigen Zonen aus der *Storstad* Öl zu über=
nehmen. *Canberra* mußte wegen Ölmangel die Suche aufgeben. Sie lief am
27. November in Fremantle ein, und zwar kurz nach der *Perth*, die von ihrem
nach Fremantle befohlenen Geleitzug ebenfalls zur Raider=Jagd abgezogen
und angesetzt worden war. Erst am 28. November konnte der Geleitzug
weitermarschieren. Admiral Grace hatte inzwischen seine Flagge von der
Canberra auf die *Perth* gewechselt. Beide Kreuzer sicherten jetzt den Konvoi.

Im australischen Seekriegswerk wird Captain Steeles Verhalten heftig kri=
tisiert: „Wenn er nicht um das Leben seiner Geschützbedienungen so gebangt
haben würde, hätte er mit seinen beiden Sechs=Inch=Kanonen bei der kurzen
Entfernung durchaus eine große Chance gehabt. So aber bot er den An=
greifern einen nur zu leichten Erfolg an."

Warum zum Teufel, schicken die Briten solches Material mit diesem alten und so langsamen Waschzuber, rätsele ich immer wieder.

Ein Kriegsschiff wäre doch bestimmt ein würdigerer und auch sicherer Aufbewahrungsort gewesen.

Wir können es nicht verstehen.

Aber erst, nachdem ich eine gute Stunde gebraucht habe, mit einer Axt das Schloß von *Automedon's* Panzerschrank aufzubrechen — wir fanden nichts außer einer geringen Anzahl von Schillingen — machen wir den wichtigsten und wertvollsten Fund unserer ganzen Kreuzerfahrt.

Er ist im Kartenhaus aufbewahrt, ganz in der Nähe, wo die Offiziere starben.

Erst jetzt erfasse ich die tragische Ironie dieser Situation.

Die Sechs haben gemäß der ihnen gegebenen Befehle alles getan, um diese Geheimsachen zu vernichten. Aber ihr letztes und höchstes Opfer machte auch gleichzeitig die Ausführung des allerhöchsten Befehls zunichte; eben um ihn zu erfüllen, waren sie ja alle — der dort ohnehin anwesende Wachoffizier ausgenommen — auf die Brücke gestürzt...

In *Automedon's* Gewahrsam sind ganz geheime Dokumente untergebracht, Dokumente, von denen die Besatzung des Schiffes nichts ahnte, während die Offiziere, der Wichtigkeit bewußt, getötet wurden, bevor sie die Möglichkeit hatten, die Vernichtung zu befehlen oder ihre Hand auszustrecken, um es selbst zu erledigen.

Dieser unser Hauptfund befindet sich in einem langen, schmalen Umschlag in einem grünen Sack, einem Sack, der mit Ösen aus Messing versehen ist, um, über Bord geworfen, das Wasser schneller eindringen und den Sack schneller absaufen zu lassen.

Der Sack ist mit einer leuchtend roten Schrift markiert. Die Aufschrift lautet:

„Höchst vertraulich! Muß bei Feindannäherung unbedingt zerstört werden!"

Und der Umschlag ist adressiert:

„An den CiC=Fernost! Nur persönlich zu öffnen!"

„Vortrefflich, Mohr", sagt Rogge später, „ganz vortrefflich, Mohr!"

Der Inhalt des Umschlages liegt vor ihm ausgebreitet, und als die Sonnenstrahlen durch die Kattunvorhänge der Kapitänskajüte auf den auf Hochglanz polierten Tisch fallen und auf dem geschliffenen Glas des schweren Aschenbechers glitzern, scheinen die *Automedon* und die schrecklichen Erinnerungen auf ihrer Brücke, die mich seit jener Stunde, da ich dieses Schiff betrat, verfolgen, weit, weit weg zu sein.

Wir sind ob der Wichtigkeit unserer Beute sogar in gehobener Stimmung. Die Dokumente stammen von keiner geringeren Stelle, als der der

Planungsabteilung des Kriegskabinetts, und sie enthalten die Aufzeich=
nungen über den letzten Stand der militärischen Stärke des Empires in
Fernost.

Hier sind genaue Einzelheiten, die die Entwicklung und Ausrüstung
der Royal=Aire=Force=Einheiten betreffen...

hier sind Einzelheiten über die Flottenstärken...

hier sind Planungen über die Rolle Australiens und Neuseelands im
Falle eines Krieges

und am interessantesten erscheint uns ein Abschnitt, der die Mög=
lichkeit eines Kriegseintritts Japans betrifft, ein Abschnitt, der sich mit
weitschweifigen, aber in alle Einzelheiten gehenden Notizen über die
Befestigungen Singapores befaßt.

„Vortrefflich! Sehr vortrefflich!" brummt Rogge immer wieder vor
sich hin.

Aber nun gilt es, diese Dokumente auch zum Nutzen Deutschlands
auszuwerten.

Rogge hat den Gedanken:

„Wir müssen das Beste daraus machen! Und hier ist der Weg, wie es
gemacht wird...:

Wir brauchen Dieselöl.

Ole Jacob, unsere letzte Prise, hat Flugzeugsprit an Bord. Die neu=
tralen Japaner haben Dieselöl genug zur Verfügung, was s i e aber brau=
chen, ist Flugzeugbenzin! Jede kleine und — noch mehr — jede große
Menge ist willkommen!"

Ole Jacob hat 9 247 Tonnen Flugzeugbenzin an Bord!

Rogge hatte sich schon lange Gedanken darüber gemacht, diese La=
dung bei den neutralen Japanern gegen Dieselöl einzutauschen. Ob die
Japaner aber mitmachen werden? Ob sie *Ole Jacob's* Benzin abnehmen,
den Tanker mit Dieselöl beladen und wieder auslaufen lassen werden?

Das waren die die Schiffsführung bisher quälenden Fragen.

Nun aber spielt uns das Schicksal diese unsagbar wertvollen Geheim=
berichte in die Hände. Sollte sich Japan bei dem Benzin=gegen=Öl=Tausch=
geschäft aus politischen Bedenken heraus noch spröde zeigen, diese Ge=
heimunterlagen werden japanische Einwände wie Butter in der Mittags=
sonne dahinschmelzen lassen.

Rogge ruft Kamenz.

„Ich habe einen neuen Job für Sie", sagt er. „Sie übernehmen sofort
die *Ole Jacob* und fahren nach Japan. Sie sollen uns helfen, einen diplo=
matischen Kuhhandel zu schaukeln."

Monate später trifft Kamenz nach einer 16 000 Seemeilen langen Reise
mit einem deutschen U=Boot wieder auf der *Atlantis* ein.

144

Das geschah inzwischen . . .

Kamenz hatte mit der *Ole Jacob* Yokohama erreicht, die norwegischen Gefangenen ausgeschifft, einen Brief an den deutschen Konsul über= geben und war kurze Zeit später mit den Geheimdokumenten zu einer Geheimkonferenz nach Deutschland befohlen worden.

Nach Deutschland fahren? Es war alles so einfach . . .

Zuerst arrangierten die neutralen Japaner seinen Transport nach Wladiwostok, dann nahmen sich die neutralen Russen des deutschen Seeoffiziers an. Sie gewährten ihm die vollste Unterstützung für den sichersten Weg nach Deutschland, nämlich über die transsibirische Eisen= bahn.

Während der gleichen Zeit, die Kamenz es sich im Sibirien=Expreß bequem machte, demonstrierte die *Ole Jacob* ein interessantes Beispiel geheimer politischer und wirtschaftlicher Zusammenarbeit. Der Tanker tauchte in den entfernten Marianen auf, übergab den Japanern den Flug= zeugsprit und bunkerte Öl für die deutsche Raider=Flotte . . .

Rogge sagte, als er zum ersten Mal von der *Ole Jacob* japanisches Öl übernahm, „Dieses Zusammenspiel erscheint mir ein Ebenbild en minia= ture für Roosevelts Politik mit den Briten zu sein. Was dem einen recht ist, ist dem anderen billig."

Wir einfachen Seeleute fanden, daß das Wort Neutralität in der Tat auch ein recht sündhafter Begriff sei kann.

Für die Aufbringung der *Automedon* bedachten die Japaner Rogge mit einem reich verzierten Samurai=Schwert, wenn auch die Verleihung etwas verspätet kam,

denn sie fand 18 Monate nach der Erbeutung der Dokumente statt . . .

aber nur wenige Wochen nach der die Welt überraschenden, so schnel= len Eroberung von Singapore.

KAPITEL 7

DER SCHLAG GEGEN NAURU'S PHOSPHATVERSCHIFFUNG

Zur Lage: Wie eine Bombe schlug die Nachricht vom Angriff des Schweren Kreuzers Admiral Scheer *auf den Konvoi* HX 84 *in London ein.* Admiral Scheer *überfiel diesen Geleitzug in den Abendstunden des 5. November, kämpfte den sich hartnäckig wehrenden bri= tischen Hilfskreuzer* Jervis Bay *nieder und attackierte die jetzt schutzlos preisgegebenen Frachter. Die Absicht der Britischen Ad= miralität, mehr als bisher Kriegsschiffe in den Mittel= und Süd= atlantik zur Jagd auf deutsche Hilfskreuzer zu schicken, schwimmt davon. Nach* Admiral Scheer *könnten die* Lützow, *die* Hipper, *die beiden Schlachtkreuzer* Gneisenau *und* Scharnhorst *oder gar das deutsche Wunderschiff* Bismarck *auf* Admiral Scheers *Spuren fol= gen. Das Gros der Home Fleet darf also nicht wesentlich dezimiert werden, ganz abgesehen davon, daß viele Schiffe wegen notwen= diger Reparaturen überhaupt nicht einsatzbereit sind. Andere gingen verloren, darunter die beiden Hilfskreuzer* Laurentic *und* Patroclus, *versenkt im November durch Otto Kretschmers U 99.*

Admiral Scheer *wird schließlich aus dem Südatlantik gemeldet. London setzt die in Freetown neuaufgestellte* Force „K" *an — ohne indessen auch nur eine Sichtung zu haben. Im Südatlantik trifft sich* Admiral Scheer *zunächst mit HSK* Thor, *der vor der La=Plata= Mündung gerade wieder ein dramatisches Gefecht mit einem geg= nerischen Hilfskreuzer durchgestanden hatte, diesmal mit dem 22 000 BRT großen AMC* Carnarvon Castle, *und soll dann mit HSK* Pinguin *gemeinsam in die Antarktis vorstoßen.*

Die Skl nutzt die bei den Briten entstandene Verwirrung und schickt Ende November den Schweren Kreuzer Admiral Hipper *mit dem Ziel in See, wie* Admiral Scheer *einen Geleitzug im nördlichen Mittelatlantik anzugreifen. Sonderbarerweise ist die Dänemark= straße — nach britischen Angaben — um diese Zeit völlig un= bewacht, so daß* Hipper *ungesehen durch die Enge schlüpfen und den offenen Atlantik erreichen kann. Allerdings geht ihr Angriff auf den 700 sm westlich von Kap Finisterre gesichteten Truppen= transporter=Geleitzug WS 5 A erfolglos aus, da der Konvoi wider Erwarten sehr stark durch Flugzeugträger und Kreuzer gesichert ist.*

Die auch vom Gegner unbestritten hoch anerkannten Erfolge der deutschen Hilfskreuzer haben die Skl bestimmt, schnellstens die Schiffe der Zweiten Welle klarzumachen und auflaufen zu lassen. Der erste HSK der Zweiten Welle ist das „Schiff 41", der

Hilfskreuzer Kormoran, *die ehemalige, erst während des Krieges*
fertiggestellte Steiermark. Kormoran *läuft unter dem Kommando*
von Fregattenkapitän Detmers am 3. 12. 1940 aus Gotenhafen aus.
Sie folgt Admiral Hipper *durch die Dänemarkstraße.*

Nach wie vor operieren auf allen großen Ozeanen je zwei
deutsche Hilfskreuzer: Im Atlantik wird zu Thor *die* Kormoran
stoßen, nachdem Widder *das Unternehmen wegen Maschinen=*
schadens abbrechen mußte.

Pinguin *und* Atlantis *stehen noch immer im Indischen Ozean,*
Komet *und* Orion *schwimmen im Inselgewirr des Pazifiks, noch*
immer als Fernostverband, jetzt mit dem Ziel, Nauru doch anzu=
greifen ...

Der Kurs auf Nauru führt an den südöstlichen Ausläufern der zu
Melanesien gehörenden Salomonen=Inseln vorbei ...

Der Gegner machte alle Anstrengungen, die Angreifer auf die *Rangi=*
tane zu stellen. Eine Vickers=Wellington näherte sich in der Abenddäm=
merung bis auf 3 000 Meter, entdeckte die an der schon dunklen Ost=
kimm stehenden Schiffe aber nicht.

Über den Gewässern rings um Australien und Neuseeland brütet die
Angst, quält die Unruhe, nagt die Nervosität.

Das Union=Steam=Ship=Company Motorschiff *Karitane* funkt RRRR=
Rufe in den Äther. Das Flugboot *Aotearoa* und der Kreuzer *Achilles*
nehmen Kurs auf die gemeldete Position, die genau in der Mitte zwi=
schen Tasmanien und Neuseeland liegt.

Melbourne funkt an Wellington: Bedauern, daß Kreuzer *Adelaide*
nicht einsatzklar, aber wir werden Flugzeuge schicken. Sie sollen jedes
Schiff innerhalb des 200 Meilenbereichs der *Karitane* angreifen. Aus=
genommen den holländischen Tanker *Nederland.*

Schließlich gibt der *Karitane*=Kapitän eine Erklärung: Er habe einen
verdächtigen Tanker gesehen ...

Der Alarm wird beendet, die Jagd abgebrochen.

Es ist der 6. Dezember 1940, morgens 08.00 Uhr.

Trotz früher Tagesstunde quält tropische Hitze die Männer. Der
feuchtwarme Fahrtwind ist von einer erschlaffenden Lauheit. Am an=
genehmsten haben es noch die Ausguckposten auf der Saling im vor=
deren Mast.

Und von hier aus wird die Besatzung aus der Monotonie des gewohn=
ten Tageseinerleis gerissen. Der Saling=Ausguck meldet: „An Brücke:
Verdächtige Wolke an Backbord!"

Weyher befiehlt sofort „stillen Alarm" und läßt sein Schiff auf die
Richtung zudrehen. Eine Viertelstunde später wissen es alle Männer.
Die gemeldete Wolke ist eine Rauchfahne. Inzwischen sind über der

heute verschleierten Kimm auch Mastspitzen aufgetaucht. So viel steht einwandfrei fest, das fremde Schiff liegt ebenfalls auf nördlichem Kurs.

Ein Neutraler?

Ein gegnerisches Schiff?

Wie eine Fieberwelle wogen Spannung und Nervosität durch den Hilfskreuzer.

Weyher verständigt die von Steuerbord in Sichtweite=Abstand mar= schierende *Kulmerland*. Der auf dem Versorger eingeschiffte militärische Berater, der *Orion*=Rollen=Offizier Warnholtz, erhält von Weyher den Befehl:

„Sofort *Komet* verständigen. In 340 Grad auf Verbandskurs Mast= spitzen in Sicht. Dem Kurs nach zu urteilen ist der Fremde für Nauru bestimmt. Vorschlage, daß *Komet* sich mit seiner größeren Geschwindig= keit vorsetzt."

Orion hält Fühlung und tastet sich näher an den anderen heran.

Gegen 11.00 Uhr ist das fremde Schiff so weit über die Kimm ge= treten, daß Einzelheiten auszumachen sind: „Frachter ist von mittlerer Größe, hat zwei Masten, einen Schornstein und einen Klippersteven."

„Ich will Hermann Meyer heißen, wenn wir den nicht schon einmal gesehen haben", unterbricht der Navigationsoffizier, neben Weyher tre= tend, das nervenzehrende Schweigen. Der NO malt mit seinem Zeige= finger den ausgefallenen Klippersteven auf dem lackierten Teakholz der Brückenreling nach. Er zielt damit auf die britische *Triona* ab, die *Orion* am 10. August vermöge ihrer höheren Geschwindigkeit davon= zulaufen vermochte.

„Ein Phosphatfrachter derselben Reederei ist es mit Sicherheit. Ob er mit unserem Ausreißer identisch ist, läßt sich nicht mit Bestimmtheit sagen", meint Weyher, taucht ein paar Minuten im Kartenhaus unter, um in den Unterlagen über die Schiffsilhouetten dieser Reederei zu suchen.

Als er wieder neben seinen Navigationsoffizier tritt, sagt er: „Rein gefühlsmäßig ist es die *Triona*. Ist sie es wirklich, dann aber Vorsicht, Herrschaften, dann steht da drüben einer auf der Brücke, der uns schon einmal reingelegt hat."

„Daß er nach Nauru will, dürfte feststehen."

„Ohne Frage", bekräftigt Weyher. „Lassen wir ihn laufen, dann platzt er mitten in unseren Angriff auf die Nauruschiffahrt hinein."

„Wenn er nicht schon vorher einen warnenden Funkspruch abgibt."

„Auch das ist drin. Bleibt nur eines: zupacken, schnell zupacken!"

Immer wieder unterbricht Weyher seine Beobachtung des Gegner= schiffes und sucht mit dem Glase den Horizont an Steuerbord ab.

„Sonderbar, daß *Komet* nicht erscheint."

Sie beschatten den Fremden und warten, warten, warten.

Statt *Komet* schiebt sich endlich die *Kulmerland* auf der dem Gegner=
schiff abgewandten Seite über die Kimm. „Übermittele *Orion*=Kom=
mando den Befehl von Kapitän zur See Eyssen: *Orion* soll sofort wieder
auf alten Kurs nach Nauru gehen."

„Haben Sie denn nicht gemeldet, daß gesichtetes Schiff mit Sicherheit
ein Phosphatfrachter ist?"

„Selbstverständlich! *Komet*=Kommandant vertritt aber die Auffas=
sung, der fremde Frachter sei ein funkgepeilter Amerikaner."

Weyhers Augen werden zu einem schmalen Strich. Er verschränkt
die Arme vor der Brust, atmet tief, öffnet den Mund, beherrscht sich
aber und schluckt einen Fluch herunter.

„Kleider machen Leute", platzt Leutnant Bürnheim, der bisher im
Saling=Ausguck den Gegner beobachtet hatte, in das Schweigen der
Brücke.

„Was meinen Sie damit, Bürnheim?" will der IO, Korvettenkapitän
von Blanc, wissen.

„Daß mehr Gold am Ärmel nicht unbedingt ..."

„Bürnheim, ich darf doch sehr bitten", unterbricht ihn Weyher, ehe
der junge Offizier seine vorlaute Bemerkung über den *Komet*=Komman=
danten auszusprechen vermag.

„Was wollen Sie nun tun, Herr Kapitän?" wendet sich der Naviga=
tionsoffizier an seinen Kommandanten. „Die Anweisung kommt von
einem höheren Dienstgrad! Sie lautet klipp und klar: *Orion* hat auf
Naurukurs zu gehen. Das ist ein glatter und unmißverständlicher Be=
fehl."

„Was tun, fragen Sie?" sagt Weyher ruhig. „Und wenn da drüben
der Kaiser von China oder ein Volladmiral auf der Brücke stünde, außer
der Seekriegsleitung in Berlin hat uns hier niemand einen Befehl zu er=
teilen. Damit Sie klarsehen: Unsere Verbandsoperationen basieren auf
einer freiwilligen Übereinkunft zwischen zwei Kommandanten von Han=
delsstörern gleicher Gefechtswerte." Bis hier hatte Weyhers Stimme
einen metallischen Unterton, jetzt fährt er mit milder und fühlbarer Be=
sorgnis fort: „Jagen wir die *Triona* nicht, dann ist Eyssens Plan im
Eimer, meine Herren, dann fährt sie uns nämlich mit ihrer größeren
Marschgeschwindigkeit morgen nachmittag mitten in die Vorbereitun=
gen hinein. Nein, so geht das nicht. Wir jagen sie! Wir bleiben dran.
Machen Sie Morsespruch an die *Kulmerland*: Sofort zu *Komet* zurück=
laufen und *Komet*=Kommando unterrichten: Sichtung ist kein funkge=
peilter Amerikaner. Sichtung ist einwandfrei der schnelle Brite *Triona*,

Orion dem Aussehen nach bekannt. *Orion* bleibt am Ziel und erwartet Eingreifen *Komet*.

„Herr Kapitän, geht das Wort ‚erwarten' nicht zu weit?" sorgt sich der NO. „Der Spruch klingt wie ein Befehl."

„Soll er auch. Es ist ein Gebot der Stunde, so und nicht anders zu handeln — für Kapitän zur See Eyssen wie für uns."

Orion nimmt die Verfolgung auf.

Weyher hat etwas Hoffnung, sich dem offenbar noch ahnungslosen Frachter im Schutze der strichweise wandernden Regenböen bis auf Ge= fechtsdistanz nähern zu können. Außerdem läßt er nebeln, um seine eigenen Bewegungen zu verschleiern. *Orion* dreht den Bug nach Steuer= bord, um der *Triona* auf alle Fälle den Fluchtweg nach Süden abzu= schneiden.

Langsam, Meter um Meter, holt der Hilfskreuzer auf. Die *Triona* nützt noch nicht ihren Geschwindigkeitsüberschuß aus. Ihr Kapitän hat also noch keinen Argwohn geschöpft. Gesetzt den Fall, daß man *Orion* überhaupt schon gesehen hat.

Es ist jetzt 16.00 Uhr.

In zwei Stunden bricht die Nacht an. In der Dunkelheit und bei den Regenböen dürfte der Gegner dann doch entkommen.

Noch immer zeigt sich *Komet* nicht an der Kimm.

Weyher wagt trotz der kritischen Situation ein Kurzsignal über seine FT, um das *Komet*=Kommando erneut von der Notwendigkeit des ge= forderten Eingreifens zu überzeugen.

Gegen 17.00 Uhr schälen sich die ersehnte *Komet* und die *Kulmerland* aus einer Regenwand heraus, während die *Triona* gerade in einer an= deren untergetaucht ist.

„Was ist los, Weyher? Ich sehe hier kein Schiff!" morst *Komet*.

Weyher unterrichtet Eyssen über die Lage, über die letzte Peilung des Gegners, dessen Kurs und augenblicklichen Standort. Danach hat es den Anschein, daß die *Triona* im Schutze der Schlechtwetterfront mit hoher Fahrt jetzt nach Norden durchzustoßen versucht.

Auf Komet schalten sie jetzt schnell.

Eyssen jagt mit AK nach Norden, während *Orion* auf die Regenböe zustampft, in der sich die *Triona* verbirgt.

Nur noch Minuten wird es dauern, dann ist die eisengraue Regen= wand weitergewandert ...

Wie erhofft, präsentiert sich der Gegner wie auf einer riesigen Bühne, deren Vorhang ruckartig aufgezogen wurde.

Von Süden her prescht *Orion* heran.

Im Norden steht *Komet*.

17.17 Uhr fällt auf *Komet* der Warnungsschuß.

Kurz danach sprechen auch die *Orion*=Geschütze.

Heftig funkend, von der *Komet*=FT, die schnell einen neutralen Funk= spruch als Japaner abgibt, aber mit größerer Lautstärke gestört, hastet die *Triona* einer neuen Regenböe entgegen.

In einer knappen Stunde fallen die Schleier der Nacht über den Schau= platz eines Angriffs, der weniger den auf dem Gegnerschiff an Bord befindlichen Menschen, sondern in erster Linie dem Schiff, ja ausschließ= lich diesem als Frachtträger gilt.

Und wie immer, fühlen die Hilfskreuzermänner die bange Sorge in sich aufsteigen, daß es ihnen erspart bleiben möge, gezieltes Feuer aus ihren 15=cm=Geschützen zu eröffnen. Bei aller Gnadenlosigkeit im Kampf um die gegnerische Tonnage, die das Lebensblut für die britische Kriegsführung auf die Insel schleppen, ist es ungeschriebenes Gesetz an Bord der Hilfskreuzer, Menschenverluste nach Möglichkeit zu ver= meiden.

Eine neue Regenwand saugt den Gegnerfrachter auf.

Beide Hilfskreuzer stellen das Feuer ein und folgen dem vermutlichen Kurs des anderen.

Plötzlich ist die *Triona* wieder da.

Und *Orion* und *Komet* stehen jetzt noch näher heran.

Feuerbälle zerplatzen zwischen den Aufbauten des gehetzten Frach= ters.

Die ersten Treffer!

Der *Triona*=Kapitän gibt auf. Schlagartig hört das Funken auf. Es bricht mitten in dem neuen Notruf ab. Die *Triona* stoppt, schwebt sanft aus und erwartet, in der sanften Dünung auf und nieder wiegend, ihr Schicksal.

Auf *Orion* wartet das Prisenkommando auf den Einsatzbefehl, das Gegnerschiff zu entern und zu untersuchen. Und wer nicht zu dieser ausgesuchten kleinen Gruppe zählen darf, der freut sich auf die Rück= kehr seiner Kameraden und auf deren Berichte. Es wird wieder neuen Gesprächsstoff geben. Untereinander ist nichts mehr zu berichten. Man kennt die privaten Sorgen und Nöte seiner nächsten Kameraden, ihren ganzen Lebensweg. Höhen und Tiefen. Und es gibt keinen Witz, der nicht x=mal die Runde gemacht hat, der einen Bart hat, wie mancher von ihnen selbst.

Die neue Beute und ihre Inbesitznahme versprechen wieder Futter für die Mühlen der Palaver=Kiste.

Aber etwas, was keiner erwartete, lenkt den Gesprächsstoff in ganz andere Bahnen.

Die zwar kleinere, aber wesentlich schnellere *Komet* geht dicht neben die *Triona* und setzt ein Motorboot aus. Dessen Insassen entern zum Erstaunen der *Orion*=Männer den Frachter.

Aus dem Lautsprecher auf *Orion* dröhnt Minuten später eine Stimme: „Prisenkommando kann wegtreten." Sein Einsatz ist überflüssig geworden.

Von den 64 Gefangenen gibt Eyssen an *Orion* die Passagiere ab: sechs Frauen und einen fünfjährigen Jungen. Auch von dem vorgefundenen Frischobst und den frischen Kartoffeln erhält *Orion* einen Teil.

Unter den Männern der *Orion*=Besatzung brodelt es wie in einer Waschküche. Sie betrachten die *Triona* als „ihr" Schiff. Hätte ihr Kommandant Eyssens Befehl befolgt, der britische Frachter würde weiter brav wie ein Ackergaul seine Furchen durch die saphirblaue Südsee ziehen. Aber ihr Weyher widersetzte sich ja Eyssens Befehl. Konsequent klärte er die Sachlage als unabhängiger, lediglich Berlin unterstellter Kommandant.

Er kapitulierte nicht vor dem Mehr an goldenen Ärmelstreifen.

Als die letzte Hiev der Frischkartoffeln über die Reling schwingt, kann sich der Verwaltungsoffizier einen bissigen Kommentar nicht verkneifen: „Frische Kartoffeln! Extra prima australische Frischkartoffeln! Bitte Platz zu nehmen zum Kartoffelfestmahl, aber bitte, meine Herren, zwanglos nach Dienstgrad und Rangordnung."

Weyher, der gerade an Deck steht, wendet sich um und geht. Er hat nichts gehört, und er will auch nichts gehört haben. Was er in seinem Innern denkt, drückt er in Worten nicht aus.

Es bedarf aber auch nicht einer solchen Äußerung. Seine Männer haben im Laufe der langen Unternehmung ein feines Empfinden dafür, wenn es in „ihrem Alten" kocht.

Nur abends in der Messe bezieht er, von seinen Offizieren angesprochen, Stellung.

„Was soll ich Ihnen darauf antworten? Waren Sie schon mal in China?" fragt er ausweichend seinen Navigationsoffizier.

„O ja! Aber was haben die ollen Scheinis mit der Tatsache zu tun, daß unsere verehrten Kollegen uns den berechtigten, sauer verdienten Vortritt versagten?"

„Ach, ich dachte nur an den Ausspruch eines weisen Scheinis. Es kommt alles zu dem, der warten kann."

„Sie meinen, daß die Geschichtsschreibung ein Urteil darüber fällt?"

„Genau das. Trotz allem: Wir haben unseren Ausreißer wieder und die Briten einige tausend Tonnen Tonnage weniger. Das ist im Augenblick entscheidend."

Komet schießt zwei Torpedos auf die *Triona*.

Einer geht daneben. Das kann vorkommen.

Der andere trifft so unglücklich, daß der 4 412 BRT große Frachter mit seinen 4 460 t Stückgut und Lebensmitteln für Nauru und einem Kraftwagen für den Inselgouverneur an Bord nur angeknackt wird.

Komet blinkt mit der Klappbuchs einen Morsespruch an *Orion:* „Weyher, versenken Sie das Schiff!"

Der aufnehmende Signalgast glaubte nicht richtig gelesen zu haben, und er vergißt in seiner Verblüffung, das Verstandenzeichen zu geben.

Da blitzt ein weiterer *Komet*=Spruch durch die Nacht: „Ich laufe nach Nauru voraus, um aufzuklären. Ihr Bordflugzeug kann bei diesem Wet= ter sowieso nicht gestartet werden. Treffpunkt westlich Nauru."

„Geben Sie verstanden und einverstanden zurück", befiehlt Weyher. Im Kriegstagebuch stehen die lapidaren Sätze:

„22.49 Uhr reißt ein *Orion*=Torpedo den *Triona*=Laderaum hinter dem Maschinenraum auf. 22.54 Uhr: 5 Grad 12 Minuten Süd, 165 Grad 39 Minuten Ost: *Triona* gesunken."

Als Nachsatz vermerkt Weyher: *Triona* hatte das Signalement des HSK *Widder* mit seinem typischen Pfahlmast an Bord."

Den fünfzehn von der *Rangitane* heruntergeholten Frauen hat man auf *Orion* im mittleren Deck eine Unterkunft zugewiesen. Meist sind es Polinnen, die bei Kriegsausbruch auf dem Passagier=Liner *Batroy* als Stewardessen angemustert hatten, in Sydney hängenblieben und nach England abgeschoben werden sollten, wo man ihre Arbeitskraft in Munitionsfabriken nützlich zu machen hoffte.

Statt froh zu sein, diesem wenig angenehmen Schicksal entgangen zu sein, benehmen sie sich seit dem Anbordkommen aufsässig und ausge= sprochen renitent.

Die ihnen gereichten Hängematten benutzen sie nicht. Sie aufzuhän= gen sei Sache der Soldaten, meinen sie.

Sie säubern weder ihren Raum, noch schaffen sie Ordnung. Es herr= schen im Sinne des Wortes polnische Zustände.

Und ihre Wut auf alles, was deutsch ist, läßt auch den letzten Funken weiblicher Scham verblassen. Es macht ihnen gar nichts aus, ihrem männlichen Aufsichtspersonal den blanken Hintern zu zeigen, wenn Seeleute das Essen hereinbringen oder wenn sich sonst nur irgendeine Gelegenheit bietet.

Wenn die „Damen" meinten, damit den Blutdruck der *Orion*=Seeleute zu erhöhen, sie irrten.

„Der olle Götz von Berlichingen ist schon einige Zeit tot. Bitte, meine Damen, geben Sie sich keine Mühe mit Ihrem zweiten Gesicht. Solche

Aufforderung zieht bei uns nicht!" Mit diesen unmißverständlichen Worten winkt der aufsichtführende Unteroffizier gelassen ab und schließt das Schott, als sie auch vor ihm mit einer solchen hinterhältigen „Geste" kein Halt machen.

Wieviel anders verhalten sich die von der *Triona* abgeborgenen britischen Frauen, deren Männer auf Nauru tätig sind und die nach Melbourne gefahren waren, um Weihnachtsüberraschungen einzukaufen. Die Überraschung nahte in anderer Form, als sie sich und ihre vergeblich wartenden Männer träumen ließen.

Als Unterkunft wurde ihnen der ehemalige Freizeitraum für Unteroffiziere und Mannschaften zugewiesen. Er liegt unmittelbar unter dem eisernen Oberdeck, auf das tagsüber die äquatorische Sonne knallt. Der Hauch Fahrtwind, der durch einen Lüfter in diesen Aufenthaltsraum wedelt, ist kaum der Rede wert, bringt keine Linderung.

Trotz allem tragen sie ihr Los mit bewundernswerter Haltung, und als sie merken, daß ihnen trotz der in Presse und Rundfunk servierten Schauermärchen über das grauenerregende Gefangenendasein auf deutschen Hilfskreuzern nichts geschieht, verdunstet ihre Angst wie ein Wassertropfen auf dem glühenden Eisendeck.

Sie werden gesprächig und möchten in echt weiblicher Neugier erfahren, ob dieser „black raider" nun derselbe wäre, den sie in den australischen Wochenschauen gesehen hätten, der aber ganz anders ausgesehen habe, als dieser hier ... und der es, was ihnen tunlichst verschwiegen wird, ja auch tatsächlich war.

„Ach, sagen Sie, hat man den Frauen in Deutschland das Schminken und Pudern verboten?"

„Wo steht solcher Unsinn geschrieben?"

„Unsinn. Ich bitte Sie, Mister Matrose, die Times und die Daily Mail schreiben keinen Unsinn, und was der australische Rundfunk sagt, ist wahr. Da berichtete übrigens ein Schweizer Journalist — und die Schweizer sind doch rechtschaffene Leute, nicht wahr? —, daß die deutschen Frauen nur Einheitskleider tragen dürfen."

„Ha!" grinst der Seemann. „Das schlägt dem Faß die Krone ins Gesicht. Moment mal." Er verschwindet und kehrt mit einem Packen Zeitschriften wieder, unter anderem mit der „Dame", der „Eleganten Welt" und der „Neuen Linie", Blätter, deren nun schon etwas älterer Inhalt auf dem Vagabunden der Meere wahrscheinlich nicht modischen Interessen dient.

Er reicht sie den Frauen.

„Sind die nun geschminkt oder nicht?"

„Sie sind es, Mister Matrose, aber solche Zeitschriften und Kleider

sind doch nur für die oberen Zehntausend, für die Parteibonzen be=
stimmt und nicht für so winzige Bürger wie Sie und wir."

„Nee, diese Blätter können Sie in Deutschland an jedem Kiosk und
solche Kleider in jedem guten Modengeschäft kaufen."

„Wenn man das Geld dazu hat."

„Natürlich."

„Mag sein. Ich könnte es nicht. Nie!"

„Aber ich und andere in Germany auch."

Der Herr Seemann verabschiedet sich mit der Haltung eines Lords.
Er hat gerade den Messingdrücker von der Tür in der Hand, als er hinter
sich einen bestürzten Aufschrei hört, der in ein jubelndes Schluchzen
übergeht.

„Mein Brautkleid! Sehen Sie doch mein Brautkleid, die Spitzen, die
Form... alles genau so wie mein Kleid..."

Seit dieser Stunde ist die Stimmung endgültig umgewandelt.

Wenn der Posten sich sehen läßt, schwatzen sie auf ihn ein und er=
zählen aus ihrem Leben und über ihr Dasein auf der Phosphatinsel
Nauru.

„Und wenn dieser furchtbare Krieg zu Ende ist, dann müssen Sie uns
besuchen. Sagen Sie das auch Ihrem Kapitän, den Sie ja alle so ver=
ehren!"

✳

Der 7. Dezember.

Komet ist dem Verband in Richtung Nauru vorausgelaufen, da HSK
Orion, wie berichtet, noch die vorher aufgebrachte *Triona* versenken und
deren Wrackteile beseitigen mußte. Als Treffpunkt hat man für den
8. Dezember einen Platz westlich der Insel vereinbart.

17.03 Uhr fährt ein Schrei wie ein Blitzstrahl in die spannunggelade=
nen Gemüter der *Komet*=Seeleute. Der Mastausguck brüllt seine Mel=
dung zur Brücke hin:

„Nauru in Sicht."

Nauru ist ein Eingeborenenwort. Ins Englische übersetzt bedeutet es
„Pleasant=Island" — die heitere Insel.

Es vergeht eine Zeitspanne, bis man auch auf der Brücke einen vio=
lettfarbenen Tupfen in den Horizont wachsen sieht. Die Motoren auf
Komet rasen. Immer höher wächst die Insel aus der See heraus. Wie ein
drohender Finger ritzen die beiden gitterhaften Gerüste der Funktürme
den abendlichen Himmel.

Die *Komet*=Schiffsführung stellt im Rahmen der Aufklärungsaktion
fest:

nach Westen zu bewegt sich dicht unter der Inselküste ein mächtig qualmendes Schiff,

an den Bojen vor den Verladeanlagen liegen keine Frachter,

im Windschutz der Nordostseite der Insel warten drei britische Frach=
ter auf ihre Beladung.

Der qualmende Frachter ist, das kann erkannt werden, ein Norweger.

„Um so besser", schmunzelt Eyssen, denn er hofft bei den Norwegern
auf Einsicht und Vernunft, wenn er dieses Schiff zum Stoppen auffor=
dert. Er will diesen Frachter noch vor Beginn der gemeinsamen Opera=
tion in die Tiefe schicken, da nicht klar ersichtlich ist, ob dieses Schiff
bereits beladen ist und abläuft oder erst eben angekommen ist.

Aus der Funkbude meldet der Funker Jule, früher Funkoffizier auf
dem Märchendampfer „Bremen", laufend seine Beobachtungen. Sie be=
ruhigen.

„Nauru schweigt. Kein FT=Verkehr . . . Nauru schweigt! Kein ver=
dächtiger FT=Verkehr."

Komet dreht auf den Norweger zu. Ist er mißtrauisch geworden?

Als *Komet* 5 000 Meter absteht, ändert sie ihren Kurs und zeigt dem
sich annähernden Schiff das Heck.

„Frage FT=Raum: Funkt Gegner?"

„FT=Raum an Brücke: Gegnerschiff schweigt. Nauru schweigt."

Es läuft eine hohe Dünung. Der Himmel ist bedeckt. Es regnet aus
schnell dahinziehenden Böen.

Komet schiebt sich durch seine größere Geschwindigkeit näher an den
Norweger heran. Der Hilfskreuzer ist noch immer als Japaner getarnt.

„Stoppen Sie! Gebrauchen Sie keine FT oder Sie werden augenblick=
lich beschossen!"

Erst bei der dritten Aufforderung blinkt der Norweger eine Verstan=
den=Meldung zurück, dreht dann aber wieder ab.

„Enttarnt Backbord=Seite. Alle Maschinen große Fahrt voraus!" be=
fiehlt Eyssen, der vorher nach dem Verstandenzeichen die Geschwindig=
keit vermindern ließ.

Komet, die jetzt zwischen der Inselküste und dem Norweger
schwimmt, läßt an Backbord die Klappen fallen und die deutsche Kriegs=
flagge erscheinen, an Steuerbord, also an der der Insel zugewandten
Seite, aber bleibt sie ein Japaner.

Die Fahrmanöver vor der Küste fallen bei den Vertretern der Nauru-
Verwaltung, sollten sie an ihrem Feierabend nichts Besseres zu tun
haben als die gewohnten Schiffe draußen zu beobachten, nicht weiter
auf. Hier draußen herrscht eine derart starke Strömung, die solche Kurs=
änderungen unverdächtig erscheinen lassen.

„Nauru ruhig! Gegner ruhig!" beschwichtigt Bremen=Jule die Brücke. Er hat die Hand an der Taste, bereit, beim ersten Morsezeichen des Geg= nerfunkers dazwischenzuhacken und zu stören.

„Komisch, daß der Kerl da drüben nicht funkt", wundert sich der NO.

„Erst, wenn man annehmen darf, daß er uns nicht für einen britischen Kontrollkreuzer hält. Da, sehen Sie doch! Es geht schon los...!"

Auf dem Norweger schwenken sie das Steuerbordgeschütz.

Jetzt wird es ernst.

Das ganze Nauru=Unternehmen droht in den Bach zu fallen.

„Bug=Geschütz klar!" befiehlt Eyssen. Er hofft, daß man einen nach See zu gerichteten Stoppschuß an Land nicht bemerken oder nicht als Abschuß werten werde. Die Bedienungsmannschaft ist noch damit be= schäftigt, die 7,5=Zentimeter=Kanone zu richten, da besinnt sich der Norweger.

Er dreht bei.

Der Kapitän empfängt, nicht schlecht erstaunt, das deutsche Prisen= kommando. Er erwartete Briten, hatte er doch den Angriff für einen Manöverscherz eines von tropischer Sonne zu reichlich beschienenen Britenkommandanten gehalten.

„Warum haben Sie dann aber Ihre Kanone besetzen lassen, wenn Sie überzeugt waren, daß Ihnen keine Gefahr drohte", wünscht der deutsche Prisenoffizier zu wissen.

„Sie machen mir Spaß. Zum Kriegspielen gehören mindestens zwei Parteien. Wollte den Herren Briten eine Freude machen. Und auch zei= gen, daß wir Norweger nicht schlafen, wenn unsere vernünftigen Regie= rungschefs, Gott sei Dank, auch seit Jahrhunderten keinen Krieg mehr geführt haben. Noch Unklarheiten in diesem Punkt, Sir?"

„Befinden sich noch mehr Schiffe vor Nauru?"

„Drei Briten. Sie warten an der Nordostseite der Insel auf den Abruf zur Abfertigung. Zwei davon sind mit modernen Langrohrgeschützen bestückt."

„Warum verraten Sie mir das?"

„Warum? Erstens mag ich diese arroganten Burschen nicht, na, und zweitens werden Sie allein mit denen doch nicht fertig."

„Allerdings, allein wird da schwer etwas zu machen sein", bekräftigt der Prisenoffizier gleichmütig.

Sprengpatronen zerreißen den Unterwasserrumpf der 5 181 BRT gro= ßen *Vinni*.

Die Nauruaner schöpfen keinen Verdacht. Daß auf See in 8 000 Meter Entfernung ein Frachter sinkt, sehen sie nicht mehr. Es ist Nacht inzwi= schen geworden.

Als den Nauruanern später die Erkenntnis dämmert, daß das Wetter=
leuchten und das dumpfe Rumoren ganz andere Ursachen hatten, daß
es nur mit dem „kleinen Japaner" und dem spurlos verschwundenen
Norweger *Vinni*, der in der Abenddämmerung derart plötzliche Aus=
weichmanöver fuhr, in Verbindung zu bringen war, folgerten sie, was
lag näher, daß der Angreifer den Norweger unter japanischer Flagge
attackiert habe.

Eyssen spannte den Bogen der erlaubten List zwar weit, aber er über=
spannte ihn nicht.

Komet trifft sich mit *Orion* und der *Kulmerland.* Es wird beschlossen,
daß *Komet* nördlich um Nauru herumläuft, während *Orion* zusammen
mit dem Versorger den Südweg wählen soll, um die drei britischen
Schiffe aufzuspüren. Im Morgengrauen wollen sich die Hilfskreuzer auf
dem vermuteten Liegeplatz der britischen Phosphatfrachter vereinen und
diese gemeinsam angreifen.

Als sich *Komet* in den frühen Morgenstunden der Nordostecke der
Insel nähert, treffen sie einen, noch über die ganze Länge schwach bren=
nenden Frachter an. Vor diesem treibt in mehr als einer Seemeile Ab=
stand ein Rettungskutter. In ihm hocken einige Männer, vier Frauen und
zwei Kinder. Sie winken und rufen, meinen sie doch, der Frachter mit
dem Sonnenbanner am Rumpf sei ein echter Japaner. Von *Orion* ist
weit und breit nichts zu sehen.

Unzweifelhaft ist dieses mit einem Langrohrgeschütz bewaffnete
Schiff, es handelt sich um den 8 835 BRT großen Briten *Triadic*, bereits
in der Nacht von der Orion angegriffen worden.

Eyssen folgert, daß *Orion*=Kommandant Weyher nach dem Angriff
aus taktischen Überlegungen gezwungen wurde, sich um einen der an=
deren drei gemeldeten Britenfrachter zu kümmern.

So war es auch ...

Orion stand noch im Süden der Insel, als gegen 03.00 Uhr morgens
östlich von ihr ein Licht, ein typisches Ankerlicht, in Sicht kam.

Weyher ließ gegen 03.30 Uhr „Alarm an Backbord" geben, dann ent=
tarnen und näherte sich der Sichtung, einem Dampfer, der nach der
Kopplung in der See ohne Maschinenkraft treiben mußte. Die Frage
blieb offen, ob man hier wirklich einen der erst im Nordosten der Insel
vermuteten Briten oder etwa einen echten Japaner vor sich habe.

In dieser Situation kam weiter östlich noch ein zweites Licht in Sicht.

Da *Orion* bei Dämmerungsbeginn pünktlich auf dem mit Eyssen ver=
einbarten Treffpunkt im Nordosten der Insel stehen sollte, mußte schnell
gehandelt werden. Es blieb jetzt nur noch eine knappe Stunde Zeit.

Weyher lief die erste Sichtung, einen 8 000=Tonner, bis auf 1 300

Meter auf, rief den Fremden an, schoß einen Warnungsschuß und ließ, als er keine Antwort erhielt und man drüben plötzlich alle Lichter löschte, den Scheinwerfer leuchten. Man erkannte auf dem Heck des Fremden ein Langrohrgeschütz und eröffnete auf den nunmehr einwand= frei als Gegner ausgewiesenen Frachter im Hinblick auf dessen moderne Bewaffnung gezieltes Feuer. Nach vier Salven stand der Brite in Flam= men und stoppte seine inzwischen aufgenommene Fahrt.

Da der weiter östlich stehende Frachter nach der ersten Salve der *Orion* seine Lichter ebenfalls löschte, also mit Sicherheit ebenfalls als Brite anzusprechen war, gab Weyher der weit achteraus stehenden *Kul= merland* den Befehl, sich zunächst um die Überlebenden zu kümmern, und lief auf die letzte Position der zweiten Sichtung zu.

Um diese Zeit war es, daß *Komet* auf dem Schauplatz des für diese Stunde noch nicht eingeplanten Angriffs erschien ...

Eyssen wundert sich, nur ein Rettungsboot vorzufinden. Sie suchen den ganzen Horizont und die eben noch sichtbare Nauruküste ab. Aber sie entdecken kein weiteres Boot mit Überlebenden, wissen sie doch nicht, daß inzwischen die der *Orion* wieder nachgelaufene *Kulmerland* die anderen Boote und deren Insassen übernahm und daß der gesichtete Rettungskutter augenscheinlich im diffusen Dämmerlicht des Morgens und der Whooling der Angriffsoperationen von der *Kulmerland* ledig= lich übersehen worden war.

Eyssen kümmert sich um die Überlebenden. Seemannsfäuste heben ein paar Männer, vier Frauen und zwei kleine Jungen über die Reling. Einer der Buben ist durch einen Granatsplitter an der Wade verletzt. Die Frauen sind mit nichts weiter als nur mit schnell übergeworfenen Mänteln bekleidet. Sie sind leichenblaß und sie zittern am ganzen Leibe. Ihre Hände flattern wie bei einem Schüttelfrost.

„Beruhigen Sie sich doch, meine Damen", spricht Eyssen sie mit freundlicher Stimme an. „Ihnen geschieht doch nichts. Sie sind gerettet."

Eyssen blickt in ungläubig flackernde, wie von Fieber glänzende Augen. Die nackte Angst schreit aus ihnen heraus. Da entdeckt er, daß die Überlebenden mit bloßen Füßen auf dem nachtkalten, nassen Eisen des Oberdecks stehen.

„Ein paar Segelschuhe her, Jungs", ruft er seinen Leuten zu.

Herumstehende Seeleute ziehen schnell ihre eigenen Bordschuhe aus und drücken sie den an die Reling zurückweichenden Frauen in die Hände. Diese ziehen sie aber nicht an. Sie pressen die Schuhe mit ihren vor Entsetzen und Angst fliegenden Händen fest an ihren Körper.

Der Erste Offizier hat Sessel aus der Messe herbeischaffen lassen.

„Setzen Sie sich doch", bittet er.

Aber die verstörten Frauen begreifen in ihrer wahnsinnigen Angst nichts. Die Worte fallen in ihren Ohren wie durch ein Sieb hindurch. Sie klammern sich nur krampfhaft an die Lehnen.

Einer der älteren Seeleute hat den einen der Jungen an sich gezogen. Er streicht dem weinenden Buben mit seiner rauhen Pranke sanft über das zerzauste Haar. Die Mutter streckt mit einem verzweifelten Auf= schrei die Hände nach ihrem Kind aus.

„Niemand tut ihnen etwas! Auch nicht Ihren Kindern!" wendet sich Eyssen leise, aber mit spürbarer Verstimmung an die Mutter. Gemildert im Tonfall fügt er hinzu: „Ihr anderer Bub ist im Lazarett. Der Arzt ver= bindet seine Wunde. Sie können gleich zu ihm. Genügt Ihnen diese Er= klärung eines deutschen Seeoffiziers?"

Die Frau nickt unter Tränen und schluchzt.

Sie glaubt aber kein Wort.

Das ist ihr anzusehen.

Sie ist wie die anderen Frauen davon überzeugt, daß man sie und ihre Kinder umbringen wird.

Vor ihren tränengefüllten Augen vermeint sie verschwommen die Schlagzeilen der australischen und britischen Presse zu lesen: „Die deut= schen Hilfskreuzerpiraten bringen alle ihre Gefangenen um! Sie müs= sen die zusätzlichen Esser an Bord vernichten...! Sie dulden keine Mit= wisser!!!"

„NO bringen Sie die Damen in die O=Messe. Sorgen Sie für ein an= ständiges Frühstück, vor allem für warme Getränke und für Kleidung", befiehlt Eyssen unvermittelt. Er will nicht, daß die Überlebenden mit ansehen, wie man ihr Schiff, ihre letzte Heimat, auf dem tödlichen Meer, versenkt.

Das Prisenkommando schlägt Sprengpatronen an der *Triadic* an. Aber die Ladungen erweisen sich als zu schwach, um dem großen Frachter den Todesstoß zu versetzen. Er sackt nur ein wenig tiefer ein und schwimmt mit Schlagseite weiter.

Eyssen kann sich nicht weiter um das Schicksal dieses Schiffes küm= mern. Aus einer Nebelwand schält sich der Schatten eines Schiffes her= aus. Es hat direkten Kurs auf den Hilfskreuzer.

Es ist 09.45 Uhr.

„Ein Brite!" schreit Eyssen, der im ersten Augenblick *Orion* erwartete, und läßt die *Komet*=Motoren auf große Fahrt hochfahren. Der gegne= rische Frachter dreht sofort ab und geht auf Gegenkurs, gefolgt von *Komet*.

Der fliehende Brite funkt.

Trotz angespanntester Aufmerksamkeit der *Komet*=Funker gelingt es

dem Gegner, ein paar QQQQ=Gruppen und das eigene Rufzeichen durch=
zukommen, ehe Funkmaat Julius, den sie kurz Jule nennen, dazwischen=
hacken kann. Die Funkstation der nahen, nur 350 km entfernten Ozean=
Inseln meldet „Verstanden".

Als die weiteren Notrufe im Morsezeichensalat der größeren Laut=
stärke der *Komet*=Sendeanlage untergehen, ruft Ozean=Island den da=
zwischenfunkenden vermeintlichen japanischen Frachter an und bittet
um Aufklärung.

Vorher hatte Nauru übrigens schon einmal bei den „Japanern" an=
gefragt, was eigentlich mit dem verdächtig stark qualmenden Schiff vor
der Nordostküste los wäre. Es habe, nach den Aussagen eines Eingebore=
nen, ganz den Anschein, als ob das Schiff brennen würde. Gemeint war
die von *Orion* in Brand geschossene *Triadic*.

Funker Jule hatte vor seiner Taste gehockt und bei der Nauru=Rück=
frage überlegt: „Jetzt als Japaner antworten und den Briten auf der
Insel erzählen, das Schiff habe sich selbst entzündet, daß man die Besat=
zung abgeborgen habe und daß Nauru doch bitte einen Leichter schicken
möge, um die Geretteten abzuholen. Das wäre doch für Kapitän Eyssen
eine prima Gelegenheit, statt der Überlebenden ein schwerbewaffnetes
Landekommando in diesen Leichter einzuschiffen..."

Jule hatte sich eben diesen Vers zurechtgelegt, da begannen sich die
Ereignisse zu überstürzen. Nauru wartete die Antwort gar nicht erst ab.
Es funkte plötzlich das Sammelrufzeichen für die britischen, australi=
schen und neuseeländischen Kriegsschiffe.

Jule sträubten sich die Haare. „Jetzt ist es aus", dachte er.

Aber zu Jules Erstaunen gaben die Naurufunker lediglich eine Minen=
warnung für das Vorfeld und den Hafen Auckland auf Neuseeland
durch.

Wer die Minen legte, wissen sie auf *Komet*. Ihr Kollege *Orion* packte
sie den Neuseeländern direkt vor die Haustür ihres wichtigsten Hafens.

Wenige Minuten später meldete sich ein zweiter Sender. Laut und
brüllend schlug er durch. Das Notrufzeichen des von *Komet* verfolgten
britischen Frachters alarmierte den Äther. Jule hackte, wie bereits be=
richtet, sofort, — aber nicht schnell genug dazwischen. Er rief mit einem
fremden Rufzeichen eine Küstenfunkstation in Niederländisch=Indien an
und gab ein fingiertes Telegramm durch, um die gegnerischen Notsignale
möglichst unauffällig zu stören.

Das also war vorher geschehen.

Jule, der jetzt von den Ozean=Islands direkt angerufene „japanische"
Funker, schweigt vorerst.

Unglücklicherweise fällt in diesem Augenblick ausgerechnet der Fun=

ker der weiter abstehenden *Orion* ein, denn dort hat man den „Sammel=
ruf an alle", den Nauru abgab, ebenfalls vernommen und will *Komet*
warnen.

Das von *Komet* verfolgte Britenschiff funkt nicht mehr. Jule hat in
seiner Funkbude die Abschüsse der *Komet*=Artillerie verspürt. Er, der
die Angriffsoperationen auf den verfolgten Britenfrachter selbst nicht
sehen kann, weiß, warum der Gegner nun schweigt.

Jetzt aber wird die Funkstelle auf den Ozean=Islands ungemütlich.
Sie fragt, da sich der „Japaner" nicht meldet, bei Nauru an, ob man dort
ebenfalls den Notruf eines britischen Schiffes empfangen habe.

Nauru verneint sonderbarerweise. Vermutlich hatte man sich dort
um andere Dinge gekümmert — oder geschlafen.

Ozean=Islands unterrichten den Nauru=Funker, wie weit man den spä=
ter durch einen anderen, überlauten Funkspruch überlagerten Notruf
verstanden habe. Sie fügen hinzu: „Falls es euch entgangen sein sollte:
Q ist das Zeichen, daß eines unserer Schiffe von einem Hilfskreuzer ge=
jagt wird."

Jule überlegt blitzschnell. Diesen Funkverkehr zu stören, wäre sinn=
los. Es würde die gegnerischen Funker nur noch mißtrauischer machen.

Nur Frechheit kann jetzt aus dem sich anbahnenden Schlamassel her=
aushelfen. Wenn man die Buchstaben des Rufzeichens des verfolgten
Gegners, die dieser der QQQQ=Meldung folgen ließ, umdreht, kommt ein
unbelegtes, aber mögliches Rufzeichen heraus, durchfährt es Jule.

So müßte es gehen . . .

Um die Funker auf Nauru und den Ozean=Islands in Sicherheit zu
wiegen und zu bluffen, ruft der *Komet*=Funker noch eine andere Funk=
station in Niederländisch=Indien an. Er wendet sich an Radio Djakarta
auf Java.

„Liegen Telegramme für uns vor? Wenn nicht für das eine, dann für
unser anderes Rufzeichen?" fragte er an. Dieses „andere" Rufzeichen
ist das umgemixte Zeichen des verfolgten, inzwischen von *Komet* ge=
waltsam gestoppten Britenfrachters.

Jule läßt den Äther nicht zur Ruhe kommen und den mithörenden
Gegnerfunkern keine Zeit zu Überlegungen. Nach Abgabe dieser Rück=
frage wendet er sich an die Nauru=Station.

Nauru funkt „verstanden" und meldet sich aufnahmebereit.

Jule trommelt in die Taste: „Ozean=Islands haben sich wohl verhört.
Hier, auf unserem japanischen Schiff, hat kein Schwanz eine Hilfskreu=
zer=Notmeldung gesendet. Um diese Zeit hatte ich mit meinem neuen
Rufzeichen eine Rückfrage an niederländisch=indische Küstenstationen
gefunkt, ob Telegramme für uns vorliegen."

162

„Bitte warten", gibt Nauru zurück.

Jule hört, wie der Nauru=Funker bei den Ozean=Islands nachfragt, ob das wohl möglich sein könne.

„Durchaus", geben die Ozean=Islands zurück. „Aber forschen Sie bei dem Japaner noch einmal nach der QQQQ=Meldung nach. Wir haben sie doch einwandfrei gehört."

„Geht in Ordnung!"

Im Augenblick ist aber der Funker des vermeintlichen Japaners be= schäftigt. Die Unverfrorenheit des *Komet*=Funkers geht so weit, daß er mitten während dieses Täuschungsfunkverkehrs auf Befehl von Kapitän zur See Eyssen einen verschlüsselten Funkspruch an den Hilfskreuzer *Orion* abgibt. *Orion* möchte sich bitte auf dem neuen, von Eyssen vor= geschlagenen Treffpunkt in diesem Revier vor Nauru einfinden.

Erst nach Beendigung dieses Funkspruchs kann sich Nauru an den „Japaner" wenden. Man benutzt dazu das vom Ex=Bremen=Funker Jule erfundene Rufzeichen. „Da ist noch eine QQQQ=Warnmeldung über einen Hilfskreuzer gefunkt worden. Wissen Sie etwas davon?"

Jule haut beherzt auf die Taste: „Wieso Warnmeldung? Nein, wir haben nichts gehört. Wir haben nur unser neues Rufzeichen ausprobiert. Ihre Kollegen auf Ozean=Islands werden sich verhört haben. Die haben meinen Spruch wahrscheinlich verstümmelt aufgenommen. Außerdem: um uns herum ist alles friedlich."

„Beweisen Sie uns, daß Sie es wirklich gewesen sind, daß Sie nicht etwa selbst der Hilfskreuzer sind!"

„Nichts leichter als das. Soll ich unseren letzten Hafen anrufen?"

„Tun Sie das bitte. Wir schalten uns ein."

Funkmaat Julius ist in Schweiß gebadet. Mit nassen Händen blättert er im Kennziffer=Handbuch. Da! Da ist das Anrufzeichen von Bangkok in Siam. Er setzt alles auf eine Karte und hofft nur noch, daß die ange= rufenen Funker in Bangkok überrumpelt werden.

„Ist nach unserem Inseegehen noch Post für uns eingegangen? Liegt sonst etwas für uns vor? MS *Manyo Maru*."

Diese Frage ist von Jule aus dem Stegreif so geschickt formuliert wor= den, daß die ahnungslosen Funker im siamesischen Bangkok weniger bemüht sein dürften, festzustellen, ob der Japaner *Manyo Maru* wirklich in der letzten Zeit in Bangkok lag, sondern sich lediglich darum küm= mern werden, ob für dieses Schiff Post bei der Hafenbehörde lagert.

„Bitte, warten Sie, wir fragen nach."

Wenn uns der Teufel einen Streich spielt, dann liegt die *Manyo Maru* gerade im Hafen, ist Jules brennende Sorge. Der Zufall geht oft selt= same Wege.

163

Nach zehn bangen Minuten antwortet Bangkok: „Es liegt keine Post und auch sonst nichts für Sie vor. Hatten Sie eine gute Reise?"

„Hatten wir", klopft Jule erleichtert in die Taste. „Danke für die kol= legiale Nachfrage."

„Alles Gute bis zum Wiedersehen in der Stadt der goldenen Pagoden." Pause.

Jule hat das Bedürfnis, einen dreistöckigen Whisky hinter die Binde zu kippen. Er wischt den auf die Tischplatte getropften, in Rinnsalen über das Holz fließenden Schweiß hinweg, macht ein paar kurze Züge aus der Zigarette und ruft dann Nauru an.

„Genügt das, meine Herren Kollegen?"

„Es genügt. Entschuldigen Sie bitte unser Mißtrauen. Verschiedene Beobachtungen rechtfertigten es. Es ist schließlich Krieg in der Welt."

„Bis hierher kommen die Deutschen doch nicht."

„Sie irren. Erst vor kurzem sind vor Auckland Schiffe auf deutsche Minen gelaufen."

„Sie glauben doch wohl nicht an den Weihnachtsmann? Deutsche Minen vor Auckland in Neuseeland? Sie scherzen."

„Die *Niagara* lief auf eine solche Mine auf."

„Da wird ein Kessel explodiert sein. Haben Sie schon einmal eine Kesselexplosion auf einem Dampfer erlebt? Ich hatte das zweifelhafte Vergnügen. Das hört und sieht sich genauso an wie eine Minenexplo= sion. Vielleicht haben auch britische Faschisten eine Bombe mit Zeit= zünder eingeschmuggelt."

„Diese verfluchten Faschisten sind zu allem fähig."

„Das kann man wohl sagen", klopft Jule grinsend in die Morsetaste.

„Nichts für ungut. Wir wünschen Ihnen eine gute Reise."

„Und wir Ihnen einen schönen Sonntag."

Jule läßt erschöpft die Hände sinken.

Das Trojanische Pferdchen, das er aus den Röhren seiner Sendeanlage hervorzauberte und durch den Äther traben ließ, hat seine Schuldigkeit getan.

Knapp 60 Minuten später, die Uhrzeiger vereinen sich zur Mittags= stunde, ist Nauru erneut zu hören.

Sie rufen die *Triona*.

„*Triona* melden Sie sich... *Triona* melden Sie sich... *Triona*..."

Aber die *Triona* antwortet nicht. Sie ruht längst im dunkelgrünen Sarg der Tiefen des Stillen Ozeans.

Mit ihr auch die 4 165 BRT große neuseeländische *Komata*, die Eyssen während des listenreichen Ätherduells zwischen seinem gewitzten Funk= maat Julius und den britischen Funkern auf Nauru und Ozean=Islands jagte, beschoß, stoppte und 12.24 Uhr in den nassen Meereskeller schickte.

Es hatte leider Verletzte gegeben, denn Eyssen mußte alle Mittel ein=setzen, um das gegnerische Funken des von ihm gejagten britischen Frachters zu unterbinden. Als das Prisenkommando zur *Komata* hin=überfuhr, kam ihm bereits ein übermäßig belegter Rettungskutter ent=gegen. Auf dem Boden des Bootes lagen Verletzte. Der Prisenoffizier handelte unter diesen Umständen, von Eyssen später gutgeheißen, selb=ständig, als er, statt zur *Komata* zu fahren, sofort den Kutter in Schlepp nahm, um die Verwundeten schnellstens zur *Komet* zu transportieren.

Als sie später den Gegner enterten, sahen sie auf dem Luk des Vor=schiffes eine zusammengekrümmte Gestalt liegen. Die Schulterstücke an der weißen Tropenjacke ließen vier goldene Streifen erkennen. Der Kapitän? Oder der Chefingenieur?

Es war der Kapitän, dem der Prisenoffizier sofort die Jacke aufriß. Er horchte an dessen Brust. Leise schlug das Herz. Mit kaltem Wasser brachten sie den Bewußtlosen wieder zu sich.

Als der Kapitän die Augen aufschlug, blickte er in die besorgten Augen eines ihn begrüßenden deutschen Seeoffiziers. „Guten Morgen, Kapitän. Es tut mir leid um ihr schönes Schiff. Sind Sie verletzt? Haben Sie Schmerzen?"

Der Kapitän winkte müde lächelnd ab. Stöhnend richtet er sich auf. „Wie komme ich denn hierher . . .? Stand doch eben noch auf der Brücke."

Ja wie? Rückfragen bei anderen Besatzungsangehörigen ergaben, daß er durch den Luftdruck einer krepierenden Granate über die Brücken=reling hinweg auf das Vorschiff geschleudert wurde. Bis auf ein paar Prellungen hatte er die Luftreise ohne Schaden überstanden.

„Darf ich um den Schlüssel zum Panzerschrank bitten, Kapitän?"

„Gern", grinste dieser, „wenn ich ihn Ihnen nicht geben würde, was hätte es für einen Sinn. Sie kriegen ihn ja doch auf."

In dem Panzerschrank fanden sie eine reiche und wertvolle papierene Beute.

Noch während der Versenkung der *Komata* trifft die durch Funk=spruch herbeigebetene *Orion* ein, die inzwischen die 6032 BRT große *Triaster* versenkt hatte und sich nun darum kümmern kann, die noch immer in der Nähe schwimmende *Triadic*, ihr erstes Opfer, auf die letzte Reise zu schicken.

„*Triona*, melden Sie sich . . . *Triaster*, warum antworten Sie nicht . . . Wir haben Befehle für Sie", fordert Nauru in immer kürzeren Ab=ständen.

Aber die angerufenen Schiffe schweigen — — — und den Nauruanern dämmert langsam die Erkenntnis, einem großartig angelegten Bluff im Äther auf den Leim gekrochen zu sein.

Vier Phosphatfrachter mit einer Gesamttonnage von 24 000 BRT wurden von den beiden Hilfskreuzern überrascht. Wie Wölfe im Schafs= pelz tauchten sie vor der palmenbestandenen Küste dieser auch für Japan so wichtigen Insel auf und rissen ihre ahnungslosen Opfer. *Komet:* den Neuseeländer *Komata* (4 165 BRT) und den Norweger *Vinni* (5 181 BRT) und *Orion:* die Briten *Triaster* (6 032 BRT) und *Triadic* (8 735 BRT). Den British Phosphate Commissioners in London verbleibt zusammen mit dem Verlust der *Triona* nur noch ein Schiff, der Spezialfrachter *Trienca.*

Alle nach Nauru führende Schiffahrt wird für Wochen gestoppt. Alle späteren Phosphatschiffe erhalten Kriegsschiffgeleit.

Das bedeutet:

Der Strom der Phosphatverschiffung ist unterbrochen worden; die spätere Zusammenfassung in Geleitzügen bedingt weitere Verzöge= rungen, die einem Tonnageverlust praktisch gleichzusetzen sind;

der Gegner muß Kriegsschiffe zur Geleitsicherung abstellen, das heißt er muß sie von anderen Kriegsschauplätzen abziehen.

Die vor Nauru versenkten 24 000 BRT sind im Vergleich zu den eben benannten Benachteiligungen der gegnerischen Schiffahrt nur ein kleiner Erfolg, denn diese indirekten Erfolge wiegen schwerer, viel schwerer.

Hilfskreuzer sind Handelsstörer.

Das Beispiel Nauru zeigte ihre Wirksamkeit als solche in überzeugen= der Form.

Doch zurück zu dem deutschen Fernostverband.

Das Landungsunternehmen auf Nauru wird auf Eyssens Drängen ab= geschrieben. Weyher kann es nur recht sein, denn er hatte von vorn= herein keine große Meinung davon, fürchtete er doch, der dann wütende Gegner würde zu einem zu umfassenden Gegenschlag ausholen.

Und damit wäre, das war seine Meinung, der Zukunft der Hilfskreu= zer in diesem Seeraum wenig gedient gewesen.

Eyssen begründet sein plötzliches Zurücktreten von dem ursprüng= lichen Landungsplan damit, daß es vernünftiger wäre, erst die Gefan= genen loszuwerden.

„Ich kann es als Mensch nicht verantworten, unschuldige Gefangene den uns bei einer solchen Unternehmung drohenden Gefahren auszu= setzen."

Das ist einleuchtend. Auch die größer werdenden Lücken im Schiffs= proviant sind ein Grund ...

Die Gefangenen sollen auf der Insel Emirau, einem kleinen Eiland der nördlich von Neuguinea gelegenen Admiralitätsinseln, abgesetzt werden. Bei der Besprechung über dieses Vorhaben kommt es zu einer menschlich dramatischen Diskussion zwischen Weyher und Eyssen, denn der *Komet*=Kommandant hat die Absicht, alle, also auch die weißen Gefangenen, auszubooten.

„Herr Kapitän, ich halte es für richtiger, daß auch Sie die weißen Nautiker und alles andere weiße seemännische Personal zurückbehal= ten und gegebenenfalls später mit einem Versorger nach Japan schicken!" wendet Weyher ein.

„Ich betrachte es als meine Pflicht als Seemann und Mensch, auch diese Männer von ihrem Los der Gefangenschaft zu erlösen."

„Jawohl, menschlich gesehen ist das eine gute und seemännisch selbstverständliche Tat."

„Na also, was wollen Sie denn, Weyher?!"

„Herr Kapitän, ich gebe zu bedenken, daß Sie mit der Anlandsetzung des seemännischen Personals dem Gegner berufserfahrene Seeleute zu= rückgeben, Männer, die Monate später erneut auf Schiffen fahren, die unter anderem auch Munition und Bomben auf die britische Insel schlep= pen. Und diese Bomben treffen auch Frauen und Kinder.

„Weyher, der Krieg ist sowieso bald aus. Außerdem haben die Briten Seeleute genug."

„Sie haben sie nicht, Herr Kapitän. Gefangenenaussagen und andere Berichte deuten auf einen von Tag zu Tag und Woche zu Woche akuter werdenden Mangel an erfahrenem Personal hin."

„Trotz allem: ich stelle das Gebot der Menschlichkeit über solche Über= legungen."

„Dann treten Sie mir wenigstens die von der *Rangitane* herunterge= holten Flieger der neuseeländischen Luftwaffe ab. Ich will trotz Proviant= sorgen versuchen, diese Männer bei mir unterzubringen."

„Können Sie haben, Weyher, von mir aus."*)

---

*) Weyhers Bedenken und Einwände waren militärisch absolut richtig, das bestätigt S. D. Waters im offiziellen neuseeländischen Seekriegswerk: „Die schnelle Rückkehr der Gefangenen nach Neuseeland und Australien hatte zur Folge, daß uns der Gegner nicht nur die Kenntnis in die Hände spielte, daß z w e i Raider im westlichen Pazifik tätig und für den Angriff auf die Nauru= schiffahrt verantwortlich zu machen waren, wir erhielten auch ziemlich genaue Beschreibungen über das Aussehen der Raider, über ihre gefahre= nen Routen und angewandten Taktiken — und vor allem erfuhren wir, daß die Deutschen den Schlüssel für unseren Handelsschiffkode besaßen." — Etwas später, am 19. Februar 1941, schaltete sich die Deutsche Seekriegsleitung ein.

Am 21. Dezember ankern die Schiffe des Verbandes zwischen der Südspitze der Insel Emirau und einer ihr vorgelagerten Palmeninsel. Emirau soll außer Eingeborenen von zwei britischen Pflanzerehepaaren bewohnt sein.

Orion hat 265 Gefangene, die *Kulmerland* 257, darunter 52 Frauen und sechs Kinder, und *Komet* 153 zusätzliche Esser an Bord.

Durch die Gläser sehen sie, wie ein uralter Ford aus dem Palmenwald herausrumpelt und auf dem blütenweißen Strand stoppt. Seine Insassen sind die weißen Farmer, die den sich der Insel nähernden Motorbooten freudig zuwinken, froh über eine solche unerwartete Abwechslung in ihrem abgeschiedenen Inseldasein. Aber die Freude schlägt schnell in Erstaunen und Entsetzen um, als die weißen Farmer am Heck der Boote die deutsche Kriegsflagge erkennen.

Der deutsche Landungsoffizier des Verbandes klettert als erster an Land. Er macht sich bekannt. Er bedauert die Störung. Die beiden Farmer nennen ihre Namen. Sie heißen Cook und Collet.

„Haben Sie Unterkunftsräume und vor allem Eßwaren und Trinkwasser genug, um fünfhundert Gefangene aufzunehmen?" ist die erste Frage, die der deutsche Offizier den Farmern stellt.

Sie bejahen, ohne die Pfeife aus dem Mund zu nehmen.

„Verfügen Sie über ein Motorboot?"

„No, Sir."

„Gibt es eine Funkstation an Land?"

„No, Sir."

„Dann darf ich Sie bitten, die Gefangenen in Ihre Obhut zu nehmen."

„Allright, Sir."

Die beiden vorletzten Fragen hatte der Offizier nebenbei gestellt. Sie waren für das Hilfskreuzerkommando die wichtigsten, um zu verhindern, daß die Anlandung nicht allzuschnell bekannt wird.

Andererseits haben die Besprechungen zwischen den beiden Hilfskreuzerkommandanten zu folgenden Überlegungen geführt:

Bei aller Hilfsbereitschaft der beiden britischen Farmerfamilien bestehen, auf die Dauer gesehen, doch ernsthafte Ernährungsprobleme.

Weiter ist zu befürchten, daß Kopfjäger der benachbarten Inseln anlanden und irgendwelche Schweinereien aushecken.

Und schließlich liegt den beiden Kommandanten vor allem das Schick=

Inzwischen waren über die Versorger die KTB=Auszüge von *Orion* und *Komet* nach Japan und von dort über den Landweg nach Berlin gelangt. Die Skl verbot ab sofort allen in außerheimischen Gewässern operierenden Schiffen, Gefangene an Land zu setzen. Diese müßten, gleich unter welchen Umständen, nach Deutschland gefahren werden.

sal der Frauen und Kinder am Herzen. Daß diese recht bald zu ihren Männern beziehungsweise zu ihren Vätern gelangen, ist ihnen ein menschliches Anliegen.

Um den Gefangenen möglichst bald schon eine Verbindung zu einer mit einer Funkstation ausgerüsteten größeren Insel zu ermöglichen, wird ihnen ein seetüchtiger Kutter übergeben. Die Hilfskreuzerkommandos lassen das Boot auch für eine längere Seefahrt mit allen erforderlichen Mitteln ausrüsten. Dazu gehören Sextanten, Seekarten und Kompasse, eine stabile Besegelung, Proviant, Geschirr und Bestecke, Fackeln und vieles andere mehr*).

Man überläßt den Gefangenen neben einigen erbeuteten Rundfunk= Batterieempfängern sogar vier Karabiner mit reichlicher Munition.

Nur eine Bedingung wird an die Überlassung des Bootes geknüpft: Eine Bootsfahrt zu der nur 70 Seemeilen entfernten größeren Insel Neu=Mecklenburg darf erst nach Ablauf von 24 Stunden unternommen werden.

Der Wortführer der weißen *Komet*=Gefangenen gibt dieses Verspre= chen.

Da ist übrigens noch eine Gruppe, welche die Deutschen bei ihrer Landung auf der Insel am Strand begrüßt: fünf Eingeborene. Sie tragen europäische Unterhemden und Shorts, keine neuen Bekleidungsstücke, aber eben doch einen „Anzug", durch den sie sich von ihren Stammes= genossen abheben. Außerdem sind sie wie auf einem preußischen Ka= sernenhof in Reih und Glied angetreten. Der Älteste, der statt in einem Unterhemd in einer verblichenen Khakijacke steckt, geht mit gravitäti= schen Schritten langsam auf den Ersten Offizier vom Hilfskreuzer *Komet* zu, baut sich vor ihm auf und legt die Hand an eine nicht vorhandene Mütze.

„Guten Tag, Sir ... Deutschland alles über."

Er weist mit seiner Hand auf seine vier zu Bildsäulen erstarrten Be= gleiter und meldet sich und seine Mannen als die Polizeitruppe der Insel zur Stelle. Und dann sprudelt es aus ihm in einer grausamen Mischung von schlechtem Englisch und deutschen Sprachbrocken heraus, daß er zu Kaiser Wilhelms Zeiten unter den Deutschen schon Polizist gewesen sei, denn damals zählte ja auch diese Insel wie viele anderen Melane= siens zusammen mit dem nordöstlichen Teil Neuguineas zum deutschen Kolonialbesitz.

Der gute Alte hat die „gute alte Zeit" also nicht vergessen.

---

*) In den amtlichen neuseeländischen und australischen Seekriegswerken werden die Zurverfügungstellung des Bootes und der nautischen Hilfsmittel bedauerlicherweise nicht erwähnt.

Den ganzen Nachmittag hält die Ausbootung der Gefangenen an. Die deutschen Offiziere des Landekommandos kümmern sich in eigener Person, tatkräftig, fast kameradschaftlich von den britischen Farmern unterstützt und beraten, um deren Unterbringung. Die deutschen See=leute, denen das Glück zuteil wurde, ein ehemaliges Stück deutschen Bodens der Südsee zu betreten, haben sich den klapprigen Ford der Farmer ausgeliehen. Die eingeborenen Polizisten überschlagen sich vor Eifer, ihnen die Schönheiten ihrer Inselheimat zu zeigen.

Als die letzten Gefangenen ausgebootet sind, wendet sich der britische Farmer Cook an den *Komet*=Offizier. „Ihre Männer werden Hunger haben, Sir. Ich habe einen Ochsen schlachten lassen. Bitte, betrachten sie diesen als unser bescheidenes Gastgeschenk."

„Das ist gut gemeint. Aber denken Sie daran, daß Sie jetzt selbst haushalten müssen."

„Das schließt nicht aus, etwa mit einer hier üblichen guten, alten Sitte zu brechen. Daß wir Gegner geworden sind, lag weder in Ihrer noch in unserer Hand. Und einen Dank für die gute Behandlung unserer Lands=leute auf ihren Schiffen werden Sie uns nicht abschlagen."

In den Abendstunden erleben sie auf *Orion* eine Überraschung.

Die vor Wochen von dem gekaperten Frachter *Holmwood* herunter=geholten und auf Emirau ausgebooteten Südsee=Insulaner sind im Schutze der Nacht zum Hilfskreuzer *Orion* zurückgeschwommen. Einige kletterten die Ankerketten hinauf.

Sie wollen auf *Orion* bleiben.

Es sind dieselben Sonnensöhne, die bei ihrem ersten Betreten des Hilfskreuzers mit vor Entsetzen geweiteten Augen und wilden Angst=schreien auf der anderen Seite wieder über Bord springen wollten, da sie glaubten, man würde sie umbringen.

Aber Fregattenkapitän Weyher, der ja ausschließlich Frauen und Kin=der und die Farbigen an Land gesetzt hatte, muß die gutherzigen Leut=chen wieder zurückschicken. Sie haben Tränen in den Augen. Diesen Entschluß dieses ihnen gegenüber stets freundlichen deutschen Offiziers begreifen sie nicht.

Das ist auch die einzige Enttäuschung, die ihnen Weyher und die „verhaßten" Deutschen bereiten müssen.

Aber ihre Bitte, an Bord bleiben zu dürfen, ist den *Orion*=Seeleuten mehr als bloßer Dank.

Da auf Hilfskreuzer *Orion* die heruntergewirtschafteten Maschinen=anlagen einer dringenden Überholung bedürfen, einigen sich die Kom=mandanten, das „Deutsche Fernostgeschwader" aufzulösen.

Komet=Kommandant Eyssen beabsichtigt, in die Seegebiete westlich

Niederländisch=Indiens vorzustoßen, ein Vorschlag, den Weyher dank=
bar begrüßt, da *Orion* dann in aller Ruhe im Lamutrek=Atoll ihre Werft=
liegezeit ohne Hafen durchführen kann.

✶

Auf *Atlantis* hat sich einiges verändert.

Wie auf einem gepflegten Herrensitz der Feudal=Epoche in tropischen
Zonen hat der „Chef des Hauses" jetzt seinen eingeborenen Schatten,
seinen Boy. Im Sinne des Wortes stimmt das Wörtchen Boy zwar nicht,
denn Boy Mohammed ist ein würdig ausschauender und philosophisch
dreinschauender Inder mit wallendem schlohweißen Bart. Wie sein Name
aussagt, ist er kein Hindu. Er dient Allah, ist also ein Moslem. Auch
der Kommandant muß sich fügen, wenn ihn seine Gebetsstunde ruft.
Sonst aber ist der Alte von rührender Ergebenheit und Hilfsbereit=
schaft — und Dankbarkeit.

Jedes Ressort hat jetzt Farbige und in allem willige Hilfskräfte be=
kommen.

Der LI an Hitze gewohnte Araber für seinen Maschinenraum, ein zu=
verlässiges Völkchen, denen es Genugtuung bedeutet, diesmal Deut=
schen gegen die Briten zu helfen.

Der Bootsmann hat eine muntere Schar Inder in seine Decksarbeiten
eingespannt und der VO suchte sich farbige Stewards für die Messe aus.

Die *Atlantis*=Männer wandeln ab nun wie in einem tropischen Grand=
Hotel, von den sich lautlos bewegenden, stets heiteren und freundlichen
Farbigen bedient.

Inder kochen den Reis.

Chinesen servieren ihn.

✶

Am 5. Dezember.

Generalstaatsanwaltssohn Kuddel Kück, Gefreiter und Gefechtsruder=
gänger auf HSK *Thor*, Segelschiffs= und Crewkamerad des Verfassers,
berichtete über diesen im Dasein der deutschen Gespensterschiffe so
bemerkenswerten Tag:

„Wir standen erst südlicher und schipperten auf Suchfahrt durch die
Gegend.

Nebel, immer wieder Nebel erschwerte uns das Dasein und die Aus=
sicht, einen feindlichen Handelsdampfer auszumachen und zu greifen.
Trotz des unsichtigen Wetters, das von dem südlichen Südamerika her=
überwehte, sprang eines Tages der Maschinentelegraf auf große Fahrt.

Ohne Rücksicht auf die Gefahr einer Kollision gingen wir auf anderen Kurs und liefen mit allen verfügbaren Meilen durch den Nebel.

In unmittelbarer Nähe mußte ein britischer Hilfskreuzer stehen.

Wir hatten die Meldung gehört, daß der britische HSK — wieder einmal — widerrechtlich einen Neutralen, den Brasilianer *Itape*, angehalten und zweiundzwanzig Deutsche von Bord heruntergeholt hatte. Bei den Deutschen handelte es sich um Mitglieder des selbstversenkten Panzerschiffes *Admiral Graf Spee*, die versuchen wollten, mit diesem Schiff nach Spanien zu gelangen. Wir schrieben den 4. Dezember, für uns eigentlich kein Dezember im üblichen Sinne. Schwüle, unerträgliche Hitze, an die man sich, Gott sei Dank, schon etwas gewöhnt hatte, plagte uns.

Auch in der Nacht vom 4. zum 5. Dezember besserte sich die Wetterlage nicht. Noch immer steckten wir die Nase in dicke Nebelschwaden.

Es dämmerte.

Die Sonne ging eben auf, und hier und dort zerrissen die grauen Schleier. Unser Kommandant hatte sich nicht ausgezogen. Er schlief in voller Uniform auf dem harten Ledersofa im Kartenhaus ...

Die Augen der Ausguckleute hängen am Nebel.

Die Schwaden brodeln, zerfetzen sich flammengleich.

Da — der Ausguck reibt sich aufgeregt die Augen. Es ist doch nicht möglich ...

Da zuckt auch der Navigationsoffizier, ein freundlicher, korpulenter Offizier, der im Frieden bei einer deutschen Afrika=Linie Dienst tut, zusammen. Auch er hat den Schatten zwei Strich an Steuerbord voraus ausgemacht.

„Himmel nochmal."

Er sieht erneut durch das Glas.

‚Verdammte Tat, wenn das kein Hilfskreuzer ist!'

Alles spielt sich in Sekundenschnelle ab. Die Aufregung, das Trappeln der Leute genügen, um den Kommandanten aus seinem leichten Schlaf zu reißen. Ihn braucht niemand mehr zu wecken. Männer, die solche Verantwortung tragen, sind empfindlich für das leichteste fremde Geräusch, für jeden Schritt, der anders klingt als das gewohnte Auf= und Abgehen der Wachgänger.

Fast zur Sekunde steht er auch schon draußen, erkennt mit geübtem Blick die Lage, weiß, wer da vor uns steht:

‚Feindlicher Hilfskreuzer!'

‚Alarm, höchste Alarmstufe!'

Zweimal, dreimal schreien die Alarmglocken durch das Schiff. Halb angezogen, einige nur mit Sporthosen bekleidet, andere nackend, die

Hose in der Hand, dieser im Schlafanzug und jener im Bademantel, so rast die Freiwache auf ihre Gefechtsstationen. Daß etwas Besonderes los ist, davon kündet der dreimalige Alarm.

Das fremde Schiff stand, als wir es sichteten, ungefähr zweieinhalb bis drei Seemeilen, also ungefähr 5 000 Meter von uns ab.

Der plötzlich aufreißende Nebel läßt den Unbekannten in allen Ein= zelheiten seiner Umrisse vor uns auftauchen. Wir können also gut seine Größe ausmachen und schätzen ihn an die 20 000 BRT, eine Größe also, die die unserer *Thor* bei weitem überragt und die auch für eine stärkere Geschwindigkeit spricht.

Da drüben hat man uns anscheinend erst viel später gesehen, denn das Gegnerschiff geht auf unsere sofort vorgenommene Kursänderung nicht ein. Wir versuchen immer noch, nach Backbord abzudrehen.

Ein neuer Nebelschleier entzieht den Hilfskreuzer unserer Sicht.

‚Vielleicht haben wir Schwein‘, sagt jemand.

Und dies nicht aus Feigheit.

Daß wir, wenn es sein muß, auch bedingungslos rangehen, das steht ja auf dem Blatt des englischen Hilfskreuzers *Alcantara* geschrieben.

Als die Sicht um 06.00 Uhr wieder aufklart, schwimmt der feindliche Hilfskreuzer gemütlich in unserem Kielwasser einher. Er ruft uns nun laufend mit einem Scheinwerfer an und fordert unser Erkennungssignal. Auf diese Anrufe reagieren wir sauer. Wir tun so, als haben wir sie gar nicht gesehen. Nach einer guten halben Stunde platzt dem engli= schen Kommandanten die Geduld. Er unterstreicht seine Aufforderung: „Stoppen Sie sofort" mit einem kategorischen Schuß vor den Bug.

Vor den Bug — das hat er sich so vorgestellt. Der Blumentopf stand gut 400 Meter zu kurz auf dem Wasser.

Darauf haben wir gewartet.

Also ran!

Hart Steuerbord das Ruder!

Bei hoher Fahrt krängt unser Schiff schwer über. In das glockenhelle Glasen der 07.00=Uhr=Zeit donnert die erste Salve aus unseren Rohren. Die ersten Salven des englischen Hilfskreuzers, der sofort zurück= schießt, — es handelt sich um die 20 122 BRT große *Carnarvon Castle* — liegen der Seite nach sofort am Ziel. Doch dabei bleibt es auch. Durch geschickte Manöver entziehen wir uns stets dem näherkommenden Feuer, während von uns schon nach den ersten Salven Treffer auf dem Gegner beobachtet werden können.

Unsere Männer gehen mit einer sagenhaften Ruhe ans Werk, und sie lassen sich nach den ersten Schüssen weder durch das häßliche Or= geln der über uns hinweg heulenden Granaten noch durch die in un=

mittelbarer Nähe unseres Schiffes brüllend aufstürzenden Wasserfon=
tänen beeindrucken. Im Gegenteil. Durch ihre Besonnenheit und Ruhe,
ihre Sicherheit und Überlegungen erreichen die Geschützbedienungen
eine unglaubliche Feuergeschwindigkeit.

Mit bloßen Augen können wir die Einschläge unserer Granaten be=
obachten. Auf dem Achterschiff des Gegners landen mehrere schwere,
wirksame Treffer. Hohe Feuergarben stehen in dem morgendlichen
Himmel.

Von da ab schweigen die feindlichen Geschütze auf dem Achterschiff.
Zunehmende Rauchentwicklung läßt vermuten, daß außerdem noch
Brände entstanden.

Und wieder erbebt unser kleines Schiff.

Wieder und immer wieder speien die Schlünde unserer guten Ge=
schütze Tod und Verderben auf den sich verzweifelt wehrenden, an
sich aber weit überlegenen Gegner.

Überlegen an Geschwindigkeit.

Überlegen an Bewaffnung.

Überlegen an Größe und Sinksicherheit.

Es hilft ihm nichts.

Er liegt und bleibt im deckenden Feuer.

Er versucht zu nebeln.

Vergebens!

Unser Kommandant hat ihn in eine so ungünstige Lage gedrängt,
daß die Nebelschwaden unwirksam achteraus segeln.

Daß er sich einzunebeln versucht — der erste Beweis unseres Erfolges.

Rein die Granaten — raus damit!

Ein Dröhnen, ein Klingeln, ein Rumoren, ein Durcheinanderlaufen
auf unserem Schiff. Triefend naß, fast nackend wuchten unsere Männer.
Und drüben? Ein Einschlag nach dem anderen. Wir zählten mit bloßem
Auge auf dem nunmehr ausreißenden englischen Hilfskreuzer allein
acht schwere Treffer.

Unsere Artilleriebeobachtung mit ihren guten Gläsern machte bisher
zwanzig Einschläge aus.

Obwohl der Gegner noch immer schießt, traf er uns bisher mit keiner
einzigen Granate.

Manchmal lagen seine Salven so unangenehm nahe, daß uns riesige
Wassersäulen die Sicht versperrten, daß uns manches Mal klirrend und
knackend Sprengstücke ans Oberdeck prasselten.

An Hand dieser Sprengstücke stellen wir später fest, daß der Gegner
mit Geschützen von Kaliberstärke 15,2 oder 15,3 ausgerüstet war. Zu
seiner überlegenen Geschwindigkeit noch ein solches Kaliber...

174

Über eine Stunde dauert das Gefecht nun schon an. Der bereits schwer getroffene Gegner, an verschiedenen Stellen brennend und in der Gefechtsbereitschaft gelähmt, versucht nun immer offensichtlicher, sich uns zu entziehen.

Eine Dunstwolke nimmt ihn auf.

Sein Glück!"

Der deutsche Hilfskreuzer ist nach ganz kurzer Zeit, die die Aufräumungsarbeiten, das Verstauen der Kartuschhülsen, das Reinigen der Geschütze usw. in Anspruch nehmen, wieder gefechtsklar.

Der Brite läuft Montevideo als Nothafen an. Seine Opfer sind schwer:
37 Mann sind gefallen,
82 sind verwundet.

Der Bericht der Schadenskommission ist über 200 Seiten lang.

Der Engländer setzt alle Südatlantik=Streitkräfte zur Suche an.

Nach einem schon vor dem Gefecht eingegangenem Funkspruch der Skl sollen folgende britische Seestreitkräfte frei für die Jagd im Südatlantik sein:

Im Gebiet vor Freetown das britische Schlachtschiff *Resolution*, an der langen Küste von Westafrika bis hinunter nach Kapstadt halten sich die Schweren Kreuzer *Devonshire, Cornwall* sowie die Leichten Kreuzer *Dehli, Dragon* und der Schulkreuzer *Vindictive* auf. Und schließlich stehen an der Ostküste Südamerikas die beiden Leichten britischen Kreuzer *Hawkins* und *Enterprise*.

Über Zahl und Größe der außerdem vorhandenen Hilfskreuzer sagt der Funkspruch nichts.

Wie bei dem *Alcantara*=Fall, befaßt sich auch die Weltpresse mit dem *Carnarvon=Castle*=Gefecht.

Montevideos Tageszeitungen, meldeten am 7. Dezember 1940:

„Die Britische Admiralität verfügte über ein sofortiges Auslaufverbot für alle britischen Schiffe aus den La Plata=Häfen. Die Zeitdauer des Verbotes ist noch nicht bekannt."

Und am 8. Dezember:

„Daß die vom englischen Hilfskreuzer *Carnarvon Castle* bei der Gefechtsberührung mit einem deutschen Hilfskreuzer vor der brasilianischen Küste erlittenen Verluste viel schwerer sind, als von englischer Seite zugegeben wird, schließt man hier aus der Tatsache, daß die von den uruguayischen Behörden angebotene Hilfe zur Versorgung und Pflegung der Verwundeten abgelehnt worden ist. Im Militärhospital sind Vorbereitungen zur Aufnahme von 30 Verwundeten getroffen worden. Es trafen jedoch keine verwundeten englischen Seeleute ein, da diese auf Anordnung der englischen Behörden an Bord bleiben müssen.

Die uruguayische Presse veröffentlicht große Fotos, die die Zielsicher=
heit des deutschen Hilfskreuzers beweisen, der den englischen Hilfs=
kreuzer mit einem wahren Geschoßregen überschüttet haben muß. Auf
den Fotos sind die schweren Einschläge deutlich zu erkennen.

Über das Schicksal der 22 Deutschen, die von einem Kommando des
englischen Hilfskreuzers *Carnarvon Castle* vom brasilianischen Dampfer
Itape heruntergeholt und gefangen genommen sind, herrscht zur Zeit
noch Unklarheit.

Obwohl nach dem Kriegsrecht die Kriegsschiffe, die neutrale Häfen
anlaufen, alle an Bord befindlichen Gefangenen sofort freizulassen ha=
ben, sind die Deutschen bis zur Stunde noch nicht von dem in Monte=
video eingelaufenen Kriegsschiff an Land gesetzt worden. Infolgedessen
ist die Vermutung angebracht, daß sich die deutschen Gefangenen auch
nicht mehr an Bord befinden, sondern auf hoher See auf den englischen
Handelsdampfer *Corinaldo* umgeschifft worden sind, der gleichfalls in
Montevideo eintraf. Nach einer anderen Versicherung befinden sich
die Deutschen gegenwärtig an Bord des englischen Kreuzers *Enterprise*.

Offenbar zur Entschuldigung, wird von Offizieren der *Carnarvon
Castle* erklärt, daß das deutsche Schiff einen außergewöhnlich hohen Ge=
fechtswert gehabt habe.

*„Man nehme deswegen an, daß es ein als Handelsdampfer getarntes
Kriegsschiff gewesen ist, oder es habe zumindest besonderen Granat=
schutz besessen, so daß die Offiziere erklärten: Wir konnten mit Fern=
gläsern beobachten, wie die Granaten am Schiffskörper des deutschen
Schiffes buchstäblich abprallten."*

*

Am 23. Dezember wird auf *Komet* ein FT aufgefangen und entschlüs=
selt. Der Funkspruch ist an Nauru gerichtet. Er besagt, daß verschiedene
Phosphatfrachter im Geleit starker Sicherungsstreitkräfte auf dem Wege
nach Nauru seien.

Nauru! Nauru! Nauru! hämmert es in Eyssen.

Die im Geleitzug zusammengefaßte Phosphatschiffahrt und der Ein=
satz an andern Brennpunkten nicht minder dringend benötigten, ja zum
Teil erst von dort abgezogenen Kriegsschiffseinheiten für diese Geleit=
zugsicherung bekräftigen erneut die Bedeutung der Phosphatinsel für
den Gegner.

Nauru muß angegriffen werden!

Wenn nichts Unvorhergesehenes dazwischen tritt, etwa ein aus der
Fahrtrichtung blasender Orkan, kann *Komet*, so überlegt Eyssen, über
den St.=Georgs=Kanal am 26. Dezember vor Nauru stehen. Einen Tag

Pazifische Reisedistanzen:

„Nur" 1700 km ist Emirau (zum ehemals deutschen Kolonialgebiet im Bis=
marck=Archipel gehörend) von Nauru entfernt.

vor der Ankunft des Konvois könnte er die wichtigsten Anlagen auf der
Insel zerstören.

Komet kehrt um und nimmt Kurs auf das Phosphat=Eiland.

Der Angriff auf die Phosphat=Insel Nauru, einst deutscher Kolonial=
besitz in der Südsee, jetzt unter britischer Mandatsverwaltung stehend,
ist das Thema Nummer Eins an Bord.

Soviel weiß man über die Insel:

Nauru ist für die Alliierten wegen seiner überaus reichen Phosphat=
vorkommen besonders jetzt zur Kriegszeit von eminenter Wichtigkeit.
Die durchschnittliche Jahresausfuhr an Phosphaten schwankte zwischen
230 000 bis 250 000 Tonnen. Sie wird nach Kriegsausbruch noch forciert
worden sein*).

Genaue Lage der Insel: 0 Grad 32 Minuten südlicher Breite und 166
Grad 55 Minuten östlicher Länge.

Nauru ist eine Koralleninsel von 21 Quadratkilometer Größe, die zum
Teil vulkanisches Gepräge aufweist. Sie ist auf ihren bis zu 65 Meter
ansteigenden Höhen größtenteils steinig, trägt aber im Westen noch
etwas Baumwuchs. Um die Insel läuft ein Riff im Abstand von einer
Kabellänge. Auf der Westseite ist das Riff durch zwei Lande= und Lade=
brücken überbaut. Sie tragen eine Phosphatverlade=Einrichtung von einer

---

*) Gills australisches Seekriegswerk *Royal Australian Navy* 1939—1942 ver=
merkt (Seite 276), daß am Ende der am 30. Juni 1940 endenden Jahresperiode
1939/40 von Nauru nahezu eine Million Tonnen Phosphat ausgeführt wur=
den, zusammen mit Ozean=Island waren es 1 500 000 Tonnen.

177

Stundenleistung von 500 Tonnen. Von den Brücken sind auf ca. 360 Meter Wassertiefe eine Reihe von Festmacherbojen ausgelegt, an denen Schiffe bis zu einer Länge von 180 Meter frei herumschwojen können. Der Strom setzt westlich an der Insel vorbei. Er ist verhältnismäßig stark, läuft mit drei bis vier Seemeilen, also 6 bis 7 Kilometern in der Stunde, und staut sich zwischen den beiden Brücken.

Bemerkenswert ist noch, daß die Verladung bei südwestlichen Winden und südwestlicher Dünung gestoppt werden muß. Solche Bedingungen treten vornehmlich zwischen November und März ein und hier meist an sieben bis zehn Tagen im Monat. Im Dezember 1939 wurden einmal 17 Schiffe durch den Südwest=Swell am Laden gehindert.

Die auf der Insel vorhandenen technischen Anlagen gehören fast aus= nahmslos der Britischen Phosphat=Kommission, die mit einem Kapital von 3,5 Millionen Pfund Sterling arbeitet und für sämtliche Verwal= tungskosten auf der Insel aufkommt. Die Phosphatwerke besitzen so= gar eine eigene Funkstation. Die Funkstelle für den öffentlichen Verkehr, die zwischen und mit den Stationen der Ozean=Insel und der Fidschi= Inseln vermittelt, ist im südwestlichen Teil der Insel gelegen. Der Funk= mast dieser Stationen mißt 171 Meter über dem Meer. Er trägt in sei= nem Top ein starkes Leuchtfeuer mit 30 Seemeilen Reichweite.

Im Jahre 1932 hatte Nauru 2 316 Einwohner, davon waren 141 Weiße, 696 Chinesen und der Rest Eingeborene der Insel, Nachfahren der Be= wohner mit „pleasant manners".

Nauru, das im September 1914 von dem australischen Kreuzer *Melbourne* besetzt wurde, ist nie bewaffnet worden. Nach den Mandats= bestimmungen dürfen weder Truppen stationiert werden, noch Kriegs= schiffe vorhanden sein. Die Bevölkerung im Polizeidienst auszubilden, gestatten aber die Bestimmungen. Eine recht dehnbare Konzession.

Problematisch ist für Eyssen die Frage: widerspricht es dem Völker= recht, eine Mandatsinsel anzugreifen oder nicht, erst recht, wenn be= kannt ist, daß die Insel wahrscheinlich tatsächlich unbewaffnet ist?

Das sind die Realitäten: Deutschland befindet sich mit Groß=Britan= nien einschließlich der Britischen Dominions im Kriege. Nach der Ur= sache des Krieges zu fragen, ist weder Kapitän Eyssens noch des briti= schen Insel=Administrators Aufgabe.

Die Insel, de jure nach noch immer deutsches Eigentum, steht unter der Verwaltung einer erneut zum Feinde gewordenen Nation. Dieser Feind zieht einen nicht unbeträchtlichen Nutzen aus den Rohstoffvor= kommen des Mandatsgebietes für seine eigene Kriegswirtschaft. Daran ist nicht zu zweifeln.

Ist die Insel damit aber noch als neutraler Boden anzusprechen oder nicht? Das ist hier die Grenzfrage zwischen einem Für und Wider. Diese Frage ist, so scheint es, völkerrechtlich und juristisch nicht konkret zu beantworten. Sie läßt jede nationalbetonte Auslegung offen. Für den einen so, für den anderen anders.

Vielleicht wäre es richtiger gewesen, wenn Großbritannien nach Aus= bruch des Krieges die Mandatsverwaltung aus der Hand gelegt und sie einem neutralen Lande, etwa Schweden, Chile oder Brasilien übergeben haben würde. In diesem Falle hätten die Briten nach wie vor und un= gefährdeter ihren Nutzen aus den Phosphatlagern ziehen können. An= dererseits wird es niemand England ernsthaft zumuten, einen solchen Schritt zu gehen, denn Nauru lag zur fraglichen Zeit ja hunderte von Meilen vom eigentlichen Kriegsschauplatz entfernt und die Gefahr, daß sich der Krieg auch auf die Südsee ausbreiten würde, schien seinerzeit abwegig genug.

Über allem, Nauru ist vor dem Recht immer noch ein deutscher Besitz, wenn auch nach dem verlorenen Ersten Weltkriege nunmehr unter bri= tischer Mandatsverwaltung, deren Bemühen es ist, die Mandatsbestim= mungen im Hinblick auf eine Nichtbewaffnung gewissenhaft zu erfül= len.

Eyssen hatte bereits in der Besprechung, die er vor Wochen mit Wey= her auf seiner *Komet* geführt hatte, daher bewußt nach einem Gentle= men=Agreement gegenüber den verklausulierten, verstandesgemäß aber völlig undiskutabel gewordenen Mandatsbestimmungen gesucht.

Es ist nicht so, daß sich Eyssen jetzt vorbehaltlos und ohne schwere Gewissenskonflikte über die internationalen Abmachungen hinweg= setzen will.

Damals aber schrieb man den Plan ab.

Jetzt ist er für Eyssen reif, so drängend und krankhaft reif, daß er sogar kameradschaftliche Vereinbarungen mit Weyher überspielt. Lei= der. Das zu sagen, kommt man nicht umhin.

Der 24. Dezember.

Heiligabend.

Es ist brütend heiß. Die See ist fast unbewegt, nur die Dünung atmet. Fern am Horizont zieht ein Japaner vorbei. Da sind Menschen an Bord, die die Kriegsfurie noch nicht mit Sorgen, Angst und Panik peitscht.

Es will keine rechte Weihnachtsstimmung aufkommen. Der nach Harz und heimatlichen Wäldern duftende Tannenbaum fehlt. Und die Kinder, die Frauen, die Bräute.

Der beste Einfall ist wohl die Flasche Cognac, die Eyssen jedem seiner Männer als Sorgenbrecher auf die Back stellen läßt.

Als Eyssen um die Mitternacht nach seinen Besuchen in der Messe der Offiziere und der Feldwebel und den Unterkünften seiner Männer auf die Brücke in die Einsamkeit der Tropennacht flieht, singen sie da unten schon lange keine Weihnachtslieder mehr.

Erster Weihnachtsfeiertag:

Gänsebraten auf dem Speisezettel und eine „Jedes=Los=gewinnt"=Ver= losung erbeuteter Gegenstände von gekaperten Schiffen sind die äuße= ren Zeichen dieses heimatfernen Festtages*).

Irgendwie trägt diese Verlosung an diesem postlosen Weihnachtsfest dann doch noch zur festlichen Stimmung bei. Sie bestärkt auch das Ver= trauen zwischen Brücke und Deck, erfahren die Männer doch, daß diese teilweise sehr wertvollen Beutestücke nicht Auserwählten und Günst= lingen zugeschoben wurden und daß jeder Mann an Bord dem Kom= mandanten ein gleichwertiger Kamerad geblieben ist.

Auch der Himmel hat Einsehen.

Er beschenkt die wie in einer finnischen Sauna schwitzenden *Komet*= Männer mit einem handfesten und erfrischend kühlen Tropenguß.

Aber die sorglose Festtagsfreude trügt.

Funker Julius hat einen Funkspruch für die 6 942 BRT große britische *Nellore* aus dem Äther geangelt. Der Frachter erhielt die Order, nach dem 60 Seemeilen von der Sturminsel Emirau entfernten Cavienne zu fahren. Das unerwartete Angebot, diesen Frachter zu kapern, ist ver= lockend genug, und es fällt Eyssen schwer, sich zu dem Entschluß durch= zuringen, das Schiff im Hinblick auf das geplante, ihm wichtigere Nauru= Unternehmen fahren zu lassen.

Komets Bug zeigt also weiter auf Nauru.

Eyssen hofft, die Insel noch vor dem Dunkelwerden des 26. Dezem= ber zu erreichen. Aber erst am 27. Dezember steht *Komet* morgens 03.00 Uhr am Platz.

In das KTB trägt der Steuermannsmaat ein: „Ruhige See. Naurus Leuchtfeuer sind gelöscht. Die Verwaltungsgebäude und zivilen Häuser sind verdunkelt worden."

05.45 Uhr: Alarm!

Komet hat am Achtermast die deutsche Kriegsflagge gehißt. Lediglich die japanische Beschriftung kann so schnell nicht beseitigt werden.

---

*) Daß es sich bei den Beutegegenständen um Reedereigut und nicht um privatpersönliches Eigentum von Besatzungsmitgliedern oder Passagieren handelte, muß nach den Erfahrungen, die wir mit unseren Befreiern nach dem verlorenen Kriege — leider — machten, besonders erwähnt werden. Jeder privatpersönliche Besitz, soweit er von den Prisenkommandos bei der Durchsuchung eines Schiffes sichergestellt wurde, wurde auf *Komet* wie auf allen anderen Hilfskreuzern den Eigentümern ausgehändigt.

Komet enttarnt, dreht mit ausgefahrenen, geladenen und gerichte=
ten Geschützen auf die Hauptverladestelle zu.

Funker Julius signalisiert auf des Kommandanten Befehl an den Gou=
verneur der Insel. Der Wortlaut, den Eyssen entwarf, lautet in die
deutsche Sprache übersetzt:

„1. Ich werde rücksichtslos schießen, wenn Sie von ihrer FT Gebrauch
machen.

2. Gebrauchen Sie Ihre FT nicht, werde ich lediglich die Phosphatver=
ladepieren, die Öltanks und die Leichter zerstören.

3. Wenn Sie Ihre FT nicht benutzen, wird auch Ihre Funkstation nicht
beschossen und zerstört werden.

Unterschrift: Der Kommandant eines deutschen Hilfskreuzers."

Nauru meldet verstanden.

Trotz dieser Durchsage verändert sich aber nichts am Strand.

Er bleibt mit Eingeborenen und Vertretern der verwunderten Insel=
verwaltung dicht besetzt. Kaum einer ist an Land, der Englands Seemacht
nicht in Zweifel zieht.

„Schicken Sie einen Warnschuß auf eine der Festmacherbojen", ver=
langt Eyssen von seinem AO.

06.09 Uhr speit das Geschütz die Warngranate aus.

Am Strand gerät die Menschenmauer wie Schilf in einer heftigen
Sturmböe in Bewegung. Die Neugierigen suchen ihr Heil in der Flucht.

06.20 erteilt Eyssen seiner Batterie Feuererlaubnis. Bis 06.30 Uhr ver=
lassen 125 15=cm=Granaten, 331 3,7=cm=Granaten und 760 Schuß 2 cm
die Rohre.

Die Verladeanlagen brechen zusammen.

Die Öltanks und Verwaltungsgebäude der Phosphatgesellschaft gehen
in Flammen auf.

Brennendes Öl fließt aus den aufgeblätterten Tanks heraus und hüllt
die nähere Umgebung in eine gelbrotglühende Lohe. 13 000 Tonnen an
Ölreserven gehen in Flammen auf, die Ladung eines 9000 bis 10 000 BRT
großen Tankers.

Die Hitze des Ölbrandes zerstört auch den rund 12 000 Tonnen Phos=
phat fassenden eisernen Lagerbehälter.

Die Brücken, die Bootsschuppen, das Maschinenhaus und die Fest=
macherbojen gehen in dem Feuerorkan der im schnellen Salvetakt schie=
ßenden *Komet*=Artillerie unter.

Noch während der Beschießung meldet sich die Funkstation der be=
nachbarten Ocean=Islands. Sie rufen Nauru an und übermitteln einen
Weihnachtsglückwunsch des Britischen Königs an die Seeleute und die
britischen Verwaltungsbehörden auf der Insel.

Der Spruch wird von Nauru nicht beantwortet.

Die dortigen Funker meinen wohl, man habe auf Nauru den Heilig=abend zu ausgiebig gefeiert.

Ohne eine Störung von außen und über den Äther verläuft die Aktion planmäßig.

Als HSK *Komet* 09.40 Uhr abdreht und Kurs auf die Ocean=Islands nimmt, treibt eine riesige schwarze Rauchwolke über die Nauru hinweg. Sie ist noch zu sehen, als die Insel längst hinter die Kimm getreten war und *Komet* seinen anfänglichen Tarnkurs geändert hat. Der Hilfskreuzer jagt mit Höchstfahrt nach Nord ab, und tarnt in die *Reibju Maru* um.

Gespannt hocken die *Komet*=Funker hinter ihren Geräten. Erst gegen 11.00 Uhr meldet sich Nauru und berichtet über den Angriff.

Bald danach verkündet die britische Regierung den Überfall. Es wer=den schwerste Zerstörungen, aber keine Menschenverluste gemeldet.

Auf *Komet* atmen sie auf, vernehmen dann aber zu ihrem Erstaunen, daß der deutsche Raider unter zwei Flaggen angegriffen haben soll. Radio Sydney gibt aus Melbourne eine Erklärung des Premierministers Australiens durch. Darauf stützen sich die Kommentare.

Dies wäre, so wettern die Australier, ein verdammenswerter Akt und eine schwere Verletzung des Seekriegsrechtes, erst recht, da der Angriff unter der Flagge eines Landes erfolgte, zu dem England friedliche Be=ziehungen unterhalte: „Dieser Fall ist typisch für die deutschen Kriegs=verbrecher, die sich über jede internationale Abmachung und jedes Men=schenrecht hinwegsetzen!"

Im KTB von *Komet* vermerkt der Kommandant zu diesem britischen Kommentar:

1. Es ist ein Zeichen, daß die beabsichtigte Zerstörung der kriegswich=tigen Anlagen auf Nauru im vollen Umfang geglückt ist.

2. Besonders erfreulich ist es, daß es keine Menschenverluste gab.

3. HSK *Komet* hat in der Tat unter zwei Flaggen operiert. Die eine war die im achteren Mast gesetzte deutsche Kriegsflagge, die andere, die an beiden Seiten über das Sonnenbanner heruntergerollte deutsche Nationale. Japanische Hoheitsabzeichen waren an keiner Stelle des Schif=fes mehr zu sehen. Die beiden deutschen Flaggen wurden gleichzeitig mit der Enttarnung des Schiffes, also 05.47 Uhr, gesetzt. Der erste Schuß, also der Warnschuß, fiel erst gegen 06.09 Uhr. Bis dahin waren bei zu=nehmender Helligkeit 22 Minuten verstrichen. Bei dem späteren Beschuß, der auf geringste Entfernung erfolgte, hätten die beiden Flaggen ein=wandfrei als deutsche Flaggen erkannt werden müssen. Die britische Meldung: „*Komet* hatte unter japanischem Namen unter zwei Flaggen angegriffen" ist eine bewußte Irreführung der Weltöffentlichkeit, da

Außenstehende daraus nicht entnehmen können, daß die „zweite Flagge" ebenfalls eine deutsche Flagge war.

Daran ist nicht zu zweifeln, daß sich Eyssen absolut korrekt verhielt. Daß er vorher den Gouverneur als Kommandant eines deutschen Raiders warnte und aufforderte, das gefährdete Gebiet zu vermeiden, wird mit keinem Wort erwähnt.

Allerdings, darauf muß noch einmal hingewiesen werden: Komet konnte die japanischen Schriftzeichen an den Bordwänden nicht mehr entfernen. Das war ein Fehler — und zweifelsohne auch die Ursache zu dieser Verwirrung, die von der feindlichen Presse natürlich mit Wonne ausgeschlachtet wird.

Die ausländischen Nachrichtenagenturen überschlagen und überbieten sich jedenfalls in Schmähungen.

Eyssen und seine Männer kann das nicht treffen. Eines Tages wird man die Wahrheit sagen dürfen, beruhigen sie sich.

Mit Schmunzeln vernehmen sie, daß man auf ihrem Schiff sogar Luckner als Kommandanten vermutet: „Nur der verrückte Graf kann diese Teufelei ausgeheckt haben."

Der Name Luckner hat in diesem Seeraum noch immer Klang und Gewicht. Man hat seine tollkühnen Kaperfahrten und seine Ausbruchs= versuche in Sydney nicht vergessen.

In Berlin, bei der Seekriegsleitung, ist man über Eyssens Angriff auf Nauru entsetzt. Dort fürchtet man, da man keine Einzelheiten über den wahren Ablauf der Aktion kennt, diplomatische Verwicklungen mit Japan. Die deutsche Botschaft in Tokio versucht die Woge der ersten Empörung bei der Kaiserlichen Regierung zu glätten und als endlich von Eyssen ein Kurzbericht vorliegt, geben die Japaner eine Erklärung ab.

Sie ist ganz im Sinne des Freundschaftspaktes gehalten.

Am 1. Januar 1941 bezeichnet der Sprecher der japanischen Kriegs= marine britische Berichte, nach denen ein deutsches Kriegsschiff oder ein Hilfskriegsschiff vor der Insel Nauru unter dem Sonnenbanner operiert und unter dieser Flagge sogar die Insel mit Geschützfeuer belegt habe, als Falschmeldung. Der japanische Sprecher ließ durchblicken, daß Japan trotz der Bündnisverpflichtungen Deutschland und Italien gegenüber nie= mals mit einer derartigen Verletzung des internationalen Seekriegsrechts einverstanden sein und daß es in jedem Falle bei der deutschen Regie= rung interveniert haben würde. In diesem Falle sähe sich Japan nach sorgsamster Prüfung der Vorkommnisse indessen zu nichts weiter als zu dieser formellen Feststellung veranlaßt.

Der Mann sprach die Wahrheit und — unwissend — doch nicht die Wahrheit.

Komet, die sie jetzt mit verstärkten Kriegsschiffeinheiten und Flug=
zeugen suchen, bleibt verschwunden. Der Hilfskreuzer hat sich nach
vorübergehenden Operationen auf den Neuseeland=Treck in das Südliche
Eismeer abgesetzt.

Eyssen schrieb später selbst über diesen Vorstoß:

„Aber jetzt sollte es sich zeigen, daß die Erfahrungen, die wir vor
Monaten im Hohen Norden gemacht hatten, im Südmeer Theorien blei=
ben mußten. Wie ein Zauberschloß tauchte aus der tiefblauen Weite des
Meeres ein riesiger Eisberg auf, wie man ihn im Nordpolarmeer, in dem
nur Packeis anzutreffen war, niemals zu sehen bekommen hatte. Er war
aber nur der Vorbote von dem, was nun kommen sollte und das sich
wie ein grausames Gespensterstück vor den Augen der *Komet*=Leute
abwickelte . . .“

✳

Doch noch ein abschließendes Wort zu den beiden Nauru=Unterneh=
men: Das offizielle neuseeländische Seekriegswerk von S. D. Waters:
The Royal New Zealand Navy bekennt heute:

„Die deutschen Raider=Attacken auf Nauru und seine Schiffahrt waren
in der Tat der größte Erfolg der gegnerischen Hilfskreuzeroperationen
im Pazifik, denn sie schwächten sehr ernsthaft die Versorgung Austra=
liens und Neuseelands und damit also auch Englands mit den so lebens=
wichtigen Phosphaten. Die Vernichtung von insgesamt fünf in der
Phosphatfahrt stehenden Frachtschiffen mit rund 25 900 BRT, ein=
schließlich der drei der British Phosphates Commission gehörenden Spe=
zialfrachter für Phosphatladungen, war hinsichtlich der wachsenden
Schiffsraumnot an sich schon ein schwerer Schlag und stellte uns vor
das Problem, geeignete Schiffe als Ersatz zu suchen und zu chartern.

Bei weitem schwerwiegender aber wirkte sich die drastische Reduzie=
rung der Phosphatexporte von der Insel Nauru und die damit verbun=
denen schwerwiegenden ökonomischen Rückschläge aus, denn erst zehn
Wochen nach der Beschießung Naurus, am 6. März 1941 waren die zer=
störten Verladeanlagen soweit einigermaßen wieder hergestellt, daß das
erste Frachtschiff wieder beladen werden konnte. Die britischen Stellen
schätzten unter diesen Umständen die Phosphat=Ausfuhr von Nauru für
das Jahr 1941 auf höchstens 450 000 Tonnen (gegenüber 1 000 000 im
Jahre 1940), in Wirklichkeit lag die Jahresausfuhrquote nach dem *Komet*=
Angriff und dem Verlust der Spezialtransporter sogar noch wesentlich
niedriger.“

Eyssens selbständiger, im Operationsplan nicht vorgesehener und
später von der Skl verurteilter Angriff auf Nauru hätte zwar beinahe

diplomatische Verwicklungen mit dem befreundeten Japan heraufbe=
schworen... Aber am Ende entscheidet doch immer der Erfolg!

Dieser hier war so groß wie eine versenkte Flotte.

Es waren 500 000 Tonnen Phosphat, die nach den Zerstörungen weni=
ger ausgeführt werden können, und um diese 500 000 Tonnen zu trans=
portieren, hätte es mehr als fünfzig großer Frachter bedurft.

✳

In die Antarktis verholte sich auch die *Atlantis*.

Rogge suchte eine der in den Eismeerregionen gelegenen einsamen
Kerguelen auf, um Schiff und Maschinen zu überholen.

Rogges Adju, Oberleutnant Dr. Mohr, über diese Zeit:

„Sein Name war Hermann, sein Dienstgrad Obergefreiter, ein Mann
mit Weib und Kindern daheim, für die er zu sorgen hatte. Und er fiel
für den Führer einen Tag vor dem Fest der Liebe der gesamten Christen=
heit.

Dieser verhängnisvolle Heiligabend sah Hermann am Schornstein
beschäftigt. Er hockte auf seinem hin und her schwingenden Bootsmann=
stuhl, freute sich auf die bevorstehenden Feiertage und gedachte seiner
Familie in der so fernen Heimat. Er war noch sehr jung...

Es war einer jener unglücklichen Zufälle wie sie nur unter tausenden
vorzukommen pflegen, daß das Seil, das ihn und seinen Bootsmannstuhl
festhielt mit dem Dieselauspuffrohr in Berührung kam und daß, welch
ein noch größerer Zufall, gerade in diesem Augenblick der Diesel zu
einer Maschineninspektion angelassen wurde. Das Seil riß unter der
sengenden Hitze der Auspuffgase, und Hermann stürzte hinab in den
Tod.

Diese Tragödie warf düstere Schatten auf uns alle. Als er noch lebte,
war Hermann allen, die mit ihm zusammenwohnten und zusammen
Dienst taten, ein fröhlicher und stets hilfsbereiter Kamerad; für den
Rest der Besatzung war er einer unter 347, einer, der so gut war wie
jeder andere. In der Schiffsstammrolle war Hermann Matrosengefreiter.
Nur dies und nicht mehr... Und nun war er zur bedeutendsten Person
unserer Gemeinschaft geworden, durch den Tod mit einer Würde aus=
gestattet, die ihm das Leben versagte.

Wir bildeten eine Ehrenabteilung aus den Reihen seiner Kameraden...

Wir bauten ihm ein schweres Kreuz aus Eichenbohlen von der
Atlantis ...

Wir wickelten ihn ein in unser glorreiches Flaggentuch ...

Wir brachten ihn behutsam und in stiller Ehrfurcht an Land ... in diese jämmerliche einsame Herrlichkeit, begleitet von einem heulenden eisigen Sturm.

Der Salut der Ehrenwache warf ein dünnes Echo in die Berge, und als eine plötzliche Böe die Kriegsflagge vom Sargdeckel zurückwarf, sprang mich ein beklemmendes und überwältigendes Gefühl des Verlustes an.

Das Lied vom Guten Kameraden bekam in diesem Augenblick eine neue und persönliche Bedeutung.

Ich hatt einen Kameraden . . .

Sentimentalität?

Ich war später erleichtert, als ich erfuhr, daß ich nicht allein solche Gedanken gehabt hatte. Der Anblick des Todes . . . das der Heimat so ferne, von Eiswinden umheulte Grab, das den ersten Toten unserer Familie enthielt, hatte uns alle tief berührt und aufgewühlt.

Ich hatt' einen Kameraden . . . ein letzter Gruß . . . Hasten unter den Gefährten des Verstorbenen, die Steine um das Kreuz schichteten . . . ein lauter Befehl, und wir waren auf dem Rückmarsch zu unserem Schiff . . . und zu den Problemen um unser Schiff, die durch nichts un=bedeutender wurden und unsere ganze Aufmerksamkeit verlangten . . .

Wir atmeten auf, als die *Atlantis* in den Innenhafen der Kerguelen=bucht geschleust worden war, daß sie nicht noch einmal Grundberüh=rung mit einem Felsen hatte, daß es nicht noch ein zweites Leck in unse=rem Schiffskörper gab. Das Leck zu dichten, war die Hauptaufgabe für die nächsten Tage. Als nächstes aber mußten wir unser Schiff vor un=liebsamen Überraschungen von außen vor unwillkommenen Besuchern sichern. Auch in diesem Fall erwies sich Korvettenkapitän Kasch als Ge=nie, als er alles so sauber arrangierte, daß wir nachgerade hofften, es möge sich doch ein britischer Kreuzer an unser Versteck heranschnüffeln.

Eine Anzahl von Nummern, jede einen Quadranten auf unserem Artil=leriekarten darstellend, wurde auf den aus dem Wasser heraus wachsen=den Felsen aufgezeichnet. Dann richteten wir unsere Kanonen auf die Klippen ein, nachdem wir sorgfältige Berechnungen über Reichweite und Schußwinkel angestellt hatten.

Kasch war einfach vollkommen.

Wind, Temperatur und Luftdruck — alle diese so wichtigen Faktoren wurden verzeichnet; Signalgäste und Kanoniere wurden auf dem Kamm postiert und mit Spezialgläsern ausgerüstet, die sie in die Lage ver=setzten, uns sofort vor einem Feind, sollte er in einem der Quadranten auftauchen, zu warnen.

Wir wußten nun, daß wir „sehen" konnten, ohne daß man uns sah und daß wir ein gegnerisches Kriegsschiff mit Granaten eindecken könn=ten, ohne daß dieses wissen würde, woher sie kämen.

Das nächste Problem war das durch die Ramming mit dem Felsen verursachte Leck. Es maß zirka 2 mal 6 Meter, und da sich die Stahl= platten im rechten Winkel zurückgebogen hatten, sah die Öffnung, wie die Taucher berichteten, einem Scheunentor verteufelt ähnlich.

Der Mut und auch die handwerkliche Geschicklichkeit von zwei Be= satzungsmitgliedern, die im Frieden im Schiffbau beschäftigt waren, be= wältigten das Problem. Die beiden Männer dichteten das Leck in der Vorpik.

Beide, sie waren Freiwillige, wurden mit Säcken mit Zement, Sand und Steinen in die Abteilung hinabgelassen. Man reichte ihnen noch einen großen Lebensmittelkorb hinterher, und dann wurde der Mann= lochdeckel über ihnen geschlossen. Komprimierte Luft wurde hinein= geblasen, um das Leck trocken zu legen und zugänglich zu machen. Zwei volle Tage verblieben die Männer in ihrem selbstgewählten Gefängnis, denn zweimal 24 Stunden mußten sie warten, bis der Zement sich ge= härtet hatte und die Abdichtung dem Druck des Wassers von außen widerstand.

Eine Meisterleistung.

Wir schickten Taucher herunter, um die Stahlzacken, die an dem ab= gedichteten Leck an der Außenhaut herausragten, zu entfernen. Die Männer waren mit den besten Schneidebrennern ausgerüstet. Aber die Brenner funktionierten nicht.

Kapitän Rogge fand die Lösung: „Hier gibt es nur einen Weg. Die Taucher müssen Trossen anbringen und dann werden wir diese über das Ankerspill so unter Druck setzen, bis die überstehenden Teile ab= brechen."

Es hat an Bord nie vorher und auch später nicht eine so langwierige und ermüdende Arbeit gegeben, wie die Entfernung dieser überstehen= den Stahlfetzen. Tagelang mußten die Taucher im eisigen Wasser zu= bringen. Mühsam bohrten sie mit der Hand ein Loch nach dem anderen in die Platten. Sie brachten Schäkel in den Öffnungen an und verban= den diese mit den Trossen. Schließlich wurden die Trossen über die Winschen vorsichtig angehievt und immer mehr unter Druck gesetzt. Stück für Stück wurde so das Metall abgebrochen.

Als die Arbeit beendet war, standen diese unglücklichen Männer, die bislang verdächtigt wurden, aus dem Bedürfnis einer Verlängerung unse= res Aufenthaltes bei den Kerguelen die Beschädigungen und die damit verbundenen Arbeiten übertrieben zu haben, vor dem Zusammenbruch.

Für das Problem Nummer drei, nämlich die Untersuchung und Über= holung der Doppelbodenzellen stand uns das wohl perfekteste Werk= zeug an Bord in Gestalt des Leitenden Ingenieurs zur Verfügung. LI

Kielhorn, ein pausbäckiger, praktisch veranlagter Bayer, ein Mann mit gleich großer Liebe zum Bier wie zu seinem Beruf, fühlte sich niemals glücklich, wenn er nicht erledigen konnte, was anderen ungewöhnlich, oder noch besser gesagt, unmöglich schien. Er war nachgerade glücklich, daß sich Probleme solcher Schwierigkeitsgrade jetzt summierten, konnte er doch an ihnen nachweisen, wie spielend er damit fertig würde.

Während der Zeit unserer Leckage lagerten hunderte Tonnen von Sandballast über jenen Mannlöchern, die zu den Zellen zwischen der Innen= und Außenhaut unseres Schiffskörpers führten. Das meiste davon war ja inzwischen entfernt worden, als wir das Schiff leichterten, um von dem Felsen freizukommen. Aber es blieb doch noch eine große Menge zurück, und mußte pützenweise umgestaut werden: Weitere Flüche der überforderten Mannschaft ... weitere schwere Arbeit ... bis endlich durch das Gelb des Sandes der stählerne Boden hindurchschim= merte und schließlich auch die Schrauben sichtbar wurden, die den Mann= lochdeckel festhielten.

Soweit ganz schön.

Aber das Mannloch, das dem Ingenieur den Einlaß zum Schiffsboden ermöglichen sollte, ließ auch das Seewasser durch den ungeheuren Druck von außen einströmen. Damit fertig zu werden, war ein Job nach Kiel= horns Herzen.

„Wir werden einen Caisson über diesen Mannlochdeckel bauen", sagte er. „Ganz leicht werden wir dann Zutritt gewinnen. Ganz leicht!"

Zwei volle Tage war der Laderaum Nummer Eins vom Getöse ge= heimnisvoller technischer Arbeiten erfüllt. Er dröhnte wider vom Zischen der Schneidbrenner und dem Schlagen der Hämmer. Alle paar Stunden wurde dem Kommandanten der Bestand der noch vollen Sauerstoff= flaschen gemeldet. Rogge war nicht sehr glücklich darüber, daß der kost= bare Stoff so schnell zusammenschmolz. Unseren wohlgemeinten Ein= wänden begegnete der LI nur mit einem ungeduldigen und ihn kenn= zeichnenden Grunzen und Achselzucken.

Experten waren an der Arbeit!

Als man uns schließlich erlaubte, die Früchte dieser Arbeit zu besehen, waren wir sprachlos vor Verwunderung. Über dem Mannloch erhob sich eine zehn Meter tiefe Konstruktion, eine Art Hundehütte mit einem ähnlichen Mannloch auf dem Dach, ein komplizierter Zufluchtsort mit Telefonen und Luftröhren und neben diesen ein Leitender Ingenieur, der darauf brannte, einzusteigen und selbst das Ärgste zu übernehmen. Der Chief und sein Begleiter, ein Riese, dessen Lispeln ihm den Spitznamen „Ssweizentner und ssehn Pfund" eingebracht hatte, krochen vergnügt durch die Einfassung von wo, wie sie sagten, einige Fische sie erstaunt anblickten, nämlich außerhalb des Lecks. Was sie sahen, berichteten sie über das Telefon: Eine Anzahl Spanten sei verbogen... eine Flurplatte fehle... die Abdichtung erscheine aber stark genug... Und dann kam die aufmunternde Versicherung, daß alles in bester Ordnung sei.

Spätere Erfahrungen zeigten uns dann auch, daß das mit Zement ab= gedichtete Leck weder unsere Seetüchtigkeit noch unsere Geschwindig= keit behinderte. LI Kielhorn hatte nicht übertrieben.

Und dann das Weihnachtsfest...

Bei der Party am Heiligen Abend wurden 900 Glas Punsch getrunken. Aber über diesem Fest schwebte der Hauch der Beklemmung und der Angst, denn in der Heimat hatte der Gegner mit den Luftangriffen auf offene Städte begonnen. Ich sehe noch immer den bärtigen Signalgasten Winter vor mir. Er war einer der lustigsten Männer an Bord. Er war immer zu Späßen aufgelegt, er hatte in jeder Lage ein Scherzwort auf den Lippen. An diesem Abend saß er schweigsam und traurig hinter dem Bild seiner Frau und seiner drei Kinder.

Draußen waren doppelte Brückenwachen aufgestellt und zur Sicher= heit hatte Rogge den zweiten Anker werfen lassen, um am Strand des „Landes der tausend Stürme" nicht weggespült zu werden. Das Deck war mit Schnee bedeckt, und die Sterne unter den Wolken waren erblin= det. Als die Freiwachen unter Deck das Lied von der Heiligen Nacht san= gen, wachten die Augen ihrer Kameraden auf den Ausguckstationen. Mit ihren Nachtgläsern versuchten sie die Nacht zu durchdringen. Viel= leicht war dort draußen doch ein schlanker grauer Rumpf, ein Schiff, auf dem sie wie bei uns um diese Stunde Choräle singen würden und das Sekunden später das Ziel unserer Granaten werden müßte.

Problem Nummer vier war die Ergänzung unserer Frischwasserbe= stände. Mit meiner Landungsabteilung hatten wir einen Wasserfall an einer der Bergseiten entdeckt. Rogge hatte uns nun abgeteilt, Mittel und Wege zu finden, das klare, eiskalte Wasser für unser Schiff abzuzapfen.

Eine kongeniale Anweisung.

Dieser Wassertransport war in der Tat keine Angelegenheit für die linke Hand. Wir stellten nämlich schnell fest, daß es, um diesen ver= führerischen Wasserfall anzuzapfen, einer Leitung von über tausend Meter Länge bedurfte, einer Leitung, die fast ausschließlich über einen ziemlich steilen Abhang hinabgeführt und dann weiter über den flachen Strand bis zu unserem Ankerplatz gelegt werden mußte.

Wir meisterten auch dieses Problem. Jeden Meter unserer Feuerlösch= und Ölschläuche schleppten wir herbei. Zwei Tage später waren die Wassertanks der *Atlantis* mit tausend Tonnen der wohl reinsten und erfrischendsten Flüssigkeit angefüllt, die wir jemals bunkerten.

Rogge hatte mich mit einer Generalinspektion des Landes hinter unse=
ren von Bergen umgebenen Hafen beauftragt. Für uns Glückliche kamen
weitere Abenteuer. Wir entdeckten und erforschten einen Wasserweg.
Meilenweit führte er zwischen düsteren Gipfeln und verräterischen
Sümpfen hindurch. Wir machten Ausflüge, begleitet von den rauschen=
den Wassern der Gebirgsquellen, eine Musik, die in uns Erinnerungen
an unsere süddeutschen Berge wachriefen.

Ja, die Berge!

Die Bayern unter uns gaben keine Ruhe. Obwohl ich diese Männer
immer wieder auf die andere Aufgabe unserer sogenannten Ausflüge
hinwies, sich nämlich intensiv um zusätzliche Lebensmittel zu kümmern,
hingen ihre Augen wie gebannt an dem gleißenden Eis des Gipfels des
über 3000 Meter hohen Mount Ross, der höchsten Erhebung der Ker=
guelen. Ich bot meinen Bayern einen Kompromiß an. Ich schlug ihnen
einen kleineren, das heißt einen leichter zugänglichen Berg vor, und ich
hoffte im Stillen, daß sie dieses Angebot ob der viel zu geringen
Schwierigkeiten beleidigt zurückweisen würden. Ich glaubte nicht an
die Verwirklichung. Bis es zu spät war, und ich als beaufsichtigender und
verantwortlicher Offizier nunmehr verpflichtet war, sie auch noch zu be=
gleiten. Was waren diese Bayern doch für gewandte Bergziegen. Sie
überwanden spielend und voller Übermut jede Schräge und jede Glet=
scherspalte. Ich war erschöpft, ausgepumpt und kraftlos, als ich sie, ihnen
keuchend folgend, auf dem Gipfel antraf.

War dieser Weg wirklich diese Anstrengung wert?

Ich starrte hinunter auf eine Landschaft von nackter Brutalität. Nie
zuvor hatte ich soviel Urwelthaftes gesehen und auch später nie wieder
entdeckt. Die Oberfläche der Hügel glänzte wie auf Hochglanz poliert,
wenn ab und zu Strahlen der Sonne darauf trafen — — auf diese durch
ein Eiszeitalter schleifender Gletscher und beharrliche Windabnützung
abgetragene Flächen...

Öde? Unfruchtbar? Ja, aber verführerisch für uns, die für so lange
Zeit die Schönheit von Gipfeln und der Weite des Ausblickes auf Ebenen
nicht gesehen hatten..Wir tranken uns voll an diesem Anblick und rissen
uns gewaltsam los von diesen Schönheiten, denn wir hatten ja auch noch
eine Aufgabe.

Das Wasserproblem hatten wir gelöst, nun galt es, auch noch unsere
Verpflegung mit frischen Reserven aufzufüllen. Und das in einem Lande,
in dem keine Blumen blühen und kein Baum Wurzel fassen kann.

Die Kerguelen hatten, so schien es uns in dieser Beziehung, nur einen
einzigen Vorschlag zu machen: Kohl.

Dieses kurze, dicke, im Wachstum zurückgebliebene Pflänzchen war —

abgesehen von Moos und kleinen Gräsern —, das einzige Grün, das die Insel belebte. Es wucherte im Überfluß. Roh gegessen, schmeckte es ganz gut, gekocht aber stank es ekelerregend. Wie dem auch sei, der Kohl empfahl sich mit Vitaminen.

Auch wenn sie stanken, wir aßen sie.

Auf der Jagd nach weiterer Lebensmittelbeute überraschten wir eines Tages eine Meute von Kaninchen, die es, ganz gleich was die Natur= forscher oder Geographiker auch sagen mögen, seltsamerweise fertig= gebracht hatten, diese grausame Einsamkeit zu überleben.

Kaninchen! Kaninchenbraten!

Wir waren 30 Mann. Mit Dienstgewehren ausgerüstet beäugten wir die Beute erst mit ehrlichem Mitleid, dann aber — mit wässrigem Mund an unseren Braten denkend — feuerten wir die Magazine leer. Nach den Salven preschten wir vor, um die künftigen Braten einzusammeln. Aber dort, wo vorher die Kaninchen saßen, dort, wohin wir die Kugeln unse= rer Gewehre hatten fliegen lassen, war nichts zu finden. Kein einziger von uns hatte trotz des Schnellfeuers getroffen. Etwas bedrückt und mit hängenden Schultern schlichen wir zu unseren Booten zurück, während Bruder Kaninchen in Deckung lag und nichts, auch gar nichts von sich sehen ließ. Nicht einmal die Spitze eines Schwanzes glitt über den blauen Stahl der Kimme unserer Gewehre, als wir uns noch einmal umdrehten, bevor wir endgültig Abschied von dieser Enttäuschung nahmen.

Fehler dagegen hatte mehr Glück.

Was hatten wir ihn in der Messe damals ausgelacht, als er in Bremen eine Jagdflinte mit an Bord brachte. Aber nun nutzte sie uns. Mit Schrot erlegte er einige Enten und später auch diese seltsamen, offenbar kugel= festen, aber dennoch schrotempfindlichen Kaninchen.

Wir wurden des ersehnten Menüs aber bald müde, das in der Haupt= sache aus Kerguelen=Kohl und Kaninchen=Curry oder zur Abwechslung aus Kerguelen=Kaninchen und Curry=Kohl bestand.

Wir sammelten auch Muscheln, um unsere Diät aufzufrischen, und unser Doktor glaubte seiner Gesundheit durch Bewegungsübungen zu dienen. Er ritt auf einem Seelöwen und kostete den Amateurfotografen die letzten Filme. Übrigens, wir fingen auch einen Pinguin, weniger, um ihn später einem heimatlichen Zoo zu dedizieren, weil wir ihn doch nicht durch die tropischen Zonen hindurch bekommen hätten, sondern aus anderen Gründen ...

In tropischer Hitze und auch hier in der antarktischen Kälte hatte Kommandant Rogge es nicht versäumt, darauf hinzuweisen, daß er keinen seiner Offiziere unvorschriftsmäßig bekleidet zu sehen wünsche. Ob es uns angenehm war oder nicht und was auch immer die Umstände waren, wir mußten, wenn wir Dienst hatten, den sauberen schwarzen Binder zum weißen Hemd tragen. So dekorierten wir unseren Pinguin mit einem dieser ordnungsgemäßen Binder und präsentierten ihn unserem Kommandanten. Rogge dankte uns herzlich, sehr herzlich sogar — aber den Wink mit dem Zaunpfahl ignorierte er.

Ungeachtet solcher Ablenkungen war ich wie auch alle meine Kameraden, froh, als die Überholung beendet war, als endlich die Anker gehievt wurden.

Langsam suchten wir unseren Weg durch den verhängnisvollen Kanal, der uns das Leck eingebracht hatte. Wir kamen glücklich frei. Stunden später zog die *Atlantis* wieder ihren Kurs durch die offene See.

Die dunkle Küstenlinie und das weiße Dach der Wolken darüber blieben achteraus

und auch das Kreuz, das den Namen eines deutschen Seemannes trug.

*

Der 3. Dezember 1940.

Es ist 08.00 Uhr, als *Kormoran* in Gotenhafen die Trosse löst.

Die Fahrt in das große Abenteuer beginnt.

Fregattenkapitän Detmers, der Kommandant, hat sich beim Admiral der östlichen Ostsee in die westliche Ostsee abgemeldet. Auch dem Admiral gegenüber ist Detmers über die eigentliche Aufgabe seines Schiffes zur Geheimhaltung verpflichtet.

Immerhin, der Admiral weiß trotzdem Bescheid.

„Ehrlich gesagt, Detmers, ein Stein fällt mir vom Herzen, daß Sie mit Ihrem Schiff Gotenhafen verlassen."

Der Stoßseufzer ist nicht unberechtigt, denn die *Kormoran*-Besatzung hatte, als sie merkte und fühlte, daß der Tag des Auslaufens immer näher rückte, der Dienststelle des Admirals manchen Ärger bereitet. Die Bolzen mehrten sich, sie häuften sich sogar, und der Admiral wie der Kommandant drückten in diesem Falle ein Auge zu . . .

An Bord befinden sich 420 Mann. Alte und Junge. Verheiratete und Ledige. Männer aus den Reihen der KM, wie auch aus der Handelsmarine. Es ist eine gesunde und glückliche Mischung, die in Zusammenarbeit mit dem 2. Admiral der Nordseestation, auf den Erfahrungen der ersten Hilfskreuzer fußend, zustande kam. Oberleutnant zur See von Gösseln wählte die Männer aus. Der Kommandant prüfte sie und war bis auf einige Ausnahmen zufrieden.

Um einen Mann aber kümmerte sich Detmers in höchst eigener Person:

Um den Koch!

Auch beim Seemann, vielleicht sogar gerade beim Seemann geht die Liebe durch den Magen.

Was Detmers wünschte, schien fast unerfüllbar. Er verlangte einen jungen, frischen und wendigen und in seinem Fach ausgesucht tüchtigen Smut, der außerdem noch in der Lage sein sollte, ebenso schmackhafte wie abwechslungsreiche Gerichte auf den Herd zu zaubern. Jung und er= fahren! wie selten vereint sich das.

Der Personalsachbearbeiter beim 2. AdN fand den Mann trotzdem, den Kochsmaaten Schuster. Schuster hat bereits seine Oberfeldwebel= prüfung mit „ausgezeichnet" bestanden, und es ist zu erwarten, daß er, würde ihn Detmers akzeptieren, noch vor dem Auslaufen zum Dienst= grad befördert wird. Da aber liegt der Haken. Sein Vorgesetzter an Bord, der Proviantmeister, würde dann aber, so jedenfalls schreiben es die In= diensthaltungs=Bestimmungen bei der Marine vor, nur ein Feldwebel sein. Ein Schlachtschiff zu bauen, erscheint leichter, als diese Bestim= mungen zu ändern oder zu umgehen.

Als Detmers ihm die Aufgabe des Schiffes und seiner Besatzung nur andeutet, verzichtet Schuster auf seine Beförderung.

Detmers dazu später: „Diese Auswahl hat sich während der ganzen Unternehmung vorzüglich bewährt, sowohl was das mustergültige Kön= nen als auch das soldatische Benehmen Schusters betraf."

Leider behielt auch ihn die See...

Typisch für die Ausrüstung eines Hilfskreuzers ist nachstehende, von dem Besatzungsmitglied Gustav Albers erzählte Begebenheit. Sie spielte in den Tagen, da das Schiff ausgerüstet wurde, da riesige Mengen an Granaten, Kartuschen, Minen, Torpedos, Proviant, Lebensmitteln und dergleichen in den Laderäumen verschwanden, da der Verwaltungs= offizier Tag für Tag mit rauchendem Kopf in seiner Kammer saß und eine Rechnung nach der anderen aufstellte, ob die betreffenden Mengen auch ausreichen würden.

Selbstverständlich lief auch bei der *Kormoran* die gesamte Ausrüstung unter dem Siegel der Geheimen Kommandosache...

Und nun Gustav Albers:

Der Matrosen=Gefreite Jan Klos, ehemaliger Handelsseemann, der besser Holländisch als Deutsch sprechen kann und an Bord als Unikum bekannt ist, erhält mit noch einem Gefreiten einen Auftrag. Die beiden sollen mit einem LKW nach Kiel=Garden fahren. Dort seien an die 5 000 Rollen Klo=Papier vom Lager zu holen.

Dort angekommen, marschieren beide tapfer in das Büro hinein. Sie

bauen ihr Männchen vor dem „Silberling", überreichen die Auftrags=
bescheinigung.

„Wir sollen hier 'ne Kleinigkeit abholen."

Der Verwaltungsbeamte, alt gedienter KM=Soldat, liest und die bei=
den Seeleute sehen, wie der gute Mann langsam die Stirn runzelt und
immer größere Augen bekommt. Er schnauft, holt tief Luft, blickt auf
die beiden Gefreiten und schüttelt den Kopf. Dann liest er noch einmal.

„Sagen Sie mal, wer hat denn da unterschrieben?"

„Unser Herr Verwaltungsfeldwebel, Herr Inspektor."

„Hat der Herr gestern ein Familienfest gefeiert?"

„Familienfest? Wieso?"

„Ich meine, ob er vielleicht aus einer alkoholbeschwingten Laune her=
aus ein paar Nullen zu viel angehängt hat?"

„Nee, Familie het de nich, de het bloß 'n groten Schäferhund, de heet
Centa, und trinken deiht de ok nichts, de is Abstinenzler", antwortet
ihm Jan Klos mit großem Ernst.

„Wollen Sie mich zum Narren halten? Das hier kann doch kein nüch=
terner... äh, ich meine kein vernünftiger Mensch geschrieben haben.
Diese Zahl ist ein Irrtum."

„Sie ist kein Irrtum. Die Zahl stimmt. Der Feldwebel hat sie vom
Verwaltungsoffizier bekommen."

„Dann hat wahrscheinlich der Verwaltungsoffizier eine ..., na, schön,
dann hat der Vau=Null sich eben geirrt."

„Nee, de Vau=Null het sick ok nich irrt. Dat stimmt. Hei het dem
Oberfeld de Toolen einzeln durchgeben."

„Ach, reden Sie doch nicht. Wissen Sie, wieviel Blatt auf so 'ner Rolle
sind? 240! Zweihundertvierzig! 5 000 Rollen mal 240 ... Das sind ...
Na ja, das sind eine Million Blatt!!! Eine Million, ist Ihnen das ein Be=
griff, meine Herren Gefreiten?"

„Eben", sagt Jan Klos nur und grinst.

„Was heißt hier eben."

„Meine nur, daß unser VO die Zahl nach dem Normverbrauch errech=
net hat. Woll, Normverbrauch sagte er."

„Daß ich nicht lache! Normverbrauch! 5 000 Rollen braucht nicht ein=
mal ein Landeskrankenhaus, in dem sämtliche Insassen an Ruhr er=
krankt sind."

Den beiden Seeleuten wird die Fragerei langsam zu bunt.

Sie wollen gern die Kisten bis zum „Ausscheiden mit Dienst" noch
an Bord haben, um ihren abendlichen Landgang nicht zu versäumen.

„Also, ich bin überzeugt, daß hier ein Irrtum vorliegt. Während mei=
ner langjährigen Dienstzeit hat noch kein Kommando 5 000 Rollen bei

der Lieferung von mir verlangt. Gehen Sie wieder an Bord und lassen Sie die Auftragsbescheinigung berichtigen."

„Wieder an Bord gehen? Nein, kommt gar nicht in Frage. Wir haben den Befehl, die Rollen hier von Ihrem Lager zu holen. Dürfen wir ein= mal unsere Dienststelle anrufen?"

Den Anruf besorgte dann der V=Inspektor selbst und beide hörten dann mit Schadenfreude, einige Gesprächsfetzen wie:

„... geht Sie gar nichts an", „... haben die Aufträge auszuführen und weiter nichts", „... werde mich über Sie beschweren", usw.

Das Ende vom Lied ist, daß die beiden Gefreiten mit ihrem LKW zu einer Firma in die Stadt geschickt werden, um dort ihre 5 000 Rollen zu empfangen. Das Marinelager hat eine solche Menge nicht vorrätig.

Bemerkenswert für *Kormoran* ist noch folgendes:

Das Schiff wurde mit einem auf der Zeppelinwerft in Friedrichshafen erbauten Schnellboot ausgerüstet. Das Boot soll 22 Knoten Höchstge= schwindigkeit bei einer Reichweite von 220 Seemeilen erzielen. Es ist für die Mitnahme von vier Minen eingerichtet worden und hat im Luk 6 einen genau berechneten Platz gefunden. Sein Aussetzen, das ist das Problem, wird aber nur bei völlig ruhig liegendem Schiff möglich sein. Hier reiben sich Theorie und Praxis schon vor der Bewährung.

Außerdem hat *Kormoran* als erster deutscher Hilfskreuzer ein Radar= gerät eingebaut bekommen. Da aber die kleinen Zerstörergeräte mit einer Reichweite von 9 000 Meter nicht verfügbar waren, wurde ein größeres, noch in der Erprobung befindliches Gerät montiert.

Aber alle Mühen waren umsonst. Bis zum Auslaufen der *Kormoran* wurde das Gerät nicht klar. Auch später nicht. *Admiral Scheer* nahm es bei einem Treffen im Südatlantik mit heim.

Ein Hilfskreuzer mit einem funktionierenden Radargerät!

Welche Möglichkeiten hätten sich auf See bei Nacht und bei Nebel eröffnet! Im Angriff, wie auch in der Verteidigung. Aber den Vorsprung, den Deutschland unbestritten auf dem Gebiet des Funkmeßwesens ge= habt hatte, ließ man verkümmern.

Und da wäre noch ein Punkt.

Als Auslaufwege stehen Detmers der Kanal, die Enge zwischen Island und Färöer, und die Dänemarkstraße zur Wahl. Die Kanalfahrt schreibt Detmers ab; der sogenannten Luftüberlegenheit der deutschen Luftwaffe traut er nicht über den Weg. Zweifelsohne wird der Weg zwischen Island und Färöer der günstigste sein. Er ist aber auch der gefährlichste, denn hier ist die dichteste Sperre in der Länge wie auch in der Tiefe zu erwarten. Um mit Erfolg durchzustoßen, müßte *Kormoran* 30 kn laufen, ihre Höchstgewindigkeit liegt aber bei 17,5 kn.

Fregattenkapitän Detmers über die drei Möglichkeiten:

„Es blieb mir somit nur noch der Weg durch die Dänemarkstraße. Allerdings war jetzt im Winter die Eislage sehr unsicher. Ich rechnete aber gerade damit, daß das Eis die Straße ein gutes Stück einengen würde und daß daher die Bewachung wohl weniger scharf aufpassen würde. Zu bedenken war noch, daß dieser Seeweg von der Basis England am weitesten entfernt ist. Jedenfalls war der vor Grönland liegende Fisch= dampfer, der zur Wettermeldung für die U=Boote dort lag, noch bei 80 sm eisfreier Breite der Straße ungesehen durchgekommen. Das Grup= penkommando Nord versprach, alle eingehenden Meldungen des Fisch= dampfers an mich weiter zu leiten. Ich würde bei einigermaßen Eislage mit Höchstfahrt die Enge in einer Nacht durchstoßen und bei Morgen= grauen schon im Atlantik stehen. Zu wünschen war nur viel Wind, durch das Eis einigermaßen glatte See, Regen oder Schnee so dicht, daß man keinen Hund über die Straße schicken möchte und einen Haufen Dusel!

Beinahe ein bißchen zu viel an Wünschen.

Aber im Kriege darf man das.

So wurde mein Entschluß gefaßt. Nur wenn es durchaus nicht möglich war, sollte der Durchbruch durch die Färöerpassage versucht werden.

Während ich in der Wahl des Auslaufweges völlige Übereinstimmung mit dem Gruppenkommando Nord fand, war dies bei der Wahl des Aus= lauftermins nicht der Fall. Es vertrat den Standpunkt, ein Auslaufen käme nur bei Neumond in Frage. Ich dagegen hielt es bei Vollmond für besser.

Für die Ansicht des Gruppenkommandos sprach vor allem das unbe= merkte Hindurchschlüpfen durch die Bewachung, da die Sicht in einer Neumondnacht denkbar schlecht war. Sie würde eventuell auch bei Tage, bei dem zu erwartenden Schlechtwetter, einen ungesehenen Durchstoß gelingen lassen. Mit einer eisfreien Breite der Dänemarkstraße von 80 sm wurde gerechnet, es mußte jedoch mit einer Verschiebung der Eis= grenze nach Süden gerechnet werden.

Ich gab in dieser Frage dem Gruppenkommando völlig recht, aber ich hatte drei für mich jedenfalls gewichtige Gründe, die mich zum Auslau= fen bei Vollmond bewogen:

Erstens wollte ich mich soweit wie möglich vom Gegner weg an der Grenze des Eises entlangtasten, was nur bei der guten Sicht des Voll= mondes möglich war, vor allem bei Schlechtwetter.

Dann hoffte ich zweitens, daß wir wenigstens eine kleine Chance hät= ten, die Bewacherlinie selbst zu sehen. Lag, wie bei schlechtem Wetter zu erwarten, ein Bewacher in dem dünnen Eis, das die Bewegung der See etwas dämpfte, hatten wir jedenfalls die Aussicht, diesem auszuweichen und südlich von ihm herumzugehen.

Wenn aber der Gegner sich nicht umgehen ließ, dann wollte ich wenig=
stens mit meiner Artillerie kämpfen können.

Das war der dritte und wichtigste Grund.

Ich wußte, was es hieß, zum ersten Mal gleich auf einen voll kampf=
wertigen Gegner zu treffen, zumal unsere Armierung so kümmerlich
war und selbst Dinge wie Richtungsweiser zum Auffinden des Gegners,
was beim Schießen bei Nacht und schlechter Sicht so außerordentlich
wichtig ist, nicht vorhanden waren. Für den Gebrauch der Artillerie war
es daher wichtig, den Gegner schnell auszumachen, eine Traube Leucht=
granaten darüber zu hängen und dann so schnell zu schießen, wie der
Seegang es zulassen wird.

Dazu brauchte ich Vollmond.

Von einem besonderen Grund, nämlich daß bei Vollmond der Eng=
länder wahrscheinlich nicht so gut aufpassen würde, sagte ich zwar
nichts, aber im Stillen rechnete ich doch damit."

Soweit Fregattenkapitän Detmers.

✱

Am gleichen 3. Dezember, an dem *Kormoran* Gotenhafen verließ,
schrieb auf HSK *Pinguin* Friedrich=Carl Gabe seinen Eltern aus dem
in den Briefen streng geheim gehaltenen Indischen Ozean ...

„... Bisher haben wir nur einen richtigen Sturm erlebt, das heißt
auf dem Ozean kann einem die Dünung, die auch bei weniger Wind
steht, genug ärgern. Im Augenblick, am 4. Dezember, 19.00 Uhr Schiffs=
zeit, schaukelt es wieder einmal ganz gut.

Ich stecke mir gerade eine englische Zigarette an. „De Reczke" heißt
sie, genannt nach einem großen Tenor, der sie angeblich stets rauchte.
Merkwürdige Zigarettenbezeichnung.

Gute Nacht für heute. Ich will in die Koje, denn von 00.00—04.00 Uhr
habe ich Wache."

Auf See, am 6. Dezember

„Meine Männer haben mir aus dem Tauwerk einen Adventskranz
gebastelt: Ein zusammengespleißter Tampen, mit grün angestrichenen
weißen Putzleinen umwickelt, die Lichthalter aus Blech gebogen — wirkt
wie echt und hat dafür noch den Vorteil, daß er keine Nadeln verliert.
Das Lametta ist aus Zigarettenstaniol geschnitten. Auf ähnliche Art
werden wir auch unseren Weihnachtsbaum herstellen. — Vor wenigen
Tagen waren wir übrigens wieder dicht bei dem Platz, wo der letzte
Brief abging. Inzwischen haben wir aber wieder in ganz anderen Welt=
gegenden gewirkt. Es ist komisch, man ist jetzt ein richtiger Globe=

trotter und sieht doch bloß immer dasselbe: Wasser! Wasser! Wasser! Mal riesenhohe Wellen, die über das Vorschiff brechen, mal eine fast blanke See.

Papier ist knapp, deshalb schreibe ich so eng ...

Heute hat unser Kommandant Geburtstag. Ich holte ihn mit Gesang von 40 Männern aus der Koje. Ich habe extra einen Chanty für unser Schiff gedichtet. Heute abend will er mit den Sängern und den Gratu= lationsabordnungen der Messen und Divisionen ein paar freundliche Helle trinken ...

Gestern und heute haben wir fast alle Gefangenen von Bord gegeben. Die 90 Inder wohnen auf der Prise*) auf dem Achterschiff.

Ich hatte heute die 04.00—08.00 Uhr Wache und habe die Hindus bei ihrer Morgenwäsche beobachtet. Allah hat ihnen ja verboten, den eigenen gewissen Körperteil zu begucken. Aus diesem Grunde ziehen sie sich auch nie vollends aus. Sie erscheinen lediglich mit entblößtem Oberkörper an Deck. Mit einem alten, weiß der Kuckuck woher organi= sierten Marmeladeeimer holen sie sich Wasser von außenbords. Fast wie bei einem Zeremoniell ziehen sie — den Blick streng und unbeweglich gerade ausgerichtet — die Hose von der vorderen Körperpartie ab — und, man möchte es für ein Trugbild halten, plätschern das Wasser in die Büx hinein. Die Hände folgen. Die Säuberung beginnt. Unten aus der Büx läuft dabei munter das Wasser heraus. Dasselbe geschieht mit den Achtersteven. Und nun nehmen sie sich ein Laken um die Hüften und fieren die Hose weg. Sie wird ausgewrungen und zum Trocknen auf= gehängt.

Da kann man wirklich sagen:

Andere Völker — andere Sitten.

Die kleineren Verdauungsgeschäfte besorgen die Söhne Asiens an Deck im Stehen oder in der Hockstellung. Bei den „großen" spielt wie= der der mit Wasser gefüllte Marmeladeeimer eine Rolle.

Das WC ist extra für sie angefertigt. Es hängt außenbords.

Einige machen täglich ihren Kotau gegen Mekka. Daß sie dabei meist die Richtung nach dieser heiligen Stadt verfehlen, spielt keine Rolle. Allah wird es verzeihen.

Doch, wie gesagt, heute steigt dieses bunte Völkchen aus. Ich habe keinen von diesen Farbigen in trauriger Stimmung gesehen. Sie waren immer guter Dinge, immer heiter, immer froh und mit ihrem Schicksal zufrieden.

Die einen sagen Kismet — die anderen Karma dazu ...

Entschuldigt, bitte, diese etwas drastische Darstellung, aber so habt

*) Es handelte sich hier um den norwegischen Tanker Storstad.

Ihr wenigstens einen kleinen Einblick bekommen in die vielseitigen Er=
lebnisse, die wir mit unseren Gefangenen haben. Über Militärisches
kann ich Euch ja nichts schreiben."

Und dann noch ein Zusatz: ...

„Ich habe diesmal leider kein geeignetes Bild. Zu den letzten vier
habt Ihr Euch sicher gefreut, ja??"

Auch diese Frage bleibt ohne Antwort.

Briefe ohne Resonanz!

Hilfskreuzerfahrerschicksal.

KAPITEL 8

DER GROSSE FISCHZUG: DIE WALFANGFLOTTE

Zur Lage: *Der Operationsbefehl für den Hilfskreuzer Pinguin sieht vor, sich um die in der Antarktis stehende norwegische Walfangflotte zu kümmern. Kapitän zur See Krüder hatte daher auch auf Grund dieses ihm zugewiesenen Operationsgebietes seinen Hilfskreuzer auf den Namen Pinguin getauft. Seinen Offizieren verschwieg er die wahren Gründe dieser Namensgebung, allen anderen Vor= schlägen gegenüber verschloß er sich hartnäckig und konsequent.*

Dieser Operationsbefehl verlangt, daß sich Pinguin erst nach Anlaufen der Walfangzeit in die Antarktis begeben solle. Bis dahin habe sie im Indischen Ozean zu verbleiben. Als Rahmen= termin ist dem Kommandanten die Zeit Mitte oder Ende Dezem= ber genannt worden. Um diese Zeit aber schwamm Pinguin noch im Indischen Ozean, wo sie sich mit der Atlantis zu einem Erfah= rungsaustausch getroffen hatte. Beide Hilfskreuzer hatten bei die= ser Gelegenheit auch ihre Gefangenen an die nun nach Frankreich entlassene Prise Storstad abgegeben.

Die mit sehr viel Geschick und auch Glück durchgeführten Ope= rationen des Schweren Kreuzers Admiral Scheer drängen der Skl eine Überlegung auf: Admiral Scheer, die ja im Augenblick im Südatlantik steht, könnte sich sehr wohl an der Jagd nach den norwegischen Walfangflotten beteiligen. Zwei Schiffe auf die Nor= weger anzusetzen, verspricht mit Sicherheit wenigstens einen Er= folg. Admiral Scheer wird angewiesen, auf der Warteposition „Punkt Andalusien", auf dem geheimen Versorgertreffpunkt zwi= schen Südafrika und dem mittleren Südamerika, auf und ab zu stehen, bis die Skl an Hand der letzten Positionsmeldungen des Hilfskreuzers Pinguin Admiral Scheer zu einer Verbandsoperation ansetzen kann.

Admiral Scheer wartet und wartet.

Sie wartet vergebens, denn Pinguin meldet sich nicht. Kapitän zur See Krüder ignoriert die Anregung der Skl. Er antwortet nicht. Er meldet weder Position noch seine Absichten.

Es ist Kapitän zur See Krüders Plan, die norwegische Walfang= flotte a l l e i n zu erbeuten. Er will sie, das hat er sich vorgenom= men, mit seinem als Handelsschiff getarnten Hilfskreuzer o h n e e i n e n   S c h u ß   P u l v e r überlisten. Die Beigabe eines Kreuzers würde diesen Plan von vornherein illusorisch sein lassen...

Im Atlantik ist Kormoran nach ihrem Durchbruch durch die Dänemarkstraße eingetroffen. Sie hatte erst im alten Jagdgebiet der Widder *zwei Erfolge und dann, am 29. Januar, hart an der panamerikanischen Neutralitätsgrenze und auf dem schmalen, noch für Hilfskreuzer freien Operationsstreifen zwischen den öst= licher gelegenen U=Boots=Quadraten, sogar eine Dublette auf= gebracht.*

Im einzelnen ist hierzu zu sagen: Am 6. Januar versenkte Kor= moran *den kleinen, nur 3729 BRT großen Griechen* Antonis. *Zwölf Tage später, am 18., lief ihr der 6987 BRT große* Brite British Union, *ein Tanker, über den Weg. Dieser vermochte noch einen Notruf abzugeben, auf den der britische Hilfskreuzer* Arawa *heran= schoß. Auf der* Arawa *sahen sie, nach Roskill, in der Nacht auch Geschützfeuer.* Kormoran *aber entkam. Am 29. Januar versenkte* Kormoran *die 11 900 BRT große britische* Africa Star *und die 5723 BRT große britische* Eurylochus, *die Flugzeuge nach Takoradi bringen sollte. Beide Schiffe funkten. Die gesamte Schiffahrt in der Freetown=Natal=Enge geriet in Verwirrung. Ein anderes Schiff — es hatte wahrscheinlich die Motoren für die auf der* Eurylochus *geladenen, für die Nordafrikafront bestimmten Bomber an Bord—, fragte sogar in London zurück, ob es unter diesen Umständen Sinn hätte, den Auftrag zu Ende zu führen.*

Aus den britischen Unterlagen geht heute hervor, daß sich ver= schiedene Militär= und Handelsgeleitzüge in der Nähe befanden, und daß der CiC Freetown *den Schweren Kreuzer* Norfolk *aus= schickte, um die Sierra=Leone=Route zu schützen, während der Schwere Kreuzer* Devonshire *dort suchen sollte, wo der Hilfskreu= zer gemeldet worden war.*

Kormoran *entkam wieder.*

Im Indischen Ozean setzt Atlantis, *bei den Kerguelen überholt und ausgerüstet, ihre fast an eine mathematische Regelmäßigkeit grenzende Erfolgsserie mit zwei weiteren Beuteschiffen fort. Die 5144 BRT große* Mandasor, *mit Eisenbarren, Tee, Jute usw. an Bord und von Kalkutta nach England unterwegs, wird versenkt. Die 5154 BRT große* Speybank, *von Cochin nach New York unter= wegs, wird schließlich als Prise zur Gironde entlassen. Hier trifft sie am 10. Mai 1941 wohlbehalten ein und wird — getreu Krüders Vorbild: Prise* Storstad, *Hilfsminenleger* Passat — *als Minenschiff nach Kapstadt geschickt, um dann als Blockadebrecher im Japan= dienst verwendet zu werden.*

Im Pazifik hofft Fregattenkapitän Weyher, endlich in Ruhe die werftreifen Maschinenanlagen seiner auch sonst hart mitgenom= menen Orion *im Lamutrek=Atoll überholen zu können, aber Eyssen, seit dem 6. Januar Konteradmiral und damit einziger Ad= miral der deutschen Flotte, der je ein Schiff als Kommandant ge= führt hat, machte Weyher einen Strich durch die Rechnung. Er operierte nach der Trennung im Dezember nicht in den abgespro=*

chenen Seegebieten, er verfolgte, wie schon dargestellt, seinen alten Plan, sehr zum Nachteil von Orion, *wie in diesem Kapitel bewiesen wird.*

Wenden wir uns zunächst dem Hilfskreuzer *Pinguin* zu.

Wer in einem Atlas die Karte von der Antarktis aufschlägt, wird er= messen, welch ein Ziel sich Krüder gesteckt hatte, wenn er die norwe= gische Walfangflotte allein aufspüren und ohne einen Schuß Pulver aufbringen wollte:

In der Antarktis, nördlich von Neu=Schwabenland und dem Prinzes= sin=Ragnhild=Land und südlich der Prinz=Eduard= und Crozet=Inseln...

Heute, wenige Tage nach Neujahr, ist die Funkerei einem Telefonie= verkehr in norwegischer Sprache auf die Spur gekommen.

Sollten die Würfel so schnell schon fallen...?

Krüder bleibt immer häufiger im FT=Raum, in dem sich jetzt der Funkgefreite Pastor einquartiert hat. Pastor, der eine gebürtige Norwe= gerin zur Mutter hat, spricht fließend Norwegisch. Bis vor einigen Tagen hatte der gute Pastor noch keine Ahnung, warum seinerzeit Kapitän zur See Krüder gerade ihn unbedingt an Bord haben wollte.

Endlich haben sie sich auf den Telefonverkehr, den die Walfangboote untereinander mit den Mutterschiffen aufrechterhalten, eingepeilt. Die Auswertung der Peilungen ist jedoch recht schwierig, da sie infolge der Nähe des magnetischen Südpols durch die dauernd schwankenden ma= gnetischen Felder in wechselnden Richtungen abgelenkt werden.

Pastor übersetzt in fieberhafter und unermüdlicher Arbeit den gesam= ten Sprechfunk der großen Kocherei mit deren Fangbooten. Er legt eine dicke und immer umfangreicher werdende Mappe an.

Krüder bekommt sie fast stündlich zur Einsicht vorgelegt.

Im Kartenhaus entsteht so nach und nach in der Seekarte ein wirres, aber für Nautiker sehr sprechendes Netz von bunten Linien. Alle diese Linien schneiden sich in einem Punkt. Und dieser rote Punkt ist der Liegeplatz des Mutterschiffes, auf dem die gefangenen Wale an Ort und Stelle verarbeitet werden.

Dieser Kocherei gilt der Angriff.

Krüder hat sich nach den Mittagsstunden gerade ein wenig auf dem Ledersofa im Kartenhaus ausgestreckt, denn die Nächte sind lang für ihn, da reißt der Funkmaat Hamann die Tür auf.

Michaelsen hebt die Hand und knurrt ihn an: „Mann, warum denn so temperamentvoll. Seien Sie doch leise, der Kommandant braucht Ruhe. Er..."

Krüder ist bereits wach.

„Was los, Hamann?"

„Jawoll, Herr Kapitän. FTO schickt mich, Sie möchten bitte in den FT=Raum kommen."

„Ihrem Gesicht nach zu urteilen, könnte es nur etwas Gutes sein, Hamann."

„Ist's auch, Herr Kapitän."

Im FT=Raum legt Charly Brunke seinem Kommandanten die Über= setzungen des Telefonverkehrs der letzten halben Stunde vor.

Ein Walbootkapitän fragt bei der Schiffsführung der Kocherei *Ole Wegger* an, ob man denn nicht bald genug Wale gefangen habe.

„Wo wollen Sie denn das ganze Walöl lassen? *Ole Wegger* ist doch schon bis zur Halskrause voll. Wir möchten uns mal bald wieder die Beine an Land vertreten, Käpten."

„Schreiben Sie nur vorerst ein trautes Wiedersehen mit Ihrer wasser= stoffblonden Hübschen ab."

„Soll das etwa heißen . . ."

„Genau das, daß wir noch ein bißchen länger im Fanggebiet bleiben. Heute nacht kam ein Funkspruch durch: Die Kocherei *Solglimt* ist von Südamerika ausgelaufen. Sollen hier auf sie warten."

„Was haben wir denn damit zu tun?"

„Sehr viel. *Solglimt* soll das fertige Walöl von uns übernehmen."

„Das bedeutet, daß wir noch weiter draußen bleiben. Aber wir haben doch kaum noch etwas Vernünftiges zu futtern. Und das Frischwasser geht auch zur Neige."

„Sorgen Sie sich nicht. Es ist für alles vorgesorgt. *Solglimt* bringt uns alles, frischen Proviant, frisches Wasser."

„Schöner Mist."

„Teile durchaus Ihren Verdruß. Aber wir müssen gehorchen."

Soweit der von *Pinguin* abgehörte Telefonverkehr.

Krüder stürzt sich mit einem Kopfsprung in die neue Situation hinein. Der schon festgelegte Termin für die Überrumpelung der Kocherei *Ole Wegger* wird verschoben.

Das unberechenbare Schicksal spielt *Pinguin* eine ungeahnte Chance in die Hände.

Krüder wartet . . .

So bricht der 13. Januar an.

Über den Telefonverkehr wird bekannt, daß die Kocherei *Solglimt*, das Versorgungsschiff, bei *Ole Wegger* in Sicht gekommen ist . . . daß sie festgemacht hat, und daß man die längsseits liegenden Wale als Fender benutze. damit sich die Bordwände nicht berühren können.

Krüder hat jetzt ein genaues Bild von der Lage der beiden großen Schiffe.

Er entscheidet sich für einen Angriff um die Stunde der ersten schwa=
chen Dämmerung, die hier um diese Jahreszeit jetzt erst kurz vor Mit=
ternacht heraufzieht.

Gegen 20.00 Uhr gehen die Maschinen auf AK voraus.

Wie vom gütigen Himmel geschickt, hängt sich über *Pinguin* bei ihrem
Anmarsch zum Liegeplatz der Kochereien eine Wolke, die dem Aus=
guckposten allerdings jede Fernsicht raubt, auf der anderen Seite aber
Pinguin eine natürliche Tarnkappe schenkt. Daß die gesuchten Schiffe
nicht in Sicht kommen, stört die Anlaufmanöver nicht.

Der Weitermarsch erfolgt jetzt genau auf dem Peilstrich des immer
lauter werdenden Telefonieverkehrs. Als man sich im pastellfarbenen
Dämmerlicht der nur einstündigen Polarnacht ziemlich dicht bei dem
Liegeplatz der Walfangflotte glaubt, hebt sich die Wolke. Mit sanften
Schwingen entschwebt sie wie ein geisterhaftes, beflügeltes Wesen in
höhere Regionen und entschleiert, als hätte eine Riesenfaust einen Vor=
hang auf dieser antarktischen Naturbühne hinweggezogen, die Aussicht
auf die beiden Kochereien und die dahinterstehenden kleinen Walfang=
boote.

Friedlich ruhen die riesigen, miteinander vertäuten Mutterschiffe
nebeneinander. Sie heben und senken sich mit der ozeanischen Dünung
und sie zeichnen sich gegen den graublauen Horizont des südpolaren
Himmels scharf abgegrenzt wie ein Scherenschnitt ab.

Die Entfernung beträgt knappe achthundert Meter.

Krüder packt den neben ihm stehenden NO hart an der Schulter.
„Um Himmels willen, wir sind ja viel näher dran, als wir geglaubt
haben, Michaelsen!" Dann reißt er sich los und springt selbst zum
Maschinentelegrafen. Der Hebel fliegt auf „Beide Maschinen stop". Ein
scharfes Knacken und Klingeln folgt. Der Zeiger springt nach. Die
Maschine hat quittiert. Die Fahrt kommt aus dem Schiff. Für Sekunden
erstirbt das Zittern und leise Arbeiten der *Pinguin*. Die plötzliche Ruhe
umfließt die Männer wie die Grabesstille in einer Gruft.

Krüder verharrt noch immer am Maschinentelegrafen. Nun wirft er
ihn — *Pinguin* macht zwar noch Fahrt voraus — entschlossen auf „Lang=
same zurück!"

„Langsame zurück", bestätigt die Maschine.

Im Leib der *Pinguin* beginnt es wieder zu arbeiten. Da, endlich! Über
den Achtersteven setzt der Hilfskreuzer zurück. Krüder hetzt über die
Brückenreling.

„Sieht nicht danach aus, daß die uns entdeckt haben, Herr Kapitän",
meint der NO, und seine Stimme ist so ruhig wie bei einem friedens=
mäßigen Manöver.

Krüder beobachtet durch das Glas die beiden Kochereien.

„Unglaublich, NO, aber es scheint wirklich so zu sein. WO: sofort Prisenbesatzungen von Bord."

„Jawoll, Herr Kapitän, Prisenbesatzungen von Bord."

„Schwinne, kümmern Sie sich darum, daß alles klar geht. Und noch=mals: lautlos! Und da drüben kein Blutvergießen."

Die vier bereits ausgeschwungenen Boote werden tatsächlich ohne Lärm zu Wasser gebracht und nehmen Fahrt auf.

„Ich kann es mir einfach nicht vorstellen, daß die alle schlafen. Wir werden sie anmorsen, NO!"

„Muß das sein?"

„Eine prophylaktische Warnung kann nicht schaden."

Sicherheitshalber läßt der Kommandant, der noch immer nicht davon überzeugt ist, daß man den Hilfskreuzer auf den Kochereien noch nicht gesehen hat und der irgendwelche Schweinereien vermutet, einen plötz=lichen Feuerüberfall aus bis jetzt noch getarnten Geschützen an Bord der Mutterschiffe, einen Morsespruch mit der Klapp=Bux abgeben.

„Leisten Sie keinen Widerstand. Es wäre sinnlos. Funken Sie nicht — oder Sie werden sofort beschossen!"

Noch einmal und noch ein drittes Mal blitzt die Lampe die Warnmel=dung durch das Dämmerlicht der kurzen südpolaren Nacht.

Keine Antwort. Dort drüben rührt sich keine Menschenseele.

Kein Mucks.

Kein Laut.

Niemand ist an Deck oder auf den Brücken zu sehen.

Nicht einmal ein Wachmann.

Nur ein paar Ölfunzeln schaukeln an Deck im eisigen Winde.

„Werden schwer gearbeitet haben, seitdem der Versorger da ist. Sind sicherlich müde, die Kerls da drüben, und der Wachmann schreibt ver=mutlich seiner letzten Braut...", meint Krüder, ohne einen Blick von den vier Prisenbooten abzuwenden, die ausgesetzt wurden, um den tollkühnen Versuch zu unternehmen, Kochereien und Fangboote im Handstreich zu überrumpeln.

Ein Boot tuckert zum Mutterschiff und Versorger *Solglimt.* Zwei an=dere entfernen sich, um sich an die weiter abseits stehenden Fang=dampfer heranzuschleichen. Das Dämmerlicht der Nacht verschluckt sie bald.

Das vierte Boot, das der Handelsschiffskapitän und Leutnant zur See der Reserve Bach führt, dreht jetzt gerade auf die Kocherei *Ole Wegger* zu.

Es ist ein Bild wie aus grauer Vorzeit.

Eine düstere, dämmrig nebelhafte Stimmung liegt wie ein Albdruck über dem Ganzen.

Bachs Männer fallen durcheinander, als der Bug des Kutters plötzlich ruckartig, aber eigentümlich sanft gebremst wird. Das Boot ist gegen einen der an der Bordwand vertäuten Wale gestoßen. Zwischen Boot und Wal glupscht das Wasser.

Einer nach dem anderen klettern sie aus dem Kutter, auf den Buckel dieses aufgeblasenen Ungeheuers, auf diesen glitschigen, widerlich weichen und nachgebenden Fleischklotz, auf dem die Füße keinen Halt finden wollen.

Flüche liegen den Männern auf der Zunge.

Sie müssen sich auf die Lippen beißen.

Einer stürzt.

Aber sie können ihn eben noch packen, bevor er wie auf einer Rutschbahn ins eisige Wasser segelt. Am liebsten würde man dem Tölpel eine hinter die Löffel hauen, dabei steht man selbst auf einem Schmierseifeboden.

Steigeisen für Klettertouren im Gletschereis wären hier angebracht.

Aber sie haben wenigstens Segeltuchschuhe an. Diese sind leicht. Sie verursachen auch keinen Lärm.

Bach macht den Anfang, die Kocherei zu entern. Er ist klein und schmächtig, aber drahtig und trotz seiner runden 40 Jahre und seiner grauen Schläfen von einer katzenhaften Wendigkeit und Geschmeidigkeit.

Nichts ist zu hören, als er über die herunterhängende Lotsentreppe über die Bordwand klettert, als er seine Füße behutsam auf das Eisendeck des Mutterschiffes setzt. Er wartet verschnaufend auf seine Männer

Mann hinter Mann schieben sie sich über die Reling.

Die Gesichter der Kerls wirken so grimmig, daß Bach unwillkürlich lächeln muß. „Wie im Kintopp", denkt er und erinnert sich der Wildwestfilme, für die er an Land auch in gereifteren Jahren noch ein paar Groschen übrig hatte, weil sie so ein herrlicher Heldenkitsch sind. Diese nächtliche Szene gedreht, würde sie nicht ebenso unwahrscheinlich und kitschig wirken?

Der Stoßtrupp steht mitten auf feindlichem Boden. Bis auf die beiden Männer im Boot sind alle versammelt.

Bach hebt, wie verabredet, die linke Hand.

Nach einem vorher genau abgesprochenen Verteilerschlüssel schleichen die Männer, ihre geladenen, entsicherten Pistolen in der Hand, davon.

Bach selbst hastet zur Brücke, sucht die Kammer des Kapitäns. Er findet den Eingang an der Steuerbordseite, denn warum sollte es auf Walkochereien anders als auf gewöhnlichen Schiffen sein. Der Kapitän wohnt auch hier an Steuerbord.

Vorsichtig und behutsam dreht Bach den grünspanigen Messingdrük= ker nach rechts und öffnet leise die Tür.

Seine Hand sucht den Schalter.

Licht!

Ein leises Knacken, aber nicht leise genug ...

Bach sieht durch die geöffnete Tür in das Schlafzimmer des Kapitäns. Dort raschelt es. Mit zwei Sprüngen ist er in diesem Raum.

Er blickt in das schlaftrunkene Gesicht eines Mannes, der wie aus einem schlechten Traum erwacht.

Bach erkennt, wie der andere sich besinnt, wie er seemännisch in= stinktiv die Gefahr begreift und wie er blitzschnell die Hand nach seiner Jacke ausstreckt, die locker über dem Stuhl neben der Koje hängt.

Bach packt zu.

Er ist schneller, und er wirft die Jacke mit dem Stuhl zurück. Ein metallischer, vom Tuch gedämpfter Schlag ist zu hören.

„Machen Sie keinen Unsinn, Kapitän, und lassen Sie die Finger von der Kanone. Mein Name ist Bach. Ihr Schiff ist von einem deutschen Hilfskreuzerkommando besetzt."

Schwer atmend hat sich der Norweger, auf seine Hände gestützt, etwas aufgerichtet. Mit dem Rücken seiner Rechten wischt er sich mehrmals über die wasserklaren Augen, schüttelt den Kopf und reibt sich erneut die Augenlider.

„Sie träumen nicht, Kapitän."

Bach greift mit der freien linken Hand in seine rückwärtige Hosen= tasche und zerrt eine kleine Taschenflasche heraus. Sie enthält Rum. Er hatte sie mitgenommen, sollte einer seiner Männer in den Bach fallen und eine Stärkung brauchen.

„Hier, Kapitän, wenn Sie auf diesen späten Schreck in der Abend= stunde eine Beruhigungspille brauchen, einen guten Tropfen habe ich gleich mitgebracht."

Der Norweger winkt müde ab. Langsam überwindet er sein Ent= setzen. Dann bittet er den Deutschen, ihn aufstehen zu lassen.

„'s ist sonst nicht meine Art, Gäste im Schlafanzug zu empfangen, Sir", lächelt er dünn, rappelt sich hoch, hängt sich einen in dieser nach Tran riechenden Umgebung deplaciert wirkenden eleganten Morgen= mantel über und schlüpft in eine Hose mit beachtlichem Bauchumfang. Mit der Hand ordnet er mit einem Seitenblick in den Spiegel seine schüt= teren Haare, reckt sich ein wenig und sagt zu Bach:

„Andersen, Kapitän dieses Schiffes."

„Gar nicht erfreut, einen so prächtigen Seemann auf diese Art und Weise kennenlernen zu müssen."

„Ganz auf meiner Seite", grinst der Wikinger. „Sie erlauben doch." Als Bach nickt, greift er in einen Schrank, zerrt umständlich zwei Gläser und eine Buddel Gin heraus. „Entschuldigen Sie, die Gläser sind verstaubt. Haben keine Zeit gehabt, Feste zu feiern, und Gäste verirren sich nicht in die verfluchte Antarktis. Hätte man mir Ihren Besuch angekündigt, ich hätte nicht versäumt, Sie gebührend zu empfangen."

„Ich weiß, Kapitän, mit heißem Eisen!"

Andersen hält mit dem Einschenken ein. Die Flasche hoch erhoben, blickt er den deutschen Offizier mit vor Erstaunen geweiteten Augen an. „Mit heißem Eisen? Was . . . was meinen Sie damit?"

„Mit Granaten. Die neben Ihnen liegende *Solglimt* hat doch Geschütze gebracht und Munition und andere Waffen."

„Sir, woher wissen Sie das? Darüber sind hier an Bord nur ich, mein Chief und mein Funker unterrichtet!"

Bach grinst ausweichend und greift statt einer Antwort zum Glas. „Auf Ihre Gesundheit, Käpten Andersen . . . und auf Ihre nähere Zukunft . . . daß Sie und Ihre Männer heil nach Hause kommen."

„Nach Hause, ja, das wäre gut. Viel Freude macht es nicht, für die Briten und unsere Exilregierung zur See zu fahren. Habe Frau und Kinder in Norwegen . . ."

„Wenn Sie vernünftig sind, wird man Ihnen in Deutschland den Weg dorthin nicht versagen."

„Vernunft . . . Eben die Vernunft brachte mich auf die Seite der Briten, nur mein Herz blieb in Norwegen."

„Ich verstehe Sie, Andersen. An Ihrer Stelle hätte ich nicht anders gehandelt."

„So? Darf ich nachgießen?"

„Danke, nein. Bitte, übergeben Sie mir nun Ihre Papiere und sorgen Sie dafür, daß Ihre Männer keine Dummheiten machen, mein Kommandant wünscht eine friedliche Regelung."

Andersen lacht dröhnend und zeigt auf Bachs mattschwarz schimmernde Pistole.

„Trügen Sie nicht eine deutsche Marineuniform, Sie könnten ein Brite sein. Take all you can. Never pay if you can help it . . . Gib mir alles, was du hast, das übrige darfst du behalten. Nimm dem anderen das Hemd vom Leibe, aber laß ihm die Hoffnung. Wenn Sie mit der anderen freien Hand jetzt noch eine Bibel aus der Tasche ziehen, es würde mich gar nicht verwundern, Sir."

Inzwischen haben die anderen Männer des Prisenkommandos ihre Befehle durchgeführt. Die Funkstation ist besetzt. Die norwegische Be= satzung erscheint grunzend und brummend an Deck. Es sind 300 Mann. Die Hände tief in den Taschen versenkt, stehen sie mit finsteren Blicken an Deck herum. Kerle sind unter ihnen, denen man nicht im Dunkeln begegnen möchte, groß wie Felsbrocken, breit wie Schlafzimmerschränke.

In der gleichen oder annähernd ähnlichen Form rollt das Unternehmen auf der *Solglimt* ab.

Auch Warning gelingt es, mit seinem Kommando das Schiff zu beset= zen, ohne daß es zu einer Gegenwehr kommt.

Krüder verfolgt von der Brücke aus das Unternehmen. Er sieht durch sein Glas, wie ein Fangboot nach dem andern aufgebracht wird.

„Geht zu wie ein Lämmergreifen."

Nun, nicht alle lassen sich greifen.

Drei der Fangboote beginnen Fahrt aufzunehmen und setzen sich langsam nach Westen ab.

Krüder schickt ihnen über die Telefonieanlage der *Ole Wegger* eine Aufforderung, zur Kocherei zu kommen. Er droht, sie zu beschießen . . .

„Meine Maschinen versagen. Ich komme, wenn sie wieder klar sind", meldet der eine.

„Dieser Lausekerl. Der fährt doch, unmerklich, aber er fährt", wet= tert Krüder.

„Schießen wir doch", ereifert sich Artillerieoffizier Rieche.

„Na, soweit kommt das noch, mit unseren dicken Kanonen auf so lütte Dinger zu knallen. Nee, das geht nicht ohne Tote ab. Ein FT kön= nen sie, Gott sei Dank, ja nicht absetzen, dazu reicht ihre Funkanlage nicht aus."

„Mir ist ein Tau in meine Schraube gekommen", berichtet der andere und entschwindet sonderbarer Weise trotz stehender Schraube immer weiter westlicher.

Pinguin ist ohnmächtig.

Krüder kann nicht einmal hinterherfahren. Einmal laufen die Fang= boote 14 Knoten, zum andern aber sind *Pinguins* Maschinen unklar. Bei dem Maschinenmanöver vom AK Voraus auf AK Zurück war der Zylinderdeckel eines Motors nach oben hin abgeplatzt und gegen die Decke geflogen.

Krüder muß erst warten, bis dieser Motor abgekuppelt ist.

Andererseits zwingt ihn eine andere, etwas weiter östlich schwim= mende Kocherei mit ihrer Fangflotte zum schnellen Handeln.

An Bord der *Solglimt* finden sich in der Funkkladde Unterlagen über ihren genauen Standort.

Der Kommandant läßt sich daher wegen der paar Fangboote nicht un=
nötig aufhalten.

Er gibt Anweisung, den Versuch zu unternehmen, mit den — hoffent=
lich — friedfertigen Norwegern zusammen noch die restlichen Wale auf=
zuarbeiten.

Bach meldet klar. Auch Warning morst, die norwegischen Seeleute
seien einverstanden, bei der Aufbereitung der unverarbeiteten Tiere zu
helfen.

Pinguin nimmt Fahrt auf, genau in Richtung Osten.

Eine lächerliche Handvoll deutscher Soldaten bleibt auf den Koche=
reien und Fangbooten zurück. Das Verhältnis steht eins zu zwanzig.
Die Norweger sind in einer vielfachen Überzahl. Nur gut, daß sie nicht
wissen, welchen Weg der deutsche Raider vor sich hat.

Und daß sogar Tage vergehen werden, bis er wieder auftauchen wird.

Es erscheint den Norwegern auch zu unwahrscheinlich, daß der Hilfs=
kreuzer allein ist.

Sie vermuten ein deutsches Kriegsschiff in der Nähe, wie sonst hätten
diese paar deutschen Männer so selbstsicher auftreten können . . .

Nach den von der *Solglimt* mitgebrachten Geheimnachrichten der Bri=
tischen Admiralität soll tatsächlich noch immer ein deutscher Kreuzer im
Südatlantik umherspuken.

In Wirklichkeit steht das deutsche Kriegsschiff, es handelt sich um
den Schweren Kreuzer *Admiral Scheer*, weit über tausend Kilometer
weiter nördlich, und sein Kommandant, Kapitän zur See Krancke, war=
tet noch immer vergeblich auf einen Funkspruch, daß Krüder der Fang=
flotte auf der Spur ist und die gemeinsamen Operationen beginnen
können.

Pinguin hat Glück.

Nebelschwaden behindern die Sicht und machen es dem Hilfskreuzer
leicht, sich auch hier unbemerkt an den Liegeplatz der Kocherei heran=
zuschleichen. Das Schiff soll den Namen *Pelagos* führen. Begünstigt wird
dieses Annäherungsmanöver noch durch die aus dem Fabrikschiff unter
Zischen und Brodeln entweichenden Heißdämpfe, die den Nebel noch
verstärken und der norwegischen Besatzung die Fernsicht verwehren.

Die *Pelagos*=Leute werden wie ihre Kameraden auf den anderen
Fabrikschiffen völlig überrascht und ohne Gegenwehr überrumpelt. Die
Nachfahren der ehemals so kriegerischen und so tapferen Wikinger
fügen sich ergeben in ihr Schicksal. Weder der Kaptän und seine Offi=
ziere noch irgendein Mann der Besatzung machen auch nur den Ver=
such, zu einer Waffe zu greifen.

Hinsichtlich der Fangboote ist der *Pinguin*=Kommandant gewitzter geworden. Von diesen Walbooten soll ihm keins entkommen. Er hat schon eine gedankliche Verwendung für diese kleinen, aber so seetüch= tigen und auch verhältnismäßig schnellen Fahrzeuge. In der Heimat wer= den sie als Vorpostenboote oder Minensucher gewißlich gute Dienste tun.

Der Weg nach Deutschland ist zwar weit, — aber Krüder ist Optimist.

„Erst müssen wir den Bären haben, bevor wir sein Fell verteilen", wendet Michaelsen ein.

„Ich habe eine Idee, NO. Passen Sie mal auf."

Krüder entwickelt seinen Plan.

Der NO sagt nur ein Wort: „Prima."

Nach der Besetzung der *Pelagos* zieht Krüder sich mit *Pinguin* etwas zurück. Dieweilen gibt der auf das Fabrikschiff eingeschiffte und dort verbliebene Pastor als *Pelagos*=Funker den abseits stehenden Fangboo= ten den Befehl, zur Kocherei zu kommen. Bedenken bestehen nicht, an der Stimme erkannt zu werden. Der Telefoniefunk verzerrt die Stimme.

Der Plan klappt vorzüglich.

Die Fangboote fallen prompt auf den Schwindel herein. Ihre Kapi= täne kommen, maßlos empört über diesen Unfug, sie und die Besatzun= gen in ihrer wohlverdienten Abendruhe zu stören, mit gefangenen Walen im Schlepp zurück.

Sie klettern an Bord und ... stehen deutschen Soldaten gegenüber.

Ein Olaf Iversen, ein Gulbransson oder ein Simmel fehlte hier, um die Verblüffung und Bestürzung in den Gesichtern zu zeichnen. Den Kapitänen ist der Mund glatt vernagelt. Es ist, als sähen sie Gespenster, als würden sie an ihrem eigenen Verstande zweifeln.

Erst nach und nach fassen sie sich.

„Verdammt, das ist ein Streich. Ein Fuchs ist ein Dummkopf gegen den, der diese List erfand", macht sich einer der Kapitäne Luft.

Mit der Kocherei *Pelagos* zusammen hat *Pinguin* in
24 Stunden über
35 000 BRT aufgebracht und
22 000 Tonnen Walöl erbeutet.
Ohne einen Schuß Pulver!

✴

Orion hat kaum sein Versteck im Lamutrek=Atoll, in dem außer dem Tanker *Ole Jakob* auch die aus Japan kommende *Regensburg* liegen, aufgesucht, als Alarmmeldungen den Äther erfüllen.

Ein deutscher Hilfskreuzer — *Komet*, wie Weyher weiß — habe die Insel Nauru angegriffen und mit Artillerie beschossen. Das ist gegen die mit Eyssen getroffenen Abmachungen!

Und Nauru liegt, nicht allzu weit entfernt, südöstlich vom Lamutrek=Atoll.

Eyssen hat seinem Kameraden einen schlechten Dienst erwiesen.

Wenn der Gegner den Angreifer auf Nauru jagt, dann wird man auch die nördlich von Neu Guinea gelegenen Carolinen=Inseln, und damit auch das Lamutrek=Atoll beobachten . . .

Noch zögert Weyher. Als aber am 1. Januar die Welt über den Rund=funk erfährt, daß die auf Emirau von zwei deutschen Hilfskreuzern ausgesetzten Gefangenen von der Insel heruntergeholt und nach Austra=lien geschafft wurden, läßt er mit allergrößter Eile die auseinanderge=rupften Maschinen wieder zusammenbauen, gibt seine Gefangenen, also die gegnerischen weißen Berufsseeleute, die er bei Emirau zurück=hielt, an den Versorger= und Blockadebrecher *Ermland* ab, der in die Heimat entlassen wird, schickt die *Regensburg* nach Kobe in Japan zurück und verständigt die Skl über seinen neuen Plan.

Dieser geht dahin, die Maschinenüberholung im Schutze einer der Maug=Inseln durchzuführen.

Die Maug=Inseln gehören zu der nördlich gelegenen Marianengruppe.

Ebenfalls ehemals deutscher Kolonialbesitz, stehen sie jetzt unter ja=panischer Verwaltung. Weyher hofft, damit aus dem Zentrum der geg=nerischer Suchaktion herauszulaufen. Daß Gefahr droht, sagen die Ope=rationsfunksprüche aus — und auch die Nachricht, daß die Seestreit=kräfte der USA zu den Fidschi=Inseln befohlen wurden. Die USA sind zwar noch nicht im Kriege mit Deutschland. Amerikanische Kriegsschiffe werden aber, daran ist nicht zu zweifeln, jedes ihnen verdächtige Schiff melden.

Als sich am 12. Januar 1941 ein gelbrot glühender Sonnenball aus dem Meeresbett erhebt, sehen sie auf *Orion* und *Ole Jakob* zwei steil aus der blauen See ansteigende Inseln. Ein weißes Band hochgehender Brandung trennt als leuchtende Perlenschnur die düsteren Kraterberge von der See.

Die Maug=Inseln!

Das Segelhandbuch sagt aus: „Von Menschen unbewohnt, nur Vögel und Kriechtiere bevölkern diesen versunkenen Krater."

Einer derer, die staunend und schweigend an der Reling verharren, will von der stets gut informierten Steuerei gehört haben, daß man hier die Generalüberholung des verrotteten Untersatzes fortzuführen ge=denke, denn Weyher selbst spricht nicht über seine Pläne.

Und die Funker schweigen. Wie immer.

„Mensch, das glaubt ja nicht mal ne Waschfrau, wo sollen wir denn da einlaufen?"

„Quatsch ist das. Das sind übelriechende Latrinengespräche. Ich sehe keinen Hafen", meint ein anderer.

Mit langsamer Fahrt tastet sich *Orion* an die schwarzblaue Gesteins= masse der Kraterwände heran. Sie beginnen Gestalt anzunehmen. Kon= turen schälen sich heraus, und da ist auch ein bis zur Wasseroberfläche herabreichender Einbruch. Unten ist das weiße Schaumband der Bran= dung unterbrochen.

Es gibt also doch eine Einfahrt.

Hier manövriert sich *Orion* hindurch und schwebt in ein stilles, von schroff aufsteigenden Lavafelsen kreisrund abgegrenztes Gewässer.

Man atmet auf an Bord. Die nach See zu glatt geschliffenen kahlen Felsen sind im Innern mit Gras, Pflanzen und Gestrüpp, ja sogar mit einigen niedrigen Palmen, Pandanus= und Sagopalmen genannt, bewach= sen. Jetzt erkennt man noch zwei weitere Durchbrüche. Sie sind aber zu eng, um ohne Ramming für das Schiff befahren zu werden.

„Donnerwetter, da hat der Alte aber ein Versteck ausgeknobelt. Hier sind wir so sicher wie im Panzerkeller am Tirpitz=Ufer oder bei Muttern unterm Tisch."

Aber es ist halt im Leben so eingerichtet, daß neben dem Licht stets Schatten steht. Innerhalb der Kraterwände ist es so windstill wie in einem Ladeluk. Tagsüber schüttet eine unbarmherzige tropische Sonne ihre Glutstrahlen auf die Eindringlinge aus. Es ist so, als sei *Orion* in einen riesigen Backofen hineingefahren.

„Du meine Güte, hier sollen wir unserem Eimer den Bauch abkratzen, hier wollen wir die Maschine auseinanderreißen? Mann, Mann, selbst des Teufels Großmutter würde diese Spezialhölle zum Teufel verflu= chen", stöhnt der Funkoffizier. Er ist schweißgebadet. Auch den anderen läuft der Firnis in Bächen über Gesicht, Hals und Arme.

„Beruhigen Sie sich", tröstet Weyher. „Es gibt Schlimmeres in diesen unruhigen Zeiten. Besser in Freiheit schwitzen als in Unfreiheit hinter Stacheldraht hungern."

„Oder in 8 000 Meter Wassertiefe Riesenkraken und Leuchtfischen Gesellschaft zu leisten und zu frieren", fügt Schiffsarzt Dr. Raffler schnaufend hinzu.

„Von wegen unbewohnt", unterbricht der Navigationsoffizier. Er weist zu der größten der durch die drei Durchfahrten geschaffenen In= seln hin.

Sie sehen Bretterbuden.

Drei Stück.

Und an einem Mast weht das Sonnenbanner. Japans Flagge.

„Das ist ja nun gegen jede Planung!" knurrt Weyher.

„Nun, wir werden sehen, was die Herrschaften hier zu suchen haben. Wir müssen sie in Kauf nehmen. Die Kessel und die Maschinen können nicht mehr."

„Und wo ist der Ankergrund, Herr Kapitän?" gibt der NO zu beden= ken. „Dieser Krater wird tief sein."

Weyher läßt loten. Es ist keine exakte Lotung mit dem Echolot zu bekommen.

„Also weg mit dem Anker. Wir werden sehen."

Der auf 20 Meter Kette gefierte Anker faßt keinen Grund.

„Noch 10 Meter Kette", der Kommandant.

Kein Grund. Noch 10 Meter! Noch fünf Meter . . .! Noch fünf Meter!

Plötzlich ein ohrenbetäubender Krach. Über dem Vorschiff schießt eine von Funken durchflammte Rostwolke heraus. Wie ein Trommelfeuer zerreißt irrsinniger Spektakel die Stille. Eisen kreischt, und dazwischen sind wilde Schreie.

Der Rest der Ankerkette ist ausgerauscht.

„An Brücke: Bremse hielt das Gewicht nicht mehr."

„Wat 'n Wunder auf diesem alten Zossen. Da wagt man ja gar nicht mehr aufzutreten aus Angst, man könnte die Beine durch den Schiffs= boden stecken."

„Ist jemand verletzt?" will Weyher wissen.

Niemand ist verletzt.

Dieser Kasten ist eben doch ein Wunderschiff.

Und *Orion* ist ein glückhafter Stern.

Orion manövriert sich vorsichtig durch das Gewässer. Irgendwo muß

Querschnitt durch das Maug=Atoll
In der Mitte die ehemalige, jetzt versunkene Krateröffnung. Hier endlich faßte der Anker Grund.

der Anker doch packen. Wenn überhaupt, dann in der Mitte. Hier dürfte sich die Lava überhöht haben, als das Insel=Atoll versank.

„Backbord=Anker! Laßt fallen! 200 Meter Kette!"

„200 Meter Kette!" schreit der Seemann bestätigend vom Spill zurück.

„200 Meter Kette sind aus!" Von Blanc, Erster Offizier, zeigt klar. Der Anker hält. Gott sei Dank!

Ole Jakob packt sich dicht neben den Hilfskreuzer. Die beiden Schiffe werden so vertäut, daß *Ole Jakob*, die betriebsklar bleiben soll, *Orion* im Gefahrenfall so drehen kann, daß der Hilfskreuzer breitseits wie aus einer Kasematte heraus durch die Einfahrt zu schießen vermag.

Ein Boot löst sich vom Hilfskreuzer. Ein Landekommando soll fest= stellen, was Japaner auf dieser gottverlassenen, halbversunkenen Kra= terinsel zu suchen haben.

Sie treffen 15 Japaner, eine Japanerin und etwa 40 Filipinos an. Die Söhne des Himmels entpuppen sich wider Erwarten als durchaus ver= nünftige Leute. Soweit eine Verständigung möglich ist, bekommt der Erste Offizier heraus, daß sie eine Wetterstation einrichten sollen. In ihrer asiatischen Zurückhaltung fragen sie auch nicht, was die Deutschen hier wollen. Deren Schiff sieht wie ein Tramp aus. Ein Kriegsschiff ist es gewißlich nicht. Und außerdem: Die Deutschen sind ja Freunde Ja= pans. Warum soll ein harmloser Frachter hier nicht Schutz suchen, um seine Maschinen zu überholen.

Auch gegen eine Signalstation auf der Höhe des Gipfels haben sie nichts einzuwenden. Hier nämlich sollen ein Signalmaat und einige Signalgasten Ausguck beziehen, um etwaigen Schiffsverkehr zu be= obachten und um *Orion* rechtzeitig zu warnen.

Ein beneidenswerter Job, denn hier oben weht Wind.

Die Maschine macht zum erstenmal seit 280 Tagen die Feuer aus.

280 Tage! Das sind 6 720 Stunden!

Der LI erhält aus den Reihen des seemännischen Personals Hilfs= kräfte zugewiesen, um sein gewaltiges Programm zu erledigen.

Es kann losgehen. Stück für Stück basteln sie die Maschinenanlage auseinander. Sechzig Grad Hitze brüten in den Räumen.

Der Leitende Ingenieur ist ein Reserveoffizier, ein Diplom=Ingenieur Kolsch, der vor dem Kriege als Leiter der Schiffsingenieur=Schule in Hamburg tätig war. Weyher hat sich diesen Techniker aus der Fülle der damaligen Personalvorschläge herausgepickt.

Und er tat einen guten Griff.

In der Heimat dürfen nur Werkspezialisten eine Turbine auseinander= nehmen, denn ein Sandkorn genügt schon, die hochempfindlichen Tur= binenschaufeln zu zerstören.

LI Kolsch macht trotzdem vor der Anatomie dieser Dampfturbinen nicht halt. Er läßt sie öffnen. Solange der Deckel abgenommen ist, weicht Kolsch keinen Schritt von der Turbine. Es dauert Stunden.

Stunden bei 60 Grad Hitze!

Was sie an Schäden finden, reparieren sie. Das hätte kein Mensch in der Heimat in einer Werft gewagt und verantwortet.

Orion wird aber nicht nur innen überholt und behorcht, auch seine Außenhaut wird einer gründlichen Prozedur unterzogen. Auch der Schiffsbauch, an den man über einseitiges Fluten der Tanks durch die Krängung des Schiffes herankommt. Allerhand Fahrtgenossen haben sich da angesetzt. Algen, Muscheln und anderes sonderbares Getier.

An Bord riecht es wie in einer Malerwerkstatt nach Farbe. Wo man hinsieht und hintritt, werden Rosthämmer und Pinsel geschwungen. Auf einer Werft kann es nicht wilder zugehen.

Neue Aufbauten werden gezimmert und aus Blech, Holz und Segel= tuch seefest verarbeitet. *Orion* muß ein ganz neues Kostüm bekommen, denn die australische Marine wird die *Emirau*=Gefangenen über jede kleine Einzelheit ausgequetscht haben.

Am dritten Tag gibt es Besuch. Ein kleiner Motorschoner schwebt durch die Einfahrt und macht vor der kleinen Siedlung fest. Es ist das japanische Regierungsfahrzeug *Marana=Maru*.

Es ist etwas faul im Busch.

An Bord seines schlechthin improvisierten, eines praktisch gar nicht getarnten Hilfskreuzers möchte Weyher die honorigen, in jedem Falle neugierigen Vertreter des Tenno nur ungern empfangen. Er schickt ihnen ein Boot entgegen und bittet die Herren auf den in seiner Form moder= neren und in seinem Äußeren gepflegteren Tanker *Ole Jakob*.

„Bier auf die Back", ist Käptn Allrights erste Sorge und wichtigste Anweisung, bevor er unter vollendeten Achtungsbezeigungen die Ver= treter der japanischen Regierung in seine gemütliche Kajüte geleitet.

Ein Filippino aus Saipan, Fritze genannt, spielt den Dolmetscher.

Nach den üblichen asiatischen Höflichkeitsfloskeln, dem „Wie geht's?" und „Wie steht's?" und „Was machen die ehrenwerten Großmütter und die Geister der Ahnen?" macht das Palaver die befürchtete Wendung um 180 Grad.

Mit dem liebenswürdigsten, aber auch undurchdringlichsten Gesicht der Welt fragen die ungebetenen Gäste den Hilfskreuzerkommandanten:

„Sagen Sie bitte, Captain, was bedeuten eigentlich die japanischen Ab= zeichen am Schornstein Ihres Schiffes? Fahren Sie im Auftrag der Kaiser= lichen Regierung meiner Heimat?"

„Hm", brummt Weyher. Plötzlich wird er lebendig: „Wenn Sie,

meine Herren, wieder von Bord gehen — was hoffentlich nicht so bald geschehen möge —, werden Sie das Ärgernis nicht mehr wahrnehmen. Und überdies: Wir sind glücklich über das Bündnis mit dem japanischen Kaiserreich und seinem so tapferen und stolzen Volk."

Die Japaner verbeugen sich und zischen durch die Nasenlöcher. Ehe sie sich zu einer Entgegnung auf Weyhers ausweichende, nichtssagende Antwort durchdringen, bittet dieser mit einer Handbewegung erneut um ihre Aufmerksamkeit.

„Und wir sind der glorreichen Marine des Tenno so dankbar, von langer Reise strapazierten deutschen Handelsschiffen vorübergehend den Aufenthalt in diesem unter japanischer Kontrolle stehenden Krater= Atoll zu gestatten.

Der Dreierpakt zwischen Japan, Italien und Großdeutschland erlaubt es, da werden Sie mir beipflichten, an solchen freien Plätzen wie diesem hier die Maschinen zu überholen und die Schiffe für ihren langen, ge= fährlichen Weg nach Deutschland auszurüsten.

Es sind Schiffe, Euer Gnaden, die Rohstoffe nach Japan brachten, die das kriegführende England nicht mehr aus seinen Kolonien exportiert. Wieder nach Deutschland heimfahrend, haben solche Frachter wertvolle Exportgüter aus Japan geladen. Daraus ersehen Sie, meine Herren, welche verbindenden Übereinkünfte zwischen Deutschland und dem be= freundeten Japan bestehen. Ein derartiger Güteraustausch ist doch eine friedliche und, ökonomisch gesehen, durchaus rechtschaffene Sache, die auch nicht gegen die Haager Konvention verstößt, Euer Gnaden."

Die Japaner schweigen. Ihr Lächeln wirkt wie eine festgefrorene Maske. Ihre steifen Verbeugungen lassen sich als Zustimmung oder aber auch nur als Ergebenheitsbezeigung bei Nennung ihres Kaisers werten. Die Himmelssöhne sagen weder ja noch nein, prosten Weyher aber fleißig zu.

Auch Käptn Allright verspürt das Anliegen, der durchaus nicht be= drohten Gesundheit des Tenno einen Achtungs= und Genesungsschluck zu entbieten, und dann einige weitere: auf seine Gäste, auf deren Hei= mat, auf deren Großmütter und hochwohllöbliche Ahnen.

Kapitän Steinkrauß läßt sein sprühendes Feuerwerk solcher animie= render Trinksprüche so schnell abbrennen, daß die schweißgebadeten Stewards Mühe haben, die sich fleißig leerenden Gläser zu füllen.

Das heikle Thema ertrinkt in eisgekühltem deutschen Exportbier, und obenauf schwimmen wie zerfließender Schaum jetzt Gespräche über das Wetter und die Seefahrt und die Männer auf den Schiffen.

Aus der starren Maske der Gäste wird eine Gesicht mit Regungen, Teilnahme und kameradschaftlicher Verbundenheit.

Unter Verbeugungen verabschieden sich schließlich die Herren.

Heiterer, als sie kamen, schwingen sie sich beschwingt über die Reling.

„Die sind wir los, Käptn Allright. Denke, daß wir in Zukunft Ruhe haben."

„Vielleicht", warnt Steinkrauß.

Am 19. Januar 1941 schlüpft der japanische Regierungsschoner *Marana Maru* durch die Felsenenge wieder in die freie See hinaus. Stun=den später schiebt sich der Bug einer alten Bekannten in das Kraterge=wässer herein. Es ist die deutsche *Regensburg*. Das Schiff kommt von Kobe in Japan und hat Öl, Frischwasser und andere Versorgungsgüter an Bord.

Und Bier.

Mit dem Auslaufen des Japaners erfüllt sich ein heißer Wunsch der Männer auf dem Hilfskreuzer. Korporalschaftsweise erlaubt ihnen der Kommandant, sich für drei Stunden an Land die Beine zu vertreten. Bis auf einige Sonderkommandos hatte die Masse der Besatzung seit zehn Monaten, also seit dem Tag des Auslaufens, keinen festen Boden unter den Füßen gehabt.

Im Lamutrek=Atoll, im Ailinlapalapp=Atoll und vor Emirau hatten sie die paradiesischen Südseeinseln für viele Tage nur wie eine Fata Morgana in einer Wüste Dürstender vor den Augen. Die Arbeiten bei der Übernahme der Güter aus den Versorgungsschiffen und die erfor=derliche dauernde Gefechtsbereitschaft des Hilfskreuzers erlaubten es dem Kommandanten nicht, seinen Männern die Freude eines Landgan=ges zu gewähren. Von sich selbst ganz zu schweigen. Sie sind auf Kriegs=marsch und auf keiner Vergnügungsreise.

Hier im abgelegenen Maug=Atoll gibt Weyher dem Drängen seiner Offiziere und Männer nach.

Die Ausflüge auf Maug werden für jeden *Orion*=Seemann zu einer Entdeckungsreise.

Jugendträume finden ihre Erfüllung:

Einmal die Südsee sehen, einmal in der Brandung des blutwarmen Stillen Ozeans baden . . .

Sie sammeln Muscheln mit bizarrsten Formen und mit leuchtenden Farben. Sie finden Seeigel und lustige Seewalzen, und sie ergötzen sich an den vierzig Zentimeter langen Geigerkrabben, einer palettenhaft schillernden Langustenart. Die gutherzigen Filippinos von der japani=schen Wetterstation zeigen den Deutschen, wie man diese gar nicht so ungefährlichen Krebsriesen fängt. Man braucht nur einen Stock zwischen ihre mächtigen Scheren zu stecken. Gereizt und böse schnappen sie zu und umklammern das Holz. Jetzt ist Chance, den Biestern ihre Angriffs=

waffen zusammenzubinden. Gefesselt schleppt man sie außer vielen anderen Erinnerungsstücken für Mutter und Vater, für die Frau oder die Braut und für gute Freunde in der so fernen Heimat mit an Bord. Mit kochendem Wasser überbrüht, verwandeln sich die Riesenkrabben in eine höchst delikate Mahlzeit, die sich an Land nur die oberen Zehn=tausend erlauben können.

Für drei Stunden ist der Krieg vergessen.

Am 1. Februar reißt eine Flugzeugsichtung die Männer aus ihrer Sorg=losigkeit.

Keiner vermochte die Nationalität des Flugzeuges zu erkennen. Auch die Inseljapaner zucken die Schultern. Einen solchen Typ kennen sie unter japanischen Flugzeugen nicht. Angeblich.

„Was bei der ständigen Neuproduktion an sich nichts zu sagen hat", tröstet sich und seine Offiziere Weyher. Aber die Unruhe in ihm hat neue Nahrung erhalten. Er gibt sich nur so sorglos . . .

Und das an einem Tag, da der Versorger *Münsterland* vor der Insel auf und ab stand, bis die *Regensburg* die sie mit *Orion* verbindenden Trossen gelöst hatte.

Nachmittags geht die *Münsterland* längsseit.

Ihr Kapitän heißt Übel. Doch das, was er im Bauch seines Schiffes verstaut hat, ist nicht vom Übel: Treibstoff, Frischwasser, Waschwasser, 55 000 Flaschen Japanbier, Tafelwasser, Lebensmittel und vor allem Obst und frische Kartoffeln.

Mit Jubel wird das japanische Nakajimi=Einschwimmer=Flugzeug be=grüßt. Admiral Wennecker, der deutsche Marine=Attaché in Tokio, hat dieses Flugzeug von den Japanern losgeeist.*)

Die Hauptarbeiten sind erledigt.

Weyher wartet nun nur noch auf die Klarmeldung der Maschine.

Divisionsweise gestattet er Landurlaub.

Unter tropischem Himmel braten sie einen vom Verwaltungsoffizier jeder Division gespendeten Hammel am Spieß.

Ein Bild wie aus einem Piratenfilm:

Bärtige Männer mit schweißüberströmten, bloßen Oberkörpern, am Spieß über loderndem Feuer ein safttriefender Hammel, durch den ver=wehenden Rauch niedrige Palmen, exotische Gewächse und im Hinter=grund der gezackte Saum der Kraterfelsen. Die Bierflaschen kreisen, und an den Wänden der Kratermauern brechen sich Seemannslieder und rauhe Shanties.

---

*) Das Flugzeug wurde im Tausch erworben, und zwar wurden gegen die Flugzeugbenzinladung der Atlantis=Prise *Ole Jacob* 12 000 t Dieselöl und ein Flugzeug eingetauscht.

Und hin und wieder brandet ein Heimatlied auf.

Auf der Brücke der *Orion* aber geht ein einsamer Mann auf und ab: Fregattenkapitän Weyher, Kommandant und Vater seiner „Vagabunden der Meere".

Eine Tasse Kaffee dampft in der Brückennock. Marinekaffee. Eins zu eins. Und Weyher hat ihn verdammt notwendig. Auch in der letzten Nacht kam er nicht zur Ruhe, rief ihn wieder eine Alarmmeldung der Signalgruppe auf dem höchsten Gipfel der Kraterberge auf die Brücke. Sie hatten von dort oben Lichter eines Fahrzeuges ausgemacht. Stunden um Stunden vergingen, bis die erlösende Nachricht kam, daß die Sich= tung wieder untergetaucht und die Gefahr gebannt wäre.

Weyher schlürft den heißen Kaffee. Er belebt. Und wieder pendelt er von Steuerbord nach Backbord in genau abgezirkelten Schritten.

Er ist erster und letzter Mann an Bord!

Von Land schwingt ein Lied herüber . . .

„Einmal noch nach Bombay . . ., einmal nach Schanghai . . ., einmal noch nach Rio, und einmal nach Hawaii, einmal durch den Suez und durch den Panama . . ."

Wie ein Choral klingt es aus.

„. . . und wieder nach St. Pauli, Hamburg, Altona!"

Weyher lächelt. Was schert es diese verdammten Kerls, daß ihr Alter Sorgen hat.

Aber er ist glücklich, daß sie so sind.

Am 16. Februar nehmen sie Abschied von Maug.

Es wird allerhöchste Zeit, denn die Kraterinsel ist inzwischen mehr= fach überflogen worden.

Die Maschinen der *Orion* hummeln bei den ersten Probefahrten wie= der ihr gewohntes Lied. Sie sind wieder klar und von Grund auf über= holt.

Und aus *Orion* ist ein völlig anderes Schiff geworden.

Ein Passagier=Frachtertyp.

Orion steuert durch die Salomoneninseln und hofft, im Raum der Neuen Hebriden und von Neu=Kaledonien auf neue Beute.

*

„Oh, an Ihrer Stelle hätte ich eine so gute Position als Stenotypistin in Buenos Aires aber nicht aufgegeben", bemängelt die Gattin eines jungen britischen Kaufmanns den Entschluß einer bisher in Brasilien tätigen jungen Engländerin. „Sie waren dort sicher. Sie hatten gut und reichlich zu essen, und Sie bekamen etwas für Ihr Geld zu kaufen. In England aber . . ."

„Und Sie? Sie fahren mit Ihrem Mann doch auch nach England zu=
rück, weil er sich dort bei der Navy melden muß, weil sie bei seinen
Eltern bleiben wollen, weil sie lieber Hunger als Ungewißheit ertragen
können?" hält die junge, hübsche Ex=Sekretärin der Kaufmannsfrau
entgegen.

Erst betroffen, dann lächelnd quittiert sie die Parade.

„Kommen Sie, trinken wir noch einen Tee. Es ist wieder einmal un=
angenehm brütend heiß."

„Steward...? Steward, please...!"

Aber der Kajütsteward der auf dem Wege von Buenos Aires nach
London stehenden *Africa Star* hat anderes zu tun.

Er liegt mit beiden Armen auf der Reling, starrt zu einem fremden
Dampfer hinüber, der sich, auf gleichem Kurse liegend, langsam näher
und immer näher heranschiebt.

Der Kapitän hatte drei Dez nach Steuerbord abdrehen lassen, als der
Fremde noch zehntausend Meter abstand.

Das Abdrehen wollte noch nichts besagen.

Das stand im generellen Befehl...

Auf dem fremden Schiff blitzt es plötzlich auf. Ganz kurz und gelb=
rotflammend, als sei dort ein Benzinkanister explodiert. Der Steward
fühlt Erbarmen mit den Kollegen da drüben, die es traf... Doch da...!
Vor dem Bug der *Africa Star* bricht eine Wassersäule aus der See. Ein
fürchterlicher Knall folgt ihr. Aus dem Mitleidgefühl wird Angst.

Doch die nächsten Blitze sind harmloser. Es sind keine Geschützab=
schüsse mehr. Sie stammen von einer Morselampe. „Stop! No wireless"
fordern die sich formenden Punkte und Striche.

„Stoppen Sie! Funken Sie nicht!"

Aber der *Africa=Star*=Kapitän weiß eine andere, eine ihm besser dün=
kende Antwort.

Er führt ein großes und schnelles Schiff.

Er brüllt seinem Chief durch den Maschinen=Lautsprecher zu, die
Fahrt auf das Äußerste zu erhöhen.

Tatsächlich quirlt sehr schnell schon das Schraubenwasser heftiger auf,
nimmt die Geschwindigkeit zu.

Da... Wieder Blitze... Wieder gelbrot aufflammende Punkte... Ver=
wehender Rauch darüber, Rauch von einer ekelhaft braungelben Farbe.

Die *Africa Star* schüttelt sich ein paarmal. Gleichzeitig dröhnen Ex=
plosionen auf.

Treffer in die Bordwand, am Heck und im Vorschiff.

Der Kapitän reißt seine Mütze vom Kopf und schleudert sie in die
Ecke.

„Aus", sagt er und, das Gesicht nach achtern zum Bootsheck hin=
gewandt, legt er mit schlafwandlerischer Sicherheit den Maschinentele=
grafen auf Stop.

Sein Interesse gilt den beiden Damen an Bord.

Sie leben. Die Granaten haben weder sie noch einen anderen an Bord
verwundet oder verletzt. In Badeanzügen, so, wie sie in ihren Liegestüh=
len ruhten und sich in ihrem letzten Gespräch menschlich näher kamen,
stehen sie an der Reling des Bootsdecks.

Zu keiner Bewegung fähig. Erstarrt im Schock.

„Packen Sie Ihre Sachen! Deutscher Hilfskreuzer . . .! Da drüben . . .!
Müssen aussteigen . . .!" ruft der Kapitän den beiden Frauen zu.

Sie sind nicht zu bewegen, unter Deck zu gehen. Sie bleiben jetzt blaß
und mit verstörten Blicken, neben den Rettungsbooten stehen.

In ihren leichten Badeanzügen empfangen sie an diesem Platz auch
die ungebetenen Gäste, in Weiß gekleidete deutsche Offiziere und See=
leute. Angesichts der Damen senken diese ihre Pistolen.

Detmers ist über diese Frauen unter den Gefangenen nicht erbaut, Er,
Kavalier alter Schule, ist gewohnt, sich schützend vor die Vertreterinnen
des schwachen Geschlechts zu stellen.

Wie aber kann er sie schützen, wenn es zu einem Gefecht kommt . . .
wenn ein gegnerischer Frachter Gebrauch von seiner Kanone macht . . .

Detmers in das KTB: „Da es nur zwei Frauen waren, wären sie sich
in dem kleinen Kabuff vorn unter der Back verlassen vorgekommen.
So wurden sie in dem kleinen, für Schwerkranke vorgesehenen Raum
untergebracht, da dieser zur Zeit nicht benötigt wurde. Sie sollten in
dem Raum so lange bleiben, bis uns eine der kommenden Prisen weitere
Frauen bescheren würde. Der Aufenthalt in der kleinen Kammer an
Deck mit einem nach voraus zu liegenden Fenster, das den ganzen Tag
offen bleiben dürfte, war besser als der fensterlose Raum im heißen
Vorschiff. Das beruhigte mich."

Die *Africa Star* hat Butter und Fleisch in Buenos Aires in ihre vielen
Kühlräume geladen.

Verlockend der Gedanke, ein solches Schiff als Prise heimzuschicken.
Aber die Schäden durch den Beschuß sind zu schwer. An einigen Stellen
ist die Bordwand in Höhe der Wasserlinie aufgerissen.

Der britische Kapitän erreichte, was er vielleicht wollte . . . daß sie ver=
senkt werden muß, die 11 500 BRT große *Africa Star*, das dritte und
auch größte Schiff, das *Kormoran* in die Fänge lief.

Es blieb nicht nur bei dieser größten Beute, es blieb auch bei nur zwei
Frauen.

KAPITEL 9

DAMNED GHOST CRUISERS!

Zur Lage: Die Monate Februar und März bringen die Britische Admiralität fast an den Rand der Verzweiflung. Es sind nicht nur mehr die Hilfskreuzer, die an den Schlagadern des britischen Weltreiches so erfolgreich und bisher unentdeckt operieren, nicht nur das einst verspottete, im stillen aber gefürchtete und bewunderte „pocket=battle=ship" Admiral Scheer, das im Januar im Golf von Guinea als „britisches Kontrollschiff" Gegnerfrachter täuschte und ver= schwinden ließ und jetzt, im Februar, sogar — wie von Rogge vorgeschlagen — nördlich von Madagaskar operierte und gleich vier Schiffe erbeutete, es ist die ganze deutsche Überwasserflotte, die in Aktion getreten ist.

In den ersten Februartagen ist der Schwere Kreuzer Admiral Hipper zu einem zweiten Unternehmen aus Brest ausgelaufen. Ob= wohl am 3. Februar von einem Flugzeug des Trägers Ark Royal ge= sichtet, kann Admiral Hipper ihren Westmarsch unbehindert fort= setzen. Sie beölt in der Zeit vom 7. bis 10. Februar und stößt dann nach Südosten vor, um zwischen den Azoren und der Portugal= Küste an der Sierra=Leone=Route zu operieren. Am 11. Februar attackiert sie einen Einzelfahrer auf 37 03 Nord und 19 50 West und trifft am nächsten Tage auf 37 12 Nord 21 20 West auf den ungesicherten, aus Freetown kommenden Konvoi von 19 Schiffen. Der Gegner hielt es einfach für ausgeschlossen, daß sich ein ein= zeln operierendes deutsches Kriegsschiff im Atlantik so weit nach Osten zu wagen würde. Admiral Hipper versenkte sieben Frachter mit 32 806 BRT. Roskill tröstend dazu: „Aber ihre Anwesenheit war gemeldet worden, und ihre Ölvorräte waren zusammen= geschrumpft, so daß ihr Kommandant den Rückmarsch nach Brest befahl, das sie unentdeckt am 14. Februar erreichte."

Das war nach den Erfolgen der Admiral Scheer in Englands eigenem Meer, im Indischen Ozean, der zweite vernichtende Schlag.

Zu einem dritten holen die Schlachtschiffe Scharnhorst und Gneisenau aus. Der Verband hatte Kiel am 23. Januar verlassen und wollte ursprünglich durch die Enge zwischen Island und Färöer durchbrechen. Er wird hier aber durch HMS Najade, der Vorhut der Home Fleet, gesichtet. Roskill dazu: „Aber das deutsche Radar hatte bessere Impulse. Der deutsche Verband hatte zwei der Kreu= zerverbände Admiral Tovey's bereits vor der Sichtung der Najade durch sein Radar entdeckt."

Admiral Lütjens macht kehrt, läuft in die arktische See, wo er Öl übernimmt, um dann unentdeckt durch die Dänemarkstraße zu marschieren. Am 8. Februar wird die Scharnhorst von der Siche=rung des Konvois HX 106, von dem Schlachtschiff Ramilies, ge=sichtet. Aber das Ramilies=Kommando vermutet einen Admiral Hipper ähnlichen Typ in ihr; es schränkt weiter ein, es könnte auch Admiral Scheer gewesen sein. Die Nervosität bei der Briti=schen Navy ist zur Stunde jedenfalls größer als je zuvor. So kommt es, daß der Schlachtschiffverband unentdeckt bleibt und am 22. Februar, 500 Meilen östlich von Neufundland, fünf Schiffe aus einem nach Halifax gehenden und daher nicht gesicherten Geleitzug versenkt. Scharnhorst und Gneisenau stoßen nach Süden vor und operieren kurz vor der westafrikanischen Küste an der Sierra=Leone=Konvoi=Route, um dann, nach der Versenkung eines Einzelfahrers, erneut an der Halifax=Route zu operieren.

Beim Gegner löst der atlantische Kreuzerkrieg der kleinen, aber so hart und verbissen kämpfenden deutschen Flotte nachgerade einen Zustand aus. Die Briten hetzen alle nur verfügbaren schwe=ren Einheiten in See und sichern ihre Geleitzüge, mehr als zuvor durch Schlachtkreuzer und Schlachtschiffe. So werden unter an=derem das HMS Rodney und das moderne HMS King Georg V zum Schutz von zwei aus Halifax auslaufenden Konvois aus der Heimat entsandt. Um einen Rückmarsch=Durchbruch deutscher Kriegsschiffs=Raider zu verhindern, werden zusätzlich das Schlacht=schiff Nelson, der Leichte Kreuzer Nigeria und zwei Zerstörer süd=lich von Island bereitgehalten.

Scharnhorst *und* Gneisenau *dagegen beölen westlich der Kanaren am 11. und 12. März und erwischen am 15. März einen Pulk von Frachtschiffen.* Das Britische Admiralstabswerk erklärt die An=häufung ungesichert fahrender Handelsschiffe damit, daß es sich hier um Frachter eines nach Süden steuernden, kurz vorher auf=gelösten Geleitzuges gehandelt habe. Dasselbe wird auch von dem Pulk jener Frachter gesagt, der am nächsten Tage, nämlich am 16. März, von Scharnhorst und Gneisenau angegriffen wird.

Am 15. wurden neun Frachter gestellt, von denen drei als Prisen entlassen wurden, am 16. waren es sieben Gegnerschiffe, insgesamt also 16 Feindfrachter, die bei den Operationen an der Halifax=Route verlorengingen.

Zwei Prisen, die britische Polykarp *und* Bianca, *müssen sich später bei Annäherung britischer Seestreitkräfte selbst versenken, die dritte Prise, der Brite* San Casimiro, *wurde auf ihrem Heim=marsch von den Briten zurückerobert. Das Schicksal der Prisen ist ein Hohlspiegel der britischen Anstrengungen, die deutschen Raider aufzuspüren, um sie mit überlegenen Seestreitkräften an=zugreifen und zu vernichten.*

224

Entgegen der britischen Annahme kehren die beiden Schlacht=
kreuzer nicht über die Nordpassage nach Deutschland zurück, sie
laufen im Hinblick auf weitere Vorhaben der Skl (Unternehmen
Bismarck) Brest an.

Auf das Konto der Kriegsschiff=Raider kommen im Februar 17
und im März wieder 17 Gegnerfrachter.

Vom Norden bis zum Südatlantik einschließlich dem westlichen
Indischen Ozean sind britische See= und Luftstreitkräfte angesetzt
worden, werden Geleitzüge umdirigiert und zurückgehalten.

Den Hilfskreuzern bleiben daher im Februar die Erfolge ver=
sagt.

Lediglich HSK Atlantis konnte vor Anlaufen der Kriegsschiff=
Raider=Aktionen auf der Höhe von Italienisch Somali=Land einen
norwegischen Tanker als Prise aufbringen.

Im März laufen für die HSKs die Erfolge wieder an, zumindest
für die im stark befahrenen Atlantik stehenden HSKs Kormoran
und Thor.

Pinguin hatte nach seiner Antarktisunternehmung die Prisen
auf den Treffpunkt im Südatlantik geleitet, sich mit Kormoran
zu einem von der Skl geforderten Erfahrungsaustausch getroffen
und war dann zu den Kerguelen gelaufen, wo Pinguin sich mit
Komet und dem Versorger Alstertor traf.

Mitte März stößt Pinguin von den Kerguelen wieder in den
westlichen Indischen Ozean vor, während Komet der östliche Indik
zugewiesen wird. Beide Schiffe haben bis Ende März keine Erfolge.

Orion, nach dem himmlischen Jäger am Nachthimmel benannt,
ist im Pazifik zum Gejagten geworden...

Kormorans Kommandant trägt sich mit dem Gedanken, das
Unternehmen abzubrechen...

und HSK Thor wird Ende März ein zwar glänzender Erfolg
beschieden, den aber im Interesse der eigenen Sicherheit not=
wendige Maßnahmen überschatten...

HSK *Komet.*

Auf dem Wege, sich den nach dem Nauru=Angriff den *Ghost Cruiser*
suchenden Gegnerstreitkräften zu entziehen, stößt *Komet* tief nach
Süden vor.

Es ist Februar.

Südsommer also.

Das lockere Treibeis bedeutet für die mit Eisverstärkungen versehene
Komet keine Gefahren. Bedrohlicher dagegen sind die riesigen Tafeleis=
berge. Wie schimmernde Riesenpaläste tauchen sie auf. Der HSK muß
sie rechtzeitig erkennen und auch rechtzeitig ausmanövrieren.

Diese Tafeleisberge sind nicht selten bis über einen Kilometer lang, und oft haben sie die markante Form der so fernen vertrauten Insel Helgoland.

Aber du darfst nicht von Helgoland träumen Seemann . . .

Urplötzlich kommt hier Nebel auf. Wie leicht kann *Komet* auf einen solchen Eisklotz aufbrummen oder auf eine jener Inseln, die zwar in der Seekarte verzeichnet, aber mit den Buchstaben PD und FD versehen sind.

PD und FD heißt: Lage und Vorhandensein ist zweifelhaft.

Und dann sind da noch jene Inseln, die überhaupt in keiner Seekarte stehen, weil sie keiner kennt oder weil jene Kapitäne, die sie sahen, andere Sorgen hatten . . .

Dessen ungeachtet: Die Eismeerfahrt wird zu einem erregenden Erlebnis. Die Inseleisberge überraschen mit immer neuen phantastischen und bizarren Formen, mit düsteren Höhlen auf glasigem Eis, mit romanischen und gotischen Bögen, deren Schatten in einem satten, wundervoll klaren Ultramarin leuchten.

Possierliche Pinguine umturnen neugierig den Eindringling. Sie lassen sich mühelos fangen und treiben ihre Spiele ohne Scheu auch auf den Planken des Hilfskreuzers.

Eismöven, Seepapageien, Seetauben und tausende von lackfarben glänzenden Robben sind wie frisches Wasser auf eine Mühle.

Das seelische Gleichgewicht pendelt sich wieder ein.

Die Unzufriedenheit verkriecht sich.

Und Angst vor dem Tommy? Hier schon gar nicht.

Plötzlich sind Zahnwale da, die „Wölfe des Meeres".

Einige kann man fangen. Ihr Fleisch schmeckt so gut wie zartes Kalbfleisch.

Komet dringt in das Roß=Meer ein und empfängt hier, von keinem erwartet, plötzlich den FT=Verkehr eines in der Nähe stehenden Schiffes. Es kann sich nur um die unter der Führung von Admiral Byrd stehende amerikanische Südpolexpedition handeln, der Eyssen unter keinen Umständen begegnen will. Bei 72 Grad Südbreite macht *Komet* kehrt und schiebt sich vom Kap Adare, auf der Höhe des magnetischen Süd=pols stehend, durch hunderte von Eispalästen hindurch an der Packeis=grenze entlang.

Hier und da kann man durch die Gläser das antarktische Festland erkennen.

Der an Bord als Prisenoffizier eingeschiffte Handelsschiffkapitän Hans Balzer schrieb darüber:

„Eine Hundekälte. Schneesturm. So ein kleiner Hurrikan: kurze An=laufzeit, verheerende Wirkung, dramatischer Abtritt, Schnee und Eis=

kristalle brennen im Gesicht und erzeugen eine innere Glut, die kurz vor der Erstarrung steht. Die vier Stunden Wache auf der Brücke muß man aufpassen wie ein Luchs. Jeden Augenblick kann ein Eisberg aus dem Schneegestöber auftauchen und den tropischen Eindringling unliebsam anstoßen:

„Na, Kleiner, was suchst du denn hier unten?"

Und das Unangenehme dabei ist, daß wir dem stummen Giganten gegenüber so gar nicht satisfaktionsfähig sind.

Weiter auf Westkurs liegend, treffen sie japanische Walfänger. Man trennt sich nach kurzer herzlicher Begrüßung und nimmt nun nach einer halben Erdumrundung im antarktischen Meer bei der Davis=See wieder Nordkurs auf.

Auf dem Wege in den Indischen Ozean will Eyssen aber vorher noch in einer Bucht der von der Skl für diese und für Versorgungszwecke ausgesuchten einsamen Kerguelen=Inseln sein Schiff überholen. Außerdem ist hier ein Zusammentreffen mit dem Versorger *Alstertor* und dem Hilfskreuzer *Pinguin* vereinbart worden.

Komet geht in der mit der Skl verabredeten Bucht, in der sich früher eine französische Walfängerstation befand und deren Holzhäuser noch erhalten geblieben sind, vor Anker.

Als Norweger verkleidete Matrosen werden unter Führung eines Offiziers an Land geschickt, denn es ist durchaus nicht so sicher, ob diese Insel wirklich unbewohnt ist.*) Unter Umständen dient sie vielleicht auch dem Gegner von Fall zu Fall als Stützpunkt.

Aber die Holzhäuser, deren Türen offenstehen, sind menschenleer. Wohl aber wurde die Inneneinrichtung — rohgezimmerte Schränke, primitive Stühle und Tische — darin belassen, vielleicht ein Zeichen, daß die Station doch nicht ganz aufgegeben wurde und wahrscheinlich nur während der Kriegszeit nicht benutzt wird.

Die große Walölkocherei ist noch völlig intakt.

Kohlen türmen sich tonnenweise. Man entdeckt Farbe, Zement, Kupferrohre, Schienen und vieles andere Material. Ja sogar noch Proviant.

Nach dieser ersten Erkundungsfahrt läßt sich Konteradmiral Eyssen selbst auf die Felseninsel rudern. Er bummelt den steinigen Strand entlang und rundet dann ein weit in die See vorspringendes Felsmassiv. Da fühlt er plötzlich Blei in seinen Füßen. Erschreckt stoppt er seinen Schritt. Im Dunst der vorausliegenden Küste sind über kahlgeschliffenen Felsbrocken hinweg Schiffsmasten zu sehen.

Eyssen hetzt mit langen Schritten zum Boot zurück.

---

*) *Komet* wußte zwar, daß vorher schon *Atlantis* die Kerguelen angelaufen hatte, nichts aber über die dabei gemachten Beobachtungen usw. ...

Zurück zum Schiff. Los, legt euch in die Riemen. Los...!" faucht er seine erstaunten Seeleute an, die ihn so friedlich und vergnügt davon= bummeln sahen.

Schon von weitem befiehlt Eyssen aus dem Boot heraus Alarm für den Hilfskreuzer. Er hat seinen Fuß kaum auf die Lotsentreppe gesetzt, da folgen neue Befehle.

Komet reißt die Anker aus dem Grund und nimmt Fahrt auf.

Vorsichtig manövriert Eyssen sein Schiff um den Vorsprung der Insel herum, dann dreht er mit AK und gefechtsbereit enttarnten Geschützen in die Bucht ein — — —

und findet ein Dampferwrack vor, ein Schiff, das zur Hälfte auf dem Strand liegt, einen gestrandeten französischen Walfänger.

Eyssen berichtet selbst darüber*):

„Wir fanden ein Schiff vor, als hätte es seine Besatzung eben erst verlassen. Hier mußte sich eine Tragödie abgespielt haben, Anzeichen ließen darauf schließen, daß an Bord eine Meuterei ausgebrochen war, als der Dampfer auf Grund kam. Oder war er infolge der Meuterei auf den Strand gesetzt worden? Waren die Männer auf ihm dem seeli= schen Druck der Polarwelt erlegen? Die Ursache des Unglücks ließ sich nicht mehr feststellen.

Trümmer lagen umher. Gegenstände waren demoliert, zerbrochene Messer und Schlaggegenstände waren verstreut. Mutwillig war die Schiffseinrichtung zerschlagen worden. Offenbar war die Besatzung an Land gegangen. Denn auch hier lagen noch Sachen herum.

Wo waren sie geblieben?

Bis zur Siedlung führten menschliche Spuren. Und die umherhuschen= den Ratten untermalten das Bild des Grauens."

Soweit Konteradmiral Eyssen.

Nach der Versorgung aus der inzwischen eingetroffenen *Alstertor* und einem Erfahrungsaustausch mit Kapitän zur See Krüder, nimmt *Komet* Fahrt auf und wird auf dem Geheimquadrat in der Indischen See aus dem *Atlantis*=Tanker *Ole Jacob* beölt. Danach kreuzt *Komet* im westlichen Teil des Indischen Ozeans.

Noch vor kurzem hatte hier *Pinguin* gewaltige Erfolge errungen. Trotz dreimonatiger Kreuzfahrten bekommt *Komet* keine einzige Mastspitze in Sicht. Stattdessen kommt es zu einer anderen, ursprünglich nicht vor= gesehenen Begegnung...

Doch darüber später.

*

---

*) Siehe Anhang und Quellenverzeichnis.

HSK *Orion.*
Auf der Höhe der Neuen Hebriden. Es ist noch früh am Tage.
An Backbord hat sich ein Schiff über die morgenklare Kimm gescho=
ben. In knapp 15 Kilometer Entfernung, eben noch in Reichweite der
Hilfskreuzer=Artillerie, passiert es auf Gegenkurs. Ohne Glas sind die
Aufbauten zu erkennen.
Die wachfreie Besatzung hängt an der Reling. Sie fiebert. Sie erwar=
tet jede Sekunde Vollalarm.
Sie wartet umsonst.
„Zum Teufel, was hat man denn denen da oben auf der Brücke in
den Kaffee getan?" flucht ein Seemann. „Kutschen wir denn hier zum
Vergnügen umher?"
„Die Flugzeuge von gestern und vorgestern", versucht einer der älte=
ren und besonneren Reservisten die aufbrandende Welle der Unmut
zu glätten.
„Ach Schiet, dieser dusselige Vogel. Die Kerls in der Maschine gestern
haben uns ja gar nicht gesehen. Wie so oft schon. Nee, ich glaube eher,
die Sonne hat unseren sonst so schneidigen Alten ein bißchen reichlich
zugesetzt. Sowas kommt plötzlich, so'n Sonnenstich."
„Der hat sicherlich Kartoffeln an Bord . . .", mischt sich mit nachdenk=
licher Stimme ein Seemann in diesen Rees an Backbord ein.
„Und Gemüse, Obst und andere gute Sachen, die wir dringend brau=
chen. Paßt auf, in ein paar Tagen geht's los mit dem Gammelfraß, mit
halben Schlägen Stacheldraht. Mit Trockenkartoffeln. Mit Trocken=
gemüse."
„Solch eine Idiotie von den Heimatstellen, unser Schiff mit einer nor=
malen Kühllast für die Friedensbesatzung von 50 Mann auf eine solche
Reise zu schicken. Die haben doch in Berlin gewußt, daß wir in die
Tropen gondeln, diese Waldheinis am grünen Tisch. Denen hätte ich
aber was erzählt an unseres Alten Stelle."
„Warum wir nicht angreifen, verstehe ich auch nicht", schaltet sich
ein Verwaltungsgefreiter ein. „Aber wegen der unzulänglichen Kühl=
last muß ich unseren Alten in Schutz nehmen. Der hat ganz munter
und vernehmlich auf die Back gehauen, hat immer wieder auf größere
Kühlräume gedrängt. Das OKM bestand aber auf beschleunigtes Aus=
laufen Anfang April. Weitere Umbauten wurden daher nicht mehr ge=
nehmigt."
„Jaja, helft euch selbst, dann hilft euch Gott, werden die wohl ge=
dacht haben. Der sonst um keine Ausrede verlegene Weyher wird schon
klarkommen, schnappt sich eben einen Frachter und holt sich runter,
was er an frischen Lebensmitteln braucht. Not macht erfinderisch."

„Da drüben schwimmt endlich wieder einer. Ein fetter Brocken. Hat gut 8 ooo Tonnen. Sowas laufen zu lassen, grenzt schon an Trottelei."

„Oder an noch etwas viel Schlimmeres."

„Der Alte wird schon seine Gründe haben, Kumpels", lenkt einer der Reservisten ein.

„Achtung Feind hört mit."

Ein Unteroffizier ist hinter die mißvergnügte Gruppe getreten. Schweigen!

Aber eines entgeht ihnen nicht: Der Maat sieht kopfschüttelnd zur Brücke und dann wieder dem entschwindenden Dampfer nach. Worte sind überflüssig. Diese Geste genügt. Auch der Unteroffizier begreift die übertriebene Vorsicht der Schiffsführung diesmal nicht.

Bis in die Abendstunden hält die düstere, gedrückte Stimmung unter der Besatzung an. Dann klart es auf wie nach einem schweren Gewitter, das nach vorausgegangener Schwüle die nun kühle Luft mit belebendem Ozon gesättigt hat.

Die sonst so schweigsamen Funker haben, als sie ihre murrenden Kameraden an der Back erleben, aus dem Nähkörbchen geplaudert. Die Besatzung beginnt den Verzicht des Kommandanten langsam zu ver= stehen.

„Ja, wenn das so war, dann ist's was anderes. Kann ja keiner rie= chen", atmet ein Seemann nach dem Vortrag der Funker auf, „daß alles mal wieder an dem berühmten seidenen Faden hing."

„Langsam solltet ihr unseren Alten aber kennen."

„Eigentlich ja, aber diese Hitze. Diese verdammte Hitze."

Die Männer sind dem Schicksal dankbar, unter einem Bubi Weyher zu fahren, statt unter einem hitzköpfigen Alten, der vor lauter Hals= schmerzen blind geworden ist.

Weyher blieb die Erregung und der Ärger seiner Besatzung natürlich nicht verborgen. Die verdrießlichen Gesichter genügten ihm. Die wenig schmeichelhaften Kommentare tat er mit einem toleranten Lächeln ab. Solange die Kerle schimpfen, sind sie gesund. Solange sie sich über einen verpatzten Angriff erbosen, braucht er um den Angriffsgeist seiner Männer nicht besorgt zu sein.

Als Kommandant und als wirklicher und verantwortungsbewußter Führer seiner Seeleute durfte er ihrem Drängen nicht nachgeben. Er durfte sich nicht zu einem Angriff hinreißen lassen, dessen Folgen er aus der besseren Gesamtübersicht der Operationen mit fast instinktsicherer Überlegung vorauszuschauen vermochte.

Vielleicht wäre es sinnvoll gewesen, diese seine Überlegungen durch den Bordlautsprecher bekannt zu geben.

Weyhers Wiege stand aber in einer herben Landschaft.
Menschen seiner Heimat machen nicht viel Worte.
Sie handeln.
Und sie erwarten, daß auch unverständliche Maßnahmen gebilligt und überdacht werden. Natürlich sehnte auch er sich nach der langen, quälenden Pause der Erfolglosigkeit wie seine Männer eine Beute herbei, allein schon um seiner Besatzung neuen Auftrieb zu schenken. Aber er mußte hart bleiben, er mußte als ein Offizier handeln, der die Stufe der angeborenen Tapferkeit schon längst überschritten hat und der dem „ran an den Feind" seine strategischen nüchternen Überlegungen voran= zustellen hat.
Das war die Lage:
Orion operierte zusammen mit dem Tanker *Ole Jacob*, auf südwest= lichem Kurs liegend, auf der von Frachtschiffen stärker frequentierten Route Sydney=Guam. Die Schiffe stehen nur etwa 33 Seemeilen west= lich Narovo=Island. Wegen der Fluglinie Australien=Rabaul und wegen der der Hilfskreuzerführung bekannten Überführung von elf USA Flugbooten nach Sydney war schärfste Luftbeobachtung anbefohlen wor= den. Der FT=Raum meldete zudem starken Funkverkehr einiger über See befindlicher Maschinen mit den Stützpunkten Port Moresby, Rabaul, Rockhampton und verschiedenen Flughäfen im Inneren Australiens.
Gerade nach dem Mittagessen machte *Ole Jacob* Meldung, von einem Flugzeug angeflogen zu werden. Fliegeralarm auch auf *Orion*, auf dem inzwischen ebenfalls das Flugzeug, es handelte sich um ein Sunderland= Flugboot, ausgemacht worden war. Sofort bei der Meldung hatte Weyher den Hilfskreuzer auf Gegenkurs drehen lassen, um ein rein zufälliges Zusammentreffen und Passieren mit dem Tanker vorzutäuschen. *Orion's* Marschgeschwindigkeit wurde auf die unauffällig niedrigste Fahrt re= duziert.
Nach neun Minuten drehte das Flugzeug direkt auf den Hilfskreuzer zu. Allein, daß es sich aus dem Bereich der Fla=Waffen heraushielt und respektvoll in etwas mehr als 6 000 Meter Entfernung parallel, dann im Halbkreis herum, zum *Orion*=Kurs flog, deutete darauf hin, daß die Flugzeugbesatzung die gesichteten Schiffe mit höheren Orts anbefoh= lenem Mißtrauen beobachteten.
Es war eine britische Maschine. Die bunten Pfauenaugen=Kokarden wurden mit bloßem Auge erkannt. Das Flugboot zog vor dem Hilfs= kreuzerbug vorbei, nahm danach Kurs nach Westen auf und entschwand.
Weyher entließ *Ole Jacob* sofort auf einen Treffpunkt.
Man will sich nach drei Tagen zwischen den Neuen Hebriden und Neukaledonien zwischen 16 und 18 Uhr treffen, bei eventuellen Zwi=

schenfällen und dadurch bedingten Ausweichkursen wird als zweiter Treffpunkt eine Position nordöstlich der Kermadec=Inseln ausgemacht. Morgens und abends sollen beide Einheiten eine Stunde aufeinander warten.

Diese Entschlüsse werden von Weyher quasi am fliegenden Trapez geboren, die Treffpunkte mit der linken, aber destoweniger nicht min= der sicheren Hand ausgewählt. Inzwischen hat die FT=Bude operativen Funkverkehr des abgeflogenen Flugbootes aufgefaßt. Der Form nach zu urteilen, ist ein Spruch an irgendwelche in See stehende Kriegsschiffs= einheiten gerichtet. Port Moresby steht mit dem Flugzeug in Verbindung. Auch hier wird der Marineschlüssel verwendet. Außerdem besteht Funk= verkehr mit dem australischen Zerstörer *Stuart* und einem anderen, ebenfalls in See befindlichen Kriegsschiff. Kurze Zeit später ist der Äther mit sich jagenden Funksprüchen erfüllt. Überall werden die gegnerischen Luftstützpunkte lebendig, auch jene, denen die Kontrolle der östlichen Korallen=See zufällt. Weyhers Überlegungen gehen davon aus, daß der Gegner seine Streitkräfte in der südlichen, offenen Korallensee auf= marschieren läßt, um den Hilfskreuzer am Durchbruch nach Süden zu hindern, und er sieht nur noch den einen Fluchtweg, mit Ostmarsch zwischen den Inseln hindurchzujagen, dieweilen *Ole Jacob* etwas süd= lich davon, aber auf paralleler Route ausbrechen soll. Bevor der Tanker entlassen wird, erhält er noch einen Spezial=Wellenplan für dieses Tref= fen, um notfalls durch Kurzsignal eine Verständigung herbeizuführen.

Der nächste Tag dämmert glasklar herauf. Die Sicht ist einzigartig, weniger Weyher's und seiner Offiziere Stimmung. Den Ausguckposten brennen die Augen vor Anstrengung. Und sie mühen sich nicht umsonst ab: 07.40 Uhr schwimmt an *Orion's*=Backbordseite ein schnell größer werdender Punkt über die Kimm in die azurblaue Himmelskuppe hin= ein. Ein Flugboot. Weyher stoppt *Orion* und läßt den Kurs 40 Grad nach Backbord abfallen. In 100 Meter Höhe und bei 3 600 Meter Abstand schwebt der unerwünschte Vogel — es ist wieder eine Sunderland — vorbei, ohne auch nur einen Gradstrich von seinem süd=südwestlichen Kurs abzuweichen. In der FT=Bude kann man eine Stecknadel zu Boden fallen hören . . .

„Nichts, Herr Kapitän", grinsen die Funker, wischen sich erleichtert den Schweiß von der Stirn und trocknen die von den Händen feucht= gewordenen Abstimmköpfe ab.

Orion dreht mit der Schnauze wieder auf Ostkurs und bekommt Mit= tags eine Nachricht von *Ole Jacob*, ebenfalls von einem Flugzeug über= flogen worden zu sein.

„Verdammter Bockmist", erbost sich Weyher. „Wenn man die Ope=

232

rationsfunksprüche unserer Freunde doch nur lesen könnte? Was haben die Burschen vor? Tun sie absichtlich so scheinbar desinteressiert?"

Weyher tritt an den Kartentisch.

„Wir werden den vereinbarten ersten Treffpunkt meiden, gehen um die südlichste der Salomonen herum und werden in weiten Bogen um die Hebriden nach Süden zu marschieren."

So geschieht es. In der Dunkelheit kann die südlichste Salomon=Insel passiert werden. Mit Tagesanbruch legt *Orion* ihre Kurse stets parallel zu den funkgepeilten Kursen der den Hilfskreuzer suchenden Flugzeuge. Nur in der Nacht will Weyher diese Kurse kreuzen.

Am nächsten Morgen, just zur Stunde der Flugzeugsichtung, kam dann der 8 000 Tonner in Sicht, den Weyher laufen ließ . . .

Am gleichen Tage, es war gegen 16.00 Uhr, kommen die Santa=Cruz= Inseln heraus und in der Nacht passiert *Orion* an Backbord die Insel Tucopia. Ihr Vulkan ist in Tätigkeit. Man kann die Uhr nach den sich mit mathematischer Regelmäßigkeit wiederholenden Ausbrüchen stellen.

Alle sieben Minuten speit der Vulkan rotglühende Lava aus. Sie läßt die den Kegel umfließenden Dampfwolken gespenstisch aufflammen. Breite rote Bänder fließen die Berghänge hinab, wie Blut aus einer offe= nen Wunde. Erst nach Mitternacht steigt die Vulkaninsel unter die Kimm. Auf dem Weitermarsch nach Südosten, der an den Fidji=Inseln vorbeiführt, hilft dem gehetzten Hilfskreuzer die Natur.

Es beginnt zu wehen und Stunden später mißt man Windstärken elf bis zwölf und in den Orkanböen darüber.

Erleichtert läßt Weyher die Fla=Waffen wegtreten.

Ein Flugboot meldet gerade an Noumêa auf Neukaledonien, daß es in wenigen Minuten dort landen will, da es des Wetters wegen landen muß.

Der Hilfskreuzer schlingert derweilen bis zu 32 Grad nach jeder Seite.

Das Kriegstagebuch meldet: „Waffenverwendung nicht mehr möglich. Tarnungsklappen werden trotz starker Sicherung weggeschlagen. Klap= pen im Seitengang, an den Torpedorohren und im Heckumbau stark beschädigt. Schiff nimmt viel Wasser über Deck und Aufbauten."

Der Herrgott gibt es den Seinen im Schlaf.

Am 25. Februar kommt, wie verabredet, das Treffen zwischen *Orion* und *Ole Jacob* zustande. Es wird höchste Zeit, denn die andauernde Höchstfahrt hat ein ansehnliches Loch in die Vorräte der Brennstoff= bunker gefressen. Beölung in den nächsten Tagen . . . dann noch einmal Kreuzschläge östlich von Auckland, um die von Neuseeland nach Panama und Kap Horn führenden Routen abzutasten.

Nichts kommt in Sicht.

Am 1. März arbeiten sich beide Schiffe durch eine schon vertraute Landschaft, durch die Roaring Forties.

Kurs Indischer Ozean.

9 700 Seemeilen ist der Marsch in das neue Operationsgebiet lang! Das sind etwa 18 000 Kilometer, die *Orion* abdampfen muß.

Das KTB sagt fast täglich aus:

„Westliche Winde, Stärke 8, in Böen 10. Sehr hohe See, hohe Dünung. Schiff arbeitet stark und nimmt ständig Wasser über Deck und Aufbau= ten, starke Erschütterungen im Rumpf. Waffenverwendung nicht mög= lich, Schlingerungsschläge bis 30 Grad nach jeder Seite.

Trotz höchstmöglicher Umdrehungen der Maschine Marschgeschwin= digkeit durch Wetterlage auf 6 sm heruntergedrückt."

Am 17. März 41 steht der Hilfskreuzer im neuen Jagdrevier.

*

Im Südatlantik.

Kormoran hat aus der *Nordmark* 200 ts Öl genuckelt, sich aus dem „Verpflegungsamt Wilhelmshaven Süd", der noch immer schwimmen= den Lady *Duquesa*, an argentinischem Fleisch gelabt und, ganz genau laut Kommandantenbericht, 216 000 Stück Eier aus den Kühlräumen herausgeangelt.

Die erste Frage nach der herzlichen Begrüßung auf 27 Grad Süd und 16 West aber galt dem Weißmetall WM 80.

WM 80 hat aber auch die *Nordmark* nicht an Bord.

Und WM 80 ist das Weißmetall in der erforderlichen Härte, das den Ansprüchen der *Kormoran*=Motoren genügen könnte, nicht aber das WM 10, das man unverständlicherweise *Kormoran* wie auch der *Nord= mark* als Ersatzmetall mitgegeben hat.

Detmers hatte, als die ersten Lagerschäden auftraten, ernsthaft über= legt, ob er nicht einen französischen Hafen anlaufen sollte.

In sein KTB vermerkte er: „Ich blieb dann aber bei dem anderen Weg, die Nachbestellung durch Funkspruch zu machen. Ich dachte, bei der meist geringen Geschwindigkeit bei Suchfahrten würde die Maschinen= anlage die größtmöglichste Schonung erfahren. Höchstfahrt kommt ja nur für ganz kurze Strecken in Frage, wenn ein Gegnerschiff verfolgt werden muß ... Ja, und tut unsere *Kormoran* es dann in diesem Falle nicht, dann müssen wir den anderen eben laufen lassen. Dieser Gedanke hinsichtlich der uns gestellten Aufgaben war nicht erbaulich, aber bei jeder Sichtung braucht es ja nicht zu passieren.

Wenn die Heimat noch über andere, einsatzklare Hilfskreuzer ver= fügen würde, dann allerdings würde ich sofort einlaufen, um diesen hier gegen einen anderen umzutauschen ..."

Aber die Heimat hat nicht. Also ist mein Entschluß wohl der einzig richtige."

Wie ernst es um die Lagerschäden auf *Kormoran* bestellt ist, sagt Detmers Schlußfolgerung aus.

Sie haben sich an dem 10. Februar von der *Nordmark* verabschiedet und das Minenunternehmen in der Walfishbay abgeschrieben, da bei der groben See das Schnellboot nicht ohne Risiko ausgesetzt werden kann, da meldet sich der LI bei seinem Kommandanten.

Lagerschaden!

Wieder Lagerschaden!

Detmers dazu:

„Die Reparaturgruppe arbeitete Tag und Nacht durch. Der Erfolg war zweifelhaft. Wenn es gut ging, trat der Lagerschaden an dem nächsten Motor auf, wenn es schlecht ging, zeigte er sich an demselben Motor, eventuell sogar an derselben Stelle wieder.

Es war schon ein Kreuz mit unseren Lagern, und die Männer waren nicht zu beneiden!

In dieser Zeit habe ich, das gebe ich ehrlich zu, eine Schwäche für mein Maschinenpersonal bekommen. Sie arbeiteten aber auch prächtig, ob= wohl sie keine Aussicht auf eine wesentliche Besserung der Anlage hat= ten. Sie wußten wohl, daß das beantragte Weißmetall ihre Arbeit zwar erleichtern, nie aber ihre Lagerarbeiten beenden würde.

Trotzdem sah ich immer nur frohe Gesichter und las Zuversicht und Vertrauen in ihren Mienen.

Dies ist so geblieben bis zum Ende!

Ein Obermaschinist hat errechnet, daß bis zum Schluß 135 Lager wie= der ergänzt worden sind!

135 Lager in 11 Monaten!

Das heißt alle zwei bis drei Tage ein Lager!

Und das wird stimmen."

*

Mit mittlerer Marschfahrt tastet sich HSK *Thor* auf die Höhe des britischen Kolonialbesitzes Sierra Leone durch die See. Kapitän Kähler wagt, verzweifelt ob der letzten Mißerfolge, einen Vorstoß bis direkt vor die Höhle des Löwen. Und den britischen Löwen für den gesamten südatlantischen Raum vertritt der hier in Freetown als CiC amtierende britische Admiral mit seinen Kreuzergruppen.

Vielleicht ist es richtig, genau das zu tun, was der Gegner von einem deutschen Hilfskreuzer zur Stunde am allerwenigsten erwartet: Selbst= mörderische Absichten hat Kähler keineswegs, wenn er in der Natal=

Freetown=Enge, hart am Rande der für U=Boote freigegebenen Seege=
biete vor Afrika, operiert.

Aber es muß etwas geschehen.

Die Leute fangen langsam an, weiße Mäuse zu sehen.

Thors letztes Opfer, die britische *Natia*, sank am 8. Oktober 1940.

Heute ist Frühlingsanfang. Heute ist der 21. März.

Der Hinweis auf den erwachenden Frühling macht die Herzen der
Männer nicht leichter. Wie weit ist die Heimat entfernt. Heimat, in der
die Wälder jetzt im violettbraunen Schleier sich entfaltender Knospen
schwimmen, die ersten Krokusse die Wiesen beleben ...

Frühling kennt die Zone dicht über dem Äquator nicht. Äquator heißt
Gleicher. Wenn dies auch anders, nämlich astronomisch gemeint ist, so
gleicht hier doch eine Jahreszeit der anderen, der Winter dem Sommer,
der Frühling dem Herbst.

Was gäben sie auf *Thor* für eine frische Brise deutschen Frühling=
wind ... für fliegende Röcke einer seuten Dirn.

24 Wochen ohne Erfolg!

Das macht nervös.

Gewiß, es hatte inzwischen einige Abwechslungen gegeben. Erst hat=
ten sie den Versorger *Eurofeld* getroffen, einen Tanker der Europäischen
Tankreederei. „Bei Jove, wat für'n Schipp. N'en richtigen Never=come=
back=Liner", meinten die Hamburger auf *Thor* dazu.

„Den hält bloß noch die Farbe und die gute Laune des Kapitäns zu=
sammen", der Kommentar der anderen.

Blessin hieß der fröhliche Alte auf diesem Eimer, ein mittelgroßer,
etwas untersetzter Mann mit seriösem Bauch unter der blauen Uniform=
weste mit echt vergoldeten Knöpfen. Fast zwei Jahre sahen er und seine
Besatzung die Heimat nicht. Und sie hatten das Lachen dennoch nicht
verlernt.

Gute Vorbilder verderben schlechte Sitten.

Und Blessin ist Vorbild ... im Dienst wie auch privat.

Über Weihnachten trafen sie *Admiral Scheer*. Auf dem Punkt Anda=
lusien, den beide Schiffe ansteuerten, stellte *Admiral Scheer* ihr Ver=
pflegungsamt Wilhelmshaven Süd vor, die Prise *Duquesa*. Der Schwere
Kreuzer hatte das Kühlschiff mit den hochtrabenden Namen in der
Woche vor Weihnachten aufgebracht. Da das nach dem Ersten Welt=
krieg größte Kühlschiff der Welt noch mit Kohlenfeuerung fuhr, kam
es als Prise nicht in Frage.

Aber die Millionen Pfund argentinisches Fleisch, ausgesuchtes Fleisch,
in Deutschland in diesen Qualitäten seit Jahren unbekannt,
und die Eier,

die 14,5 Millionen Eier in den Kühlräumen der *Herzogin,*
diese Schätze wollte SC=Kommandant, Kapitän zur See Krancke, nun
doch nicht den Fischen überlassen. So legte er den Eierdampfer auf den
Treffpunkt Andalusien.
Zur gefälligen Bedienung durchreisender Korsaren.
So feierten sie auch auf *Thor* Ostern schon lange vor dem Kalender=
termin.
Eier! Eier! Eier!... in allen Varianten.
Zwischen Weihnachten und Neujahr operierten *Thor* und *Admiral
Scheer* auf abgesprochenen Routen. Krancke hegte die stille Hoffnung,
man könnte vielleicht doch noch ein Kohlenschiff zu fassen bekommen,
um damit die Bunkerbestände der *Duquesa* aufzufüllen, um die *Herzog=
liche* als Prise heimzuschicken...
Er kann sich noch immer nicht mit dem Gedanken anfreunden, daß
dieses Schiff, wenn die Kühlmaschinen wegen Brennstoffmangel nicht
mehr in Betrieb gehalten werden können, mit seiner so wertvollen und
so nahrhaften Ladung eines Tages doch versenkt werden muß.
Hier, in diesem Falle, wirkte sich die an sich berechtigte Sorge vor der
gegnerischen Funkeinpeilung nachteilig aus. Ein Kurzsignal an die Skl
hätte genügt, um die Kommandanten anderer Handelsstörer aufmerk=
sam zu machen, daß auf Punkt Andalusien ein Beutefrachter mit Kohlen=
reserven gebraucht würde.
Detmers hätte helfen können...
Unvergessen der Sylvesterabend im südlichen Atlantik.
Auf dem Treffpunkt mit *Admiral Scheer* treiben *Thor,* der Marine=
versorger *Nordmark* und die klapprige *Eurofeld.*
Die See ist so glatt wie ein Billardtisch, unter dessen Tuch in mathe=
matisch genauen Abständen Rollen entlanglaufen: Die Dünung, Atem
der Ozeane.
Auf den Schiffen traten die Besatzungen an. Im tropischen Sonntags=
anzug. Die Kommandanten verlasen die Grüße des Oberbefehlshabers.
Der Große Zapfenstreich klang auf.
In diesem Augenblick näherte sich ein rotglühender Sonnenball dem
im Gegenlicht tintenfarbenen Meer. Als er die See zu berühren schien,
flammte es dunkelgrün auf. Dann tauchte er ein. Flüssiges Gold über=
flutete den Ozean. Und der Himmel spiegelte das Schauspiel in filigranen
Zirruswolken wider.
Auf den Schiffen entblößten sie die Köpfe.
Sie beteten.
Der Katholik.
Der Protestant.

Und sogar der Dissident.

Die purpurfarbene Himmelsglocke vereinte sie alle.

Keine Kirche der Welt vermochte diesen Dom zu ersetzen.

Noch ein Wort zu den Eiern.

Der Traum um die argentinischen eggs hätte beinahe ein böses Ende gefunden.

Kähler glaubte sich — er hatte sich schon verabschiedet und war ab= gelaufen — in bezug auf die übernommenen Mengen untervorteilt. *Thor* kehrte zurück. Ohne angemeldet zu sein.

An diesem Tage lag dunstiger Brodem über dem Südatlantik. Er ver= zerrte die Konturen der *Thor*, als sie über der Kimm erschien, in die Breite. *Thor* wirkte auf den ersten Augenblick wie ein Flugzeugträger. Auf *Admiral Scheer* hatten sie bereits Alarm gegeben, die Geschütze besetzt, geladen und gerichtet . . .

Da erkannte man den Irrtum.

Und noch ein Ereignis belebte die tatenlose Zeit.

Thor hatte Auftrag bekommen, die Walfangboote, die *Pinguin* in die Heimat schicken wollte, bei der Versorgung aus dem Tanker *Spichern**) zu betreuen.

Danach begann wieder die Jagd.

Am 3. März stocherten Mastspitzen über die Kimm. Es war der ame= rikanische Dampfer *West Zeda*.

Wieder nichts . . .

Und nun ist ein neues Blatt vom Kalender abgerissen . . .

Der 25. März.

Im Mastkorb des Vortops sitzt Ferdinand Reimer. Der Mastkorb ist rundherum drehbar. Wer hier oben Wache hält, muß, der Drehbewe= gung folgend, in routinemäßigen Abständen den ganzen Horizont be= achten. Wer hier oben für die Kameraden wacht, darf auch stolz darauf sein.

Der Gefreite Reimer über diese Tätigkeit in sein Tagebuch: „Es war für mich stets eine große und besondere Freude, in den Mastkorb stei= gen zu dürfen. Hier hatte ich eine persönliche Aufgabe, hier war ich allein für meine Kameraden und für den Erfolg unseres Unternehmens mitverantwortlich."

---

*) Bei dem Versorgungsschiff *Spichern* handelte es sich um die Prise *Kross= fonn*, die von *HSK Widder* am 26. 6. 1940 aufgebracht worden war. Auf den Namen *Spichern* umgetauft, war das Schiff als Versorger ausgerüstet und *Admiral Hipper*, *Prinz Eugen*, wie auch dem Hilfskreuzer *Thor* zugeteilt worden. Die *Spichern* wurde im August 1944 in Brest durch Kriegseinwirkung zerstört.

An diesem 25. März sucht Reimer wie immer die Scheide zwischen Himmel und Wasser ab.

Er sieht zwei hauchdünne, nadelfeine Spitzen über der Kimm. Er setzt das Glas ab. Er reibt sich die Augen. Er setzt das Glas wieder an. Kein Irrtum. Die Spitzen sind nach wie vor da. Er wischt die Optik zur Sicherheit noch einmal sauber ... sieht wieder durch. Tatsächlich: Mastspitzen in Sicht!

Erregt reißt er die Flüstertüte an den Mund und brüllt seine Beobach= tung der Brückenwache zu.

Reimer später dazu:

„Der Kommandant reagierte sofort auf meine Meldung. Am Kiel= wasser konnte ich feststellen, daß der Kurs des gesichteten fremden Schiffes sofort angenommen wurde. Als das Schiff, das inzwischen immer weiter über die Kimm geklettert war, auch für die Brücke sichtbar wurde, stieg der Gefechtsbeobachter, unser ehemaliger Bordflieger, in den Mast= korb. Er löste mich ab.

Unsere *Thor* nahm sehr schnell hohe Fahrt auf. Kurze Zeit später gab es Alarm. Ich stand wieder auf meiner Gefechtsstation im Batteriedeck am dritten Geschütz. Meine Kameraden klopften mir auf die Schulter. Sie waren wie aus dem Häuschen. Immer wieder sprachen sie mich an: ‚Darauf kannst du einen ausgeben.' Das wollte ich ja gern auch. Aber würde ich es noch können nach dem, was uns bevorsteht? Wir hatten zwei Hilfskreuzer erlebt. Vielleicht ist dies der dritte...? Von der Brücke sickerte bereits durch, der andere hätte auffallend mächtige Aufbauten und ein verdächtiges Heck; und eine große Kanone sei bereits zu sehen ..."

„Schiff 10" manövriert sich vorsichtig an den Fremden heran. Der Hilfskreuzer hat die jugoslawische Flagge gesetzt. Außen an seiner Bordwand steht der Name *Vir*. Die daneben gemalte Nationale soll die Herkunft verraten. Der Fremde — daß es ein gegnerisches Schiff ist, darin besteht nach Erkennen der Bewaffnung kein Zweifel mehr — reagiert überhaupt nicht.

Schläft man da drüben auf der Brücke?

Kapitän zur See Kähler befiehlt den Stoppschuß. Über die Morse= lampe folgen die üblichen Warnungen.

Als hätten die anderen da drüben nur darauf gewartet, gleichsam mit einem Ruck wendet sich der Gegner ab. Er dreht nach Nord, zeigt sein Heck und nebelt sich ein.

Thor's Funker bekommen Arbeit. Sie versuchen die gegnerischen Alarmmeldungen zu stören. Sie hacken diesmal nicht mit voller Kraft dazwischen. Auf gleiche Lautstärke abgestimmt, schieben sie in das gegnerische FT hier und dort einen Punkt oder einen Strich ein. Der Funkspruch wird so völlig verstümmelt, wenn er in dieser Form auf= genommen wird. Wenn . . .

Der andere schießt auch noch. Die Schüsse liegen viel zu weit von *Thor* entfernt. Immerhin . . .

Kapitän zur See Kähler — der Gegner ist anhand seiner Notrufe inzwischen als der britische Passagierdampfer *Britannia* erkannt — fährt den Anlauf mit der Steuerbordseite.

„Haltepunkte Schornstein! Brücke! Wasserlinie!"

„Salve! Feuer!"

Eine Breitseite nach der anderen verläßt die Rohre.

Treffer über Treffer krepieren auf dem Gegner, der sich in ver= zweifelten aber vergeblichen Zackbewegungen dem Wirkungsschießen zu entziehen versucht.

Warum geben sie da drüben nicht auf? Warum nicht?

Diese Frage bebt durch das ganze Schiff.

Die, die das zweifelhafte Glück haben, die Bombardierung des ehe= maligen Passagierdampfers mit eigenen Augen zu erleben, sehen immer neue Trümmerteile aus den Rauchwolken des jetzt brennenden Schiffes herausfliegen.

Da, auf dem Heck winken sie mit weißen Tüchern.

Der Wind weht einen Herzschlag lang die Brücke frei. Auch dort Menschen mit erhobenen Armen mit irgendetwas Weißem in der Hand.

Da kommt auch ein Morsespruch:

„Ich habe Frauen an Bord . . .!"

Irgendetwas fliegt über Bord. Durch das Glas erkennen sie einen Menschen. Sie sehen, wie er sich auf ein Floß rettet, das die Explosionen vom Schiff geschleudert haben.

Die Geschütze schweigen.

Kapitän zur See Kähler hat das Feuer einstellen lassen, als er die ersten weißen Tücher sah.

Den Ersten, den sie an Bord nehmen, ist der Mann auf dem Floß.

Bootsmaat Keller, der Geschützführer des dritten Geschützes, beugt sich weit über die Reling des Batteriedecks hinüber. Seine Kameraden halten ihn fest. Der Mann im Floß begreift. Er packt schnell die Hand des Maaten. Mit einem Schwung löst er sich vom Floß, wird an Bord gezogen und steht deutschen Seeleuten gegenüber.

Fragen prasseln auf ihn ein. Fragen in holprigem Englisch, aber in einem Klang gesprochen, der herzliche und kameradschaftliche Anteil= nahme verspüren läßt, auch ohne, daß der andere das Pidgin=Englisch versteht.

Bernhard Rogge
(HSK *Atlantis*)

Ernst-Felix Krüder
(HSK *Pinguin*)

Otto Kähler
(HSK *Thor*)

Hellmuth v. Ruckteschell
(HSK *Widder*)
(HSK *Michel*)

Robert Eyssen
(HSK *Komet*)

Kurt Weyher
(HSK *Orion*)

Die Kommandanten

Horst Gerlach
(HSK *Stier*)

Günther Gumprich
(HSK *Thor* 2. Reise)
(HSK *Michel* 2. Reise)

Theodor Detmers
(HSK *Kormoran*)

Ernst Thienemann
(HSK *Coronel*)

Ulrich Brocksien
(HSK *Komet* 2. Reise)

Die Kommandanten

Schiff 36, der HSK *Orion*, während der Ausrüstung in der Werft von Blohm & Voss, Hamburg.

HSK *Orion* nach der Umtarnung in den Holländer *Beemsterdijk*. Rechts oben im Bild noch der Stempel »Geheime Kommandosache«.

Oben: Rogge als Zivilist mit hartem Hut bei dem Umbau des HSK. Das Deckhaus ist die Tarnverkleidung eines Geschützes.

Mitte: Deutsche HSK-Artilleristen mit echten englischen Stahlhelmen neben englischem Heckgeschütz auf der Poop.

Rechts: Oberleutnant Dr. Mohr, Rogges Adjutant, als Japaner mit Strohhut und Kimono.

Tarnung, Tarnung ...

Ausguck, Ausguck ...

Nicht nur auf der Mars wird Ausguck gehalten, sogar hoch oben an der schwankenden Mastspitze hockt ein Mann. Doch damit nicht genug, auch auf der Brücke sucht alles, was ein Glas hat, die Kimm nach einem Schiff und die Luft nach Flugzeugen ab.

Auf den Treffpunkten ...

Auf dem Geheimquadrat »Andalusien« im Südatlantik wartet hier HSK *Thor* auf einen Versorger. Die Gelegenheit ist günstig, auf den Dienstplan Kutterpullen zu setzen.

Der langerwartete Versorger, die *Tannenfels*, trifft ein. Ob er Post von der Heimat mitbringt? Das ist die erste und wichtigste Frage.

Wie die Opfer enden ...

Durch Torpedoschuß (oben), durch Artilleriefeuer (Mitte), durch Sprengung (unten).

Der Zufuhrkrieg gilt nicht den Menschen auf der anderen Seite ... er gilt dem Schiffsraum und der Ladung.

Farbige aller Schattierungen und Rassen aller Völker wurden Gefangene auf den Hilfskreuzern.

Mit der Freude über neue Beute klettern neue Sorgen, neue Gefangene, an Bord.

Durchbruch durch die Nordpassage ...

Pelzvermummt gehen die Männer vom *Komet*-Ausguck in der Kälte der arktischen Nordpassage Tag und Nacht ihre Wache.

Eisbrecher *N. Ctajinh* (J. Stalin), einer der drei russischen Eisbrecher, die *Komet* durch die bis zu neun Ball Eis starken Barrieren schleusten.

Welch' erschütternder Anblick für einen Seemann, wenn wieder ein Stück Romantik, ein Dom aus Segeln, für ewig versinkt...

Zwei der 12 000 BRT großen drei Walkochereien und eines der elf Walfangboote, die *Pinguin* als Prisen in die Heimat sandte.

Auf Nauru wurden die größten Phosphatlager der Welt zerstört. 500 000 Tonnen Phosphate für die Herstellung von Millionen von Brandbomben gelangten nicht mehr nach England.

Treffen mit dem Schweren Kreuzer *Admiral Scheer* im Indischen Ozean. Neben dem Kreuzer der Tanker *Benno,* ex *Ole Jacob*, bei der Ölabgabe.

Das Verhältnis zwischen Hilfskreuzerkommandanten und Zivilkapitänen der deutschen Versorger war äußerst herzlich: Fregattenkapitän Weyher begrüßt hier Kapitän Pschunder von der *Kulmerland*.

Ölversorgung

Bei Sonnenschein und
ruhiger See: Bord an Bord
liegend, vom Tankdeck aus
mit allen Schläuchen ...

Bei unruhiger See:
durch eine 200 m lange
Schlauchleitung,
um Kollisionen zu
vermeiden ...

... aber erst, wenn HSK
Komet und Tanker *Ole
Jacob* hinter den berge-
hohen Dünungskämmen
fast verschwinden!

Südseezauber trotz Krieg

HSK *Komet*, MS *Kulmerland* und HSK *Orion* hinter den malerischen Palmsilhouetten vor der Insel Emirau. Kaum einer an Bord hätte im Frieden solche Trauminseln gesehen ...

Ein Streifzug durch das Maug-Atoll, ein Abenteuer wie aus einem Märchenbuch.

Das Lamutrek-Atoll: Die Hütten stehen leer, die Eingeborenen sind geflohen ...

HSK *Komet und HSK Orion* treffen sich vor dem Lamutrek-Atoll.
Links unten im Bild die Einfahrt in die Lagune.

HSK *Orion* bei der Maschinenüberholung im Kratersee des Maug-Atolls.

XXX

Beim Einlaufen in den von den Japanern eroberten Hafen von Batavia auf Java. Ein japanisches Landungsboot holt den HSK-Kommandanten zum Festessen ab ...

Der *Atlantis*-Kommandant, Kapitän zur See Rogge, mustert seine gerettete und von U-Booten nach Frankreich heimgebrachte Besatzung ...

Seemannsbegräbnis fern der Heimat.

Der Kommandant verläßt als letzter das Schiff. Als letzter wird er auch gerettet. Hier: Kapitän zur See Gerlach klettert nach Versenkung des HSK *Stier* auf die rettende *Tannenfels*.

Oben: Hilfskreuzer *Thor* = HSK 4, II. Reise, als »Schiff 10« ex Fracht-Turbinenschiff *Santa Cruz* der Oldenburg-Portugiesischen Dampfschiffahrtsgesellschaft, Oldenburg; * 1938, 3862 BRT (10.000 ts max), Kommandant (II. Reise): Kapitän zur See Günther Gumprich.
Der Hilfskreuzer *Thor* wird auch auf einer seltenen Farbaufnahme auf dem Titelbild dieses Buches vorgestellt. Das Colorphoto entstand auf dem Geheimquadrat Andalusien im südlichen Südatlantik gelegentlich eines Zusammentreffens mit dem Schweren Kreuzer *Admiral Scheer* von Bord der *Admiral Scheer*.   Photo: Ltn. Jochen Brennecke

Unten: Hilfskreuzer *Komet* = HSK 7, Kommandant (I. Reise): Kapitän zur See Robert Eyssen (ab 1. Januar 1941 Konteradmiral), Besatzung 274 Mann; als »Schiff 45« ex Fracht-Motorschiff *Ems* beim Norddeutschen Lloyd, Bremen; * 1937, 3287 BRT.   Photos: ? (beide Archiv MOV, Bonn)

Oben: Hilfskreuzer *Widder* = HSK 3 als »Schiff 21« ex Fracht-Turbinenschiff *Neumark* von der Hamburg-Amerika Linie (Hapag), Hamburg; * 1929, 7851 BRT (16.000 ts max), Kommandant: Korvettenkapitän Hellmuth von Ruckteschell, Besatzung 363 Mann; das Photo entstand auf Bergen-Reede. Photo: ? (Bundesarchiv)

Unten: *Widder* aus schräg achterlicher Sicht mit aufgenommenen Ladebäumen.
Photo: ? (Bundesarchiv)

Oben: Hilfskreuzer *Pinguin* = HSK 5 als »Schiff 33« ex Fracht-Motorschiff *Kandelfels* der Deutschen Dampfschifffahrts-Gesellschaft HANSA (DDSG), Bremen; * 1936, 7766 BRT (16.000 ts max),
Kommandant: Kapitän zur See Ernst-Felix Krüder, Besatzung 420 Mann. Hier auf dem Bild
wurde die *Kandelfels* als der griechische Frachter *Kassos* getarnt.
Photo: ? (Archiv Marineschule Flensburg-Mürwik)

Unten: Hilfskriegsschiff *Adjutant*, ein von der *Pinguin* aufgebrachter norwegischer und zum
Minenlegen umgebauter Walfänger. Photo: ? (Bundesarchiv)

Hilfskreuzer *Kormoran* = HSK 8 als »Schiff 41«, ex Fracht-Motorschiff *Steiermark* der Hamburg-Amerika Linie (Hapag), Hamburg; * 1938/39, 8736 BRT, (19.000 ts max); Kommandant: Kapitän zur See Theodor Detmers, Besatzung 397 Mann.

Photos: ? (Bundesarchiv) und ? (Marineschule Flensburg-Mürwik)

Hilfskreuzer *Atlantis* = HSK 2 als »Schiff 16«, ex Fracht-Motorschiff *Goldenfels* der Deutschen Dampfschifffahrts-Gesellschaft HANSA (DDSG), Bremen; * 1927, 7862 BRT; Kommandant: Kapitän zur See Bernhard Rogge, 350 Mann Besatzung.
Das obere Bild zeigt den HSK mit auf See zur Tarnung aufgebautem zweiten Schornstein. — Die *Atlantis* war 622 Tage ohne Werft und ohne Hafen in See, das war die längste Seefahrt aller Zeiten.

Oben und unten: Hilfskreuzer *Stier* = HSK 6 als »Schiff 23«, ex Fracht-Motorschiff *Cairo* der
Atlas-Levante Linie, Bremen; * 1936, 4778 BRT, (13.000 ts max); Kommandant: Fregattenkapitän
Horst Gerlach, Besatzung 324 Mann.
Beide Bilder vom gleichen Schiff verdeutlichen die Tarnung.
Photos: oben ? (Bundesarchiv), unten ? (Archiv Marineschule Flensburg-Mürwik)

←
Bild linke Seite: Hilfskreuzer *Atlantis* als norwegisches Motorschiff *Tamesis* getarnt.
Photo: ? (Archiv Marineschule Flensburg-Mürwik)

Hilfskreuzer *Michel* = HSK 9 als »Schiff 28«, ex Fracht-Motorschiff *Bielsko* der polnischen Gdynia-Amerika-Linie; * 1939, 4740 BRT (11.000 ts max); Kommandant: Fregattenkapitän Hellmuth von Ruckteschell, Besatzung 400 Mann.   Photo: ? (Bundesarchiv)

Hilfsminenschiff *Doggerbank* als »Schiff 53«, ex HSK-*Atlantis*-Prise *Speybank*, während der Blockadebrecherfahrt nach/von Japan nach Bordeaux für 5 + 2 Tage im März/April 1942 im Raum von Kapstadt interimistisch als Minenleger eingesetzt; * 1926, 5154 BRT für Andrew Weir & Co, Glasgow.   Photo: ? (Archiv Marineschule Flensburg-Mürwik)

Nein, er sei nicht verwundet. Nein, es sei alles O.K.

Er nimmt eine der dargebotenen Zigaretten.

Erst jetzt kommt es über ihn. Er taumelt, muß gestützt werden. So bringen sie ihn zum IO.

Kapitän zur See Kähler dreht auf die *Britannia* zu.

An die Geschützbedienungen ergehen neue Befehle:

„Nur Kopfzünder verwenden!"

„Geschütze klar melden!"

Der BÜ meldet die Geschütze nacheinander klar.

Was soll geschehen? fragen sich die Männer an Bord.

Bis jetzt haben sie sich noch immer um die Überlebenden eines an= gegriffenen, brennenden oder versenkten Schiffes gekümmert.

Was sollen diese neuen Befehle bedeuten?

Sind Gegnerkräfte im Anmarsch?

Die quälenden Gedanken der Männer überfährt ein neuer Befehl des Kommandanten.

„Haltepunkt nur Wasserlinie."

Gott sei Dank, nur Wasserlinie.

Jetzt heißt es, genau treffen . . .

Bloß keine Treffer mehr in die Aufbauten! Vielleicht sind doch noch Menschen an Bord . . .

Nach einigen Breitseiten legt sich die *Britannia* auf die Seite.

Öl fließt aus.

Die See glänzt wie Speck.

Aber nur für Minuten.

Dann brennt das Öl auf.

Die See steht in Flammen.

Hinter einer Feuerwand verschwindet die sinkende *Britannia*.

Kapitän zur See Kähler in sein Tagebuch:

„Nachdem der Dampfer das Gefecht angenommen hatte, zurückschoß und durch Funkmeldungen laufend Hilfe herbeirief, ich selbst aber in unmittelbarer Nähe des gegnerischen Flottenstützpunktes Freetown und der stark gesicherten Geleitzugrouten stand, entschloß ich mich in die= sem Falle, auf Rettungsaktionen zu verzichten. Ich beruhigte mich, daß durch die Notrufe gegnerische Kräfte alarmiert werden würden und daß die Freetown nahe Position hundertprozentige Hoffnung für die Bergung der Überlebenden bot. Wenn ich dies auch ungern tat, weil es meiner Ansicht von der Freilassung von Gefangenen, die mich ge= sehen hatten, widersprach, mußte ich aus Gründen der Selbsterhaltung in diesem Falle davon abweichen und die Besatzung in den Booten trei= ben lassen."

Tatsächlich entkamen 77 Schiffbrüchige der *Britannia* – sie hatte neben ihrer aus 200 Mann bestehenden Besatzung 300 Marinesoldaten und 8 Frauen an Bord – der Hölle. Ein spanischer Frachter nahm sie am 29. März auf. Andere Schiffsbrüchige segelten nach Westen und erreichten Brasiliens Küste.

Tatsächlich stand aber auch ein britischer Kreuzer nur 45 sm von dem Katastrophenort entfernt. Er lief mit Höchstfahrt auf, fand aber infolge eines Fehlers in der Positionsangabe des versenkten Truppentranspor= ters die Versenkungsstelle nicht.

Thor läuft ab. Er setzt sich nach Westen ab, trifft am Nachmittag auf das schwedische Motorschiff *Trolleholm*. Der Schwedenkapitän sträubt sich nicht, die echten Papiere zu zeigen. Der Frachter fährt Kohle für England, nämlich von Newcastle über Kapstadt nach Port Said.

Der Fall ist klar.

Der Schwede muß abtreten.

✳

Auf *Kormoran* passiert und beobachtet.

Der 12. April, kurz vor Mitternacht:

„Wecken Sie mich um 02.00 Uhr wieder!"

Assistenzarzt Dr. Happen fordert das wachhabende Sanitätspersonal auf, ihn auch am 12. April jede zweite Stunde zu wecken. Bereits seit Tagen kümmert sich Dr. Happen alle zwei Stunden um den schwerver= wundeten britischen Schiffsoffizier, den zweiten Steuermann des am 9. April versenkten britischen Frachters *Craftsman*.

Den Zwoten hatte es auf der Brücke erwischt, als sein Kapitän die Warnungen des deutschen Hilfskreuzers, weder zu funken noch das Geschütz zu besetzen, so großspurig in den Wind schlug. Er ließ weiter= funken und die Kanone klarmachen. Er störte sich auch nicht an den ersten Breitseiten des Angreifers. Erst als eine Granate das Heck traf und mitten in die Geschützbedienung fuhr und alle Mann bis auf einen zerfetzte, als eine andere in den Brückenaufbauten zerplatzte und ein Splitter dem Zwoten Mund und Nase wegriß, bequemte er sich, aber eigentlich auch nur unter dem wachsenden Druck seiner unverwundeten Offiziere, zur Einsicht.

Fregattenkapitän Detmers hatte, wie üblich, dem zu dem jetzt bren= nenden Gegner hinüberfahrenden Untersuchungskommando einen Arzt und Sanitätspersonal mitgegeben, um Verwundeten an Ort und Stelle helfen zu lassen. Sie fanden viele Tote auf dem Frachter und einige Schwerverletzte.

Für den schwerverletzten Zwoten hatte vom Sanitätspersonal keiner mehr auch nur einen Funken Hoffnung.

Nur Dr. Happen, der Assistenzarzt, gab den fürchterlich zugerichteten Briten nicht auf.

An Bord der *Kormoran* operiert Dr. Happen ihn. Seit diesem Tage kann er nur flüssige Nahrung zu sich nehmen. Der Kopf ist eine unförmige Masse aus schneeweißem Mull. Eine kleine Röhre ragt heraus, der Zufuhrkanal für die flüssigen Speisen. Auch die verwundeten Schultern und Arme sind eingepackt.

Seit Tagen sorgt sich Dr. Happen mit bewundernswerter Selbstaufopferung um den britischen Seemann. Er horcht alle zwei Stunden sein Herz ab, er stärkt den Schwerverwundeten mit Spritzen, er hat einen Mann des Sanitätspersonals mit der ständigen Wache beauftragt...

Nach Tagen ist die Krisis überwunden.

Nach Wochen ist der Mann soweit gesund, daß er aufstehen kann. Hautplastiken haben seinem Gesicht wieder eine menschliche Form gegeben.

Die Rettung des Briten beglückt jeden Mann an Bord, auch jene, die die verhängnisvolle Granate auf den Weg schickten...

Der Krieg hat also auch noch eine menschliche Seite.

Auf Hilfskreuzern mehr als auf irgendeinem anderen man of war.

KAPITEL 10

BRITISCHE ERFOLGE UND IHRE FOLGEN

Zur Lage: Wie die Monate zuvor, so stehen auch der April und der Mai 1941 noch im Zeichen der Überlegenheit der deutschen Wehrmacht an allen Fronten.

Auf dem Balkan werden in Blitzfeldzügen Jugoslawien und Griechenland überrannt. 21 Tage nach Operationsbeginn marschie= ren, am 27. April 1941, deutsche Truppen in die hellenische Haupt= stadt ein. Am gleichen Tage überschreiten in Nordafrika deutsch= italienische Verbände die ägyptische Grenze und besetzen den Halfaya=Paß. Einen Tag später erobern die Deutschen Sollum.

England erlebt sehr schwere Luftangriffe, die schwersten seit Kriegsbeginn. Der Endsieg scheint sicher: die Bomben suchen und treffen nicht mehr nur militärische Ziele. Sie krepieren in Wohn= blocks, sie beschädigen Westminster Hall, Abbey and School, das British Museum und auch die St.=Pauls=Kathedrale...

Der gegnerischen Schiffahrt werden im Monat April 1941 Fracht= schiffe mit 687 901 BRT und im Monat Mai 139 Schiffe mit 511 042 BRT entrissen.

Im April hat die Luftwaffe den Löwenanteil an der Versenkungs= quote zu verzeichnen (Balkanfeldzug, Häfen in Griechenland und Kreta!) nämlich 116 Schiffe mit 323 454 BRT, die U=Boote dagegen meldeten nur 43 Frachter mit 249 375 BRT als versenkt. Sechs Frachter (24 888 BRT) liefen auf deutsche Minen, Kriegsschiff= Raider verzeichneten keine Erfolge, wohl aber die Hilfskreuzer: sechs Frachter mit 43 640 BRT. Hinzu kommen noch Verluste durch Schnellboote und durch ungeklärte Ursachen.

Im Mai sinkt die Versenkungsquote der Luftwaffe wieder ab, bleibt aber mit 65 Schiffen (146 302 BRT) noch immer sehr hoch, wäh= rend die U=Boote den Gegner um 48 Frachter (325 492 BRT) schä= digen. Hilfskreuzer erbeuten drei Frachter (15 002 BRT).

Unbestreitbare Erfolge der Kriegsmarine sind auch die glück= lichen Blockade=Durchbruchsfahrten der Schweren Kreuzer Ad= miral Hipper (am 28. März wieder in Kiel) und Admiral Scheer (am 1. April wieder in Kiel).

Ermutigt durch die Erfolge der einzeln operierenden Kriegs= schiffe als Handelskreuzer und durch das Verbandsunternehmen der Scharnhorst und Gneisenau plant das OKM, ihre, wie die Amerikaner so treffend ausdrücken, „tip and run"=Taktik fort= zusetzen. Es will diese beiden Einheiten nunmehr zusammen mit der see= und gefechtsklaren Bismarck im Zufuhrkrieg ansetzen.

Bismarck *soll daher, das ist Großadmiral Raeders Plan, noch im Mai, begleitet vom Schweren Kreuzer Prinz Eugen, in den freien Atlantik vorstoßen, während Scharnhorst und Gneisenau ebenfalls zu einer Atlantikunternehmung auslaufen sollen. Schlachtschiffe, Kreuzer und Hilfskreuzer würden die gegnerischen Seestreitkräfte so stark engagieren, daß seitens der Briten kaum mit einer Schwerpunktbildung gegen die eine oder andere Gruppe zu rechnen sein wird.*

Doch bevor Bismarck und der „Prinz", wie der Schwere Kreuzer „Prinz Eugen" in der Flotte geheißen wird, auslaufen, versucht der Gegner, die beiden Schlachtkreuzer in Brest unter größtem Einsatz durch Luftangriffe außer Gefecht zu setzen. In der Nacht vom 30. zum 31. März wie auch in der Nacht vom 3. zum 4. April und weiteren sechs Nächten werden die beiden Schiffe durch die RAF angeflogen. Die Gneisenau wird mehrfach getroffen. Aber auch die Scharnhorst ist wegen eines Maschinenschadens nicht einsatzbereit.

Also soll Bismarck allein mit dem „Prinzen" im Atlantik operieren. Flottenchef Admiral Lütjens hegt zwar Bedenken, aber Raeder drängt mit dem Auslaufen. Er fürchtet, daß ein späterer Ausbruch während der langen Nächte der Sommermonate illusorisch wird. Raeder in seinem Buch „Mein Leben", Band II, dazu: „Unsere Erfahrungen mit der ozeanischen Kriegsführung hatten aber gezeigt, daß die Aussichten für die Verwendung auch eines einzelnen schweren Schiffes im Atlantik nicht ungünstig waren. Sie verminderten sich aber allmählich durch die Verbesserung der feindlichen Abwehr, vor allem infolge der Verstärkung der feindlichen Luftüberwachung. Dazu kam als wichtigster Gesichtspunkt, daß der mit größter Wahrscheinlichkeit erwartete Kriegseintritt von Amerika immer näher rückte... Diese Gründe sprachen dafür, den Einsatz nicht in eine unsichere Zukunft zu verschieben."

Bismarck wird am 21. Mai mit Prinz Eugen in See geschickt. Nach der Vernichtung des britischen Schlachtschiffes Hood muß Bismarck wegen durch Treffereinwirkungen entstandener Brennstoffverluste den kürzesten Weg zu einem Reparaturhafen, in diesem Falle St. Nazaire, wählen. Fünfhundert Seemeilen von diesem Hafen entfernt, erhält die Bismarck einen Luft=Torpedotreffer, der das Schiff manöverierunfähig macht und schließlich zur Vernichtung durch die von den Briten herangezogene Force „H" führt.

Gleichzeitig räumt der Gegner mit den deutschen Versorgungsschiffen auf, die für das Bismarck=Unternehmen vorausgeschickt wurden und die zum Teil auch der U=Boot= und Hilfskreuzerversorgung dienen sollen.

Aber nicht nur die Vernichtung des deutschen Wunderschiffes Bismarck belebt die gegnerische Kampfmoral und den Durchhalte=

willen der zähen Briten: im Mai gelingt es den britischen Jagd=
streitkräften, den ersten der verdammten deutschen Gespenster=
kreuzer zu vernichten, den Hilfskreuzer Pinguin.

Zwei düstere Schatten — die Bismarck=Tragödie und des ersten
HSKs Ende —, erschüttern den Optimismus der Führungsstellen
der deutschen Marine. Klar zeichnet sich jetzt schon ab, daß der
Zufuhrkrieg mit Überwassereinheiten bald schon vollends zum
Erliegen kommen wird.

Diese Ereignisse sind für den Hilfskreuzerkrieg für die Monate
April und Mai bemerkenswert:

Im April operieren drei HSKs im Atlantik, nämlich Atlantis
(eine Versenkung) und Kormoran *(zwei Versenkungen) im süd=*
lichen mittleren und Südatlantik und HSK Thor *(zwei Versen=*
kungen) im nördlichen Mittelatlantik.

In dem Indik operiert Pinguin. *Überholt und frisch ausgerüstet*
nach einer Liegezeit in einer Kerguelen=Bucht erringt sie Ende
April zwei Erfolge. Im südlichen West= und Mittelindik operiert
Orion. *Allerdings ohne einen Erfolg. Im östlichen Indischen Ozean*
sucht Komet *vergeblich nach einer Beute.*

Im Mai verändert sich das Bild dahingehend, daß Thor *als*
Handelskreuzer ausfällt, da inzwischen auf Heimat= und Durch=
bruchskurs gegangen und am 30. April in Hamburg eingelaufen.

Im Indischen Ozean wird HSK Pinguin, *neben HSK* Atlantis
der bisher erfolgreichste HSK, nach einem weiteren Erfolg in der
Arabischen See am 8. Mai durch HMS Cornwall *gestellt und ver=*
senkt. Nach über einem Jahr Jagd auf die deutschen Gespenster=
schiffe ist dies der erste britische Erfolg.

Nur noch vier HSKs operieren nun noch auf den Meeren der
Welt:

Atlantis *im südlichen Atlantik (zwei Erfolge),* Orion *im west=*
lichen Indik (kein Erfolg, wohl aber eine äußerst bedrohliche Sich=
tung); ebenfalls in der Indischen See jetzt Kormoran, *der die Ge=*
biete südlich von Ceylon zugewiesen werden und Komet, *die noch*
immer westlich Australiens im südöstlichen Indischen Ozean (ohne
Erfolg) arbeitet.

Hilfskreuzer *Thor* hatte die *Britannia* versenkt. Der Gegner, ein Trup=
pentransporter, hatte RRRR und genaue Position gefunkt ...

Um möglichst schnell aus dem Gefahrenbereich herauszulaufen, mar=
schiert *Thor* mit Höchstfahrt Kurs nach Nordosten und dann weiter
nach Westen zu auf die panamerikanische Neutralitätszone vor West=
indien ab.

Der 4. April 1941.

Im Südwesten ist in den ersten Morgenstunden eine auffallend starke
Rauchwolke gesichtet worden.

Die Alarmsirene reißt die Männer aus ihrem noch fast schlaftrunkenen Zustand heraus.

Der Rauchwolke folgt ein großes Schiff. Es hat einen dicken Schornstein, und es schiebt sich mit direktem Kurse auf den Hilfskreuzer zu.

Es ist, wie sich später herausstellen soll, wieder ein britischer Hilfskreuzer.

Der dritte auf dieser Reise.

Es handelt sich um die 13 245 BRT große *Voltaire*, ein ehemaliges Passagierschiff der Lamport & Holt Line in Liverpool, das zu einem Hilfskriegsschiff umgebaut worden ist.

Kapitän zur See Kähler über den Verlauf des Gefechts in sein Tagebuch:

„Um 06.15 Uhr — zehn Minuten nach Sonnenaufgang — kommt am dunstigen Südwest=Horizont eine starke Rauchwolke in Sicht, in der undeutlich Masten und Schornstein zu erkennen sind. Ich laufe zu dieser Zeit mit 6 kn nach Norden.

Der Dampfer steuert etwa 60 Grad. Seine starke Rauchentwicklung deutet auf einen Kohlenbrenner hin. Ich beschließe, den Dampfer näher zu betrachten und gehe auf 260 Grad und 15 Knoten Fahrt.

Um 06.21 Uhr gebe ich Alarm. Die Entfernung beträgt 210 hm.

Da der Dampfer seinen Kurs beibehält, vermute ich einen Neutralen und setze die griechische Flagge. Das Heck des Dampfers ist nicht zu sehen, deshalb kann auch seine Heckflagge nicht festgestellt werden.

Um 06.40 Uhr dreht der Dampfer nach Backbord auf etwa 10 Grad. Die Entfernung beträgt 135 hm. Er läuft mit hoher Fahrt.

Da ich über die Art des Dampfers noch immer im unklaren bin, drehe ich auf 160 Grad, um auf der günstigen Sonnenseite zu bleiben.

Der Gegner ruft uns mit der Morselampe an.

Um 06.45 Uhr setze ich die Kriegsflagge und schieße ihm auf 92 hm einen Schuß vor den Bug.

Im gleichen Augenblick werden auf dem Gegner zwei Kanonen auf der Back und zwei Signalflaggen am Mast festgestellt. Da nun kein Zweifel mehr besteht, daß es sich um den dritten englischen Hilfskreuzer handelt, der mir in den Weg tritt, eröffne ich um 06.46 Uhr mit der ganzen Batterie das Feuer.

Der Gegner erwidert sofort mit zunächst zwei Geschützen. Nach der Art der Aufschläge sind es 15,2=cm=Granaten. Die Aufschläge liegen weit, aber der Seite nach gut.

Die eigene Batterie liegt sehr schnell am Ziel und erzielt schon mit den ersten Salven Treffer. Bereits um 06.49 Uhr wütet ein starker Brand im Mittelschiff des Gegners. Er ist zeitweilig vollkommen in Rauch ge=

hüllt. Er schießt unregelmäßig mit seinen vier Geschützen. Die Schüsse liegen teils weit, meist kurz, der Seite nach gut; nur wenige Salven lie= gen deckend. Die Aufschläge sind zuerst giftgrün, später meist weiß. Eine Granate zerreißt meine Hauptantenne. Das bleibt der einzige Tref= fer im Gefecht. Er verursacht weiter keinen Schaden.

Ich drehe allmählich zum Kreisgefecht nach Steuerbord, um die Lee= stellung zu gewinnen. Der Wind ist ONO 3. Der eigene Geschützqualm behindert zeitweilig die Sicht.

Der Artillerieoffizier schießt nach der E=Uhr in schnellem Salventakt, zeitweilig bis zu sechs Sekunden.

Die Entfernung sinkt bis 71 hm.

Da der Gegner um 07.00 Uhr hart auf mich zudreht, vielleicht um Torpedos zu schießen, drehe ich nach Backbord ab. Der Gegner dreht jedoch weiter nach Steuerbord, worin ich ihm sofort folge. Es kommt zum laufenden Gefecht.

Trotz der Drehung und obwohl der Gegner zeitweilig vollkommen in schwarzen Qualm verhüllt ist, bleibt die Batterie gut am Ziel. Viele Treffer werden an hellen Stichflammen erkannt. Trotzdem schießen seine Geschütze, wenn auch unregelmäßig und schlechter, aus dem Qualm heraus.

Um 07.15 Uhr lasse ich aus günstiger Stellung — der Gegner hat nach Steuerbord zum Passiergefecht aufgedreht — einen Torpedo schießen. Der Torpedo geht vorbei, da der Gegner weiter nach Steuerbord dreht. Offenbar hat er Ruderversager und läuft mit 12 bis 13 Knoten im Kreise. Sein Schiff steht von der Brücke bis zum achteren Mast in hellen Flammen. Noch immer aber schießen sein Back= und Heckgeschütz, so= bald sie das Ziel auffassen können.

Da das III., V. und VI. Geschütz auf *Thor* ausfallen, weil die Brems= flüssigkeit kocht und die Rohre nicht mehr in Feuerstellung rennen, bringe ich um 07.16 Uhr die Backbord=Seite mit drei Geschützen ins Gefecht. Die Entfernung fällt bis 63 hm.

Wieder schlägt Salve auf Salve in das brennende Schiff.

Immer noch feuert der Gegner mit Back= und Heckgeschütz.

Wie sich hinterher herausstellte, wurde das Heckgeschütz vom Kom= mandanten persönlich und einem Geschützführer bedient, während der IO und zugleich AO das Backgeschütz leitete.

Gezwungenermaßen führe ich das Gefecht auf nördlichen Kursen, wieder aus der Luvstellung, so daß die Beobachtung gestört wird.

Um 07.00 Uhr fallen auch die letzten Geschütze, das I., II., und IV., aus den gleichen Gründen wie meine Steuerbord=Geschütze aus. Ich muß deshalb das Feuer einstellen und manövriere auf Torpedoschuß. Die

Entfernung beträgt 59 hm. Da der Torpedo=Offizier das Ziel im gün=
stigen Augenblick um 07.55 Uhr durchwandern läßt, muß ich einen
neuen Anlauf fahren..."

Soweit zunächst Kapitän zur See Kähler.

Wie die Besatzung das Gefecht bisher erlebte, schildert Ferdinand
Reimer:

„... vorher aber muß ich noch das Enttarnen bei uns erklären.

Bei unserem Batteriedeck war es möglich, die Bordwand über zwei
auf beiden Seiten angebrachten Kontergewichten nach oben zu schieben.
Man brauchte nur die Stellschrauben zu lösen, auf denen die obere Bord=
wand ruhte. Alles andere war Sache von wenigen Sekunden, bis die
schweren Waffen freies Schußfeld hatten...

Ja, bei diesem Angriff war vieles anders, als bei den anderen Begeg=
nungen...

So erlebte ich ihn:

Immer wieder rumort die dunkle Stimme des Kameraden aus dem
Gefechtsstand im Lautsprecher:

„Die Lage ist ernst. Wir haben es wahrscheinlich mit einem schnellen
und überlegen bewaffneten Hilfskreuzer zu tun... Ruhe bewahren...
Ruhe bewahren..."

Zum Teufel, denke ich bei mir, wenn die da oben zugeben, daß die
Lage ernst ist, dann ist sie es mehr als das...

Der Gegner macht, wir sehen es deutlich, ein Boot mit einem Unter=
suchungskommando klar.

Unser Batteriedeck ist mit Spannung und Nervosität aufgeladen. In=
zwischen summen die Munitionsaufzüge. Die Leebedienung schleppt
Granaten an die Geschütze. Der Leitstand gibt laufend die Entfernungs=
werte durch. Sie werden im Schieber und Aufsatz eingestellt.

Wir warteten mit klopfenden Herzen, ich wieder als Nummer fünf,
als Ansetzer an meinem Geschütz.

Wir müssen auf den Gegner wohl doch einen ungefährlichen, ja fried=
lichen Eindruck machen, denn jetzt schwenkt er seine Geschütze bis auf
drei Kanonen wieder ein. Für unseren Kommandanten ist die Gelegen=
heit des Angriffs gekommen.

„Enttarnen! Klappen öffnen!"

Die Kameraden der Backbordseite springen in die Kontergewichte.
Die Klappen rasten unten am Deck ein. Im gleichen Augenblick werden
die Geschütze in Gefechtsposition gefahren. Noch im Fahren erklingt
die Salvenglocke...

Die erste Breitseite verläßt nur Sekunden nach dem Enttarnen die
Rohre.

Salve auf Salve folgt.

Unaufhörlich brüllt die Verschlußnummer

„Geschlossen! Fertig!"

An dem Schutzschild unserer braven, aber so alten SLK.C 13 vorbei sehe ich die ersten Treffer krepieren. Die Salven liegen gut, ja sogar ausgezeichnet.

Ich ertappe mich dabei, wie mich eine Welle des Glücksgefühls durch= pulst. Ich möchte vor Freude irgend etwas tun ... meinen Kameraden auf die Schulter schlagen ... oder die Hände in die Luft werfen ... Da aber fühle ich, es schmerzt in der sich zusammenkrampfenden Brust, wie sich ein anderes Relais einschaltet, wie eine andere Stimme in mir warnt und mir zuruft, daß diese Granaten ja Menschen töten.

Und du? Bist glücklich darüber? Das kann doch nicht sein. Das darf nicht sein.

Geschlossen! Fertig!

Rumms ... Feuerstrahl.

Da ist wieder die Stimme.

Ja ... es muß aber sein.

Es muß?

Wenn ich jetzt versage, ist das schon Unehre? Ist es schon Untreue dem Soldateneid gegenüber, wenn die Hände nicht mehr mitmachen wollen?

Ich wische diese quälenden Gedanken gewaltsam hinweg. Ich kon= zentriere mich aufs Gefecht. Aha, *Thor* hat volle Fahrt aufgenommen. Die Entfernung zwischen uns und dem Gegner vergrößert sich. Wie damals also, will sich unser Alter wieder aus dem Staube machen. Nein, nein, nicht aus Angst. Der Befehle wegen, Gefechten aus dem Wege zu gehen. Befehle der Vernunft ...

Der Geschützwinkel wird tiefer und tiefer.

Ich muß meine letzten Kräfte anwenden, um die Granaten in die Züge des Rohres zu stoßen.

Versager, immer mehr Versager treten auf. Der Verschluß klemmt. Wir fallen eine Salve aus. Da schreit der GF, der Geschützführer:

„Wir spannen".

Wir sind wieder dabei.

Neuer Versager. Das Rohr geht nicht wieder in Feuerstellung zurück. Die Vorhol=Einrichtung des Bremszylinders ist blockiert. Einer meiner Kameraden brüllt es durch den Lärm. Der GF ballt die Fäuste. Ich springe mit meinem Ansetzer an den Bremszylinder. Mit Hilfe eines weiteren Kameraden bringen wir das Rohr wieder in die Ausgangsstellung zurück.

Neben uns sind sie auch ausgefallen. Das Feuer wird immer unregel=

mäßiger. Und die Granaten purzeln wie Leberwürste aus den ausgelei=
erten Rohren. Aber sie treffen noch. Sie kommen trotzdem am Ziel an.
Das ist fast nicht zu glauben.

Neuer Versager. Das Rohr fährt wieder nicht zurück.

Wir packen wieder zu. Schweißnaß unsere Hände, naß unsere Ge=
sichter.

Schuß. Das Rohr fährt wieder nicht zurück.

So geht es weiter.

Die Bedienungen der Fünfzehner werden nervös. Wenn der Gegner
merkt, was mit unseren Waffen los ist, dann ist's daddeldu mit dem
Traum von der glückhaften Heimkehr...

Wie durch einen Nebelschleier sehe ich, wie der GF 2 der Backbord=
batterie eine Granate mannt, wie er sich gerade in dem gleichen Augen=
blick, da das Kommando Salve ertönt, an mir unterhalb des Verschlus=
ses vorbeizwängen will, um der Granatnummer das Geschoß zu über=
geben...

Ich handele so schnell, als habe einer auf den Knopf einer elektrischen
Anlage gedrückt. So, wie man mit sanftem Druck Licht anknipst...

Der Kumpel bekommt einen wütenden Stoß vor die Brust. Er stürzt
an Deck, und eben über seinen Kopf hinweg rast der Verschluß zurück.

Ich tippe vielsagend an meine Stirn...

Der Kumpel lacht.

Da hören wir beide laute Rufe:

„Hurra! Er brennt. Er brennt!"

Tatsächlich. In einer Atempause zwischen meinen Handgriffen sehe
ich Qualm über dem Gegner. Dazwischen Blitze, als ob Munition kre=
piert.

Thor dreht auf einen anderen Bug.

Die Backbordbatterie kommt zum Einsatz. Jetzt sind wir Munitions=
männer geworden.

Endlich: „Halt Batterie, halt!"

Das Gefecht ist aus?

Wir sehen, wie der Gegner mit starker Schlagseite, lichterloh von vorn
bis achtern brennend, abtreibt, wie er plötzlich über den Bug abkippt
und versinkt.

Wrackteile schießen aus dem Wasser heraus. Dazwischen Überlebende
denen die Trümmer Halt und vorerst Rettung bedeuten.

Oder auch nur eine Verlängerung der Qual. Denn von dem Raider
aufgepickt zu werden, damit rechnet keiner derer, die überlebten."

Soweit Ferdinand Reimer.

Kapitän zur See Kählers Bericht bis zum Ende lautet:

„08.06 Uhr habe ich gerade Feuererlaubnis für die Torpedowaffe ge=
geben, als am Heck des Gegners weiße Flaggen geschwenkt werden.

Ich lasse den Schuß deshalb ausfallen.

Beim Näherkommen — wegen der Explosionsgefahr bleibe ich 30 bis
40 hm ab — wird festgestellt, daß auf dem Schiff alle Boote zerschossen
sind oder brennen. Ein Teil der Besatzung steht gedrängt auf dem Heck
und winkt mit weißen Tüchern.

Ich nehme zunächst die vielen schon früher über Bord gesprungenen
Soldaten auf, die im Wasser auf Schwimmwesten oder an Holzstücken
treiben.

Der Gegner brennt lichterloh und holt langsam nach Backbord über.
Mit geringer Fahrt dreht er immer noch im Kreise.

08.35 Uhr versinkt der Hilfskreuzer HMS *Voltaire*, auf der Backbord=
seite liegend, über den Achtersteven in 14 Grad 25 Nord, 40 Grad 40
West in die Tiefe.

Eine Riesenrauchsäule steigt zum Himmel, zerfällt aber schnell.

Das Wasser ist in weitem Umkreis mit dickem Brennstoff bedeckt,
brennt aber nicht.

Das Artilleriegefecht dauerte 55 Minuten.

Es wurden 724 Granaten verschossen.

Da der Gegner keinen Funkspruch abgegeben hat, weil seine Funk=
station und der Generator gleich bei Beginn des Gefechts durch einen
Treffer zerstört waren, bleibe ich auf der Stelle und rette bis 13.00 Uhr
insgesamt 197 Soldaten, darunter den Kommandanten, den Ersten Offi=
zier und weitere 18 Offiziere. Ein Teil davon ist schwer, sehr viele sind
leicht verletzt. Von der Besatzung von 269 Köpfen sind 72 Mann ge=
blieben. Alle Geretteten sind stark erschöpft und haben durch den Brenn=
stoff auf dem Wasser sehr gelitten.

Der Kommandant läßt mir seinen Dank aussprechen für die Rettung
seiner Besatzung, mit der niemand gerechnet hat.

Die Haltung der gesamten *Thor*=Besatzung in diesem dritten Gefecht
war ruhig und sicher. Jeder Mann tat mit ruhiger Entschlossenheit seine
Pflicht.

Haltung und Leistung der Besatzung verdienen vollste Anerkennung.“

Ferdinand Reimer über die letzten Minuten:

„Haie schwimmen im Wasser. Viele Haie, die als Hyänen des Meeres
auf unerwartete Beute warten.

Unter den Überlebenden spielen sich ergreifende, erschütternde Sze=
nen ab.

Als unsere Boote näherkommen und nach den im Wasser schwim=
menden Briten greifen, lehnen viele die Hilfe ab, das heißt zunächst ab.

252

Sie schieben verwundete Kameraden vor. Und sie weisen auf andere im Wasser, die weiter weg treiben und die ebenfalls verwundet sind. ‚Rettet die zuerst'! Das ist der überlebenden gesunden Briten Wunsch. Sie lassen sich nicht mit Gewalt in die Boote holen. Sie weichen aus, tauchen weg und warten, bis ihre verwundeten Kameraden abgeborgen und gerettet sind; oder sie schwimmen mit eigener Kraft zur *Thor*.

Auf *Thor* werden die Überlebenden kameradschaftlich versorgt.

Die Ärzte und das Sanitätspersonal behandeln auf dem Gefechts=verbandsplatz im Torpedodeck sofort die Verwundeten. Die erschöpften Gesunden bekommen starken Kaffee, Schnaps und Zigaretten, dann ein Bad, dann neue Kleidung.

Der Kommandant der *Voltaire* reicht Kapitän zur See Kähler die Hand. Er dankt nicht nur für die Rettung und für die Betreuung der Verwundeten . . .

‚Dank und meine Hochachtung Sir, daß Sie das Feuer sofort einge=stellt haben, als mein letztes noch einsatzklares Geschütz ausfiel.'

‚Sie hätten als britischer Seeoffizier nicht anders gehandelt.'

‚Ich hoffe es, Sir. Ich wünschte vor mir, im umgekehrten Falle so gute Nerven wie Sie zu haben, so klar und schnell denken zu können, so viel Fairneß zu empfinden, wie sie der Tradition der deutschen und der bri=tischen Navy nach dem Kampf entspricht.'"

HMS *Voltaire* war annähernd viermal so groß wie *Thor*. Er, der dritte britische Hilfskreuzer, der *Thor* begegnete, wurde total vernichtet.

Bei den drei Hilfskreuzer=Gefechten, so hat man auf *Thor* ausgerech=net, wurden 1 112 Granaten verfeuert. *Thor* erhielt während der drei Gefechte insgesamt nur drei, dabei nicht einmal schwerwiegende Treffer; die deutschen Waffen dagegen fügten allen drei Gegner=HSKs schwer=ste Treffer und Schäden zu.

Die Addition dieser Erfolge könnte zu dem naheliegenden Schluß füh=ren, daß auf den deutschen Hilfskreuzern nicht nur bessere Seeleute fuhren, sondern daß auch das Zusammenspiel der waffentechnischen Einrichtungen dem gegnerischen weit überlegen war.

Dabei verfügten die Gegner außerdem über mehr und modernere Ge=schütze . . .

Sie waren schneller . . .

Sie waren größer und hatten daher eine bedeutend größere Stabilität und Sinksicherheit.

Nervös brauchten die meerbeherrschenden Briten doch nicht zu sein? Oder waren sie es zur Stunde doch?

*

In der Arabischen See im Indischen Ozean.

Pinguin muß den für eine neue Minenunternehmung herbeiersehnten Tanker versenken.

Die gesichtete und aufgelaufene *British Emperor* hatte gefunkt. Sie wurde beschossen und brennt nun von vorn bis achtern.

400 Seemeilen von der Insel Sacotra entfernt, fährt sie in die Tiefe.

Einer dunklen Ahnung folgend, will sich Krüder in Höchstfahrt mit Südostkurs absetzen. In der Nacht sichten sie an Backbordseite einen Schatten, einen dreieckig geformten Buckel.

Krüder geht auf Süd=Südost.

Der Schatten verschwindet.

Morgens, 06.00 Uhr, sehen sie einen Punkt über der Kimm.

10.05 Uhr ist wieder ein Punkt über dem Horizont.

10.28 Uhr umkreist eine britische Bordmaschine in 12 Meilen Abstand den Hilfskreuzer.

12.02 Uhr neuer Anflug. Zwei Stunden später sichten sie Rauch=fahnen, eine Stunde danach kommen Mastspitzen heraus. Sie wachsen schnell über die Kimm: Ein britischer Kreuzer. Der Gegner läuft auf 8000 Meter Entfernung auf.

16.02 Uhr läßt Krüder enttarnen und gibt dem AO Feuererlaubnis. Der britische Schwere Kreuzer *Cornwall* erhält bereits nach den ersten Salven Treffer in Höhe der Wasserlinie und in den vorderen der drei Schornsteine. Der Gegner geht auf große Fahrt und manövriert sich aus dem Feuerbereich der unzulänglichen deutschen Waffen heraus, nachdem er nur um Haaresbreite einen der von *Pinguin* geschossenen, leider nicht blasenfreien Torpedos eben noch ausmanövrieren konnte. Das noch in der Luft befindliche Bordflugzeug der *Cornwall* hatte das tödliche Ge=schoß entdeckt und so rechtzeitig gemeldet, daß der *Cornwall*=Komman=dant noch ein geistesgegenwärtiges Rudermanöver vornehmen konnte.

Sein Glück wird des anderen Unglück ...

Die Granaten der letzten Salven der *Pinguin* erreichen den Kreuzer nicht mehr. Als die Zweihundertste die glühenden Rohre verläßt, befiehlt Krüder seinem FT=Offizier Brunke, der Skl durch FT die Lage zu melden.

Als die *Cornwall* den ersten Treffer auf *Pinguin* erzielt, entschließt sich Krüder den Befehl zu geben, das Schiff zu sprengen und sofort zu verlassen. Er ruft der Brückenwache zu:

„Gefangene frei. Martin, kümmern Sie sich um diese Männer ...“

In diesem Augenblick wird die *Pinguin* von vier 20,3=cm=Granaten getroffen.

Eine davon krepiert im Minenraum.

130 Minen explodieren und zerreißen das Schiff in zwei Teile.

Gerettet wurden von der deutschen Besatzung drei Offiziere, drei Feld=
webel, sieben Unteroffiziere und 47 Mannschaften. 27 der im Vorschiff
befindlichen Gefangenen kamen mit dem Leben davon, und zwar acht
britische Offiziere und 15 Inder.

Gefallen sind 18 Offiziere, 15 Feldwebel, 54 Unteroffiziere und 254
Mannschaften. Außerdem blieben 213 Gefangene im sinkenden Schiff.
Die Mehrzahl davon waren Inder.

Kapitän zur See Ernst Felix Krüder ist nicht unter den Überlebenden.

Am Ort der Versenkung der *Pinguin* — noch stundenlang sucht die
Cornwall das Wasser nach Überlebenden ab — läßt der Kommandant
des britischen Kreuzers seine Gefallenen beisetzen.

Die Rohre der schweren Geschütze der *Cornwall* richten sich zum
Himmel.

„... dieser Salut ehre auch, das ist mein Wunsch und Wille, die in so
ehrenvollem Kampf gebliebenen deutschen Seeleute und ihren so fairen
und ritterlichen Kommandanten, den Kapitän zur See Ernst Felix Krüder.
Unser Gebet schließe ihn wie seine tapferen Männer ein. Laßt uns
beten..." Des britischen Kommandanten Worte vor dem Vaterunser.

Danach brüllen noch einmal die Kanonen auf.

Sie schießen Salut.

Trauersalut und Ehrensalut.

*

Orion kreuzt vergeblich im Indischen Ozean auf und ab. Der schnelle
Schwere Kreuzer *Admiral Scheer* und die Hilfskreuzer *Pinguin* und
Atlantis haben hier derart aufgeräumt und soviel Unruhe geschaffen,
daß keine einzige Sichtung im Kriegstagebuch verzeichnet werden kann.

Der Gegner hat seine Schiffahrt dicht unter die Küsten zurückge=
nommen, oder er geleitete sie im Konvoi. Die Zeitverluste nimmt er gern
in Kauf. Nur schnelle Einzelfahrer wagen den Sprung — und dickfellige
Kapitäne mit allzu privaten Meinungen.

Am 8. Mai hat es *Pinguin* erwischt.

Die vermehrten Anstrengungen der Briten verbuchten ihren ersten
Erfolg.

Ein Zufallserfolg?

Weyher entläßt einige Tage später *Ole Jacob* mit dem Befehl, sich
mit ihr am 25. Mai im mittleren Indischen Ozean wieder zu treffen.

„Allright", bestätigt Käppen Allright und grinst.

Zum wievielten Male dampft er mit diesem so selbstverständlichen
Allright auf einen einsamen Warteplatz davon, schon ein Schatten der
Orion geworden...

Orion tastet sich in den Seeraum zwischen Madagaskar, den Seyshel=
len und der Saya de Malha Bank vor. Weyher sucht die Prise *Ketty
Brövig* und den deutschen, aus dem von den Briten jetzt besetzten ita=
lienischen Somaliland noch rechtzeitig entkommenen Dampfer *Coburg*,
zwei Schiffe, die in Wirklichkeit schon seit vielen Wochen auf dem
Grunde des Indischen Ozeans ruhen, gestellt und vernichtet, vom austra=
lischen Kreuzer *Canberra*.

Orion kämmt in Kreuzschlägen die aus dem Mozambique=Kanal nach
den Bengalischen Golf führenden Routen ab. Die Skl meinte, hier könn=
ten noch Einzelfahrer zu treffen sein.

Zweimal täglich startet Oberleutnant zur See von Winterfeldt das
Bordflugzeug. Und immer wieder klettert er mit einem Achselzucken
aus der Maschine.

Sein Gesicht sieht aus, als sei es aus einem Essigfaß geschnitzt.

Kommentar überflüssig.

Am 18. Mai hüpft der *Orion=Papagei* nach einer vorangegangenen
Reparatur erneut von der Stange. An diesem Tag hat auch der LI Kolsch
seine klapprige Maschine ausnahmsweise wieder einmal klar für Höchst=
fahrt melden können. Es herrscht eine ausgezeichnete Sicht.

Am Himmel segeln Monsunwolken. Sie gleichen pausbackigen Kin=
derköpfen.

Weyher und alle, die an Oberdeck stehen, sehen dem davonbrummen=
den Vogel nach.

„Zum Teufel, was hat der von Winterfeldt denn in den Wolken zu
suchen?"

„Er soll aufklären und keine amüsanten Spiele mit den Wolken trei=
ben."

„Der sucht wahrscheinlich Deckung, Herr Kapitän. Wird für uns was
zum zweiten Frühstück gesichtet haben."

„Vermutlich. NO. Wir gehen am besten gleich auf AK!"

Orions Flanken erbeben. Die Bugwelle wird steiler und höher, und
der anschwellende Fahrt· ·ind schafft in der tropischen Hitze ein wenig
Erleichterung.

Die Uhr im Kartenhaus kriecht viel zu langsam voran. Sie zeigt auf
die achte Stunde.

Draußen ertönt ein Schrei.

„Er kommt zurück."

„Er hat einen gesichtet . . ."

Weyher stürzt aus dem Kartenhaus. Unwillkürlich sucht er die Ma=
schine in der abgeflogenen Richtung. Als er die nach Steuerbord gerich=
teten Gesichter des Brückenpersonals sieht, dreht er sich und sein Glas.

„Der kommt ja aus einer Richtung, die er nach dem verabredeten Auf=
klärungsschema gar nicht haben kann", durchzuckt es Weyher.

„Da stimmt was nicht."

„Nee, Herr Kapitän, eher fresse ich einen Piassava=Besen", bekräftigt
der NO.

Noch bevor von Winterfeldt zur Landung ansetzt, schießt er zwei rote
Sterne. Er jagt sie von oben nach unten in die See.

Einer hätte genügt, die dicke Luft anzudeuten.

Zu allem Überfluß setzt der Motor der Arado aus, so daß sie sich nicht
selbst unter den Ladebaum manövrieren kann. Das Backbord=Motor=
boot muß ins Wasser. Und ausgerechnet funktioniert das Einpicken in
den Ladebaum nicht.

Wenn's kommt, kommt's dick. Es scheint sich alles gegen *Orion* ver=
schworen zu haben.

Weyher hat versucht, über das Megaphon mit Winterfeldt Kontakt
aufzunehmen.

„Was ist los? Reden Sie!"

Aber bei dem Rattern der Winschen ist des Fliegeroffiziers Antwort
nicht zu verstehen.

Erst beim dritten Anlauf hängt der Vogel am Haken und schwingt
über die Bordwand.

Von Winterfeldt springt aus der Maschine und hetzt auf die Brücke.

Mit fliegendem Atem berichtet er: „Britenkreuzer, vermutlich die
Cornwall, in 45 Meilen abstehend. Kurs Nordwest, Fahrt 18 Knoten."

„Oha, dann liegt der Bursche genau auf Kollisionskurs zu uns!"
knurrt der NO.

„Maschine äußerste Kraft voraus! Ruder hart Steuerbord! NO süd=
östlichen Kurs."

Weyhers Befehle folgen in blitzartiger Schnelligkeit, ohne daß er
vorher noch einmal die Seekarte zu studieren brauchte.

Der NO hört noch, wie Weyher jetzt ruhiger sagt: „So haben wir die
größte Chance, die Entfernung möglichst schnell zu vergrößern und aus
der Schußlinie zu kommen."

„Aber die Fahrt des Gegners ist so hoch, daß sich der Abstand erst
nach zwei Stunden vergrößern wird."

„Schöner Salat. Durch das dämliche Verpinseln beim Flugzeugeinset=
zen haben wir bereits eine halbe Stunde verloren", schnauft Weyher.

„Ja, Herr Kapitän, dieser Salat dürfte mit Salz und viel Pfeffer an=
gemacht sein. Wenn wir den auslöffeln müssen, bleibt uns die Luft wie
bei einem Indisch=Curry=Reis=Essen weg."

„Sie sagten *Cornwall*, Winterfeldt?"

„Vermute, daß sie es ist. Nach dem *Pinguin*=Drama hatte ich mir die Schiffssilhouette noch einmal genau angesehen. Es ist auf jeden Fall ein schwerer Kreuzer dieser Klasse. Eine Hoffnung habe ich . . ."

„Und die wäre?"

„Es ist Sonntag, Herr Kapitän."

„Was meinen Sie damit? Ach ja, richtig . . . Um zehn Uhr werden die guten Briten, die mit der Bibel in der Hand eine Welt eroberten und unterjochten, zum Beten treten. Gegen zehn Uhr haben sie ihren Gottes=dienst."

„Und den lassen sich die Herrschaften bestimmt nicht durch den Motorenlärm startender Flugzeuge stören."

„Nee, das werden sie nicht. Wie beruhigend, daß da drüben keine NS=Funktionäre zur See fahren. Die würden auf Gott und den Himmel pfeifen . . ."

„Herr Kapitän . . .!"

„Regen Sie sich nicht auf. Volkes Stimme ist Gottes Stimme", grinst Weyher.

Orion ist inzwischen auf ihren neuen Kurs geschwungen. Der Telegraf aus der Maschine hat AK quittiert.

„Mir scheint, Herr Kapitän, jetzt hilft nur noch eins: Beten!" sagt Warnholz und entzündet sich ohne Hast eine Zigarette. „Auch beten!"

„Ja, beten wir, daß der liebe Gott seinen dicken Daumen dazwischen=hält. Von mir aus können Sie auch fluchen."

Weyher tritt an die Reling. Dann wendet er sich um.

„Geben Sie an Maschine: Absolut rauchlos fahren. Es kann unsere Rettung sein."

Der Uhrzeiger rückt von Minute zu Minute weiter.

Und jede Minute schmerzt.

Die letzte wird tödlich sein.

Eine wird die letzte sein . . .

Weyher tritt an die Brückenreling und formt die Hände zu einem Trichter, den er gegen den vorderen Masttopp richtet, in dem Leutnant von der Decken nach achtern Ausguck hält.

„Decken, sehen Sie etwas?"

„Nichts bis jetzt, Herr Kapitän. Die Kimm ist klar."

„Stellen Sie Ihre Augen auf äußerste Konzentration ein. Wir erwar=ten aus dieser Richtung einen britischen Kreuzer."

Von der Decken zeigt mit der Hand klar.

Tadelloser Offizier, anständiger Kamerad und zuverlässiger Seemann, dieser von der Decken. Zu jung noch, viel zu jung, um schon zu sterben, wallt es in Weyher auf, und seine Augen wandern über seine Offiziere

258

und Männer auf der Brücke hinweg, vertraute Gesichter, die ihm gelas=
sen und auf ihn und sein Glück hoffend entgegenblicken.

In das Rauschen der See und das Murmeln des Fahrtwindes drängt
sich eine Stimme. Sie kommt aus weiter Ferne, aus der Tiefe des Er=
innerns heraus . . .

Weyher sieht sich und diese Kameraden . . . damals, als sie die Hand
erhoben und die Eidesformel nachsprachen . . .

„Ich schwöre bei Gott diesen heiligen Eid, daß ich dem Führer des
Deutschen Reiches und Volkes, Adolf Hitler, dem Obersten Befehls=
haber der Wehrmacht, unbedingten Gehorsam leisten und als tapferer
Soldat bereit sein will, jederzeit für diesen Eid mein Leben einzu=
setzen . . .“

Welch ein Widersinn.

Wer kann auf Gott schwören lassen, der Gott so fern steht.

Hat dieser Eid damit nicht von vornherein seinen Sinn verloren?

Orion jagt mit seinen letzten Kraftreserven in die entgegengesetzte
Richtung der Sichtung. Das leise Ticken der Armbanduhren wird zu
schmerzhaften Hammerschlägen.

„WO, sorgen Sie dafür, daß die Ausguckposten der anderen Sektoren
ihren Sichtbereich nicht vernachlässigen. Die Kerle sollen mir nicht
dauernd nach achtern schielen“, fordert Weyher seinen Wachoffizier auf.
„Ein Feindflugzeug kann auch aus anderer Richtung auftauchen.“

Eine halbe Stunde ist vergangen, da reckt sich von der Decken in sei=
nem Mastkorb.

„Achteraus drei Rauchstöße aus vermutlich drei Schornsteinen mit
Ölfeuerung.“

Zehn qualvolle Minuten vergehen. Wird er aufholen?

Er holt weiter auf.

„Stenge eines Gefechtsmastes schiebt sich über die Kimm“, brüllt
von der Decken.

Die Entfernung zum gegnerischen Kreuzer beträgt höchstens noch
20 Seemeilen. Das Schicksal der *Pinguin* steht vor aller Augen. Der da
drüben verfügt über weitreichende 20.3=cm=Geschütze, mit denen er
sich aus dem Feuerbereich der *Orion*=Artillerie heraushalten wird. Wenn
es wirklich die *Cornwall* ist, dann ist deren Kommandant ein vorsichti=
ger, durch *Pinguin's* Torpedoangriff gewitzter Mann.

Die Rauchstöße sind jetzt auch von der Brücke auszumachen. Der
Gegner wird nach Messung und Peilung im Kartenhaus mitgekoppelt.
So läßt sich seine Geschwindigkeit und sein Kurs genau feststellen. Und
der Kurs des Britenkreuzers ist nicht, wie gemeldet, Nordost, sondern
Ost.

„Er müßte unsere Mastspitzen sehen", sagte der NO.

„*Wir* würden sie sehen an seiner Stelle, *wir*, die wir ohne jedes mo=
derne Ortungsgerät nur auf unsere Aufmerksamkeit und unsere Augen
angewiesen sind."

Mit 13 Knoten versucht *Orion* noch immer ihr Heil in der Flucht.

13 Knoten Höchstfahrt gegen 30 Knoten des Gegners, wenn dieser
erst Verdacht geschöpft hat oder wenn er nur eines seiner Flugzeuge
startet oder vielleicht sein Radar eingeschaltet hat.

„Eine Hoffnung bleibt uns. Vermutlich haben die in Übersee einge=
setzten Einheiten noch kein Radar eingebaut erhalten. Unsere neuesten
Waffen und Geräte sind ja auch nicht zuerst auf die Hilfskreuzer ge=
kommen, jedenfalls nicht auf unseren Zigeunerwagen."

Die Entfernung wird langsam größer.

Die schlanke weiße Stenge des gegnerischen Gefechtsmastes taucht
unter die Kimm.

Die Rauchstöße werden schwächer und verschwinden um die Mittags=
zeit ganz.

Stunden später deckt die Nacht den Hilfskreuzer zu ... und die Angst
vor der letzten Stunde.

✳

Des mutterlos gewordenen kleinen Walfängers *Adjutant*, *Pinguin's*
bisheriges zweites Auge, nimmt sich nach Skl=Funkspruch die zusam=
men mit dem Versorger *Alstertor* herbeigeeilte *Kormoran* an.

Wer sich die Mühe macht, sich die riesigen Räume des Indischen
Ozeans begrifflich vorzustellen, braucht nicht auf die erstaunliche und
bewundernswerte Maßarbeit der Nautiker auf Hilfskreuzern, ihren Ver=
sorgern und Hilfsschiffen hingewiesen zu werden.

Man findet das kleine Schiff. Jeder für sich.

Mithörer *Komet* hat inzwischen die Skl alarmiert und den Kleinen
für ein Minenvorhaben angefordert, so nach dem Motto: Hanemann
geh Du voran. *Adjutant* soll Minen vor die Häfen Neuseelands legen.
Eyssen, jetzt Konteradmiral, will in der Zone der Roaring Forties, quasi
hinter dem Busch, warten, ob's glückt oder nicht glückt ...

Detmers indessen, der seine Minen mit seinem eigenen Schiff vor
Madras oder Kalkutta zu legen beabsichtigt, ist es nur angenehm, daß
Komet ihm die Sorgen um den Walfänger und dessen Besatzung ab=
nehmen will.

Adjutant wird versorgt und auf den *Komet*=Treffpunkt entlassen.

Kormoran gibt am nächsten Tage noch Brennstoff an den Versorger
ab. Und dann mach's gut, *Alstertor* ...

Hals= und Schotbruch und glückliche Heimkehr...

Kormoran unterrichtet weisungsgemäß die Skl über Beendigung des Treffens und Entlassung der *Alstertor* und *Adjutant* durch Funk.

Detmers funkt ein Kurzsignal. Ein paar Morsezeichen... Ende. So kurz, daß es der Gegner nicht einpeilen dürfte...

Das meinte die Heimat, als man mehr zu funken verlangte, als gut schien.

Wie hatte Rogge in sein KTB bei einer anderen Gelegenheit ärgerlich vermerkt: „Viele bei der KM daheim denken heute noch in Zerstörer= und Torpedobootsdistanzen des Ersten Weltkrieges..." Mauritius je= denfalls, britischer Stützpunkt im Indischen Ozean und tausend Kilo= meter östlich von Mittel=Madagaskar gelegen, zeigt sich hellwach. Der kurze Funkspruch wird von den kleveren britischen Funkern auf Anhieb eingepeilt. Die Kerls sitzen nicht auf den Ohren, wie man in der Heimat= presse gern belächelt. Da das FT mit keinem der alliierten Schlüsselmittel zu dechiffrieren ist, kann es — das ist so klar wie zweimal zwei vier — nur von einem deutschen Raider stammen. Nur Kriegsschiffe haben eine Schlüsselmaschine an Bord.

Die Antwort besteht in laufenden Warnmeldungen vor einem deut= schen Handelsstörer.

Als Glücksumstand ist zu bezeichnen, daß auch das nach 24 Stunden von der *Alstertor* — sie verfügte über den Schlüssel M — ausgestrahlte Kurzsignal ebenso prompt eingepeilt wird. Diese Peilung weist den natürlich auf eine völlig andere Position hin.

Also, so folgern die Briten, muß da noch ein zweites „black ship" herumvagabundieren.

Detmers, dessen Funker die britischen Warnmeldungen natürlich mit abhörten, in sein KTB:

„Uns war das nur recht. Je mehr Unruhe im Indischen Ozean ent= stand, je mehr die gegnerische Handelsschiffahrt unter Land gedrückt wurde, umso besser für uns. Denn das ist ja der tiefere, sozusagen der zweite Sinn, der durch unsere Versenkungen oder unser unerwartetes Auftauchen angestrebt wurde: den Gegner zu zwingen, möglichst in stark gesicherten Geleitzügen zu fahren oder

die Einzelfahrer dicht unter Land über umwegreiche und zeitbean= spruchende Routen schicken zu müssen.

Das heißt, die Zahl der erforderlichen Schiffe muß größer sein, um dasselbe Frachtpotential zu erzielen."

KAPITEL 11

DIE KRISENZEICHEN MEHREN SICH

Zur Lage: Das Ereignis, das im Juni und in den Folgemonaten die Welt bewegt, ist der am 22. Juni zwischen Hitler und seinem roten „Freunde" Stalin ausgebrochene Krieg, jener verhängnisvolle Zwei=frontenkrieg, von dem behauptet wird, Hitler habe ihn aus reinem imperialistischen Größenwahn heraus vom Zaune gebrochen.*)

Auf die großräumige ozeanische Kriegführung wirkt sich der Krieg mit Rußland jetzt und auch später nicht aus, im Augenblick werden dadurch auch sonst weder die deutsche noch die britische Marine betroffen.

Wohl aber hat die Bismarck=Katastrophe einschneidende Nach=wirkungen für die ozeanische Kriegführung der deutschen Marine. Großadmiral Dr. h.c. Raeder nimmt in seinem Buch „Mein Leben", Band II, zur damaligen Lage nach dem Untergang der Bismarck Stellung. Er schreibt:

„Auch das Verhalten Hitlers auf die von mir vorgeschlagenen Maßnahmen für den Seekrieg wird jetzt anders. Während er mir bis dahin im allgemeinen freie Hand gelassen hatte, soweit sich nicht Rückwirkungen auf die anderen Wehrmachtteile oder die Politik ergaben, wird er jetzt sehr viel kritischer und besteht mehr auf seinen eigenen Ansichten als vorher. Schon früher hatte er um die großen Schiffe immer besondere Sorge gehabt und war im Grunde zufrieden, wenn ich ihm das Inseegehen erst nachträg=lich meldete, wodurch ihm unruhige Stunden und Nächte erspart wurden. Nun schränkt er durch seine Anweisungen an mich die Verwendung der großen Schiffe erheblich ein. Das Entsenden weiterer Überwasserstreitkräfte nach dem Atlantik wird als erstes von ihm untersagt. Hierdurch muß der Seekrieg, der bisher auf der Grundlage der kühnen Initiative aufgebaut war und beträcht=liche Erfolge gehabt hatte, wie sie bei der Unterlegenheit unserer Seestreitkräfte kaum zu erwarten waren, ein anderes Gesicht er=halten*). Auch stellen sich die Befürchtungen der Seekriegsleitung, daß die Aussichten der ozeanischen Kriegführung geringer werden müssen, als berechtigt heraus. Gleich nach der Versenkung der

---

*) Diese Annahme und in verschiedenen Kreisen erhärtete Nachkriegs=behauptung hat der wissenschaftlichen Untersuchung nicht standgehalten. Historiker haben sie als Fiktion in das Reich der Legende verwiesen. Stalin wollte Hitler angreifen, er hatte zur Stunde des Angriffs 185 kriegsstarke Divisionen bereitstehen.

Bismarck leitet die Britische Admiralität eine umfangreiche Such=
aktion ein, um unsere Versorgungsorganisation, die wir im At=
lantik aufgebaut hatten, zu zerschlagen."
Soweit Großadmiral Dr. h. c. Raeder.

Tatsächlich ist es den Briten gelungen, sechs Nachschubschiffe
zu stellen. Die zunehmende Dichte der Aufklärung durch Flugzeuge
über atlantischen Räumen läßt es als illusorisch erscheinen, das
bisher so ausgezeichnet funktionierende Nachschubnetz noch ein=
mal aufzubauen bzw. aufrechtzuerhalten.**)

Der Atlantik=Kriegführung mit Überwassereinheiten***) bleiben
also lediglich noch die Hilfskreuzer, über die Raeder ohne Hitlers
ausdrückliche Zustimmung verfügen kann. Aber auch hier mehren
sich die Anzeichen, daß ihre Blütezeit vorbei ist.

In der nachstehend an Beispielen behandelten Zeit zwischen den
Monaten Juni und Oktober des Jahres 1941 stehen noch vier und
ab Ende August nur noch drei Hilfskreuzer am Feind. Weitere
HSKs der Zweiten Welle sind nach Kormoran noch nicht einsatz=
bereit; man würde sie auch ohnehin nicht während der langen
Sommernächte zum Durchbruch auslaufen lassen.

Im Juni hat Atlantis noch zwei Erfolge im Atlantik, bis sie im
Juli auf Skl=Anweisung bei der Wahl zwischen Orion und „Schiff
16" als das einsatzklarere Schiff in den Pazifik befohlen wird. Hier
bringt sie, zum ersten Male in ihrem Lebenslauf liegen zwei er=
folglose Monate dazwischen, im September den Norweger Silva=
plana als Prise auf, hat aber später trotz im Schutz eines Atolls
geflogener intensiver Flugzeugeinsätze keine weiteren Sichtungen.

HSK Komet ist nach seinen vergeblichen Suchaktionen im In=
dischen Ozean in den Pazifik marschiert. Hier arbeitet er aber nicht
in seinen alten Operationsgebieten, er stößt vielmehr in die vom
Handelskrieg noch unberührten Gebiete der Gewässer vor Süd=
amerika vor, wo Komet im August nacheinander drei Gegner=
frachter zum Opfer fallen. Dann reißt die Erfolgsserie so gründ=
lich ab, daß Konteradmiral Eyssen sich Mitte Oktober zum Heim=
marsch um Kap Horn entschließt, ganz abgesehen davon, daß auch
er von der Versorgungsschiff=Kalamität betroffen wird.

HSK Orion hat sich um das Kap der Guten Hoffnung geschleppt,
trifft sich im Südatlantik mit Atlantis, die nur mit einem Mini=
mum der dringend benötigten Brennstoffmengen aushelfen kann.
Nach einem letzten Erfolg auf den auf dem Rückmarsch ein=

**) Einzelheiten siehe Anhang in Verbindung mit Biographie des HSK
Orion.
***) Darüber hinaus trug sich das OKM trotzdem mit dem Gedanken, von
Fall zu Fall kürzere Ozeanoperationen mit Überwasserkriegsschiffen zu unter=
nehmen.

gelegten Kreuzfahrten läuft Orion *am 23. August in Royan an der
französischen Westküste ein.*

*In See steht auch noch der HSK Kormoran, der nach wie vor im
Indischen Ozean operiert und im Juni einen Einbruch in den Golf
von Bengalen plant, um Minen vor den Hoogly=Fluß, dem Zu=
fahrtsweg nach Kalkutta oder, wenn dies auf Schwierigkeiten
stoßen sollte, vor den Hafen von Madras zu legen...*

Erstens kommt es anders und zweitens als man denkt!

Dieses Sprichwort im Volksmund trifft auf Hilfskreuzerunternehmen
ganz besonders zu, auch jene Binsenweisheit, daß es oft nur eines klei=
nen Schrittes bedarf, um vom Ernsten ins Lächerliche zu treten, vom Er=
habenen ins Groteske ...

Ein typisches Beispiel dafür gibt der HSK *Kormoran.*

Ihr Kommandant, Fregattenkapitän Theodor Detmers berichtet

Ein südlich von Ceylon näher unter Land in die Gegend von Dondra
Head angesetzter Vorstoß bringt keinen Erfolg. Wir können uns hier
nicht länger aufhalten. Die Luftgefahr ist zu groß. Also drehe ich *Kor=
moran* wieder nach Süden zu. Im Zickzack kontrollieren wir die Routen,
die nach Ceylon führen.

Der 15. Juni.

In den Vormittagsstunden wird eine Rauchwolke gemeldet. Wir laufen
wieder einmal Nordkurs. Der Dampfer dagegen hält Südkurs. Bald
schon ist er als eine Einheit der British=India=Co. aufzumachen. Er hat
zwei Schornsteine, ist seinem ganzen Äußeren nach ein Passagierdamp=
fer und somit für uns eigentlich nicht das geeignete Ziel.

In den letzten drei Tagen war kein Lagerschaden aufgetreten. Mit
aller Voraussetzung darf ich also mit einer Höchstfahrt rechnen. Da sein
Kurs entgegengesetzt liegt, will ich ihn trotz allem annehmen. Ohne
Mißtrauen zu erregen, tasten wir uns bis auf 120 hm heran. Das Geg=
nerschiff wird uns, wenn alles gut geht, auf 100 hm passieren. Zur
Feuereröffnung wird diese Entfernung gerade genügen.

Plötzlich, völlig unerwartet, spielt uns die Backbord=Bugnebelanlage
einen völlig verrückten, aber bösen Streich. Sie beginnt zu nebeln. Mit
allen Kräften. Wir verschwinden hinter einer Wand aus wogendem
Brodem. Den Geschützen ist ihr Ziel genommen.

Der Gegner ist nicht mehr zu sehen.

Was ist denn da vorn bloß los, zum Donnerwetter?

Natürlich, das ist mir klar, die Nebelanlage ist befehlsgemäß bei
Alarm unter Preßluft gesetzt worden. Das ist doch aber kein Grund,
ohne Brückenanweisung darauf los zu nebeln. Erst später stellt sich die
Ursache für diese Panne heraus. Das Zwischenventil hatte geklemmt.

Endlich gelingt es einigen beherzten Seeleuten, die Anlage abzustellen. Der Dampfer aber ist inzwischen aus der günstigen Schußentfernung herausgelaufen. Der von mir nun erlassene strikte Befehl, die Nebel= anlage erst bei Bedarf einzustellen, nützt uns in diesem Falle zwar nichts mehr, aber er wird, so hoffe ich, für die Zukunft Vorsorge treffen.

Zur Zeit können wir, wollen wir uns nicht noch verdächtiger machen, nur den alten Kurs weitersteuern und hoffen, daß der Gegner den aus der Back ausgetretenen Nebel für Dampf hält, der aus irgendwelchen Gründen abgeblasen wurde. Diese Hoffnung erscheint mir ziemlich eitel, denn ich habe das Gefühl, daß der Dampfer jetzt wenigstens 20 Grad abliegt, also bereits abgedreht hat.

Das ist der erste Eindruck, den ich gewinne, als die Nebelwolke den Blick freigibt.

Nun, wir wollen es trotzdem versuchen, ihn zu erreichen.

Kaum ist der Gegner außer Sicht gekommen, lasse ich auf Gegenkurs drehen und gehe auf 17 Knoten. Aber die Geschwindigkeit des gegne= rischen Schiffes ist wider Erwarten zu groß. Bis zum Einfall der Abend= dämmerung kommt er selbst für das erhöhte Krähennest nicht mehr in Sicht.

Wir wissen zudem, daß die Britische Admiralität inzwischen allen ihren Schiffen befohlen hat, sich nach Dunkelwerden zehn Seemeilen nach Steuerbord oder Backbord quer vom Kurs seitlich herauszusetzen, da man mit dem, nun schon alt gewordenen und vom Gegner auch er= kannten Hilfskreuzertrick, bei Nacht bis auf Schußentfernung aufzu= dampfen, rechnet. Es ist also zwecklos, ohne den Gegner gesehen zu haben, nachts noch aufdampfen zu wollen.

Ich drehe das Schiff herum und gehe mit der Fahrt auf Suchfahrt her= unter.*)

Nach dem erfolgreichen Dasein südlich von Ceylon stoße ich nach

---

*) Fregattenkapitän Detmers schreibt dazu heute: „Nach dem Kriege will man den Dampfer als englischen *HMS Shenking* erkannt haben. Obgleich uns ebenfalls bekannt war, daß Passagierdampfer der *British=India & Co.* als Hilfskreuzer verwandt wurden, erschien es mir doch sehr zweifelhaft, denn dann hätte er doch bestimmt etwas veranlaßt. Mag unsere Tarnung als neu= traler Japaner (*Kormoran* hatte am 15. Juni ihre Tarnung aus der *Sakito Maru* in *Kinka Maru* verändert) auch gut gewesen sein, es hätte ihn be= stimmt nicht gehindert, ihn nach unserem Namen und dem Wohin und Woher zu fragen, besonders als wir in der verräterischen Nebelwolke verschwanden. Ich glaube vielmehr, daß er ein schneller Einzelfahrer gewesen ist, der auf der alten Friedensroute verkehrte, da er vermöge seiner weit überlegenen Geschwindigkeit einen deutschen Hilfskreuzer vom Typ eines Frachtschiffes

Osten vor. Es ist meine Absicht, den Treck nach Singapore zu beobach=
ten. Gleichzeitig erhoffe ich damit die Anfangsstellung für meinen be=
absichtigten Vorstoß in den Golf von Bengalen zu erreichen.

Ich habe dafür die östliche Hälfte gewählt, denn hier liegen mehr oder
weniger unbesiedelte Insel=Gruppen der Nicobaren und Andamanen,
während auf der Westseite die bekannten britischen Stützpunkte Trin=
comali auf Ceylon und Madras an der Ostküste Indiens drohen.

Am 19. Juni läuft *Kormoran* mit Nordkurs in den Golf hinein, nach
HSK *Atlantis* der zweite Hilfskreuzer in diesem Weltkriege, der in die=
ses Seegebiet einzudringen wagt.

Das Wetter ist heiß, sehr heiß sogar. Es ist das heißeste auf der gan=
zen Fahrt. Der Südwestmonsun hat voll eingesetzt. Die Luftfeuchtigkeit
beträgt beinahe 100 Prozent. Hin und wieder rasseln Monsunschauer
über die See und auf das Deck. Der Regen fällt so dicht wie ein Vorhang.
Die Tropfen sind fast so groß wie Kirschen. Aber der Regen ist wenig=
stens noch ein bis zwei Grad kühler als diese wabernde, zitternde Luft,
die uns Tag und Nacht wie eine gallertähnliche Masse umfließt. Die Be=
satzung nutzt bei jedem Regentrommelfeuer die Gelegenheit zu einem
ausgiebigen Duschbad.

Bei jeder, auch bei der geringsten Bewegung fühlt man das Zeug am
Leibe kleben. Das Gesicht trieft von Schweiß. Die Hände sind stets mit
einer Schicht von glitzernden Schweißperlen übersäht. Man schwitzt,
schwitzt, schwitzt. Tag und Nacht. In der Nacht ist es fast noch schlim=
mer. Die des Nachts nur um ein bis zwei Grad kühlere Außentemperatur
bringt in den Innenräumen keine Kühlung, denn in der Nacht werden
die Türen und die Bullaugen verdunkelt gefahren.

Wir schwimmen zwar in paradiesischen Gewässern. Aber eine Spa=
zierfahrt ist es nicht.

Am 22. Juni geht durch Funk die deutsche Kriegserklärung an Ruß=
land ein. Der I.O. bringt mir die Nachricht. Was soll ich dazu sagen. Ich
kann nur den Kopf schütteln.

Wir stehen jetzt auf der Höhe von Madras, und auf dem Kalender=
blatt steht der 24. Juni.

---

nicht zu fürchten brauchte, etwa wie die *Queen Elisabeth* im Kriege fast immer
allein fuhr und ihrer hohen Geschwindigkeit wegen Hilfskreuzer nicht ernst
zu nehmen brauchte. Es war den Engländern wohl bekannt, daß wir nur
Frachtschiffe mit einer — modernen Passagierschiffen gegenüber — verhältnis=
mäßig mäßigen Geschwindigkeit und dementsprechenden geringen Ölver=
brauch als Hilfskreuzer fahren lassen konnten, da eine Ölversorgung von
schnellen Passagierschiffen aus Tankern für uns kaum möglich war, da uns,
im Gegensatz zu den Engländern, die Stützpunkte fehlten.

Voraus kommt eine Rauchfahne in Sicht. Es ist ein Dampfer mit nur einem Schornstein.

Ohne unser eigentliches Vorhaben, Minen vor die Einfahrt Kalkuttas zu legen, wäre uns dieser Einzelfahrer sehr willkommen gewesen. So aber überlege ich doch, ob ich ihn nicht besser laufen lassen soll. Es braucht ja nur ein Funkspruch abgegeben zu werden, den wir nicht stö=ren können. Damit wäre unsere Anwesenheit im Golf von Bengalen ver=raten. Nicht nur das. Ein Funkspruch wird auch sofort energische Such=aktionen durch Kreuzer und Flugzeuge auslösen. Selbst wenn man uns, was mir unwahrscheinlich erscheint, in der Meerenge nicht entdecken wird, so bleibt doch unser Hauptziel, das der Überraschung, gefährdet.

Funkt der Gegner, bedeutet das, wir müssen die Minenunternehmun=gen vor Kalkutta wie auch vor Madras abschreiben.

Trotz dieser Erkenntnisse entschließe ich mich, einer plötzlichen inne=ren Regung folgend, ihn dennoch anzunehmen.

Wie lange warten wir schon auf einen Dampfer.

Da ist nun einer.

Da schwimmt die ersehnte Beute ...

Doch nun ist es plötzlich der Dampfer selbst, der einen Strich durch unsere Rechnung zu machen droht. Der Fremde entwickelt ungewöhn=lich starken Rauch. Anscheinend geht er auf höhere Fahrt.

Auf alle Fälle dreht er auf uns zu.

Das ist doch das unverkennbare Verhalten eines Hilfskreuzers, durch=fährt es mich. Am vorderen Mast glaube ich außerdem eine Verdickung zu erkennen. Sie läßt auf ein ausgebautes Krähennest schließen.

Unzweifelhaft für mich: der Fremde ist ein gegnerischer Hilfskreuzer.

Soll ich unter diesen Umständen den Kampf aufnehmen? Gut, das Minenunternehmen scheint fürs erste doch ins Wasser zu fallen. Aber soll ich durch eine Kampfannahme unsere Identität, so zweifelhaft sie auch ist, preisgeben? Nein, dafür bin ich nun nicht soweit in den Golf hineingestoßen. Außerdem muß ich spätestens auf der Linie Singapore=Trincomali mit einer schnell errichteten Blockadelinie aus Seestreitkräf=ten und Flugzeugen rechnen, wenn der Hilfskreuzer auch nur einen Funkspruch durchbringen wird. Das zu verhindern, wird, da die gegne=rischen HSKs mit modernen Funkanlagen ausgestattet sind, kaum mög=lich sein.

Noch steht er soweit ab, daß er die japanische Flagge auf unserer Außenhaut nicht erkennen kann.

Kurz entschlossen mache ich kehrt und gehe auf Höchstfahrt.

Der Hilfskreuzer folgt eine gute Stunde lang. Der Abstand vergrö=ßert sich nur sehr langsam, aber er vergrößert sich. Jeden Augenblick rechne ich mit dem Ausfall eines unserer Motoren, das bedeutet, daß wir statt wie bisher 17 Knoten nur noch 14 Knoten marschieren können.

Aber diesmal halten die Motoren trotz stärkster Belastung endlich einmal durch. Welch ein Glück in so kritischer Stunde. Was das launische Schicksal mit der dummen Nebelanlage verpatzte, scheint es jetzt wie= der gutmachen zu wollen.

Als der Gegner erkennen muß, daß er unsere Fahrt nicht mithalten kann, dreht er nach Steuerbord ab und hält auf Madras zu. Somit scheint mir also auch Madras alarmiert und damit das Ausweichziel, falls etwas auf der Fahrt nach Kalkutta dazwischen kommen sollte. Ich entschließe mich, auf das Minenlegen in diesem Raum zunächst endgültig zu ver= zichten, den Golf von Bengalen zu verlassen und ein anderes Mal unser Glück erneut zu versuchen.*)

Abends ziehe ich mich frühzeitig aus der Messe zurück.

Ich muß versuchen, mit mir ins Reine zu kommen.

Hätte ich den Dampfer nicht besser doch annehmen sollen, obgleich ich wußte, daß er ein Hilfskreuzer war?

Werden die Männer meiner Besatzung mein Verhalten überhaupt ver= stehen, wo sie wie auch ich auf einen greifbaren Erfolg warten und warten und warten?

Ich lasse die Ereignisse noch einmal vor meinen Augen vorüberziehen. Ich stelle mir alle möglichen Fragen. Ich beantworte sie und komme doch immer wieder zu dem einen Schluß:

Ich habe richtig gehandelt.

Selbst wenn noch Wochen ohne auch nur eine Prise oder ohne auch nur einen anderen Erfolg vergehen werden, sollte ich wieder an der sel= ben Stelle und in der selben Situation vor eine gleiche Entscheidung ge= stellt werden, ich werde genau so handeln wie ich es tat.

Zwei Nächte später, gegen 02.00 Uhr, weckt mich Oberleutnant zur See Ahl. Er hat die Wache und läßt mir sagen, ein abgeblendetes Fahr= zeug kreuze unseren Kurs. Auf der Brücke sehe ich zunächst überhaupt nichts. Es ist eine sehr dunkle Nacht. Regenschauer machen sie noch schwärzer.

Doch da . . . endlich erkenne ich an Backbord achteraus einen schwa= chen weißen Schimmer. Ahl erklärt, daß sie durch diesen hellen Schim= mer das Schiff überhaupt erst entdeckt hätten. Wahrscheinlich sei eine Kartenhaustür nicht ganz geschlossen, meint Ahl. Er wird wohl recht haben.

---

*) Nach dem Kriege wurde festgestellt, daß es sich bei dem fremden Dampfer wahrscheinlich um den Hilfskreuzer HMS Canton gehandelt hat.

Ich drehe hinter dem geisternden Licht her und erhöhe unsere Fahrt. Bald schält sich eine schemenhafte Silhouette heraus, ein Frachter, der vollkommen abgeblendet fährt. Mit der Morselampe lasse ich rückfra= gen, um was für ein Schiff es sich handele, eine Maßnahme, die an sich nicht notwendig war, denn wer abgeblendet fährt, muß ja ein Gegner sein.

Erst, als auf meinen dreimaligen Anruf nichts, aber auch gar nichts erfolgt, lasse ich das Feuer eröffnen.

Im Schein der Leuchtgranaten sehen wir einen anscheinend leeren Frachter, der seine Maschine aber nicht stoppt, sondern mit hoch aus dem Wasser herausschlagender Schraube unbeirrt seine Fahrt beibehält.

Er brennt nach einigen Salven.

Da er mir leid tut, lasse ich das Feuer einstellen.

Mehrfach fordere ich ihn erneut mit der Morsellampe auf.

„Damned stop! No wireless!" (Verdammt noch mal, stoppen Sie doch endlich und funken Sie nicht!)

Sonderbar, obwohl er beschossen und getroffen wurde, funkt er nicht.

Er stoppt aber auch nicht.

Was ist denn bloß auf diesem Dampfer los?

Es hilft alles nichts. Ich muß ihn solange beschießen, bis der Schrau= benstrom hinter dem Heck verebbt.

Als er endlich stoppt, brennt er lichterloh vom Bug bis zum Heck.

Wir halten erneut mit dem Feuer ein und gehen bis auf 500 Meter heran. Das Schiff sieht zum Erbarmen aus. Das Oberdeck ist ein sprü= hendes leuchtendes Flammenmeer. Eisenplatten sind aufgerissen und verbogen. Sie rollen sich in der unbeschreiblichen Hitze auf ... Nackt und kahl ragen die Masten in den Himmel ... Die Reste des Schorn= steins wirken wie ein Sieb ... Keine Menschenseele ist durch das Glas an Bord zu erkennen ...

Ich verzichte unter diesen Umständen, ein Untersuchungskommando auf das gegnerische Schiff zu schicken. Selbst wenn der brennende Frach= ter jetzt in diesem Augenblick vom Feinde entdeckt werden würde, mit diesem Wrack wird niemand mehr etwas beginnen können. Der Wind bläst in Stärke sechs aus Südwesten.

Er entfacht das Feuer schnell zu einer schaurigen Lohe.

Und er wird das todgeweihte Schiff auf eine der unbewohnten An= damanen=Inseln zutreiben. Dort wird es stranden, wenn es überhaupt bis dahin gelangt.

Ich lasse den Frachter treiben. Ich kümmere mich lediglich um die Boote. Eins haben wir ja schon gesehen, als wir um das Heck des Damp= fers herumfuhren.

Wir suchen das Wasser mit den Scheinwerfern ab. Auf jeder Seite der Brücke habe ich Männer mit Vartalampen postieren lassen. Auch sie suchen. Aber wir finden nur das eine Boot, das wir vorher schon ent= deckt hatten. Es hat schwer in der rauhen See zu kämpfen. Ich nehme es in Lee und gehe über den Achtersteven so heran, daß *Kormoran* direkt auf das Boot zutreibt.

Neun Mann sind in dem Boot. Sie sprechen kein Englisch. Nur ein paar Brocken verstehen sie.

Kein Englisch?

Da ist ja auch der Name des Schiffes und sein Heimatort auf dem Rettungsboot aufgepöhnt.

Es ist die *Velebit*. Sie ist, wie wir später erfahren, 4 553 BRT groß und stammt aus Split.

Ein Jugoslawe also.

Erst später erfahren wir Einzelheiten über das ungewöhnliche Ver= halten der jugoslawischen Schiffsführung:

Der Kapitän des Schiffes war zur fraglichen Zeit in den Maschinen= raum gestiegen. Irgendetwas war mit den Maschinen nicht in Ordnung. Die *Velebit* machte kaum noch halbe Fahrt. Die Ingenieure wußten auch keine Antwort, woran das liegen könnte und wie die Schäden zu besei= tigen wären. Sie zuckten nur mit den Achseln und hatten auf Anfragen von der Brücke nur ein „Wir sind selbst sprachlos" übrig.

Wahrscheinlich waren die Kerls da unten bloß zu faul, ihren Kopf anzustrengen und ernsthaft an der Maschinenanlage zu suchen. Wozu auch ... man wird bald im Hafen sein. Laß sich dort doch andere die Finger schmutzig machen ...

Eben, um da unten mit dem Maschinenpersonal Fraktur zu reden, war der Alte die Eisenleiter hinabgestiegen.

Die Wache auf der Brücke versah der später gerettete II. Offizier.

Auf meine Frage, warum er auf unsere erste Morseanfrage denn um Himmelswillen nicht geantwortet habe, schüttelte er nur seinen Kopf. Er verstehe ja nicht viel vom Morsen, er habe also auch nicht lesen kön= nen, was der Fremde da mitten in der Nacht von ihnen wolle, rade= brechte er mit zusammengesuchten englischen Sprachbrocken.

Ich hielt dem Mann vor, daß er doch begriffen haben müsse, daß Krieg sei, daß in diesen Zeiten niemand aus Spaß ein anderes Schiff verfolgen und anrufen würde ...

Er zuckte nur mit den Schultern.

Ich drang auf ihn ein, warum er denn nicht wenigstens durch ein Blinksignal gezeigt hätte, daß er den Anruf gesehen habe, warum er nicht von sich aus sicherheitshalber sein Schiff gestoppt hätte ...

Er hätte den Tod vieler seiner Kameraden und Landsleute verhüten können...

Achselzucken ist seine einzige, stereotype Antwort.

Dabei war der Mann nüchtern.

Nur seine unruhig flackernden Augen gefielen mir nicht.

Es war keine nachträgliche Angst, die aus ihnen heraus schrie. Es schien mir mehr Nervosität und Schuldbewußtsein zu sein, das ihn ver= folgte. Oder gar Haß? Hatte er Differenzen mit seinem Kapitän gehabt?

Zwei Stunden lang sehen wir noch die Fackel auf der See.

Dann erlischt das Feuer plötzlich. Ist es gelöscht worden oder sank der Frachter unter die Kimm?*)

Gleich. Er hat nicht gefunkt. Wir können unsere Suchfahrt fortsetzen.

Der Bannstrahl, der uns die letzten Wochen traf, scheint aufgehoben. Schon am nächsten Tag winkt ein neuer Erfolg, ein Frachter, der aus dem Zehn=Grad=Kanal zwischen den Andamanen und Nicobaren her= ausgeschwommen kommt. Die Sicht ist ganz ausgezeichnet. Der Fremde steht noch gut zwanzig Kilometer ab.

Ob er uns gesehen hat? Nichts läßt darauf schließen. Jedenfalls nehme ich mir vor, ihn zu täuschen. Eine neue Regenwand kommt uns, wie von einem hilfreichen Bundesgenossen geschickt, zugute. Ich rechne damit, daß uns der Regen eine Tarnkappe schenkt. Für einige Zeit werden wir der Sicht entzogen sein. In — oder falls sie kurz genug ist, hinter der Regenbank will ich aufdrehen und blind zurücklaufen. Dann muß der Dampfer schußgerecht vor unsere Rohre laufen.

Es klappt alles wie bei einem Manöver.

Als der Regenschleier sich lichtet, ackert das fremde Schiff quer zu uns an der Steuerbordseite. Er steht noch kaum 60 hm von uns ab. Wir kreuzen seinen Bug, enttarnen und fordern ihn auf, zu stoppen und das Funken zu unterlassen.

Dieser hier benimmt sich aber nicht so töricht brav wie die *Velebit*. Er dreht nach Backbord ab und schlägt mit RRRR Meldungen munteren Lärm im Äther. Mit dem ersten gefunkten Buchstaben bekommt er Feuer. Die Salven liegen bei der kurzen Entfernung sofort deckend.

Nach knapp drei Minuten stoppt der Gegner das Funken und dann auch das Schiff.

---

*) Nach dem Kriege stellte sich heraus, daß auf der brennenden *Velebit* doch noch Menschen waren. Wie von Fregattenkapitän Detmers erwartet strandete das Schiff tatsächlich auf einer der Andamanen=Inseln. Die Männer haben dort wie Robinsone gelebt und wurden schließlich, nach vielen Wochen aber erst entdeckt und befreit.

Dieser Frachter, der 3 472 BRT große Australier *Mareeba*, wäre das nicht ein geeignetes Schiff, für unsere Minen?

Das Untersuchungskommando fegt diese hoch geschraubte Hoffnung nur zu schnell hinweg. Die *Mareeba* — sie kommt aus Batavia und hat 5 000 t Rohzucker für Colombo geladen — hat schwere Treffer in die Maschine erhalten. Das Wasser umspült, so meldet der Prisenoffizier, bereits die Flurplatten. Aus. Da ist nichts mehr zu machen, höchstens noch die Versenkung zu beschleunigen.

Die Besatzung der *Mareeba* ist ungewöhnlich stark. Sind einige darunter, die das Schiff zur Überfahrt benutzen? Es kann nicht geklärt werden. Ich indessen erachte die so starke Kopfzahl der Besatzung als ein Ergebnis der so sozialistischen australischen Einstellung.

Der Kapitän heißt Skinner. Er ist ein aufrechter, gerader Mann mit sicherem Auftreten. Er erklärt sich sofort bereit, mit seinen Männern zusammen zu ziehen und für Ordnung zu sorgen.

Und das tat er auch. Wir haben während der ganzen Zeit, die wir diese Besatzung bei uns hatten, nie Kummer mit diesen Männern gehabt. Das führte andererseits dazu, daß wir den australischen Seeleuten alle nur vertretbaren Erleichterungen gestatteten und verschafften.

Prisenoffizier Leutnant zur See (S) Diebitsch, ein kluger Kopf und vollendeter Seemann mit Kapitänspatent, hat eine hochinteressante Entdeckung auf der *Mareeba* gemacht.

Im Logbuch des 26. Juni, also des gleichen Tages der Aufbringung, war verzeichnet worden:

07.35 Uhr Standort Zehn=Grad=Kanal — Kreuzer in Sicht.

08.05 Uhr Kreuzer passiert an Backbord. Kreuzer ist die *Sydney*.

Also muß die *Sydney* am gleichen Tage, und zwar nur wenige Stunden zuvor, vor unserem Bug vorbeigelaufen sein.*)

Jetzt habe ich den Beweis in Händen, wie richtig mein Entschluß war, als ich den Kampf mit dem Hilfskreuzer nicht aufnahm. Er hätte durch sein Funken diesen Kreuzer herbeigelockt und ein Gefecht heraufbeschworen, das unter diesen Umständen schnell zu unserem Ende geführt haben würde . . .

Und welch ein Glück, daß die *Velebit* nicht gefunkt hatte . . .

Wir aber wissen nun, was und wer uns bedroht.

---

*) Nach dem Kriege wurde bekannt, daß die Briten, aus Trincomali — allerdings erst am 1. Juli — den Flugzeugträger *Hermes* und den Leichten Kreuzer *Enterprise* auf der Linie Ceylon—Sumatra angesetzt hatten, um den Raider zu suchen, der für das spurlose Verschwinden der beiden Schiffe verantwortlich zu machen war. Aber *Kormoran* hatte gerade einen Tag zuvor den Golf von Bengalen verlassen. Sie hatte wieder Glück? Nur Glück?

272

Mit AK Fahrt marschieren wir die ganze Nacht und den nächsten hal=
ben Tag durch, um möglichst viel Raum zu machen. Der Äther ist voll
von Operationsfunksprüchen. Immer wieder rufen Funkstellen die ver=
schwundene *Velebit* und die *Mareeba*.
Doch die Antwort bleibt aus ...

*

Im westlichen Indischen Ozean schleppt sich Mitte Juni 1941 HSK
Orion mit seiner anfälligen Schraubenwelle, die, da die letzten zehn
Meter infolge Bruchs der Sternbüchse freischwingen, abzubrechen droht,
bei schwerstem Wetter um das Kap der Guten Hoffnung. *Orion* trifft
sich, wie über die Skl verabredet, am 1. Juli nördlich von Tristan da
Cunha mit HSK *Atlantis*.

Orion hat nach der Überholung im Maug=Atoll fünf Monate Kreuz=
fahrt ohne einen einzigen Erfolg hinter sich. Die Stimmung an Bord
schwimmt unterm Nullpunkt. Die letzte Beölung erfolgte im Juni durch
die inzwischen nach Frankreich entlassene *Ole Jacob* bei Madagaskar.
Alle anderen Versorgungsschiffe im Atlantik wurden das Opfer der
weitgreifenden Aktion gegen das Schlachtschiff *Bismarck*.

Atlantis kann *Orion* aber auch nur mit einem Teil der geforderten
Brennstoffreserven helfen; andere Versorgungsschiffe stehen nicht zur
Verfügung.

An eine Fortsetzung der Operationen ist daher nicht zu denken.

Die Deutsche Seekriegsleitung stellt Weyher frei, bei Brennstoffsor=
gen sein Schiff in dem französischen Dakar oder in einem Hafen der
Kanarischen Inseln aufzulegen

— oder notfalls zu versenken.

Aber das geht Weyher entschieden gegen den Strich.

Er will seine *Orion* und seine Männer in die Heimat fahren.

Und er ist auch entschlossen, auf dieser Durchbruchsfahrt in einen
französischen Biskayahafen keine Chance unausgenutzt zu lassen, des
Gegners Schiffahrt zu schädigen.

Der Besatzung ist die faule Lage natürlich nicht verborgen geblieben.
Als die Männer aber erfahren, daß ihr Alter der Skl funkte, *Orion* auf
keinen Fall aufzulegen, schlagen die düsteren Sorgen in helle Begeiste=
rung um.

Was tut es, daß der Reis voller Maden wimmelt und das leichte
Knacken bei Verzehr der gekochten Makkaronis von Mehlwürmern
stammt. Vor Tagen schüttelten sie sich noch, jetzt betrachten sie diese
unappetitlichen Beigaben als „gottgewollte" Vitamine. Und wenn Plum
und Klüten auf dem Magenfahrplan stehen, macht sich der Mittelwäch=

terkoch Hans Gross den Spaß, wenn er die voller Maden wimmelnden Backpflaumen noch in der Nacht aus dem Laderaum raufschaffen läßt, in das Luk zu rufen: „Eine Kiste Backobst — raufkommen!" Leider ver= stehen die Bachobstmaden kein Deutsch, sie wären sonst womöglich tat= sächlich von allein in die Kombüse gekrochen.

Auch das Bier ist bis auf ein paar Flaschen alle.

Aber jetzt ist Heimweh schlimmer als Durst.

175 000 Liter Dortmunder=Union=Bier in Flaschen wurden verbraucht, ferner 125 000 Liter Flaschenbier mit japanischem Gerstensaft mit den klangvollen Namen Asahi Shinbum und Kivin. Außerdem wurden 540 75=Liter=Fässer mit deutschem Exportbier geleert. Das sind zusammen 340 000 Liter. Eine beachtliche Leistung! Und um den restlichen Durst zu löschen, verbrauchte man während der Fahrt bisher 275 000 Liter Selters und Kujambel, eine Eigenproduktion aus der schwimmenden Fabrik des Reservisten Saupe.

Diesen Mengen nach zu urteilen, war die Hitze fürchterlich.

Vier Wochen nach dem Treffen mit HSK *Atlantis*, sieben Monate nach dem letzten Erfolg winkt *Orion* noch einmal das Kriegsglück: Der bri= tische Frachter *Chaucer* kreuzt den Kurs des Schwarzen Schiffes und wird nach tapferer Gegenwehr mit ungeheuerlichem Munitionsaufwand nach dem Versagen sämtlicher Torpedos versenkt.

Weyher verläßt das Kartenhaus nicht mehr. Er schläft wieder, wie beim Ausbruch, auf dem harten Ledersofa.

Mitte August trifft *Orion*, nunmehr auf direktem Heimatkurs ste= hend, auf der Höhe der Azoren zwei deutsche U=Boote und wird später, am 23. August, von Zerstörern und Minensuchbooten geleitet, glücklich in die Gironde gebracht.

127 337 Seemeilen, die längste Seereise, die je ein Schiff ohne Werft und Hafen hinter sich brachte, hat *Orion* auf ihrer weltumspannenden Kreuzfahrt abgeritten, 127 337 Seemeilen sind 208 000 Kilometer.

Das ist die fünffache Strecke des mittleren Erdumfangs.

Wenn auch die Erfolge an direkten Versenkungen (39 132 BRT ab= züglich der halbierten Tonnage bei den gemeinsamen Erfolgen mit HSK *Komet*), durch die geringe Verkehrshäufigkeit und die Weiträumigkeit des pazifischen Hauptoperationsgebietes bedingt, nicht so groß gewesen sind, wie die der *Atlantis* und der *Pinguin*, so steht dem einmal gegen= über, daß *Orion* durch sein immer wieder überraschendes Auftreten die Schiffahrt im Pazifik nicht nur schwer beunruhigt, sondern auch latent gestört hat, und zum anderen, daß diese 511 Tage andauernde Kreuz= fahrt mit einem alten Schiff und noch älteren Antriebsanlagen an Bord eine seemännische Leistung gewesen ist, die ihresgleichen sucht.

Uneingeschränkt hat der Gegner dies während und auch nach dem Kriege anerkannt, wenn er das stille Heldentum der Besatzung höher bewertet als die sichtbaren Erfolge dieser Argonautenfahrt.

✱

Wie mit der Skl durch Funk mit HSK *Komet* vereinbart, trifft der nach der Versenkung des HSK *Pinguin* mutterlos gewordene Walfänger *Adjutant* unter dem Kommando des ehemaligen *Pinguin*=Adjutanten, Oberleutnant zur See Hemmer, und zwölf *Pinguin*=Seeleuten auf dem südlich von Ceylon gelegenen Treffpunkt mit HSK *Komet* zusammen. Der Walfänger hat den Ort buchstäblich mit dem letzten Tropfen Brenn= stoff erreicht. Da *Komet* aus verschiedenen Gründen keine Beölung vor= nehmen kann, schleppt der Hilfskreuzer das kleine Schiff auf den Punkt, auf dem Kapitän zur See Krüder den norwegischen Beutetanker *Storstad* zum Minenschiff umbauen ließ.

Eine Minenoperation mit einem Beuteschiff durchzuführen ist Krüders Geisteskind. Eyssen, dem es bislang noch nicht gelungen war, seine an Bord genommenen Minen loszuwerden, hat die Krüdersche Idee auf= gegriffen, als er von der mutterlos gewordenen *Adjutant* gehört hatte.

Konteradmiral Eyssens Absicht ist es, durch den harmlos erscheinen= den, aber äußerst seetüchtigen kleinen Walfänger Minen vor den wichtigsten Häfen von Neuseeland zu legen, um den Gegner, der sich inzwischen etwas beruhigt hatte, in diesem Raum erneut in Verwirrung zu bringen, um ihn zu zwingen, seine See= und Luftstreitkräfte erneut zu verstärken. Das würde bedeuten, daß Neuseeland und Australien dem bedrohten Mutterland eher zur Last fallen, statt diesem durch Zurverfügungstellung von Kriegsschiffen und Flugzeugen zu helfen.

Grundsätzlich ist der Eyssensche Plan gutzuheißen. Man könnte auch Verständnis dafür aufbringen, daß Eyssen, der während seiner bis= herigen, so langen Reise noch keinen Weg sah, mit *Komet* selbst eine Minensperre zu legen*), daß er bei der augenblicklichen Aktivität, die der Gegner gegen deutsche Hilfskreuzer entwickelte, den Weg des ge= ringsten Risikos für sein Schiff und seine Besatzung wählt. Weniger verständlich ist, daß der *Komet*=Kommandant den Befehl über diesen, von seinem Kameraden Ernst=Felix Krüger aufgebrachten Walfänger, seinem eigenen Adjutanten, Oberleutnant zur See Karsten, überträgt und daß er das kleine Schiff nicht mit Leuten aus seiner eigenen Besat= zung in dieses gefährliche Abenteuer schickt.

---

*) Im Gegensatz zu den Hilfskreuzern *Atlantis*, *Pinguin* und *Orion*, die sich dieser Aufgabe mit außergewöhnlicher Kühnheit und List und unter vollstem Einsatz von Schiff und Besatzung entledigten.

Die 16 Überlebenden von HSK *Pinguin* sollen, so verlangt es der Admiral ausdrücklich, an Bord des Walfängers bleiben, Männer, die in den letzten Wochen gehungert haben, die infolge des Wassermangels unter quälendem Durst gelitten hatten und deren seelisches Gleich= gewicht nach dem tragischen Ende ihrer *Pinguin*=Kameraden auch schwer erschüttert ist.

Diese Männer haben nach der anfangs so ungewissen Fahrt auf dem kleinen, in der Dünung wild umhertorkelnden Schiffchen Ruhe verdient, körperliche und auch und vor allem seelische Ruhe.

Der Mensch und der vorbildliche Kamerad in ihrem gefallenen Kom= mandanten Kapitän zur See Krüder, ist es, der bei den *Pinguin*=Über= lebenden noch so starken Einfluß hat, daß sie den Kommandanten= Wechsel auf ihrem Schiff ohne ein äußeres Zeichen des Unwillens hin= nehmen. Ihrem bisherigen Kommandanten Hemmer gegenüber machen sie aus ihrem Herzen keine Mördergrube.

In der bedrückenden Enge der muffigen, nach Waltran und Schweiß riechenden Unterkunft auf dem Walfänger fallen harte Worte gegen den Admiral. Als Hemmer den Raum betritt, fallen sie in ihrer Ver= bitterung über ihn her.

„Warum legt er denn seine Scheißminen nicht selber? Unser Felix Krüder hat ja auch das schwerste und gefährlichste Unternehmen allein gefahren und nicht den Kameraden von der *Storstad* aufgehalst, als er direkt vor Sidney's Küste auftauchte . . ."

„Warum löst der Sie ab, Herr Oberleutnant. Als ob dieser Karsten ein besserer Nautiker und Seemann ist als Sie . . ."

„Ja warum? Sie haben es uns bewiesen, daß Sie etwas können und daß Sie jeden von uns Kamerad waren und geblieben sind . . ."

„Warum schickt er nicht seine eigenen Leute auf dieses Himmelfahrts= kommando? Warum will er sie schonen, bei dieser Teufelsfahrt drauf= zugehen? Und wenn sie klappt, dann heimst er natürlich die Lorbeeren ein, dann hat *Komet* natürlich diesen Plan ausgeheckt."

„Sagen Sie es dem Admiral, wir fahren nur unter Ihrem Kommando. Der Oberleutnant Karsten kann uns mal . . .!"

Oberleutnant Hemmer lächelt sein verbindliches Adjutantenlächeln, als er mit der linken Hand die fast leere Rumbuddel ergreift, verkorkt und von der Back wegräumt.

„So sehr ich euch einen herzhaften Schluck gönne, jetzt nicht. Bleibt nüchtern, Freunde. Hört zu: Der Oberleutnant Karsten ist ein feiner, anständiger Kerl. Laßt ihn aus dem Spiel. Er hat sich weder vorgedrängt, noch zu diesem Unternehmen gemeldet. Er bekam einen Befehl. Basta. Ich verstehe eure Verärgerung. Seht das Ganze doch mal anders. Seid stolz drauf, daß der Admiral euch für dieses Abenteuer ausersehen hat. Nehmt an, er hat unter seinen Männern keine Seeleute und Heizer, die mit solch einem Walfänger fertig werden. Vielleicht will er euch bewußt diesen Verdienst zuschieben."

„Dann hätte er Sie als unseren Kommandanten belassen müssen!" Daß Sie sich so einfach damit abfinden ...!"

„Es geht um die Sache, Jungs, und nicht um meine oder Karstens Person", weicht Hemmer aus. „Tut es unserem verehrten gefallenen Kommandanten zu Liebe. Haltet's Maul und tut eure Pflicht. Ich bitte sogar darum."

Adjutant macht sich auf den beschwerlichen Weg. In der Bucht von Lyttelton, der Zufahrt zu dem auf der südlichen Insel Neuseelands ge= legenen Hafen Christchurch, fällt in dunkler Nacht bei klarer Sicht die erste Sperre*). Der reibungslose Ablauf der Aktion in der von ein= und ausgehenden Schiffen befahrenen Bucht zerstreut Karstens anfängliche Bedenken.

Bei Tagesanbruch steht die *Adjutant* bereits ungefähr 60 Meilen von der Küste entfernt. Die hohen schneebedeckten Berge sind klar zu sehen, und als die Sonne aufgeht, könnte es gut der Bodensee mit seiner Berg= kulisse sein, auf dem sie schwimmen.

„Auf dem Weg nach Wellington, meinem zweiten Operationsziel, bestimmte ich, nur 60 Meilen von der Küste abzuhalten", schreibt Ober= leutnant Karsten in das KTB. „Ich beabsichtige, die Minen in Wellington heute Nacht zu legen, bevor der Hafen gewarnt ist und sofern nicht etwa Lyttelton etwas gemeldet hat. Ein anderer Faktor, der mich zwingt, diesen Kurs zu nehmen, ist meine Maschine. Sie droht bald ganz aus= zufallen. Wellington werde ich erreichen, aber ob ich wieder wegkom= men werde, ist etwas anderes. Wie dem auch sei: mein Auftrag lautet: ‚Leg Minen vor Wellington', und ich werde ihn ausführen, gleich was danach auch kommen möge.

Das Schiff fährt seit 16.15 Uhr mit nur noch sieben Knoten. Ich will vermeiden, die Position zu zeitig zu erreichen. Das Minenlegen soll erst 23.30 Uhr beginnen. Die Nacht ist dunkel. Es weht eine leichte nordwestliche Brise in Windstärke drei. Die See ist still bis leicht bewegt. Baring Head=Leuchtfeuer kommt 21.00 Uhr in Sicht und das von Pencarrow um 22.00 Uhr.

,Fertig zum Legen!'

Wieder wie vor Lyttelton ist hier weit und breit alles ganz friedlich. Der Hafen wird durch zwei Scheinwerfer, die zwischen Palmer Head

---

*) Es handelte sich bei den Minen um südgepolte Magnetminen.

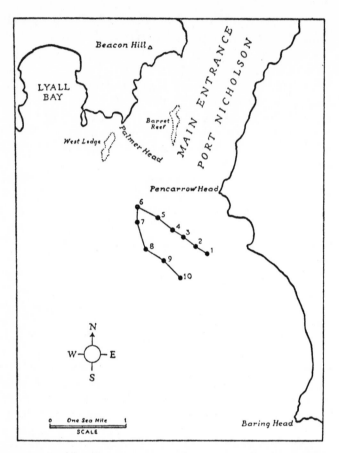

und Pencarrow Head stehen, gesperrt. Der eine wirkt als ständige Sperre und der andere gleitet über den Zufahrtssektor in unregelmäßigen Inter= vallen hinweg. Er beleuchtet schließlich drei an Backbordseite weit ab stehende Patrouillenboote, als *Adjutant* sich nähert. Das Minenfeld soll, wie verabredet, bei voller Fahrt, also 14 kn gelegt werden. Das Ablaufen soll eine Rauchwand abdecken.

Die Ereignisse entwickeln sich wie folgt:

23.12 Uhr: Anruf von Baring Head. *Adjutant* antwortet nicht, dampft weiter mit voller Kraft auf Kurs 12 Grad (Nord zu Ost). Baring Head macht Morsesignal zum Scheinwerfer, der viermal über *Adjutant* hin= weghuscht.

23.16 Uhr: Befehl zum Minenlegen, obwohl die Ausgangsstellung noch nicht ganz erreicht worden ist.

23.20 Uhr: Während des Legens der vierten Mine, wird *Adjutant* von einem Scheinwerfer erfaßt.

23.21 Uhr: Rauch wird entwickelt. Die fünfte und sechste Mine wurde noch beim Anlaufen gelegt, die verbleibenden vier unter dem Schutz des Rauchschleiers nach dem Zurückdrehen und auf einem von dem be= absichtigten etwas abweichenden Kurs.

23.28 Uhr: Die letzte Mine ist gelegt*).

23.30 Uhr: Rauchentwicklung beendet, Kurs gesetzt auf Baring=Head. Scheinwerfer fährt fort, den Rauchschleier abzutasten, der jetzt *Adjutant* von den Patrouillenbooten trennt. Kurz nach Passieren von Baring Head wendet das Schiff landwärts und wird so vor den Scheinwerfern ver= borgen.

Inzwischen haben drei weitere Scheinwerfer aufgeblendet. Der eine sperrt die Zufahrt von seiner Stellung bis nach Palmer Head; der zweite die Strecke von der Scheinwerferstellung bis nach Pencarrow Head und der dritte den Weg nach Südwesten. Zwischen dem Scheinwerfer und Pencarrow Head schwimmen die drei Motortorpedoboote und ein Minen= sucher und ein MTB zwischen dem Scheinwerfer und Palmer Head. Ein kleines MTB=artiges Schiff macht schwarzen Rauch. Auf allen diesen Schiffen brennen die Positionslaternen. Sie stehen in Morse=Verbin= dung mit der Signalstation auf Beacon Hill.

Adjutant rundet Baring Head und läuft mit AK ab, um von der Küste freizukommen. Am 26. Juni 01.00 Uhr ist der Alarm vorüber. 04.40 Uhr tritt ein, was befürchtet wurde. *Adjutant* muß — nur 70 sm von Welling= ton entfernt — wegen Maschinenschadens stoppen. Beträchtlicher FT= Verkehr zwischen neuseeländischen Flugplätzen und Marine=Basen kann mitgehört werden. Wir können eine organisierte Suchaktion erwarten. Während des Tages fährt das Schiff mit seiner gefährlich klopfenden Maschine weiter. Ein erfolgloser Versuch wird während der Nacht des 27. Juni gemacht, die Störung zu beheben.

Der Rest der Reise muß unter einem Notsegel oder unter Verwen= dung von Mittel= oder Niederdruck=Zylindern durchgeführt werden. Nur mühsam kann sich der Walfänger mit langsamer Marschfahrt in freies Seegebiet absetzen. Welch ein Glück ist es, daß Eyssen in weiser Vor= aussicht auf solch eine Panne ein Segel mit an Bord gab. Windgott Rasmus schlägt sich auf die Seite der Deutschen. Er schickt eine günstige

---

*) Keine einzige der magnetischen Grundminen verursachte einen Schaden. Keine einzige Mine krepierte, obwohl Hunderte von Schiffen darüber hin= wegliefen, bis der Gegner endlich nach Kriegsende über die erbeuteten KTBs von diesen Sperren erfuhr. (Wert der magnetischen Zone —570, also ein an sich sogar sehr günstiger Wert.)

achterliche Brise. Sie hilft schieben." *Adjutant* erreicht den vereinbarten Treffpunkt.

Wieder mit *Komet* vereint, wird der Walfänger durch Geschützfeuer versenkt.

✳

Der 9. August. An Bord des HSK *Kormoran*.

Vom *Mareeba*=Smut W. A. Jones erlebt und berichtet:

Kormoran=Gefangener Gordon Currie und ich lehnten, belangloses Zeug schwätzend, über die Reling, als irgend etwas meine Blicke in Rich= tung Brücke lenkte. Dort stand der Kommandant, die Ellbogen auf die Reling gestemmt, den Kopf zwischen den Händen und die Mütze in den Nacken geschoben und starrte hinaus in die See.

„Mein Gott", rief ich aus. „Sieh ihn an! Er hat getrunken!"

„Du hast recht", schnaufte Gordon keuchend vor Aufregung, und brüllte laut zu der Bootsmannsgäng hin, die an Deck die üblichen Kon= servierungsarbeiten verrichtete: „Boys, paßt auf euren Nazi=Käpten auf!"

Es war kein Mißverständnis möglich: Der Kommandant der *Kormoran* hatte gefeiert! Und schwer gefeiert!

Aber so schlimm war es wieder nicht, daß er nicht die Aufmerksam= keit bemerkt hätte, die er erregte. Er straffte sich, sah uns scharf an und stapfte zu seiner Kabine.

Es war merkwürdig; auch andere Offiziere schienen offensichtlich zu tief ins Glas geschaut zu haben.

Was war wohl der Grund zu dieser alkoholischen Feier bereits um die Mittagszeit? Hatten die Nazis den Krieg gewonnen?

Da erschienen gegen Abend zwei Offiziere in unseren Räumen. Den einen von ihnen hatten wir „Gus" getauft. Er war ein liebenswerter alter Seehund. Den anderen schätzten wir nicht und nannten ihn „Pig".

Jeder trug zwei Flaschen mit Rum.

„Männer", sagte Gus, „ich bringe euch einen Drink." Damit setzte er seine Last formlos auf den Tisch. Pig grunzte nur zustimmend.

Keiner von uns rührte sich.

„Männer!" knurrte Gus. „Was seid ihr für Seeleute, wenn ihr einen Schluck Rum verweigert? — Ich frage euch, ob ihr zum Geburtstag des Kommandanten einen trinken wollt. Ihr sollt heute vergessen, daß Krieg ist. Es wird der letzte Rum sein, den ihr bei uns bekommt."

Einige von uns machten zwar noch unanständige Bemerkungen, was man mit dem Rum tun solle, die Mehrheit aber bekam Lust, zu trinken. Auch wenn der Kapitän ein Nazi war — was ging das sie an!

Gus nickte mir zu: „Schenk aus!"

Ich begann meine Arbeit nach dem Prinzip: eins für euch und zwei für mich. Das blieb aber nicht unbeobachtet. Ein Heizer, namens Martin O'Toole, durchschaute das Spiel sofort und setzte sich zu mir. Bald waren die Bottles leer. Inzwischen regte sich die Höflichkeit gegenüber dem schmunzelnden Gus. Man brummte einige „gute Wünsche" und dann hörte ich einen murmeln: „Glückliche Heimkehr."

Pig hielt allerdings sein Schweigen durch, aber Gus freute sich sicht= lich über den Erfolg seiner Aufgabe. „Gute Nacht, boys, wohl be= komms!" rief er uns zu, und beide verließen uns.

Das war es also. Darum hatten wir auch dem Kommandanten und anderen einen Geburtstagstrunk angemerkt.

„Was wird nun kommen?" fragte O'Toole.

„Was soll sich ereignen?" sagte ich.

„Ich denke, noch mehr Rum", meinte er hoffnungsvoll.

„Gus hat gesagt, das wäre unser letzter Rum, du Idiot!"

„Ich bezweifle, daß er das ernst gemeint hat."

Kaum hatten wir das ausgesprochen, erschien ein Maat in der Tür und wandte sich an Captain Skinner:

„Der Kommandant läßt grüßen", sagt er respektvoll. „Er läßt Ihnen mitteilen, daß er Sie in ein paar Minuten besuchen wird. Er wünscht mit Ihnen und den Männern einen Drink zu nehmen."

„Sehr gut", erwiderte Captain Skinner, offensichtlich zu überrascht, um mehr zu sagen als: „Danke".

„Was sagt er?" brummte O'Toole. „Die Sache geht erst los? Gut so!"

Einer von der Wachmannschaft brachte einen Stuhl, wohl für den Kommandanten. Wir sahen mit steigendem Interesse den Ersten Offi= zier, den Artillerie=Offizier und einen der Flieger=Offiziere kommen. Sie trugen sechs Rumbottles. Das versprach, heiter zu werden.

„Achtung!"

Auf das Kommando standen wir auf und sahen vor uns den Kom= mandanten der *Kormoran* so schmuck und kraftvoll, als sei er gerade nach erholsamem Schlaf aufgestanden. Er grüßte uns lächelnd.

Er war eine würdevolle Persönlichkeit, mit einem Anflug von ange= borenem Führertum; er hatte das gewisse Etwas, das einen tüchtigen Seeoffizier von anderen Seeleuten unterscheidet. Groß, dunkel, und sonst ziemlich ernst, wollte er jetzt anscheinend jene Güte zur Schau tragen, die schließlich eine seiner besseren Eigenschaften war. Er schien 40 bis 45 Jahre alt zu sein und reiche Erfahrungen zu besitzen.

Der Kommandant war sichtlich bemüht, uns die Lage zu erleichtern. Er plauderte eine Zeitlang mit Captain Skinner. Sobald aber die Gläser gefüllt waren, sprach er uns in vollendetem Englisch an:

„Meine Herren", sagte er, „unsere Länder befinden sich im Krieg.

Jetzt aber sollen Sie diese unliebsame Tatsache vergessen. Ich habe heute Geburtstag, und ich möchte gern, daß auch Sie an diesem Tag eine Freude haben. Für uns Deutsche ist solch ein Geburtstag stets eine willkommene Gelegenheit, um ein paar gute Tropfen zu genießen. Ich wünsche ihnen einen schönen und vergnügten Abend."

Mancherlei Gedanken gingen uns durch den Kopf. Unser Gefängnis schien uns kein Gefängnis mehr zu sein. Wir bekamen auch Verständnis für diesen Mann, der letzten Endes zwar den Tod mancher junger Australier verschuldet hatte. Aber er tat ja schließlich auch nur seine Pflicht. Er wird vielleicht selbst Leben und Schiff verlieren...

„Eßt, trinkt und seid fröhlich", hörte ich unseren Gast lachend sagen.

„Sie haben sich gefragt, warum ich zu Ihnen gekommen bin", sagte er ruhig. „Ich will es Ihnen erzählen. Vor einigen Jahren, ehe unsere Völker sich verfeindeten, war ich Sportoffizier auf einem deutschen Kriegsschiff, das nach Australien kam. Ihre Landsleute nahmen mich sehr gut auf. Ich hatte viele Freunde und verlebte schöne Zeiten. Aber am schönsten war es in Sydney..." Er machte eine Pause.

„Ich nahm mir damals vor, wenn ich je diese Gastfreundschaft gegen= über Ihrem Volk erwidern könnte, würde ich es tun. Das ist es. Nun wollen wir trinken! Ihr müßt mir ein Lied aus eurer Heimat singen."

Wir sangen ihm „Roll out the Barrel". Und schließlich frech das Lied von der „Siegfried Line". Er lachte sogar zu dem englischen Propaganda= lied, ein dunkles, warmes Lachen.

Der größte Spaß kam aber noch. Er sagte zu unserem Schiffszimmer= mann — als Fachmann eine begehrte Person an Bord, wenn er aber sang, klang es dröhnend wie ein Gemisch von Nebelhorn und kreischender Kreissäge —: „Sie da, Zimmermann, singen Sie uns doch einen Shanty!"

Seit er im Königlichen Dienst stand, führt der gute alte Chips Befehle aus. So gab er denn ein furchtbares Solo zum Besten. Er sang den Shanty „Rolling down to Rio". Seine Stimme dröhnte, daß sie ein Haus hätte zum Einsturz bringen können. Dann bat der Kommandant noch unseren IO um ein Solo. Es gab viel Beifall.

Ich wurde mutig, stand auf und näherte mich dem Kommandanten mit der in unserer Situation sicher ungehörigen Frage: „Sir, gibt es irgendeine Möglichkeit, uns auf einer Insel auszuschiffen?"

Die Jungens waren sprachlos. „Gott, was wird er zu diesem frechen Kerl sagen?" las ich an ihren mißbilligend gerunzelten Stirnen ab.

Der Kommandant aber nahm meine Frage freundlich auf.

„Nein, für euch gibt es keine Insel. Ihr habt schon zu viel von meinem Schiff gesehen. Ihr müßt, so leid es mir tut, schon meine Gäste bleiben, bis ich ein Schiff treffe, das euch nach Deutschland mitnimmt."

„Very good, Sir. Ich dachte, ich könnte ja mal fragen."

„Warum nicht? Hört, Yonis, wenn ihr in euerer Marine wäret, würdet ihr dann anders als ich handeln?"

„Yes, Sir. Ich verstehe."

„Nun gut, wir wollen das vergessen. Wir wollen weiter Shanties singen."

Am Schluß sang der Kommandant ein deutsches Lied: „Hamburg an der Elbe." Er war so unbefangen, als wäre er einer von uns.

Dann stand er auf und sagte: „Ich muß gehen und noch meine Unter= offiziere besuchen. Gute Nacht!"

Er war zuerst bei uns, ging dann zu seinen Unteroffizieren.

Soweit der *Mareeba*=Koch W. A. Jones in seinem in Australien er= schienenen Buch „Prisoner of the *Kormoran*".

✱

„Hübsche kleine Dinger, was?"

Der Matrosengefreite Kross hält eine der grotesken Götzenstatuen von Bali, Zustimmung erheischend, vor seinen Kameraden empor. Aber nicht alle denken so wie er.

„Sie werden uns Unglück bringen. Sie sind ein böses Omen, pro= testiert einer. „Ich würde sie ins Wasser werfen", fügt er noch hinzu.

Kross aber lacht.

Er wirft die Holzfigur zu den Hunderten anderen zurück, die sie in den 50 Kisten in den Laderäumen der *Silvaplana* gefunden hatten ...

„Wir hatten", so schreibt Kapitän zur See Rogges Adjutant, Oberleut= nant zur See Dr. Ulrich Mohr, in seinem in England erschienenen Buch *Atlantis* über den weiteren Verlauf der HSK *Atlantis*=Reise „diese 4793 BRT große norwegische *Silvaplana*, beladen mit 5540 ts Sago, 2160 ts Kautschuk, 541 ts Zinn, Holz und Häuten, am 10. September 1941 gekapert. Eigentlich verdanken wir sie einer grotesken Laune der launischen Frau Fortuna ..."

Auf dem Nachmittagsdienstplan stand an diesem Tage Sport. Die Männer vergnügten sich dabei mit einem Ball, der aber dauernd durch den seitlich einfallenden Wind aus seiner Bahn gelenkt wurde. Um diesen Winddrall zu beseitigen, ließ Rogge, der dem Treiben von dem Bootsdeck aus zusah, das Schiff um vier Strich vom Kurs abfallen. *Atlantis* blieb dann auch nach dem Nachmittagssport der Besatzung auf diesem Kurse liegen. Er führte uns direkt auf die Fährte der *Silvaplana*.

Dieser 10. September war auch sonst ein bemerkenswerter Tag. Es war das Datum unserer 22. Begegnung mit einem Gegnerschiff.

Und es sollte auch gleichzeitig unsere letzte sein.

Unser Ausbruch aus dem Indischen Ozean in den südlichen Pazifik hatte die Durchquerung der „Southern=Bight"*) eingeschlossen. Wir mach= ten einen weiten Umweg um Neuseeland. Schließlich wendeten wir noch einmal um, bevor wir Kurs auf die sonnengebadeten Kermadecs, 700 Meilen nach Norden zu gelegen, nahmen. Dieser ungewöhnliche Kurs, den Rogge als einen schreienden Widerspruch zur mathematischen Theo= rie: „Die kürzeste Verbindung zwischen A und B ist die grade Linie —", bezeichnete, mußten wir wohl oder übel einschlagen, um die Ostindien= Nord=Australien=Route sowie die alliierten Patrouillen zur See und in der Luft zu umgehen.

Rogges Entscheidung, die einen „Flank=March", also eine nautische Besonderheit, in sich schloß, die im äußersten Fall 1000 Meilen betrug, gründete sich auf der vernünftigen Philosophie, daß es doch weitaus besser sei, vorsichtig zu sein, als versenkt zu werden.

Wir waren mit ihm durchaus einer Meinung.

Wir passierten die Antipoden=Inseln im späten August.

In der Ferne sahen wir ihre dunklen und einsamen Felsen.

Dort hatten wir, ich halte dies der Erwähnung für wichtig, ein selt= sames Erlebnis. Es veranlaßte uns jedenfalls, dieses Gebiet „die Zone des Schweigens" zu benennen.

Aus irgendwelchen, auch unserem FTO und Funkern unerfindlichen Gründen, war und blieb der Äther stumm. Unsere Funker konnten auch nicht einen Piepston empfangen. Sie versuchten es auf jeder Welle. Erfolglos. Es herrschte ein feindseliges, und doch sehr beunruhigendes Schweigen im Äther, so, als ob die ganze Funkanlage zerstört wor= den wäre.

Eine atmosphärische Laune?

Jedenfalls wußten wir nicht was los war. Besorgt dampften wir weiter.

Erst in 200 Seemeilen Entfernung hörten sie in der FT=Bude zum ersten Mal wieder Laute. Schwaches Geflüster nur, aber doch eine Be= stätigung, daß weder die Geräte entzwei waren, noch daß andere Gründe für dieses unheimliche Schweigen vorlagen.

Im Grunde genommen hatten wir ganz andere Sorgen. Wir wußten, daß unser Schwesterschiff *Orion* südlich von Australien unangenehme Erfahrungen mit Aufklärungsflugzeugen und Bombern gemacht hatte.

Wir holten daher sehr weit nach Süden aus, um diesen Gefahren aus= zuweichen . . .

Doch zurück zur *Silvaplana*.

Sie war nicht sehr groß, aber sie hatte eine Fracht an Bord, wie man

---

*) Southern Bight: Die große, dem südlichen Mittelaustralien vorgelagerte Bucht.

284

sie nur in dieser Welt der saphirblauen See, der murmelnden Wasser, der paradiesischen Inseln und der verträumten stillen Lagunen erwarten konnte. Neben den von uns mit gemischter Meinung betrachteten Götzenbildern fanden wir in ihrem Bauch Kaffee, Wachs, Vanille, kostbares Teakholz...

Und die Luft über den Luken und auf dem Schiff war voll vom Duft tropischer Gewürze und tropischer Hölzer.

Aber unser Fang war mehr als bloße Romantik, überlegte ich plötzlich. Allein diese 100 000 Pfund Kaffee wären bestimmt ebenso viel Pfund Sterling auf dem Schwarzen Markt auf dem Kontinent wert gewesen. Einen Augenblick lang gedachte ich mit einem sehnsüchtigen Seufzer der fernen Tage, in denen Romantik und Busineß Hand in Hand gearbeitet hatten.

Rogge hatte es die *Silvaplana* ebenfalls angetan.

Sie war aber auch ein herrliches Schiff. Sie war modern und schnell, und wir hatten sie ohne Blutvergießen gekapert. Seit *Ole Jacob*, inzwischen in *Benno**) umgetauft, war sie mit einer der besten Fänge.

Wie war das doch bei der Aufbringung, als wir, Oberleutnant Fehler und ich, die *Silvaplana* betraten, als wir die Papiere sichteten und als Fehler plötzlich ausrief:

„Oh, Klapperschlange der Ozeane? Das sollen wir sein?"

Fehler schüttelt sich vor Vergnügen.

„Was heißt hier Klapperschlange?" fragte ich zurück.

„Ja, das ist der Kosename, den uns unsere Freunde in London großzügigerweise gegeben haben", sagte Fehler. Er blickte von den aufgefundenen Zeitungen auf, die er im besten und bequemsten Sessel der Offiziersmesse der *Silvaplana* studierte.

„Für Klapperschlangen scheinen wir aber nicht gerade sehr erfolgreich zu sein", gab ich zurück.

„In der Tat. Im Gegenteil, eine US=Radiostation hat, so steht hier geschrieben, das Märchen verbreitet, daß hier in diesen Breiten bereits 13 dieser verdammten deutschen Gespensterschiffe versenkt worden seien. Die können es sogar noch besser als Jupp, unser Propagandaminister in Preußisch=Berlin."

Fehler schaute bitter drein, als ich antwortete.

„Wenn sie uns Schlangen nennen, werden sie uns mit allen Mitteln eine Gelegenheit bieten wollen, unser Gift zu gebrauchen."

---

*) Diese Taufe war vom NO der *Atlantis* vorgenommen worden, wobei der Name *Benno* eine Abwandlung von Rogges Vornamen darstellen sollte. Das OKM genehmigte diesen Namen nicht, dennoch blieb es im Sprachgebrauch bei *Benno*.

Das alles war geschehen bis heute, da Kross die aus Holz geschnitzten Götzen in die Kiste warf . . .

Rogge läßt mich in seine Kajüte rufen.

„Wir wollen uns gerade einen neuen Ausgangspunkt für neue Unter= nehmungen aussuchen", erklärt er mir. Seinen ursprünglichen Plan, eine Unternehmung gegen die Inseln Papeete und Tahiti zu fahren, hat Rogge inzwischen abgeschrieben. Er hatte geplant, sein Flugzeug anzusetzen und Bomben auf die Öltanks und die im Hafen liegenden Schiffe werfen zu lassen. Nun aber erscheinen ihm das Risiko für das Flugzeug zu groß und die Erfolgsaussichten zu gering.

Rogge erklärt seinem Adjutanten: „Ich habe mir eine Insel ausge= sucht. Wenn wir uns dort in die Lee=Seite legen, können wir ohne große Gefahren das Flugzeug aussetzen, starten lassen und das See= gebiet im weiten Umkreis aufklären. Sie wissen ja, auf Ihrer Karte, die Sie auf der *Silvaplana* erbeutet haben, sind Kurse eingetragen gewesen, die das Schiff auf seinen letzten Reisen durch den Stillen Ozean ge= steuert hat. Dieser *Silvaplana*=Track führte ja auch bei den Paumotu= Inseln vorbei*).

„Und welche Inseln haben Sie ausgesucht, Herr Kapitän?"

„Ich habe an das Atoll Vana=Vana gedacht", sagte Rogge ohne Be= tonung.

Adjutant Mohr ist begeistert.

Schon der Name verspricht ein Paradies.

Rogge fährt mit seinen Ausführungen fort.

„Im übrigen begrüße ich es sehr, wenn unsere Männer endlich ein= mal wieder festen Boden unter die Füße bekommen, wenn sie sich am Palmenzauber erfreuen können. Das bringt sie auf neue Gedanken."

Ich eile freudig davon, um diese Neuigkeit auf dem ganzen Schiff zu verbreiten.

Als wir Vana=Vana, ein traumgeborenes Atoll der auch Captain=Cook= Lee=Islands genannten Paumotu=Inseln ansteuern, lebt die ganze Be= satzung sichtlich auf.

Trotz des Hitler=Regimes haben sie von dieser Ecke der Welt noch eine Vorstellung wie von Hollywood. Sie erwarten dunkelhäutige Mäd= chen mit wiegenden Hüften, Mädchen mit Bastöcken und Blumengir= landen. Von ihnen aus kann im Rundfunk Tag und Nacht Marschmusik gespielt werden, von ihnen aus mag im Rundfunk Tag und Nacht das

---

*) Die Paumotu=Inseln gehören übrigens zu dem sogenannten Tuamotu= Archipel, der wiederum zu der großen Gruppe von Polynesien gerechnet wird. Innerhalb des Tuamotu=Archipels liegt übrigens auch die in letzter Zeit be= kanntgewordene kleine Insel Aki=Aki.

Englandlied erklingen, in den Ohren der Männer hören sich die zackigen Märsche und aufpeitschenden Propagandalieder jetzt wie Guitarren= musik und Frauengesang an...

Als die Arado über das schäumende Weiß des Korallenriffs hinweg= fliegt, ruft Bulla seinem Beobachter zu:

„Es sieht eher wie der Rand eines Teichs als eine Insel aus."

Bullas Worte sind in der Tat eine treffliche Beschreibung, denn hinter den sich wiegenden Palmen und dem weißen Strand erstreckt sich eine weite Lagune. Ihr Wasser ist durchsichtig, einladend, erfrischend und von einem dunklen, aus der Tiefe heraus leuchtenden Blau.

Bulla drosselt die Maschine, und sie gleiten, beide schweigend, in die Lagune hinein, wo sie ihre Beobachtungen für Rogge machen.

Sie sehen rote Hütten, ein Dorf und ein großes Gebäude.

„Mensch, das ist ja direkt ein Kirchturm!" sagt Bulla plötzlich. So ist es auch. Dort steht eine Kirche mit einem Turm aus Palmen erbaut und mit Palmblättern bedeckt.

Sonderbar, das Dorf ist wie ausgestorben, denkt der Beobachter, als sie ihre zweite Runde drehen. Endlich sagt er etwas.

„Meinst du, sie haben Wind von uns bekommen?" ruft er.

Bulla lacht. „Sie werden hier wohl kaum eine Zeitung beziehen. Viel= leicht halten sie uns für einen Besuch vom Himmel — — — vielleicht mei= nen sie, jetzt kommt der liebe Gott persönlich."

Als der Schatten unserer Maschine wieder über das Dorf huscht, er= scheint gerade eine Gruppe von Frauen und Männern vor der Kirchen= tür. Dieser laute Vogel flößt ihnen derart viel Ehrfurcht ein, daß sie prompt auf die Knie niederfallen und beten.

Bulla ist viel zu überrascht, um sich etwas auf seine Prophezeihung einzubilden.

„In Ordnung...", sagt der Beobachter, als sich die Eingeborenen ver= neigen; doch der Rest seiner ausgesprochenen Gedanken ist im Motoren= geräusch nicht mehr zu hören. Die Maschine fliegt wieder über das Riff zurück, um ihre Hauptaufgabe zu erfüllen, nämlich einen Landeplatz für die Boote zu suchen, die bereits auf dem Deck der *Atlantis* klarge= macht werden.

Als Bulla bei der Landung die Anhaltekanone noch immer auf die Küste gerichtet sieht, denkt er bei sich, wie anachronistisch oder zumin= dest übertrieben doch diese dumme Kanone hier in dieser Umgebung wirkt...

„Ein großartiger Job!" denkt jeder, als Oberleutnant Fehler und ich beauftragt werden, die Landung zu unternehmen. Hätten wir wirklich jeden mitgenommen, der sich für dieses Abenteuer freiwillig meldete,

wir hätten die *Atlantis* so leer wie die *Marie Celeste* hinter uns zurück=
gelassen.

Aber jetzt, da es Ernst wird, sehen wir absolut kein Vergnügen mehr
darin, die Boote durch eine der Lücken des Riffs hindurchsteuern zu
müssen. Sowohl die Männer in der Barkasse wie auch in den Booten
werden von den Stößen und dem Sog der donnernden schäumenden
Brandung, sowie von der Kraft der Brecher, die die Boote jeden Augen=
blick gegen die scharfen Korallenriffe zu schleudern drohen, erbärmlich
durchgeschüttelt. Wir halten uns eine Zeitlang vor der uns am breite=
sten erscheinenden Lücke auf, ehe wir uns, ich gebe es zu, auf eine
recht unwürdige Art hindurchwagen, nämlich mit dem Heck voraus.
Während der Bug der Boote mit einer Leine von der Barkasse aus see=
wärts gehalten wird. Wir sind durch. Nun aber rudern wir, die Männer
in der Barkasse haben den Tampen losgeworfen, wie irrsinnig los. Bei
unserer Landung glänzen wir vor lauter Wasserstaub, sind wir atemlos
vor Anstrengung, jedoch unglaublich stolz über unseren Erfolg.

Wir haben endlich wieder festen Boden unter unseren Füßen. Wir
fühlen die Wärme des schneeweißen Strandes, der mit bunten Korallen=
stückchen besät ist, durch unsere Schuhe hindurch.

Es ist alles so phantastisch.

Es ist wie in einem Traum.

„Hollywood ist gar nichts hiergegen", sagt Fehler, reckt wie einer,
der aus einer engen Zelle befreit wurde, die Arme in die Luft und fährt
fort: „Kokosnüsse ... Lagunen ... wiegende Palmen ..." Und plötz=
lich — Fehler stockt — „wo aber sind die Mädchen? Wo?"

Wie dem auch sei, in den, in der Nähe unserer Landungsstellen gele=
genen beiden Hütten sind sie auf jeden Fall nicht. Auch die männlichen
Wesen sind verschwunden. Wir aber brauchen Kontakt mit ihnen. Wir
müssen hören, was es mit dieser Insel auf sich hat.

Rogge befiehlt, die Insel abzukämmen.

Wir entschließen uns, dem Befehl zu folgen.

Aus dem Dunkel unter einem Grasdach hören wir ein Wimmern. Wir
schauen in die Hütte hinein und finden in einer Ecke einen Wurf von
zehn kleinen Hunden. Daneben steht ein Kochtopf. Sein Inhalt ist noch
warm.

„Sie scheinen geflohen zu sein."

„Wir täten gut daran, sie zu beruhigen", meine ich. Also lassen wir
einige Messer da und ein paar Päckchen der auf der ganzen Welt als
Währung anerkannten Zigaretten ...

Als wir am nächsten Tage wiederkommen, diesmal in den großen
Gummischlauchbooten, in denen „Brandungsdirektor" Oberleutnant

Fehler jetzt die Ausschiffung leitet, warten 20 Eingeborene am Strand. Freundliche Leute, das sei vorausgeschickt. An ihrer Spitze steht der Häuptling, neben ihm eine Frau unbestimmbaren Alters. Sie trägt eine Schürze über einen wildbedruckten Rock. Und ihr behaartes Gesicht wird von einem Palmblatthut überschattet.

Fehler macht in seiner zynischen Art seiner abgrundtiefen Enttäu= schung Luft.

Seine Bemerkung überhörend, verbeugte ich mich indessen höflich. Ich lächele, so galant wie wohl noch nie in meinem Leben.

Der Häuptling und seine Frau scheinen uns mit Beifall zu betrachten.

Daraufhin tritt unser Doktor hervor. Sein Gesicht ist ganz große Feierlichkeit. Seinem Brotbeutel entnimmt er eine Rote=Kreuz=Flagge und übergibt sie dem Häuptling mit der Förmlichkeit eines Diplomaten von der Wilhelmstraße.

Die Flagge wird dankbar und behutsam entgegengenommen.

Trotz der Verständigungsschwierigkeiten — die Eingeborenen kennen nur ein halbes Dutzend englische Vokabeln — kommen wir bald gut miteinander aus. Und auf unsere beiläufige Bemerkung hin, daß wir Kokosnüsse haben wollen, schleppen sie sofort 500 Stück heran. Wir geben ihnen als Gegenwert ein paar Zentner Mehl.

Diese Geste stimmt die Sonnensöhne noch freundlicher als sie es schon sind. Sie zeigen uns einen besseren Landeplatz, von wo wir einen weniger gefahrvollen Fährdienst der Barkasse einrichten und durch den unsere Schlauchboote auch sicher durch die Lücke im Riff geschleust werden können.

Über die Insel erfahren wir, was uns aus strategischen Gründen am meisten interessiert:

Das einzige Schiff, das die Insel Vana=Vana anzulaufen pflegt, ist ein Handelsschoner. Er taucht zweimal im Jahr auf, um die Vorräte an Kopra einzuhandeln.

Vana=Vana besitzt keine Mole.

Und die kleine Kirche, die mit soviel Liebe von den so weltabgeschie= denen Christen erbaut worden ist, hat seit fast 50 Jahren keinen weißen Pfarrer mehr gesehen.

Ich erblicke auf dem Koppelschloß eines meiner Kameraden die Worte „Gott mit uns", dazu die Pistolentasche mit der geladenen Waffe.

Vielleicht wäre es besser, so überlege ich, beim nächsten Mal die automatischen Pistolen an Bord zu lassen.

Bulla, der wieder von einem ergebnislosen Erkundungsflug zurück= kommt, besieht sich den Haken, mit dem das Flugzeug an Bord gehievt wird, mit Unbehagen. Es ist immer keine schöne Arbeit, diese Rückkehr zur *Atlantis*. Zuerst muß man vorsichtig auf den Kranhaken zusteuern, während das Schiff durch richtiges Manövrieren, durch verschiedene Rudermanöver, versucht, neben sich einen ruhigen „Ententeich" zu schaffen. Dann muß man sich als Akrobat betätigen, indem man aus dem Sitz herausklettert und sich auf das Kanzeldach hinkniet, so als wenn man einen Esel ritte. Als nächstes muß man versuchen, den Haken zu fangen, der unberechenbar an dem Schleppseil hin= und herschaukelt. Dabei muß man auch noch aufpassen, daß er nicht den Kopf einschlägt. Endlich muß man den Haken in die Öse auf dem Flugzeug einhaken.

Das ist aber nicht das Einzige, was diese Aufklärungsfliegerei an Unangenehmem einbringen kann. Ich denke zum Beispiel an die Ge= schichte mit der *Mandasor* . . .

Damals, im Januar, hatte uns die Arado die Erbeutung dieses engli= schen Frachters ermöglicht. Bulla, dem die Eintönigkeit der Erkundungs= flüge über der leergefegten See zum Halse heraushängt, denkt jetzt mit Sehnsucht an dieses verrückte Erlebnis zurück . . .

Rogge hatte ihm damals den Befehl gegeben, mit einem Schlepphaken die Antenne des Frachters herunterzureißen und ihn dann solange hin= zuhalten, bis der Hilfskreuzer herangekommen wäre.

Daraus wurde eine verteufelte Geschichte, und damals hatte er sich eine solche fast tödliche Aufregung nie wieder gewünscht.

Der Engländer hatte ihn mit Geschossen aus einer Vierzoll= und einer Dreizollkanone und zwei Maschinengewehren empfangen. Trotz dieses Fegefeuers hatte er beim ersten Anflug sofort die Antenne zerstört und beim zweiten die Brücke mit seinen Bordkanonen beschossen und mit Bomben belegt. Bei allem Mut und bei aller Verbissenheit gelang es ihm aber nicht, das englische Feuer vollends auszuschalten. Obwohl die auf der Gegnerbrücke an den Waffen stehenden Briten fast alle durch den Bordwaffenbeschuß verletzt worden waren, brachten sie der deutschen Arado wieder Treffer bei. Sie zwangen Bulla, mit seiner Maschine auf See niederzugehen. Auf den Tragflächen sitzend, erwartete er, — Rogge, die Marine und die verdammten Briten verfluchend, — die Ankunft des Hilfskreuzers und seine Rettung. Sie klappte prompt, denn Rogge hatte in weiser Voraussicht schon vorher ein Boot aussetzen lassen.

Ja, so war das damals.

Gefährlich, aber nicht langweilig.

Bulla erwacht aus seinen Träumereien und kurz darauf wettert er in seiner bekannten Heftigkeit über die lahmen Idioten, die mit ihren Bambusstangen aufpassen sollen, damit die Arado nicht gegen den Rumpf der *Atlantis* geschleudert wird. Beinahe hätte ihn ein solcher Knuff von seinem Sitz geschleudert . . .

Unsere letzte Nacht auf Vana=Vana tropft vor Sentimentalität.

Wir hocken um unser Lagerfeuer und singen Heimatlieder.

Wenig später verlassen wir — der eine traurig, der andere wehmütig, noch andere nachdenklich und einige scheinbar heiter und unbeküm= mert — die freundliche Insel, um uns wieder auf die nackte, feindliche See zu begeben.

Die Heimat scheint jetzt weiter fortgerückt als der Himmel selbst.

Ja diese letzte Nacht...

Unser Enfant terrible fanden wir im Gebüsch Hand in Hand mit einem schon älteren eingeborenen Mädchen.

„Ich habe mich verlaufen", erklärte er mit dem harmlosesten Gesicht. „Den Weg will sie mir zeigen, nur den Weg...!"

Ja, dieser letzte Tag...

Ich holte mir noch einige gehörige Hautabschürfungen, als die Leine, an der mein Boot herangezogen wurde, riß und ich mit Wucht auf ein Korallenriff geschleudert wurde.

Als die *Atlantis* jetzt langsam Fahrt aufnimmt, winken Fehler und der Doktor den singenden Eingeborenen zum Abschied zu.

Sagt doch der Doktor, der eine ausnehmende Schwäche für diese Menschen gefunden hat, da er sie an einer seltenen Augenkrankheit be= handeln und auch heilen konnte: „Kein Arzt im Umkreis, wie unmensch= lich. Ich wünschte, ich hätte mehr Zeit für diese Menschen. Ich wünschte, ich wäre nicht auf diesem Schiff..."

Darauf der stets zu Spott und Ironie neigende Oberleutnant Fehler: „Ach so, ich verstehe, Dokor. Enttäuschung wegen der nicht vorhande= nen tanzenden Mädchen, was? Aber die Kokosnüsse, die waren doch gut?!"

*

In Berlin am Tirpitzufer.

„Schmidt, ich warne Sie, diesen Funkspruch an *Atlantis* herausgehen zu lassen", bedrängt Kapitän zur See Weyher den Fregattenkapitän Kuno Schmidt in dessen Zimmer im OKM.

Schmidt Kuno, wie er im Sprachgebrauch benannt wird, verantwortlich für das Ressort Hilfskreuzer in der Operationsabteilung der Skl, tritt an die Lagekarte heran, in der die letzten Positionsmeldungen der noch in See stehenden drei Handels=Stör=Kreuzer eingetragen sind. Er zeigt auf ein Fähnchen, das den Standort des HSK *Atlantis* bezeichnet. „Schiff 16" befindet sich danach noch immer im Pazifischen Ozean.

„Heute, am 25. Oktober, dürfte Rogge bereits in der Nähe von Kap Horn schwimmen", sagt der Fregattenkapitän.

„Alles bekannt, Schmidt. Rogge hat sich noch einmal aus der *Münster=*

land versorgt, an diese und an die *Komet*=Prise *Kota Nopan* seine Ge=
fangenen abgegeben, als er diese Schiffe zusammen mit dem HSK *Komet*
traf. Er hat, von der *Münsterland* begleitet, seine eigene, südlich depo=
nierte Prise *Silvaplana* mit Proviant und Brennstoff ausrüsten lassen.
Er hat die *Münsterland* nach Japan entlassen und die *Silvaplana* nach
Bordeaux in Marsch gesetzt."

„Sie sind ausgezeichnet unterrichtet, Herr Kapitän", bemerkt Schmidt
Kuno bewundernd.

„Ich bin glücklich heimgekommen. Das schließt aber nicht aus, daß
meine Gedanken und Sorgen Tag und Nacht bei meinen noch in See
stehenden Kameraden weilen ... Aber zur Sache: Sie wollen also ein
FT an Rogge heraus geben, daß er das in der Zeit zwischen dem 10. und
15. November auf Position liegende U 68 mit Brennstoff versorgen
solle ..."

„In der Zeit zwischen dem 12. und 15. November, Herr Kapitän",
verbessert Schmidt.

„Halten wir uns doch nicht mit solchen Lappalien auf. Also gut, dann
also zwischen dem 12. und 15. November."

„Erlauben Sie einen Hinweis, Herr Kapitän. Kapitän zur See Rogge
hat selbst darum gebeten, U 68 zu versorgen. Er hat, noch tief im Pa=
zifik stehend, dem Funkverkehr entnommen, daß das U=Boot=Versor=
gungsschiff der Kapstadt=U=Boot=Gruppe in Verlust geraten ist und daß
U 68 wie auch andere Boote schwerste Brennstoffsorgen haben."

„Bekannt, Schmidt. Alles bekannt. Sie sind also allen Ernstes damit
einverstanden?"

„Warum nicht? Rogge hat die U=Boot=Versorgung doch von sich aus
selbst angeboten."

„Jawohl Schmidt, er wird versuchen, und zwar unter allen Umständen
versuchen, diese Versorgung durchzuführen, und er wird sich, seine
Männer und sein Schiff damit in allergrößte Gefahren bringen. Daß die
Aufklärung durch Kriegsschiffe und Luftstreitkräfte jetzt auch im Mittel=
und Südatlantik stärker geworden ist, das weiß Rogge genauso gut wie
Sie. Und er wird trotzdem helfen! Er ist viel zu anständig und kamerad=
schaftlich, um die U=Boot=Männer unversorgt im Südatlantik schwimmen
zu lassen."

„Aber das Boot muß doch versorgt werden."

„Dann muß eben ein U=Boot mit dieser Sonderaufgabe betraut wer=
den, nicht aber gerade dieses Schiff, dessen Besatzung sich eine glück=
liche Heimkehr verdammt ehrlich verdient hat. Überlegen Sie, Schmidt,
geht die *Atlantis* bei einer dieser Versorgungsaufgaben verloren — und
das ist durchaus drin — wird auch ein Nimbus zerstört, von den Opfern

292

ganz zu schweigen. Ich kann Ihnen leider nicht befehlen, Rogge aus dieser Sache herauszulassen. Ich kann Sie nur aus meiner persönlichen Kenntnis der Persönlichkeit des *Atlantis*-Kommandanten heraus bitten, einen anderen Weg zu suchen, um dieses Boot versorgen zu lassen..."

Am 27. Oktober geht das FT trotzdem heraus. *Atlantis* bekommt als Treffpunkt eine Position westlich von St. Helena zugewiesen.

Rogge dazu heute:

„Allerdings war mir der Treffpunkt mit U 68 unsympathisch, und als ich meine Bedenken an die Skl funkte, wurde mir bedeutet, daß U 68 wegen Brennstoffmangels keinen anderen Treffpunkt ansteuern könne. Ich habe dann aber sofort nach dem Zusammentreffen mit U 68 die Versorgung selbst 200 Meilen nach Südwesten verlegt . . . Es ging also doch..."

Ja, und dann kam für Rogge der Befehl aus Berlin, auch noch U 126 zu versorgen..., weil der Fregattenkapitän in der Skl nicht das bißchen Mut hatte, dem BdU, dem Admiral Dönitz, eine weitere Versorgung aus der *Atlantis* abzuschlagen, weil er es nicht wagte, dem BdU anzuraten, ein U-Boot für die Brennstoffversorgung anzusetzen...

U 126 sollte Rogges und seiner Männer Schicksal werden.

Bei nur etwas mehr psychologischem Fingerspitzengefühl hätte es die Skl abwenden können.

Sie hätte nur auf Bubi Weyher zu hören brauchen. Er hatte die Praxis.

Anmerkung

Zu der vorstehenden Passage bedarf es der Feststellung, daß die Sorgen Rogges und Weyers seinerzeit zwar intuitiv berechtigt, aber nicht zu belegen waren. Wir wissen heute (1991), daß ein britisches Kommando am 9. Mai 1941 das am Konvoi O.B.318 operierende U-Boot *U 110* nach Beschädigungen durch Wasserbomben zum Auftauchen zwang und danach erbeutete, da die auf *U 110* durch den Kommandanten, Kapitänleutnant Fritz-Julius Lemp, eingeleiteten Selbstversenkungsmaßnahmen nicht funktionierten. Möglich war das nur, da der deutsche Kommandant, der als letzter von Bord ging und zurückschwimmen wollte, um die Selbstversenkung zu sichern, wehrlos im Wasser schwimmend von dem britischen Enterkommando aus Maschinenwaffen erschossen wurde. Den Briten, die trotz der akuten Gefahr, das schwerbeschädigte Boot könnte plötzlich doch noch versinken, an Bord kletterten und in das Boot einstiegen, fiel dabei sämtliches Geheimmaterial in die Hände, darunter, vor allem, die strengst geheime Schlüsselmaschine »M« und der für die nächsten Wochen geltende Tagesschlüssel, der ein direktes Mitlesen der von der Schlüsselmaschine »M« dekodierten Funksprüche erlaubte. Daß die Briten, die an der Aktion teilnahmen oder von Bord ihrer Eskorter Zeuge der Erbeutung des deutschen U-Bootes (das man zudem noch abzuschleppen versuchte) wurden, über diese Aktion mehr als zwei Dutzend Jahre (also weit über den Krieg hinaus) geschwiegen haben (nicht nur Dienstgrade, sondern auch »der kleine Mann«), ist bemerkenswert für die Selbstdisziplin der Briten. Den Mord an Lemp entschuldigt man mit einem übergesetzlichen Notstand (Prof. Dr. jur. Bernartz) oder, britisch, mit der Maxime »right or wrong my country«. Einzelheiten dazu in Jochen Brennecke: **Die Wende im U-Bootkrieg. Ursachen und Folgen.** Koehlers Verlagsgesellschaft, Herford 1984.

KAPITEL 12

HÖHEPUNKT AM WENDEPUNKT

Zur Lage: Das Jahr 1941 neigt sich dem Ende zu.

Es begann in der ozeanischen Kriegführung mit großartigen Erfolgen, und es endet mit der bitteren Erkenntnis, daß die Chan= cen jetzt Eins zu Hundert auch für Hilfskreuzer stehen, glücklich wieder heimzukommen. Kriegsschiffe werden nun überhaupt nicht mehr im Zufuhrkrieg eingesetzt, denn die immer dichter werdende gegnerische Luftaufklärung über dem Atlantik und die damit ver= bundene permanente Bedrohung der für die im Zufuhrkrieg an= gesetzten Kriegsschiffe und Hilfskreuzer läßt längere Operationen zumindest für die nicht zu tarnenden Kriegsschiffe hoffnungslos erscheinen. Man hatte bei der Skl noch einmal an einen kürzeren Einsatz des auf Versorgungsschiffe dann nicht angewiesenen Panzer= schiffes Lützow gedacht; man hatte das Schiff auch ausgerüstet und nach Norwegen mit dem Ziel in Marsch gesetzt, von dort aus in den freien Atlantik vorzustoßen, aber bei einem Angriff gegnerischer Torpedoflieger erhielt es bereits in der Nordsee schwere Treffer. Die Lützow mußte eine Werft aufsuchen.

Scharnhorst und Gneisenau, noch immer in Brest, sind das Ziel laufender Luftangriffe geworden und Hitlers Angst, die Engländer könnten in Norwegen einfallen, drängt Überlegungen auf, diese beiden Schlachtkreuzer zur Sicherung nach Norwegen zu schicken, anstatt sie dem inzwischen zu groß gewordenen Risiko einer neuen Atlantikunternehmung auszusetzen.

Großadmiral Raeder trägt Hitler im November 1941 die noch verbliebenen Möglichkeiten atlantischer Kriegführung vor. Dieses Mal ist er es, der keine Meinung davon hat, die im Dezember 1941 frontbereite Tirpitz in den Atlantik zu schicken. Raeder begrün= det dies in erster Linie mit dem inzwischen eingetretenen und sehr fühlbaren Mangel an Heizöl.

Die einzige Hoffnung sind noch die Hilfskreuzer der Zweiten Welle, mit deren Dienstbereitschaft aber erst Anfang des kom= menden Jahres zu rechnen ist. Der in diese Handelsstörer gesetzte Optimismus wird im November aber durch den Verlust der At= lantis und das Opfer der Kormoran getrübt.

Nach dem Einlaufen der Komet, die Ende November in Ham= burg festmacht, steht im Dezember überhaupt kein Hilfskreuzer mehr in See und am Feind.

Einziger Trost in diesen, einem totalen Zusammenbruch nahe= kommenden Realitäten, ist das Wunder, das Kormoran vollbrachte,

als sie mit ihren Museumskanonen den Stolz der australischen
Navy, den Leichten Kreuzer Sydney, angriff und versenkte, ehe
sie selbst in die Tiefe fuhr.

Und noch ein Ereignis tritt für den ozeanischen Krieg der Über=
wassereinheiten erschwerend hinzu: Die USA sind in den Krieg
eingetreten. Mit den Briten teilen sie sich jetzt offiziell in der
Überwachung der atlantischen Seeräume.

Über die Begegnung des HSK Kormoran mit dem australischen,
vielfach überlegenen Kreuzer Sydney liegt hier zum ersten Male
nach dem Kriege eine authentische Darstellung aus der Feder des
Kommandanten der Kormoran, Fregattenkapitän Detmers, vor. Das
dramatische Gefecht wird in Detmers Bericht zwar nicht in epischer
Breite dargestellt, aber eben in nüchterner Kürze wirkt es in die=
sem Falle vielleicht noch überzeugender und packender.

Bußtag, den 19. November 1941.
Der Tag war schön und sehr warm. Bei klarer Sicht hatte der Wind
aus SSO nachgelassen. Er wehte jetzt in Stärke drei bis vier. Die mitt=
lere Dünung aus SW wurde langsam schwächer. *Kormoran* lief mit Such=
fahrt, etwa 11 kn, Kurs 20 Grad in Höhe von Sharksbay an der austra=
lischen Westküste entlang. Bis zur australischen Küste waren es noch
gute 200 Seemeilen.

Um 15.55 Uhr wurde Alarm gegeben.

Der Offizier vom Ausguck sah recht voraus ein Schiff, das ich bald
als einen australischen Kreuzer der Perth=Klasse erkannte. Ich drehte ab
nach BB. auf 260 Grad, dann auf 250 Grad, die schießtechnisch gün=
stigste Lage.

Die Fahrt erhöhte ich auf 14 kn.

Der Kreuzer drehte auf uns zu und rief uns mit dem Scheinwerfer mit
„NNJ" an. „NNJ" heißt: welches Schiff sind Sie?

Mein Prinzip war:

Zeit gewinnen.

An ein Entkommen war bei den zur Zeit herrschenden hellen Nächten
nicht zu denken, abgesehen davon, daß bis zum Einbruch der Dunkelheit
noch drei Stunden vergehen würden. Ebenso war es sinnlos, mich mit
ihm auf einen Wettlauf einzulassen, konnte er doch 32,5 kn gegen meine,
günstigenfalls, 18 kn setzen.

Nein, es galt den von Anfang an ungleichen Kampf anzunehmen und
das unter den vorteilhaftesten Bedingungen, wie sie nur irgendwie her=
auszumanövrieren waren.

Dazu brauchte ich Zeit. Viel Zeit.

Jede Minute, die den Gegner mit seinen in Doppeltürmen aufgestell=

ten 8—15 cm Geschützen und moderner Feuerleitanlage uns näher brachte, war ein Gewinn für unsere alten 4—15 cm Kanonen, die wir auf primitivste Art von 45 Grad voraus bis achteraus gleichzeitig zum Tragen bringen konnten.

Also befahl ich, mit Flaggen den Namen *Straat Malacca*, den Namen unseres neuen holländischen Tarnvorbildes, zu setzen. Wie geübt, sollte das Anstecken und Hissen der Flaggen so langsam wie möglich gesche= hen, dies, um vorzutäuschen, daß wir ein im Signalwesen schlecht aus= gebildetes und schlecht eingespieltes Handelsschiff wären.

Und das wurde vorzüglich gemacht, so vorzüglich, daß ich bei allen weiteren Fragen im ganzen bis zur Gefechtseröffnung anderthalb Stun= den an Zeit gewann.

Die Signale „Stoppen Sie sofort", „Funken Sie nicht!" oder „Heißen Sie Ihr Geheimsignal" (das wir natürlich nicht kannten) wurden nicht gegeben. Auch das gegnerische Flugzeug wurde nicht gestartet, obwohl es gegen den Wind gedreht war und der Motor sich warm lief. Alles Dinge, die mich zu einem anderen Verhalten gezwungen hätten.

Nur der Schattenriß hätte etwas offener sein können. Der Kreuzer bildete eine schmale Silhouette und lief, wie wir sagen, in der Hunde= kurve an. Das änderte sich, als er auf 3 000 m heran war. Er drehte jetzt etwa 20 Grad ab, so daß sich seine Silhouette mehr und mehr öffnete. Alle vier Türme und die BB. Torpedoanlage waren auf uns gerichtet. Nur die 10,5 cm Flakgeschütze standen in Zurrstellung und waren offen= sichtlich nicht besetzt. Für mich war es wesentlich, daß er immer näher kam, weil jetzt auch unsere 2 cm und 3,7 cm Fla=Geschütze in ihren Wir= kungskreis eintraten.

Da verlangte er unser Geheimsignal.

Ich brauchte nur noch wenige Minuten, um die Auswirkung der Fahrt= änderung festzustellen, die die *Sydney* in diesem Augenblick offensicht= lich machte. Sie ging genau querab, auf annähernd gleiche Fahrt, und lief in 900 m Abstand parallel zur *Kormoran* mit.

So war die günstigste Anfangsposition für die Artillerie und Torpedo= waffe erreicht. Alle Vorteile des Gegners waren aufgewogen, jedenfalls soweit es die Waffen betraf. Jetzt kam es nur noch auf die Schnelligkeit an, mit der unsere Waffen am Ziel lagen.

17.30 Uhr gab ich den Befehl zum „Enttarnen".

Sofort ging die holländische Flagge am Flaggenstock nieder und die Kriegsflagge am Großmast hoch ...

Sie wehte wunderbar aus.

Der Signalgast meldete: „Kriegsflagge weht."

Ich gab der Artillerie= und Torpedowaffe Feuerlaubnis.

Es zeigte sich jetzt das Wunder an Schnelligkeit, auf das unsere Be=
satzung in monatelangen Exerzieren gedrillt war.

Bereits Sekunden nach dem Befehl „Enttarnen" fiel der erste Schuß
vom ersten Geschütz, vier Sekunden später von den anderen dreien, eine
Geschwindigkeit, die vorher nie erreicht worden war. Gleich mit dieser
ersten Salve wurden Treffer in Brücke und Artillerieleitstand erzielt.

Fast gleichzeitig ging eine Vollsalve des Gegners kurz über uns hin=
weg. Danach schossen wir etwa acht Salven in fünf Sekundentakt, ohne
daß der Gegner noch einmal antwortete. Die 2=cm=Fla.=Maschinenwaf=
fen hielten die Torpedorohrsätze, die Fla.=Artillerie und das gesamte
Oberdeck des Kreuzers unter Feuer und in Schach und die 3,7 cm Flak
die Brücke des Gegners.

Die Torpedowaffe schoß einen Zweierfächer — und traf. In einer rie=
sigen Wassersäule knickte die Back Vorkante der Türme ab und tauchte
bis zum Göschstock ein. Anscheinend waren dadurch die beiden vorderen
Türme ausgefallen, denn aus ihnen fiel später kein Schuß mehr.

Etwa nach unserer achten Salve nahmen die achteren Türme das Feuer
einzelturmweise auf. Der dritte Turm schoß nur zwei bis drei Salven.
Sie lagen sämtlich zu weit. Dann schwieg er. Dagegen schoß der vierte
Turm gut und schnell. Schon nach wenigen Schuß geriet unser Maschi=
nenraum in Brand.

Indes feuerte unsere Artillerie weiter und setzte dem Gegner schwer zu.

Der Kutter hing halb zu Wasser, die schwere Turmdecke vom zweiten
Turm wurde außenbords geschleudert. Das Flugzeug stürzte vom Ka=
tapult ins Wasser und überall schlugen Flammen aus dem Schiff.

Der Gegner drehte auf uns zu und schlug hinter unserm Heck durch.

Unsere Artillerie erhielt jetzt keine Antwort mehr. Alle 15=cm=Türme
waren niedergekämpft und zeigten bewegungslos nach feuerlee.

Etwa 18.00 Uhr entschloß ich mich, nach BB. auf parallelen Kurs zu
dem Gegner zu gehen, um ihn völlig zu vernichten. Das Ruder war
schon gelegt, als plötzlich die Umdrehungen beider Maschinen schnell
fielen. Im selben Augenblick sah ich vier Blasenbahnen vom Gegner auf
uns zulaufen. Ich konnte die vier Torpedos noch ausmanövrieren, so
daß sie kurz hinter unserem Heck passierten. Aber fast gleichzeitig
vibrierte das Schiff unter schweren Erschütterungen.

Die Motoren gingen durch.

Das Schiff machte keine Fahrt mehr.

Die Maschinenanlage war völlig unklar und sämtliche Feuerlösch=
mittel waren ausgefallen.

Trotzdem befahl ich, zu versuchen, wenigstens einen Motor wieder
fahrbereit zu machen.

Der Gegner erhielt laufend Treffer. Vorkante Brücke bis zum achtern Mast war er nur noch ein Flammenmeer. Er lief mit geringer Fahrt etwa SSO=Kurs.

Wir versuchten noch, auf ungefähr 7000 m einen Torpedo anzubrin= gen, doch dieser ging eben hinter dem Heck vorbei.

18.25 Uhr ließ ich das Feuer einstellen. Der Gegner stand jetzt nahezu 10 000 m ab und trieb mehr, als daß er fuhr.

500 Granaten waren auf ihn verschossen worden.

Ein lichterloh brennendes Wrack.

Die Umrisse des Gegners kamen in der nun schnell hereinbrechenden Dämmerung außer Sicht.

Starker Feuerschein war bis gegen 21.00 Uhr sichtbar.

Dann war der Gegner verschwunden.

Die *Kormoran* hatte Beschädigungen erlitten, die zur Aufgabe zwan= gen. Wären wir ein britisches Schiff gewesen, man hätte uns noch Hilfe bringen und abschleppen können. So aber blieb uns nur der eine, so bittere Weg. Am schlimmsten hatte sich der Treffer in den Maschinen= raum ausgewirkt. Hier war Feuer ausgebrochen. Öl brannte. Es gab kei= nen Weg, die fürchterlich wütenden Brände noch mit Bordmitteln zu löschen, da unsere Feuerlöschanlage, vor allem die Schaumlöschanlage zerstört worden war.

Bis 24.00 Uhr waren alle noch lebenden Besatzungsmitglieder in elf Boote verteilt.

Zehn Boote hatten abgelegt. Die Kriegsflagge wurde eingeholt.

Als Letzter ging ich von Bord.

00.10 Uhr ging die Sprengladung hoch, aber das Schiff schwamm noch. Mein Boot hielt sich in Windluv in etwa 300 m Entfernung vom Schiff.

00.35 Uhr krepierten die an Bord befindlichen Minen mit einer ge= waltigen Explosion. Die Stichflamme schoß viele hundert Meter hoch.

Die *Kormoran* war nicht mehr.

Eines der Schlauchboote war bereits am 3. Tage von dem englischen Passagierdampfer und jetzigen Truppentransporter *Aquitania* gesichtet und gerettet worden. Ein zweites Boot hatte, fünf Tage später, der Tan= ker *Trocas* gerettet. Die Insassen hatten eine dramatische Fahrt hinter sich. In der schweren See war ihr Boot mehrmals gekentert. Unter un= menschlicher Anstrengung gelang es den Überlebenden, das Boot wieder zu richten und auszuösen.

Unser Boot wurde von einem Frachtdampfer gesichtet. Der Kapitän dieses Schiffes war, so sagte er später zu seiner Entschuldigung, im

Ersten Weltkrieg von einem deutschen U=Boot torpediert worden. Seit=
her habe er einen solchen Respekt vor den Deutschen, daß er sich wei=
gerte, die Schiffbrüchigen aufzunehmen. Laufen lassen wollte er das
Boot aber auch nicht, als ob er ahnte, daß ich mich im stillen schon mit
dem Plane trug, die von den Japanern bereits besetzte Insel Timor an=
zusegeln.

Der Frachtdampfer=Kapitän nahm unser Boot in Schlepp. Lediglich
den Verwundeten gestattete er nach meinen energischen Vorhaltungen
den Aufenthalt auf seinem Schiff.

Zwei andere Boote erreichten ohne irgendeine Sichtung die austra=
lische Küste an verschiedenen Stellen.

Als wir nach sieben Tagen qualvoll enger Bootsfahrt ausgehungert
und müde an Land kamen, fragte uns ein australischer Korvettenkapitän,
ob wir die *Sydney* getroffen hätten, da sie überfällig sei.

Da wußten wir endlich, daß wir die *Sydney* vernichtet hatten.

Die *Sydney* führte die Tradition des Besiegers der *Emden* fort. Sie
hatte bis zum Frühjahr 1941 im Mittelmeer an 88 Einsätzen teilgenom=
men und dabei u. a. den italienischen Kreuzer *Bartolomeo Colleoni* und
zwei italienische Zerstörer versenkt.

Sie sank mit Mann und Maus.

Von den 644 Besatzungsmitgliedern überlebte niemand das Ende.
Ausgenommen ein Matrose, der vor dem Auslaufen am 11. November
an Land gebracht wurde, um dort eine Strafe abzubüßen.

Unsere Verluste dagegen betrugen 80 Mann.

Von unseren Booten kamen zehn mit 315 Mann an Land. Ein Schlauch=
boot verunglückte mit seiner ganzen Mannschaft kurz nach dem Ablegen.

Wenn die *Kormoran* auch nicht mehr fuhr, so war es doch ein stolzes
Bewußtsein für uns alle, daß sie in einem Gefecht geblieben war, in dem
zum ersten Mal in der Seekriegsgeschichte aller Zeiten ein behelfsmäßig
schwach bestückter und dazu ungepanzerter Hilfskreuzer einen vielfach
überlegenen Kreuzer versenkt hatte.

✳

Im Südatlantik.

Der 22. November 1941.

„Sichtung ist mit Life=Foto verdächtig identisch!"

Das funkt der Beobachter des von dem britischen Schweren Kreuzer
Devonshire südlich der Natal Freetownenge gestarteten Walrus=Bord=
flugzeuges.

Der *Devonshire*=Kommandant R. D. Oliver, Captain R. N., vergleicht
seine Fotokopie=Unterlagen . . . den Weekly Intelligence Report Nr. 64

und die Fotokopie aus der amerikanischen Zeitschrift Life vom 23. Juni 1941.

„Frage welche Heckform", der Kommandant.

„Kreuzerheck."

„Rumpfform?"

„Bis auf wegnehmbare Kennzeichen an Ventilatoren, Samson Posts und dergleichen ähnelt Sichtung genau der *Tamesis*.

Die *Tamesis* war eine der Tarnungen der Atlantis ...

Devonshire=Kommandant R. D. Oliver später in seinem Bericht:

„08.37 Uhr schoß *Devonshire* zwei Salven und zwar rechts und links vom Schiff verteilt. Ich hoffte damit zu bezwecken:

a) Erwiderung des Feuers und damit einwandfreie Identifizierung;

b) den Feind zu bewegen, sein Schiff zu verlassen. Ich wollte Blut= vergießen vermeiden. Allerdings gebe ich zu, daß ich das in erster Linie der mit Sicherheit an Bord des Raiders befindlichen britischen Gefan= genen wegen tat.

Der Gegner stoppte und gab 08.40 Uhr ein FT RRR RRR RRR Poly= phemus.

Es fiel auf, daß keine Signalbuchstaben beigefügt worden waren, und daß bei der RRR Gruppe das vierte R fehlte ...

Laut FT der Admiralität vom 22. Oktober befand sich die *Polyphemus* am 21. 9. in Balboa, also tatsächlich innerhalb meines Bereiches.

Um meine letzten Zweifel zu beseitigen, startete ich FT an den CiC in Freetown und fragte an, ob *Polyphemus* einwandfrei wäre.

Die Antwort lautete: nein ...

Nun ging alles sehr schnell.

09.35 Uhr eröffnet die *Devonshire* das Feuer.

Atlantis nebelt.

09.53 Uhr kommt sie wieder in Sicht.

Neue Salven bis 09.56 Uhr.

Atlantis brennt vorn und achtern.

10.02 Uhr: Munitionskammer fliegt in die Luft.

Devonshire stellt die Beschießung ein, unterläßt aber wegen der U= Bootgefahr und dem damit verbundenen eigenen Risiko die Rettung der Überlebenden.

---

*) Anfangs waren bei solchen Notrufen, wie R = Raider, S = Submarine, Q = Hilfskreuzer, nur Dreiergruppen vorgeschrieben, die später in Vierer= gruppen umgewandelt wurden. Wann dies war, läßt sich noch nicht mit Sicherheit feststellen, hier weichen die deutschen wie auch die britischen Aussagen stark voneinander ab. Tatsache scheint aber, daß zur obigen Stunde bereits die Vierergruppe in Kraft gewesen ist.

Hätte der Gegner kein so genaues Foto von der *Atlantis* gehabt, Rogge wäre es vielleicht gelungen, den Gegner hinzuhalten, langsam Fahrt auf=zunehmen und den Kreuzer über die Position des deutschen, von Rogge versorgten U=Bootes hinwegzuziehen . . .

Aber die Briten hatten ja ein Bild von der *Atlantis!*

Es stammte sogar aus der jüngsten Zeit!

Rogge hatte zwar vor Monaten in sein Tagebuch notiert:

„Auch mit der List ist nicht mehr viel zu erreichen . . ."

Life=Fotograf Sherman erreichte aber dennoch viel mit List.

Zur Hilfe kamen ihm zumeist Rogges Toleranz und später die, die ihn untersuchen sollten . . .

Es begann auf dem ägyptischen Dampfer *Zam Zam*, so benannt nach einer heiligen Quelle in Mekka.

Es war im April 1941 . . .

Atlantis war in den südlichen Atlantik marschiert.

Vor weiteren Operationen trifft sie den ehemaligen, aus Santos aus=gebrochenen Spee=Versorger *Dresden*. Dann sind Begegnungen mit dem Versorger *Alsterufer* und dem HSK *Kormoran* geplant.

Man hat die *Dresden* in den noch dunklen Morgenstunden eben auf einen Ausweichtreffpunkt entlassen, als plötzlich ein Schatten ausge=macht wird.

Atlantis folgt diesem sofort.

Da beginnt auch schon der Fremde — man hat ihn inzwischen als ab=geblendet fahrenden Bibby=Liner erkannt — nervös zu funken.

Eine Bodenfunkstation wünscht zu wissen, welche Funkstelle dort wäre, denn an Land ist man fast genau so durchgedreht wie auf den für England fahrenden Schiffen. In diesen Tagen gerade waren in ziem=licher Nähe der jetzigen Bibby=Liner=Position erst QQQQ= und dann sogar RRRR=Notmeldungen aus verschiedenen Quadraten gefunkt wor=den; Folgen eines echten Notrufes des durch *Kormoran* angegriffenen und versenkten Briten *Craftsman*. Frachtschiffe, die irgendwelchen und wirklich harmlosen Neutralen begegneten, hatten sofort beim Insicht=kommen eines anderen Schiffes auf die Taste gedrückt.

Acht seit Jahresbeginn im mittleren Atlantik verschwundene Frachter machen die Verwirrung und Nervosität in Schiffahrtskreisen noch größer.

Rogge, dem die Abgabe der Funk=Notrufe durch den Bibby=Liner so=fort gemeldet wird, fürchtet, erkannt und gemeldet zu werden. Er gibt seinen AO Feuererlaubnis. Bereits die ersten Salven treffen ein Schiff, das wirklich einmal ein Bibby=Liner war, seit einiger Zeit aber — das weiß man tragischerweise auf *Atlantis* nicht — als Passagierfrachter unter Ägyptens Flagge fährt.

Hätte der Messesteward im letzten Hafen vor dem Sprung über den Atlantik, im brasilianischen Recife, nicht an Land die Zeit ver=
schlafen,

wäre die *Zam=Zam* früher in See gegangen,

wäre sie wahrscheinlich nicht im Dunkel der Morgenstunde dem Hilfskreuzer über den Weg gelaufen...

Hätte sich der Kapitän in Trinidad gegenüber der Britischen Admi=
ralität durchgesetzt, auch dann wäre der *Zam=Zam* wahrscheinlich nichts geschehen...

Hätte der *Zam=Zam*=Kapitän nicht wegen des nervösen, völlig sinn=
losen Notrufes des Norwegers *Tai Yin* um 90 Grad abgedreht, auch dann wäre ihm und den Passagieren an Bord die Begegnung mit dem Raider mit Sicherheit erspart geblieben...

Und hätte...

Es gibt vieles Hätte in diesem Falle!

In New York begann die Reise, die die letzte werden sollte...

In Baltimore kommen am 23. März die restlichen Passagiere an Bord, vornehmlich friedliche Missionare und zwei Dutzend sehr muntere und nicht minder whiskyfreudige amerikanische Ambulanzfahrer.

In Trinidad kommt es zu einer Kontroverse zwischen Dienststellen der Britischen Admiralität und dem *Zam=Zam*=Kapitän William Gray Smith.

Er ist zwar klein von Wuchs, dafür aber umso lebendiger, als man ihm Zwangskurse für die Reise über den Atlantik vorschreibt.

„Gut, die Zwangskurse will ich, soweit möglich, noch fahren, aber das Schiff abzublenden, ist nicht nach meinem Geschmack", knurrt er den britischen Seeoffizier an.

„Sie haben die Anweisungen zu befolgen."

„Dann bitte ich Sie darum, sie korrigieren zu lassen. Ich habe Frauen und Kinder auf meinem Schiff. Ein abgeblendetes Schiff ist Freiwild — für U=Boote und Raider...!!!" Der Kapitän hat schmale Augen. Seine Lippen sind blaß.

„Ich bedaure, auch dieser Bitte — so sehr ich sie menschlich verstehe — kann nicht stattgegeben werden. Ihr Schiff fährt kriegswichtige britische Güter in den Laderäumen. Sie fahren die vorgeschriebenen Kurse, und Sie blenden Ihr Schiff ab. Sie führen auch keine Neutralitätszeichen zur Tarnung."

„Wie Sie wünschen, Sir! Diese singenden Missionare an Bord bringen ohnehin kein Glück. Alles in Maßen. Soviel Himmelslotsen unter den Passagieren fördern das Schicksal geradezu heraus. Können Sie uns nicht verraten, ob wenigstens die Kriegsschiffe der honorigen Königlichen Flotte diesen verdammten Raidern auf der Spur sind, wenn Sie schon in diesen Seegebieten Unheil wittern?"

Der britische Kapitän hebt die Schultern. „Die See ist groß."

„Und die britische Flotte zu klein, um überall zu sein, nicht wahr?"

In Recife, dem nächsten Hafen, gibt es die erwähnte Verzögerung, weil der Messesteward an Land die Zeit verschlief. Es sind noch zwei neue Passagiere zugestiegen, ein Mister Charles Murphy, Herausgeber der amerikanischen Zeitung „Fortune" und Mitarbeiter von „Time" und „Life" und der Life=Fotograf Sherman.

Den beiden klingen nach dem Ablegemanöver am 9. April noch die warnenden Worte in Recife ausgestiegener Passagiere in den Ohren, doch besser nicht auf diesem Wrack einzusteigen.

In Recife heißt die Zam=Zam nur noch das „Misery Ship"!

Schiff des Elends!

An Bord sind nun 202 Passagiere, darunter 73 Frauen und 35 Kinder. Die meisten Fahrgäste, nämlich 138, sind Amerikaner, da sind ferner 26 Kanadier, 25 Briten, 5 Südafrikaner, 4 Belgier, 1 Italiener, 1 Nor= weger und 2 griechische Krankenschwestern. 139 Mann Besatzung kom= men hinzu, meist Ägypter, neben ein paar Sudanesen, Türken, Jugosla= wen, Griechen, Franzosen und Tschechen und den beiden Hauptverant= wortlichen, dem britischen Kapitän und dem britischen LI.

Die Reise verläuft zunächst ohne Aufregungen.

Captain Smith — er ist Navy=Reserveoffizier — hält sich streng an die ihm gegebenen Anweisungen.

Er fährt abgeblendet. Er zeigt weder Neutralitätsabzeichen, noch eine Flagge. Er funkt nicht, und er verheimlicht den Passagieren sogar die jeweiligen Mittagspositionen.

Am 14. April fangen sie eine QQQQ=Notmeldung auf.

Der Norweger Tac Yin fühlte sich angeblich von einem verdächtigen Schiff verfolgt. Der gar nicht lebensmüde Captain Smith dreht um 90 Grad ab.

In den späten Abendstunden ändert er den Kurs in Südwest und in der Nacht auf Süd. Erst am nächsten Morgen dreht er wieder auf den Kurs nach Kapstadt zu. Den Passagieren sind diese Ausweichmanöver nicht verborgen geblieben.

Smith zerstreut aufkommende Bedenken. Lediglich Mister Murphy vertraut er sich an.

„Was soll ich tun? Mehr als Höchstfahrt kann ich nicht befehlen — und das sind kaum 13 Knoten."

„Ein bißchen wenig, Captain, um in der Not zur Not davonzulaufen. Vielleicht war es nur eine Warnmeldung aus verständlicher Nervosität."

„Mag sein, Geschützfeuer haben wir ja nicht gehört."

„Na also. Halten wir also den Kurs bei. Womöglich marschieren wir jetzt direkt auf den Raider zu. Wait and see."

„Unken Sie nicht! Sowas kann leicht in Erfüllung gehen."

Der 16. April ist ein Dienstag.

Der nächste Tag bleibt ruhig. *Zam Zam* hat nur noch fünf Tagesreisen vor sich. Murphy geht nach Mitternacht in die Koje. Sein Kollege Sher= man hat sich schon früher schlafen gelegt.

Es geht auf die ersten Morgenstunden zu, als der Funker erneut eine QQQQ=Meldung einfängt. Er fragt auf der Brücke nach, was er tun soll. Den Notruf quittieren, oder...

„Ach, da wird wieder mal einer durchgedreht sein. Fragen Sie mal zurück, welche Funkstelle die QQQQ=Meldung losließ", ordnet der ge= weckte Captain Smith mehr ärgerlich als besorgt an. Dann dreht er sich wieder auf die andere Seite.

„Welche Funkstelle ist dort? Welche Funkstelle ist dort?" knistert es inzwischen durch den Äther.

Und dann verstummen dem Funker die Hände an der Taste...

fällt Captain Smith wie von einem Katapult geschleudert aus seiner Koje heraus...

In seinem am 23. Januar 1941 in der Zeitschrift „Life" erschienenen Bericht, schreibt Charles Murphy über das, was um die fragliche Mor= genstunde weiter geschah:

„Ich wachte auf, als die Luft von einem entsetzlichen Heulen erfüllt war. Es war ein undefinierbarer Ton, überall heulte er um mich herum auf. Sherman, der schon auf den Beinen war, riß seine Fototasche unter der Koje hervor. Er schrie: ‚Aufstehen! Aufstehen! Sie schießen auf uns!'

Ein blinder, fast animalischer Instinkt trieb mich aus der Kabine her= aus an Deck. Irgendwoher, ganz nahe, kamen mehrere laute Explosionen. Die Atmosphäre spannte sich zu einem dichten kreiselnden Aufheulen. Plötzlich stieg das Wasser unmittelbar vor dem Bug, weniger als hun= dert Meter entfernt, zu zwei schäumenden Säulen empor, um gleich darauf wieder zusammenzufallen. Eine zweite Salve folgte, nach der das Schiff einen Stoß bekam und durch und durch zitterte und ein Geräusch hörbar wurde, als sei etwas zerrissen. In der Dunkelheit — alle Lichter waren ausgegangen — ging ich nach Backbord hinüber. Im gleichen Augenblick sah ich den Hilfskreuzer. Er zeigte uns seine Breitseite, und zwar so nahe, daß ich seine Brückendecks zählen konnte. Wenn je ein Schiff seine Rolle spielen konnte, so war es dieses —

ein Schiff des Hinterhalts —,
tief im Wasser liegend, dunkel gegen den grauenden Morgen.

Während ich noch so hinübersah, sprangen plötzlich mehrere lange rötliche Blitze auf dem Vordeck und hinter dem Schornstein auf. Als ich zur Kabine zurückraste, hob sich der Gang hinter mir und füllte sich mit Rauch. Der Schuß traf, glaube ich, den Salon. Ich hörte ein Kind weinen und eine heisere Stimme, die einen arabischen Fluch hinausschrie.

Ein furchtbarer Schlag kam plötzlich ganz in der Nähe, und als ich zum dritten Male in den Gang hinaustrat, war die Luft voller Staub und Pulverqualm. Das Deck war von Trümmern übersät und hatte sich aufgewölbt. Mrs. Lewitt, in der Kabine unmittelbar gegenüber der unseren untergebracht, blutete stark an beiden Füßen. Sie waren durch einen herabfallenden Balken gequetscht.

Die Beschießung dauerte, alles in allem, etwa zehn Minuten.

Wenigstens neun Granaten trafen die Zam Zam. Alle an Backbordseite. Eine drückte dicht hinter dem mittleren wasserdichten Außenschott die Bordwand ein und explodierte mittschiffs, wobei sie den jungen Frank Vicovari, einen der Führer des Ambulanzkorps, und Dr. Robert Starling verwundete.

Nach der Beschießung dachte ich, sie würden längsseit kommen und uns einen Torpedo hineinjagen. Ich zog ein paar Hosen über meinen Pyjama, dann meine Schuhe an, riß meinen Mantel an mich, nahm meine Brieftasche mit dem Paß und begab mich auf meine mir zugewiesene Bootsstation. Innerhalb einer halben Stunde waren alle Boote zu Wasser und trieben rings um die Zam Zam. Die See war ruhig bis auf eine lange, glatte Dünung. Als unser Boot fortpullte, sah ich mit einem häßlichen Gefühl im Magen, daß unmittelbar unter dem Heck der Zam Zam die See voll von auf= und niedertauchenden Köpfen war. Zwei Boote, von Splittern durchsiebt, waren kaum, daß sie unten ankamen, voll Wasser gelaufen.

Als ich die Deutschen schon vollkommen vergessen hatte und gerade die Chancen dieser kümmerlichen Flottille, je Land zu erreichen, trüben Sinnes abwog, rauschte der Hilfskreuzer hinter dem Heck der Zam Zam hervor. Er bewegte sich vorsichtig, als befürchte er eine Falle. Leinen erschienen schlangengleich an der Bordwand. Aber statt sie am Boot zu befestigen, so daß es zum Fallreep gezogen werden konnte, wie es die Deutschen beabsichtigten, versuchten die Ägypter, sich daran zu retten.

Später sagte mir ein deutscher Offizier, sie seien eben im Begriff gewesen, die Burschen abzuschießen, als zwei Motorboote, die auf der anderen Seite zu Wasser gebracht worden waren, um das Heck herumkamen und die Menschen im Wasser aufnahmen.

Der Hilfskreuzer stoppte dicht an der Reihe der Boote, und eine Stimme rief in Englisch: ‚Kommen Sie bitte längsseits. Wir nehmen Sie an Bord.'

Deutsche verschwenden im Kriege nicht viel Zeit auf Zeremonien. Sobald ein Boot längsseits des Fallreeps anlegte, wurden die Insassen kurz, aber höflich aufgefordert, heraufzukommen. Die deutschen Seeleute sprangen hinab, um den Frauen und Kindern zu helfen. Für die Verwundeten wurden Transporthängematten herabgelassen.

Die kleinen Kinder wurden in Körben heraufgeholt.

Sie weinten bitterlich.

Ich muß sagen, daß die Deutschen bei der Betreuung der Gefangenen wie auch der Verwundeten sympathisch und tüchtig waren.

Innerhalb einer Stunde waren die drei Schwerverwundeten operiert . ."

Soweit Mister Murphy.

Da die USA noch nicht in den Krieg eingetreten sind, räumt Rogge den amerikanischen Gefangenen gewisse Freiheiten ein. Vor allem gestattet er, soweit militärisch vertretbar, den beiden Journalisten, eigene Eindrücke zu sammeln. Er hat auch nichts einzuwenden, daß Sherman weiter Fotos macht, im Gegenteil, er läßt den Life=Fotografen geradezu durch seinen Adju dazu ermuntern.

Ein Glück, daß das Motorschiff *Dresden* in der Nähe ist. Es übernimmt die Überlebenden, trifft sich am 26. April noch einmal mit HSK *Atlantis* und marschiert dann, sehr zur Enttäuschung der protestierenden Amerikaner — sie verlangten, einem neutralen Schiff übergeben oder in einen neutralen Hafen angelandet zu werden — direkt nach Frankreich.

Die Amerikaner werden dort in ihre Heimat entlassen.

Rogge heute dazu:

„Wir hatten das Fotografieren nicht abgestoppt, weil wir glaubten, beim Eintreffen in Deutschland bzw. Westfrankreich würden die Männer entsprechend untersucht. Interessanterweise aber wurden die Filme, von dem Fotografen Sherman in einer alten Zahnpastatube neben der Zahn=bürste sichtbar in der linken Brusttasche getragen, durchgeschmuggelt."

Es soll nicht behauptet werden, daß eine Beschlagnahme der Filme das Ende der *Atlantis* verhindert haben würde. Dennoch soll diese Komponente im Zusammenspiel der schicksalhaften Kräfte nicht unerwähnt bleiben.

Es sind oft Kleinigkeiten, über die man stolpert . . .

Und das Schicksal der Besatzung?

Es wird zu einer Odyssee, die dem griechischen Abenteuer um nichts nachsteht . . .

. . . an Gefahren nicht, an Strapazen und Entbehrungen nicht und auch nicht an unbeugsamen Lebenswillen.

Als „Schiff 16" am 22. November 1941 auf 4 Grad 20 Süd und 35 West ohne Preisgabe seiner Tarnung, also ohne seine Flagge gezeigt zu haben, um die zehnte Tagesstunde durch Selbstversenkung seine letzte Reise antrat,

entboten die Überlebenden ihrer sinkenden Heimat so vieler Monate mit drei Hurras den letzten Gruß,

zog noch einmal das Flugzeug des britischen Kreuzers seine Kreise über dem Platz der Vernichtung,

war die *Dorsetshire* bereits unter die Kimm gelaufen, um sich der Bedrohung durch die gesichteten U=Boote zu entziehen.

Stunden später, gegen 16.00 Uhr, setzte sich der seltsamste Schlepp= zug, den der so alt gewordene Atlantik jemals erlebte, in Bewegung. U 126 hat die trotz des Beschusses unbeschädigt zu Wasser gebrachten zwei Motorboote und vier eisernen Atlantis=Kutter an der Leine.

Das Ziel ist zunächst das „nur" 950 sm entfernte Pernambuco.

950 Seemeilen sind 1760 Kilometer. Auf Deutschland übertragen, ent= spricht diese Entfernung der sechsfachen Strecke von Frankfurt nach München oder von Hamburg bis nach Essen oder der einmaligen Strecke von Hamburg bis Madrid.

Von den 305 Überlebenden werden 201 in den Booten untergebracht. 55 Spezialisten der ehemaligen Atlantis=Besatzung hat U 126 im Boot selbst übernommen.

Die restlichen 52 Mann müssen sich mit einem Platz auf dem Ober= deck von U=Bauer begnügen. Sie sind mit Schwimmwesten ausgerüstet, um bei einem Alarmfall und anhängendem Tauchmanöver ungefährdet über Bord springen zu können. Es ist vorgesehen, daß diese Männer für die Dauer der Tauchzeit von U 126 von den Rettungsbooten auf= genommen werden.

U=Bauer hat inzwischen die Seekriegsleitung über ein FT von dem Ende der *Atlantis* benachrichtigt, auch darüber, daß der Schleppzug di= rekt Kurs auf die südamerikanische Küste genommen hat.

Bereits die ersten beiden Tage lassen die bevorstehenden Strapazen der auf 14 Tage veranschlagten Schleppfahrt deutlich werden:

Tagsüber brütende Hitze.

Nachts läßt erbarmungslose Kälte die in den offenen Booten und auf dem Oberdeck von U=Bauer untergebrachten Männer erschauern.

Die Überlebenden sind nur mit Hemd und Hose bekleidet.

Hinzu kommen noch die Enge und die Rationierung an Verpflegung und Frischwasser. Von „Kleinigkeiten" ganz zu schweigen:

daß es nicht genügend Eß= und Trinkgefäße gibt — man begnügt sich mit Konservendosen —

daß es an Bestecken mangelt — Rogge läßt Löffel aus Holz schnitzen und erzielt einen doppelten Nutzen: erstens Löffel; zweitens aber wer=den die Männer beschäftigt. Das ist gut so nach dem Verlust der so teuer gewordenen *Atlantis* und im Hinblick auf die Ungewißheiten, die vor ihnen liegen.

Außerdem aber: Die vorhandenen Leinen werden in der feuchten Hitze morsch. Sie brechen immer häufiger, und die Aussicht, die Schlepp=fahrt bis zur südamerikanischen Küste durchzuführen, sinkt von Stunde zu Stunde.

Am Abend des zweiten Tages funkt die Skl, drei U=Boote und den südlich stehenden Versorger *Python* zur Hilfeleistung befohlen zu haben.

Bereits am nächsten Tage kommt das Versorgungsschiff in Sicht und nimmt die *Atlantis*=Besatzung an Bord, während U 126 nach einer Ver=sorgung durch *Python* zu selbständigen Operationen entlassen wird.

Ein Skl=FT weist *Python* an, vor dem Heimmarsch noch auf der Höhe der südafrikanischen Westküste am 30. November U 68 und U A und am 1. Dezember U 124 und U 129 zu versorgen.

Python muß erneut auf Südkurs drehen und trifft am bezeichneten Tage, 700 sm von St. Helena entfernt, auf 27 Grad 53 Süd und 3 Grad 55 West zunächst mit U 68 (Merten) zusammen.

U A (Eckermann) läuft erst am nächsten Morgen auf.

Es ist genau 15.30 Uhr des gleichen Tages, als mitten während der Versorgung der beiden U=Boote der Saling=Ausguck auf der *Python* ein über die Kimm auflaufendes Schiff mit drei Schornsteinen meldet.

Wieder eine Einheit der *London*=Klasse, stellen die Männer von HSK *Atlantis* mit Besorgnis und Verbitterung fest...

Sofort wird die Versorgung abgebrochen. *Python* versucht mit 3 mal AK nach Nordosten zu entkommen. Bedauerlicherweise wurde die Schiffsführung von dem im Handelskrieg erfahrenen *Atlantis*=Kom=mando nicht darauf hingewiesen, den Hauptmotor langsam anzufah=ren*). Die durch das schnelle Hochfahren der Maschinen ausgelöste Qualmwolke machte *Python* dem Gegner gegenüber erst recht verdächtig.

Absicht der schnell schaltenden Schiffsführung der *Python*, des Ka=pitäns Gustav Lüders, ist es, den Kreuzer über die Position der inzwi=schen getauchten U=Boote hinwegzuziehen. Aber nur U A kommt zum Schuß, während U 68 infolge der überstürzten Tauchvorbereitungen und

---

*) Konteradmiral Rogge dazu: Die Hauptursache der Aufbringung der *Python* war wohl nicht die Qualmwolke, sondern der Verrat der Planquadrate und Treffpunkte, denn die Briten kamen auch in diesem Falle wieder pünkt=lich auf die genaue Position.

der schlechten Trimmlage — die an Bord genommenen Versorgungsgüter sind ja noch nicht verstaut — nicht angreifen kann.

Die fünf von Eckermann in zwei Fächern auf 3 000 Meter Entfernung losgemachten Torpedos verfehlen ihr Ziel. Eckermann hat die Gegner= fahrt ganz erheblich unterschätzt. Alle Chancen lagen in seiner Hand . . . dafür erhebt er aber später als rangältester Offizier eines im Dienst be= findlichen deutschen Kriegsschiffes den Anspruch der Befehlsgewalt.

Auf 180 Hundert schießt der Kreuzer die auf *Python* erwarteten An= haltesalven. Die Besatzung und die *Atlantis*=Überlebenden steigen ohne Bestürzung aus.

18.40 Uhr wird *Python* durch Selbstsprengung vernichtet.

Der Gegner behindert weder das Aussteigen der Besatzung noch macht er den Versuch, die Überlebenden zu bergen.

Wie im Falle *Atlantis* taucht nach dem Ablaufen des Kreuzers noch einmal das Bordflugzeug auf. Es läßt die Überlebenden aber ungeschoren.

414 Mann werden nunmehr in elf Booten und auf die beiden U=Boote verteilt, um den Versuch zu unternehmen, die Strecke von 5000 sm bis zur Heimat glücklich zu überwinden.

5000 Seemeilen sind nahezu 10 000 Kilometer.

10 000 km sind ein Viertel des Erdumfangs!

Jedes U=Boot übernimmt etwa 100 Mann unter Deck. Der Rest ver= teilt sich auf die Rettungsboote, von denen jedes U=Boot fünf im Schlepp hat, während das Verkehrsboot mit eigener Kraft fährt und dem Pen= delverkehr zwischen den Booten dienen soll.

Die sieben Schlauchboote werden an Oberdeck der U=Boote placiert, wo sie dem Rest der Überlebenden als „Unterkunft" zugewiesen werden. Ihre Insassen brauchen beim Prüfungs= oder Alarmtauchen nun nicht mehr in den Bach zu springen, da die Schlauchboote selbständig auf= schwimmen.

Der in der Geschichte der Seefahrt aller Nationen unbestritten ein= malige Schleppzug setzt sich am 1. Dezember 22.15 Uhr in Marsch. Das Kommando hat Kapitän zur See Rogge. Er ist als Ältester bei Merten eingestiegen. Die von Eckermann heraufbeschworenen Kompetenzen er= ledigen sich so von selbst.

Bereits am 2. Dezember erhalten die beiden, weiter nördlich operie= renden U=Boote, U 124 (Jochen Mohr) und U 129 (Nico Clausen), den Befehl, seine Position im Kollisionskurs anzulaufen. Clausen trifft am 3. Dezember nachmittags ein und übernimmt fast die gesamte *Python*= Besatzung. Mohr indessen taucht nicht auf.

Rogge faßt sich in Geduld.

Auf dem Weitermarsch sichtet Merten einen Tanker. Er läßt ihn fahren. Tags darauf sichtet U A ein Schiff. Eckermann wirft die Trossen der geschleppten Boote los. Den Dampfer jagt er vergeblich.

Auch am 4. Dezember kommt U 124 nicht in Sicht.

U A funkt, von Rogge befohlen, erneut den Standort — allerdings eine um dreißig Seemeilen falsche Position. Mohr meldet sich nicht.

„Die Lage", schreibt hier Kapitän Rogge, „wird allmählich sehr uner=

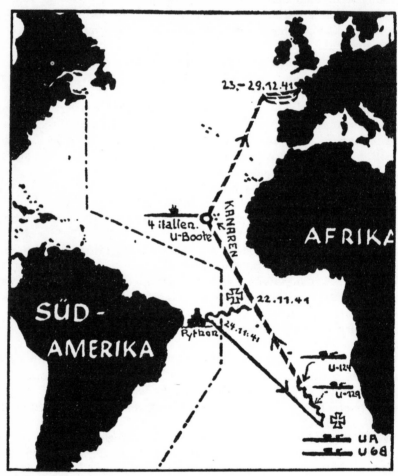

🕂 Versenkungsstellen *Atlantis* und *Python*

〰 Rettungsboote in U=Boot=Schlepp

▰▰ Heimfahrt an Bord von U=Booten

freulich. Der Verband kann bei günstigsten Voraussetzungen mit den Booten in Schlepp 6—7 sm/st laufen; jetzt werden Öl und Proviant ver= braucht, ohne daß wir einen entsprechenden Weggewinn erzielen. Zu= dem besteht die Gefahr, daß die bisher ausnehmend günstige Wetter= lage sich ändert und daß dann überhaupt nicht mehr geschleppt werden kann.

Da U 124 keinerlei Meldung abgibt, muß damit gerechnet werden, daß das Boot verlorengegangen ist. Daher beabsichtige ich, die Vorbe= reitungen zur Aufteilung der noch in den Booten befindlichen Männer zu treffen."

Am 5. Dezember wird die Fahrt vermindert, um U 124, das inzwischen über den BdU Standortmeldung erhielt, auf dieser neuen Position zu erwarten.

Endlich, in den vorgerückten Abendstunden des 5. Dezember, taucht U 124 auf. Mohr erstaunen die Besorgnis und die Verwunderung über sein verspätetes Eintreffen. Er hatte einen britischen Frachter gejagt — und auch versenkt.

Das schien ihm kriegswichtiger!

U A und U 129 treten nunmehr getrennt den Rückmarsch nach Frank= reich an.

Am nächsten Morgen folgen U 68 und U 124. Jedes Boot hat rund hundert Mann zusätzlich an Bord. Für die Bootsbesatzungen bedeutet dies eine ganz erhebliche Belastung, herrscht doch nun eine fast nicht mehr zu verantwortende Enge in dem an sich schon so knappen Raum im Innern der Boote, deren Fahr= und Einsatzbereitschaft unbedingt aufrechterhalten werden muß.

Hinzu kommt die tropische Hitze. In der Röhre werden Temperaturen zwischen 36 und 38 Grad gemessen. Nur wenigen Männern ist es im üblichen Turnus vergönnt, den Turm zu betreten, um sich in der frischen Luft zu erholen, denn wegen der nunmehr auch in diesen Seeräumen akut gewordenen Luftgefahr müssen die Boote stets klar für ein Alarm= tauchen bleiben. Kein Mann zuviel darf auf der Brücke sein.

Am 12. Dezember geht ein FT ein, nach dem in der Nähe der Kap= verden vier italienische U=Boote in der Zeit vom 13. bis 17. Dezember bereitstünden, um einen Teil der Überlebenden zu übernehmen. Das Treffen kommt ohne Zwischenfälle zustande und von den hundert Mann Überlebenden auf jedem der deutschen U=Boote werden 60 bis 70 Mann auf die größeren und geräumigeren Italiener abgegeben*).

---

*) U=Luigi Torelli = 1036 t ↑; U=Enrico Tazzoli = 1331 t ↑, 1995 ↓; U=Pietro Calvi = 1331 t↑, 1995 t ↓ und U=Guiseppe Finzi = 1331 t ↑, 1995 t ↓.

Als erstes der Boote läuft der Italiener *Luigi Torelli* in St. Nazaire ein. Kurz vor der Biscaya war das Boot von der Sicherung eines Gibraltar=Geleites aufgefaßt und mit Wasserbomben schwer eingedeckt worden.

Beschädigt, aber noch tauchklar und fahrbereit, macht es im U=Boots=Stützpunkt fest.

Am 24. Dezember, genau am Heiligen Abend, erreicht U 68, mit Rogge an Bord, den gleichen Hafen. Nach 655 Tagen Seefahrt betreten die an Bord befindlichen *Atlantis*=Überlebenden zum ersten Male wieder den europäischen Boden.

Am 26. Dezember folgt das italienische Boot *Enrico Tazzoli.*

Am 27. Dezember machen U 129 und das italienische U=Boot *Pietro Calvi* fest, am 28. der Italiener *Guiseppe Finzi* und am 29. Dezember, als letztes Boot der Rettungsgruppe, U 124.

Ein schöneres Weihnachtsgeschenk konnte das Schicksal den Männern vom „Schiff 16" und ihren Angehörigen nach fast zweijähriger Seefahrt nicht bescheren.

In Nantes, wo die *Atlantis*=Überlebenden neu eingekleidet werden, liegen ganze Berge von Post.

Manche Briefe sind fast zwei Jahre alt . . .

312

KAPITEL 13

WIE IN GUTEN ALTEN ZEITEN:
DIE ZWEITE WELLE IN AKTION

Zur Lage: Durch den Einsatz einiger Hilfskreuzer der Zweiten Welle belebt sich die ozeanische Kriegführung mit Überwassereinheiten in den ersten Monaten des neuen Jahres wieder, wenngleich das OKM auch nur in der Lage ist, die Hälfte der Zahl an Hilfskreuzern einzusetzen, die ihm 1940, zu Beginn des überseeischen Zufuhr= krieges, zur Verfügung standen. Im Januar macht der Hilfskreuzer Thor, neu ausgerüstet und überholt, die Leinen zu einer zweiten Unternehmung los. Im März folgt ihm die neue Michel und dieser im Mai die Stier.

Als einziger HSK bekommt Thor einen Sonderauftrag zuge= wiesen, nämlich — wie seinerzeit Pinguin — während der neuen Walfangperiode die Antarktis nach Beute zu durchstreifen, um dann später zunächst im Südatlantik zu operieren. Die Opera= tionsgebiete von Michel und Stier liegen ebenfalls im Atlantik, der, wie die ersten Erfolge von Thor und Michel auch bestätigen, nach wie vor das beste Jagdrevier ist.

Inzwischen ist die U=Boot=Waffe durch Zugänge an Neubauten bedeutend ausgebaut worden, was sich auch deutlich in den Erfol= gen der Unterseeboote widerspiegelt. Versenkten die „Grauen Wölfe" im Januar 1941 21 Schiffe mit 126 782 BRT, so sind es im Januar 1942 durch den vermehrten Einsatz an Kampfbooten und die zur höchsten Vollendung entwickelte Rudeltaktik trotz der stärkeren gegnerischen Abwehrmaßnahmen 62 Schiffe mit 327 357 BRT, in der Hauptsache USA=Frachter, die unter Nord= amerikas Ostküstengebieten abgeschossen werden. Insgesamt ver= liert der Gegner im Januar 1942 419 907 BRT (106 Frachter) durch die Achsenmächte (Japan eingeschlossen).

Im Februar zeigen sich die deutschen U=Boote noch bedeutend aktiver. Sie versenken 85 Frachter mit 476 451 BRT (total sind es in diesem Monat 679 632 BRT) gegenüber nur 39 Schiffen mit 196 783 BRT im Jahre zuvor.

Der Monat März bringt einen Höhepunkt. Von den total ver= senkten 273 Schiffen mit 834 164 BRT kommen allein 95 mit 537 064 BRT auf das Konto der deutschen U=Boote gegenüber 41 Frachtern (295 335 BRT) des Vorjahres.

Zum ersten Male nach fünfmonatiger Pause treten auch die deutschen Hilfskreuzer wieder in Erscheinung. HSK Thor hat im Atlantik seine ersten Erfolge mit zwei Feindschiffen zu verzeichnen.

Im April sinkt die Erfolgsziffer der U=Boote etwas ab. Den Alliierten gehen bei 132 total versenkten Frachtern (674 457 BRT) durch deutsche U=Boote nur 74 Schiffe mit 431 664 BRT verloren (1941 stieg die Versenkungsziffer sogar etwas an, nämlich auf 43 Schiffe mit 249 375 BRT).

Dafür kommen auf das Erfolgskonto der Hilfskreuzer der Zwei= ten Welle in diesem Monat sogar 5 Feindfrachter, die von Thor (3) und Michel im Atlantik versenkt werden. Gemessen an den alliierten Anstrengungen, nunmehr mit vereinten Kräften den gesamten Atlantik zu kontrollieren, sind diese Schiffe ein be= merkenswerter Erfolg, nicht minder auch die durch sie ausgelösten indirekten Wirkungen.

Sehr viel schwieriger ist jetzt der Ausbruch in den freien At= lantik geworden. Seitdem Island Luftwaffenstützpunkt der Alli= ierten geworden ist, ist die Dänemarkstraße als Ausbruchsweg zu risikoreich, jedenfalls gefährlicher als der Marsch durch den Eng= lischen Kanal. Noch hat die deutsche Luftwaffe eine gewisse Überlegenheit. Immerhin, eine Spazierfahrt ist der Kanaldurch= bruch nicht. Während Thor nicht zuletzt auch durch schlechtes Wetter begünstigt wird, bekommt Michel schon die verstärkten Anstrengungen der Briten zu spüren, die verdammten Gespenster= schiffe bereits bei ihrem Auslaufen zu vernichten. Beispielhaft für diese britischen Bemühungen ist der Ausbruch des HSK Stier.

Wenden wir uns aber zunächst „Schiff 28", dem HSK Michel, zu und auch Thors ersten Erfolgen.

Vor Michels großem Abenteuer stand der Angstschrei eines Fallreep= postens, der seinem Ersten Offizier in das nach Fisch duftende Hafen= städtchen Cuxhaven, von Hein Seemann Cuxendorf genannt, nachgelau= fen war:

„Herr Kapitän, der Dampfer ist weg. Herr Kapitän!"

Er war tatsächlich weg, jener scheinbare Frachter, der unter der tak= tischen Nummer „Schiff 28" als der dritte Hilfskreuzer der Zweiten Welle in See gehen sollte. „Schiff 28" ist aus einem ehemaligen polni= schen Beute=Motorschiff zum Hilfskreuzer umgebaut worden. Kapitän zur See von Ruckteschell soll als Kommandant fortsetzen, was er auf seiner *Widder* so erfolgversprechend begann.

Doch, bevor auf den verschwundenen Hilfskreuzer eingegangen wer= den soll, sei ein anderes Geschehen behandelt.

Es wirft nämlich ein stark profilierendes Schlaglicht auf die Persön= lichkeit des Kommandanten, jenes eigenwilligen Offiziers, der schon in Verbindung mit *Widder* charakterisiert wurde . . .

Für von Ruckteschell, wie für jeden Vollblutseemann ist ein Schiff, unter dem Dröhnen und Kreischen der Niethämmer gewachsen und unter windgescheuertem Himmel an der Küste geboren, kein totes Mach= werk aus Stahl, Eisen, Holz und Farbe. Für ihn ist ein Schiff ein Lebe= wesen mit einer Seele im Leib und oft mit den unberechenbaren Launen einer exzentrischen Frau behaftet. Mag sein, daß aus diesem Grunde alle Schiffe weiblichen Geschlechts geworden sind, auch dann, wenn sie die Namen von Seefahrern, von Entdeckern oder Seehelden tragen, denen man schwerlich feminine Eigenschaften nachsagen kann.

„Vielleicht kommt es auch daher, weil ihre Takelage soviel kostet", witzelte von Ruckteschell, wenn man ihn im Binnenland nach der tie= feren Ursache für diese Gattungsbestimmung fragte.

So betrachtet, nimmt es nicht Wunder, daß der Seemann von Ruckte= schell die Namensgebung seines neuen Schiffes genau so bitter ernst bewertete, wie ein Familienvater die seines Stammhalters.

Auch von Ruckteschell hält Familienrat ab, nicht im Sinne des Wortes, daß er extra seine Onkels und Tanten konsultiert. Er beratschlagt aber mit seinen Offizieren, er hört die Meinung seiner Feldwebel und er stimmt sich mit seinen Männern ab. Der Name, unter dem das Schiff einer so fragwürdigen Zukunft entgegenfahren muß, soll, das ist des Kommandanten Wunsch, nicht schlechthin aufgezwungen werden, ebensowenig wie Großadmiral Raeder den Kommandanten der Hilfs= kreuzer einen Namen befahl.

Mittags, das Kind ist geboren, geht ein FT an das OKM und den Marineoberbefehlshaber am Berliner Tirpitzufer ab: „Schiff 28" wird den Namen *Michel* führen."

Bereits in den späten Nachmittagsstunden ist Großadmiral Raeders Antwort da.

„*Michel* ist doch kein Name für ein Schiff."

Zwischen diesen lapidaren Worten steht die höfliche aber bestimmte Ablehnung des Oberbefehlshabers. Man glaubt ihn zu sehen, wie er kopfschüttelnd das Fernschreiben gelesen und beiseite geschoben hat, an jenen Michel denkend, der, eine Zipfelmütze auf dem Kopf, im Aus= land das Spottbild des Deutschen symbolisiert.

„Wenn wir Hamburger eine Kirche, Wahrzeichen unserer Hansestadt, danach benennen, sollte es für ein Schiff nicht weniger ehrenvoll sein", meutert von Ruckteschell, verläßt seine Kajüte und wandert mit langen Schritten auf der Brücke auf und ab. Als sei er gegen ein unsichtbares Hindernis geprallt, so plötzlich bleibt er stehen, eilt ins Kartenhaus und wirft auf das Schmierpapier aus dem Zettelkasten mit steiler Schrift ein paar Worte hin. Dem Funker zittert die Hand, als er die an den Groß= admiral gerichtete Antwort seines Kommandanten in die Taste drückt.

„Dann eben *Götz von Berlichingen!"*

Weniger von Ruckteschell, aber seine Offiziere und Männer sehen der Entgegnung auf diesen fast an Insubordination grenzenden, zudem recht zweideutigen Gegenvorschlag mit Sorge entgegen.

Es kommt noch viel schlimmer.

Großadmiral Raeder meldet sich statt einer Antwort auf „Schiff 28" zur Besichtigung an. Wie ein Taifun die Quecksilbersäule des Barometers in den Keller fallen läßt, so sackt die Stimmung an Bord nach unten. Nur der Kommandant lächelt undurchsichtig, ohne indessen die kame= radschaftlichen Bedenken und Sorgen seiner Offiziere zu zerstreuen.

Als sich Raeder nach der Besichtigung von von Ruckteschell am Fall= reep mit herzlichem und langem Händedruck verabschiedet, glauben die angetretenen Fallreepgäste nicht recht zu sehen und zu hören: „Ein gutes Schiff, Rucki! Na dann fahren Sie man los mit . . . mit . . . Ihrem *Michel.* Ich bin einverstanden. Mit allem."

Dann dreht sich Raeder schnell um und steigt das Fallreep hinab.

Auch der Befehlshaber der U=Boote, Admiral Dönitz, stattet seinem Waffenkameraden aus dem Weltkrieg Eins einen Besuch ab. Er läßt keinen Raum auf dem Schiff unbesichtigt, und er spricht mit jedem Mann. — Als sie unter sich sind, sagt Dönitz:

„Rucki, ein zweites Mal unterschreibe ich Ihr Freigabegesuch von der U=Boot=Waffe nicht."

In Brunsbüttelkoog wird nochmals Brennstoff ergänzt. Dann geht es hinüber nach Cuxhaven, wo das Schiff an der „Alten Liebe" festmacht. Der Kommandant fährt nach Berlin, um bei der Skl die letzten Instruk= tionen zu empfangen. Der I. Offizier führt in der Zwischenzeit das Kommando. Da alle ahnen, daß die Zeit im heimatlichen Gefilden sehr bald ein Ende haben wird, nutzt jeder die Gelegenheit, um noch mög= lichst ausgiebig Leben an Land zu genießen. Die Dummen sind immer die Wachen. Sie müssen an Bord bleiben. Wenn es irgendwo in Cuxhaven übermäßig fröhlich zugeht, weiß jeder: die Matrosen von dem „geheim= nisvollen Schiff" sind wieder unterwegs.

„Een komisches Schipp, de Frachter dor. To veel Mariners an Bord."

Die alten Fahrensleute am Hafen zerbrechen sich die Köpfe.

An der Gangway steht ein Posten mit Gewehr. Die Lords schießen an Land. Alle Offiziere sind ausgeflogen. Sind ja auch Menschen. Bis auf den Fliegeroffizier, der das Pech hat, wachhabender Offizier zu sein. Auch von den Oberfeldwebeln ist kaum einer an Bord.

Gegen 22.00 Uhr ist es, als die letzten Seeleute frohgelaunt zu ihrem Untersatz zurückkehren.

316

Es ist gerade auflaufend Wasser.

Plötzlich ist ein singender Ton in der Luft. Einige der Landgänger ducken sich. Mit einem Knall zerreißt die achtere Leine.

Auch die Springleinen brechen.

Nur vorn ist das Schiff noch fest. Eben stürzt der Oberbootsmann über die Gangway. Er jagt nach vorn und kappt mit dem Beil die letzte Trosse.

Michel treibt auf die Elbe hinaus.

Erst nach Minuten gelingt es, die Maschine anzuwerfen und das Schiff wieder unter Kontrolle zu bringen.

„Oberbootsmann auf die Brücke!" tönt es aus den Lautsprechern. Kapitänleutnant Hoppe, der Fliegeroffizier, weiß nicht, ob er es riskie=ren soll, jetzt in der Dunkelheit ein Anlegemanöver zu fahren. Er be=rät sich mit Smarting. Es wird beschlossen, bis zum Hellwerden zu warten. So treibt das Schiff langsam auf der Elbe umher. Immer in der Nähe von Cuxhaven. Obwohl es kalt ist, wischt sich Hoppe doch recht oft den Schweiß von der Stirn.

„Junge, Junge, wenn das bloß gut geht. Noch nie ein Anlegemanöver gefahren", denkt er.

Aber bei Hellwerden hat er das Schiff doch wieder in der Nähe der Pier.

Der Posten, der mit seinem Gewehr an Land bleiben mußte, hatte sich inzwischen aufgemacht und den I. Offizier benachrichtigt.

„Der Dampfer ist weg, Herr Kapitän. Abgetrieben!"

Erhardt poltert erst wütend drauf los, eilt dann aber auf dem schnell=sten Weg zum Hafen.

„Tatsächlich. Da treibt er", seufzt er und schiebt die Mütze ins Ge=nick. Da er weiß, daß der WO völlig aufgeschmissen ist, wartet er bis Hellwerden und ruft dann mit kräftiger Stimme Befehle zur *Michel* herüber. Vorsichtig nähert sich das Schiff. Aber der erste Anlauf klappt nicht.

Nur das Leuchtfeuer an der Einfahrt zum Fischereihafen wird um=gefahren.

Auch Pier und Schiff kommen nicht ganz unbeschädigt davon.

Mit viel Schweiß auf der Kommandobrücke und zahlreichen guten Ratschlägen des IO gelingt es, den Ausreißer wieder an die Leine zu legen. Sofort eilt Erhardt auf die Brücke.

„Mensch, da hast du dir aber ein Ding geleistet. Euch Ikarusse kann man auch keinen Augenblick allein lassen. Aber tröste dich. Mir sind die Pferde auch schon durchgegangen", sagt er und lacht, selbst froh, *Michel* wieder ohne große Schäden eingefangen zu haben.

Als von Ruckteschell von Berlin zurückkehrt, hat er zwar den Aus=
laufbefehl in der Tasche, im Speisewagen bei einer Buddel Rotspon aber
noch eine die sofortige Ausreise behindernde Eingebung notiert. Auf
dem Zettel stehen die drei Worte „Sau! Eber! Spanferkel!"

Sie verzögern das Auslaufen um volle 36 Stunden, denn Experten
unter der Besatzung sind unterwegs, für die an Bord befindlichen
Schweine, es sind durchweg Säue, einen oder zwei Eber in Cuxhavens
bäuerlichem Hinterland zu beschaffen. Es ist des Kommandanten aus=
drücklicher Wunsch, wenigstens einmal auf der Reise Spanferkel auf
der Speisekarte zu sehen.

It is a long way ...

Aber wer versteht sich besser auf die Kunst des Wartens als Hilfs=
kreuzermänner ...

*

Der 23. März 1942.

Einen nicht ganz nüchternen Kapitän, Gestank wie in der Nähe von
Rieselfeldern an einem schwülen Hochsommertage und eine üppig
geformte, aber katzenhaft geschmeidige und ebenso böse fauchende
holländische Dame treffen Oberleutnant Meckmann, Adju Schrenk und
die anderen Mannen des Prisenkommandos der *Thor* auf ihrem ersten
Opfer an.

Der Gegner hat weder gefunkt, noch sonst irgendwelchen Widerstand
geleistet; höchstens bliebe zu erwähnen, daß er anfangs weder auf den
Morseanruf noch auf die ersten Warnschüsse reagierte. Qualmend wie
eine Smoke=Ewer schipperte der Eimer weiter.

Bis man da drüben endlich munter wurde und begriff ...

Der Kapitän — ein am ganzen Leibe bebender ängstlicher Herr —
entpuppt sich als waschechter Hellene. Mit seinem griechischen Schiff
fährt er für britische Dienste. Das gibt er unumwunden zu. Er kommt
von Montevideo und will nach Durban, das heißt, er wollte ... Die
Geheimsachen hat er nicht vernichtet. Wozu auch?

Würden Soldaten eines britischen Untersuchungskommandos an Bord
kommen, würden ihn ja gerade diese Papiere ausweisen. Dann habe
er sie eben gerade bereitgelegt ...

Würden aber Deutsche das Schiff entern, dann ist's auch gut, wenn
die Geheimpapiere noch da sind. Den neuen Herren einen Gefallen zu
tun, könnte nicht von Nachteil sein ...

Oberleutnant Schrenk entdeckt die jedenfalls nicht vernichteten oder
versteckten Geheimpapiere der Britischen Admiralität offen in der Kapi=
tänskajüte und im Kartenhaus noch mehr, was des Mitnehmens wert ist:
Seekarten mit nur schlecht ausradierten vorher gefahrenen Kursen.

Der Gestank findet schnell eine Erklärung. Die Gefreiten Poltzer und Dunsing sind mit gerümpften Nasen dem fürchterlichen Mief nachge= stiegen. Was sie vorfinden, ist unerwartet erfreulich.

Hinter einem Zaun an Oberdeck sind an die dreißig lebende Hammel eingesperrt.

Und die Dame?

Angeblich wurde sie vom Kapitän als Stewardesse angemustert, in Wirklichkeit ist sie die Geliebte des Funkoffiziers. Sie heißt Antje. Der galante Funkoffizier stellt die Holländerin korrekterweise als seine Frau vor. Die Papiere weisen ihn aber als ledig aus. Vorerst hat die illegitime Gemeinschaft ein Ende gefunden, denn auf *Thor* bekommt Antje eine von einem Posten behütete Einzelkammer zugewiesen.

Ein Torpedo bereitet dem schon 1914 erbauten ollen Griechen mit dem tönenden Namen *Pagasitikos* ein schnelles Ende.

3 492 BRT fahren in die Tiefe. Und viel Schmutz, viele Ratten und noch mehr Kakerlaken sind mit ihnen.

Auf *Thor* sichtet ein Sonderkommando die erbeuteten Geheimunter= lagen. Was nur sollen die dauernden Hinweise auf die sogenannten „Bezugspunkte" bedeuten?

Wie lautete doch die geheime Kursanweisung der zu den Fischen ge= fahrenen *Pagasitikos*?

„Auslaufen Montevideo . . . Dann über Punkt B laufen . . . dann 42 sm westwärts absetzen . . . Punkt H im Abstand von acht Meilen passie= ren . . . dann zum Bezugspunkt Karl marschieren . . . dann . . ."

Die Seekarten des ollen Griechen her!

Oberleutnant Schrenk zeichnet die nur mangelhaft ausradierten Kurse auf den erbeuteten Seekarten nach. Kapitän zur See Gumprich steht neben ihm. Erregt zieht er an seiner Zigarre. Hin und wieder zupft er in nur mühsam beherrschter Nervosität an seinem ebenholzfarbenen Spitzbart.

Werden die nachgezeichneten Kurse das Geheimnis um den Bezugs= punkt „Karl" entschleiern?

Ja.

Der Bezugspunkt „Karl" liegt auf dem 25. Breitengrad Süd und dem 16. Grad westlicher Länge. Er ist quasi die Drehscheibe für den Süd= atlantikverkehr zwischen Südamerika und Südafrika.

Wie lange er es bleiben wird, das steht in den Sternen. Man weiß nur, daß die Briten ihren Geheimcode für die Handelsschiffahrt wie auch die geheimen Segelanweisungen ihrer und in ihren Diensten fahrenden Schiffe in unregelmäßigen Abständen ändern.

Aber versuchen will es Gumprich.

Am nächsten Tage trifft sich *Thor* fahrplanmäßig wie bei der Eisen=
bahn mit der auf Position liegenden *Regensburg*, einem aus Bordeaux
kommenden und in der Blockadebrecherfahrt zwischen Europa und Ja=
pan fahrenden NDL=Motorschiff, das wie alle anderen Blockadebrecher
von Fall zu Fall auch für Versorgungsaufgaben auf den geheimen Treff=
punkten der Hilfskreuzer herangezogen wird.

Frisch ausgerüstet strebt *Thor* dem Bezugspunkt zu ...

Zwei mittlere britische und ein etwas größeres norwegisches Schiff
sind am 30. März und am 1. und 4. April die Beute dieses Fischzuges.
In der in diesem Gebiet verhältnismäßig ruhigen See leistet das Bord=
flugzeug wegen der guten Start= und Landemöglichkeiten gute Dienste.
Es sichtet nicht nur die Gegnerschiffe, es reißt auch deren Antenne, um
so die Abgabe von Notrufmeldungen zu verhindern.[*]

Thor verlegt ihr Operationsgebiet weiter südlich.

Am 10. April meldet der Funkmeß=Raum in der Nacht eine Peilung,
der der Hilfskreuzer sofort nachdreht. Der nachtdunkle Schiffsschatten
wird einwandfrei als Gegnerschiff erkannt und überraschend mit allen
Waffen angegriffen. Ohne einen Notruf ausstrahlen zu können, versinkt
der britische Frachter *Kirkpool*[**].

---

[*] In einem Illustriertenbericht des Jahres 1958 wurde behauptet, diese Art
des Reißens der Antenne sei Gumprichs Idee gewesen. Das stimmt nicht.
Kommandanten früherer Hilfskreuzerunternehmen, hier vornehmlich Kapitän
zur See Krüder wie auch Rogge, haben das Reißen der Gegnerantenne mit
der vom Flugzeug ausgefahrenen, unten mit einer Kugel oder, wie bei Rogge,
mit einem großen Schäkel belasteten Schleppantenne, mit Erfolg praktiziert,
in den KTBs beschrieben, aus denen die Skl für spätere Unternehmen An=
regungen und Nutzen zog.

Diese Feststellung wendet sich nicht gegen Kapitän zur See Gumprich,
der, wäre er unter den ersten gewesen, auch ohne das Beispiel seiner Kom=
mandanten=Kameraden wohl von sich aus auf diesen Gedanken gekommen
wäre, sondern gegen eine leichtfertige Verfälschung historischer Tatsachen
— hier in diesem Falle wie auch bei anderen Gelegenheiten — solcher und
mancher anderer Illustriertenserien.

[**] Auch hier wurden in dem gleichen Illustriertenbericht die Tatsachen ver=
fälscht. *Kirkpool* wurde nicht von der Arado entdeckt, auch wurde ihre An=
tenne nicht gerissen, auch war sie kein 7000 BRT, sondern ein 4842 BRT großes
Schiff, und schließlich wurde sie auch nicht beim Punkt „Karl" aufgespürt und
versenkt, sondern auf 33° Süd und 7° West — und obendrein in der Nacht.
Die *Kirkpool* war zudem das letzte im Südatlantik angegriffene Schiff, es
kamen also keine mehr „hinterher" und fünf schon gar nicht, denn *Thor II*
versenkte ja (die Pagasitikos einbezogen) insgesamt nur fünf Schiffe im
Südatlantik.

Tage später, am 16. April, macht das Flugzeug bei seinen Aufklä=
rungsflügen ein Frachtschiff aus. Der Kommandant glaubt aber, daß
es sich bei diesem Schiff entweder um die *Doggerbank* oder um den
Hilfskreuzer *Michel* handeln könnte. Nach seinen Informationen stehen
beide Schiffe in den vom Flugzeug zusätzlich überflogenen Gewässern.
Schließlich entscheidet sich Gumprich doch, auf die Sichtungsposition zu=
zulaufen.
Aber zu spät, denn die Suche bleibt ergebnislos.

✳

In den Operationskarten des britischen Seekriegswerkes „The war at
Sea", Band I, ist auf der Karte 18 *The operations of disguised german
raiders* Periode 1. 1. 42 bis 31. 7. 42, der Name eines nicht versenkten
aber verfolgten Schiffes auffallend vermerkt.
Es wurden mehrfach Gegnerfrachter vergeblich verfolgt, warum aber
wird diese Jagd, nämlich die der *Menelaus*, so herausgestellt?
Sie bildete einen Wendepunkt in der Taktik des HSK *Michel*, eine
entscheidende Abkehr von den bisherigen Praktiken . . .
So geschah es:
Nach Tagen, am 30. April, abermals Alarm auf *Michel*.
Ein großes Fahrzeug ist gesichtet. Bei diesem Angriff soll eine andere
Taktik angewendet werden.
Innerhalb weniger Minuten wird das Schnellboot ausgesetzt. Der
Hilfskreuzer jagt mit voller Fahrt und schnaubend weißem Bart auf
den Gegner zu. Durch Signale wird der Frachter zum Stoppen aufge=
fordert.
„Hier britisches Kontrollschiff. Stoppen Sie sofort. Funken Sie nicht!"
Aber der da drüben läßt sich nicht bluffen. Seine Schiffsführung rea=
giert überhaupt nicht. Im Gegenteil.
„Gegner scheint seine Fahrt zu erhöhen", meldet Leutnant Behrend
aus dem Mast.
„Angriffsbefehl an S=Boot durchgeben!"
Sofort drückt Funkmaat Ristau im Hauptfunkraum diese kurze Buch=
stabengruppe in die Morsetaste.
Dann prescht das Boot mit aufdröhnenden Motoren los. Nur mit dem
Heck liegt es im Wasser. Ein langer breiter Schaumstreifen markiert
seinen Weg.
Der fremde Frachter funkt. Mit voller Lautstärke dröhnen dem Funk=
Obergefreiten Schütteler die Morsezeichen auf der Seenotwelle entgegen.
„QQQQ — followed by suspicious vessel — position . . ."
Alles wird fein säuberlich gesendet. Obwohl der Störsender des Hilfs=

kreuzers sofort dazwischenfunkt, ist die Notmeldung sicherlich durch=
gekommen.

Zu allem Überfluß folgt noch eine genaue Beschreibung der *Michel*.
Als der brave Funker da drüben diese Meldung auf der Mittelwelle
durchgegeben hat, sendet er sie nun auch noch auf Kurzwelle.

Doppelt genäht hält besser.

Die Männer im Funkraum packt die Verzweiflung. Jetzt, in dieser
Minute, wird der Britischen Admiralität das Operationsgebiet eines der
verdammten deutschen „black raider" bekannt. Es ist bei allem Opti=
mismus nicht anzunehmen, daß ihr diese Meldung auf Kurzwelle ent=
gangen ist.

Obwohl die Fünfzehner sofort Schnellfeuer eröffnen, bleibt ihr Feuer
wirkungslos. Die Granaten erreichen den Gegner nicht. Die Entfernung
ist zu groß geworden.

Inzwischen hat Kapitänleutnant von Schack mit seinem Schnellboot
die Angriffsposition erreicht. In seinen Händen ruht jetzt die letzte
Möglichkeit, diesen widerspenstigen Frachter — man glaubt das Hohn=
lachen des Kapitäns und seiner Offiziere in den Ohren zu hören — doch
noch zu erwischen.

Auch dieser Angriff wird vom Gegner rechtzeitig erkannt und sofort
in den Äther hinausgefunkt. Ein Raider mit einem torpedotragenden
Schnellboot an Bord . . .!

Das ist den Briten neu. Das wird völlig andere Abwehrtaktiken erfor=
dern. Auf alle Fälle können die alliierten Schiffe jetzt vor diesem neuen
Angriffsmittel der deutschen Raider gewarnt werden . . .

Das S=Boot läuft zum Torpedoschuß an. Beide Torpedos verfehlen, in
Nervosität geschossen, das Ziel.

Pech.

Zähneknirschend gibt von Schack nun seiner Zwozentimeter Feuer=
befehl.

Obermaat Zehrer jagt einige Schuß auf die Brücke des Frachters zu.

Wer dort oben noch sichtbar war, ist blitzschnell hinter die Reling
untergetaucht.

Holz splittert.

Blech wird ausgestanzt.

Eisenplatten blättern auf.

Dann wirft Zehrer verzweifelt die Arme in die Luft. Seine Flüche
würden selbst die robusten Fischweiber auf dem Hamburger Markt er=
bleichen lassen . . .

Ladehemmung!

Zehrer müht sich verzweifelt, das klemmende Geschoß zu entfernen.

Stolz rauscht der britische Frachter *Menelaus* davon. Er ist der Sieger. Wie zum Hohn gibt er noch mit seiner Sirene Signal.

Auf der *Michel* herrscht eine düstere, beklommene Stimmung.

Jeder Einzelne fühlt sich an diesem Mißgeschick schuldig.

Jeder weiß: In diesem Augenblick geben die auf See überlegenen Alliierten ihren Kriegsschiffen Anweisung, den Raider zu jagen, das „damned black ship" zu vernichten.

Bessere Anhaltspunkte konnten sie ja nie bekommen: Die genaue Position, Beschreibung der Schiffsform, der Aufbauten, der Geschwindigkeit und der Bewaffnung und die Meldung über ein torpedotragendes Schnellboot.

Das ganze Unternehmen ist in Frage gestellt.

Schnellstens aus diesem Seegebiet westlich der Kapverden zu verschwinden, ist das nächste Gebot.

Alles, was die Maschinen hergeben, wird herausgeholt.

Nur weg von hier!

Der Kommandant ist verzweifelt.

„Musterung an Oberdeck!" sein nächster Befehl.

Von Ruckteschell tritt vor seine Männer. Sein scharf geschnittenes Gesicht ist blaß vor innerer Erregung.

„Es hat keinen Zweck, weiterzumachen. Mit einer derartigen Besatzung kann ich keinen Handelskrieg führen. Weiterzumachen, ist so gut wie Selbstmord. Ich trage mich mit dem Gedanken, das Unternehmen abzubrechen."

Es sind harte Worte, die der Kommandant seinen Männern sagt.

Aber sie verstehen ihn.

Sie kennen die Ursachen, in denen dieser Mißerfolg zu suchen ist.

Die Reichweite der Geschütze ist zu begrenzt. Sie haben nur ein kurzes Rohr. Die Waffen mögen noch so gut intakt sein, noch so genau auf den Punkt schießen. Wenn sie nicht hinlangen können, dann wird die Waffe zum Bumerang. Der Gegner hat dann schon lange den Angriff über Funk gemeldet — — —, lange bevor die ersten Salven seine Funkstation vernichten.

Die alliierten Handelsschiffe geben, das ist bekannt, sofort Meldung ab, wann sich ihnen irgendein Fahrzeug in verdächtiger Weise nähert. Der Funkbeobachtungsdienst hat diese Tatsache oft genug festgestellt. Schiffe geben ihre QQQQ=Meldungen selbst in Seegebieten ab, in denen überhaupt kein deutsches Schiff operiert. Für die Schiffsführung ergeben sich aus solchen unbegründeten Angst=Meldungen natürlich wertvolle Hinweise über die Dichte des Verkehrs und den augenblicklichen Verlauf der Schiffahrtsrouten. Aber die Gefahr, daß bereits vor dem

Angriff die Position des nunmehr in seiner Größe und seiner Grund=
silhouette erkannten Hilfskreuzers in alle Welt hinausgefunkt wird, ist
nun doch zu groß.

Es ist ein untragbares Risiko.

Auf der Lagebesprechung beim Kommandanten werden alle diese
Punkte sehr eingehend erörtert. Schonungslos werden gemachte Fehler
aufgedeckt. Jeder Offizier muß über seinen Abschnitt berichten.

„Gut, meine Herren", sagt von Ruckteschell schließlich, und Versöhn=
lichkeit ist in seiner Stimme. „Es bleibt uns nichts weiter übrig, als un=
sere Angriffstaktik zu ändern. Nach dem, was Sie mir berichten, sehe
ich, daß die Besatzung ihr Bestes getan hat. Die Ungunst der Verhält=
nisse hat uns dieses Mißgeschick mit der *Menelaus* beschert. Verlassen
Sie sich darauf. Das wird abgestellt. Das kommt nicht wieder vor."

Was von Ruckteschell mit der neuen Taktik meinte, sagte er nicht.

Der Fall *Menelaus* gab jedenfalls den Ausschlag:

Nachtangriff!

Möglichst in dunklen Neumondnächten.

Das ist die neue Taktik des Kommandanten.

Bevor der Gegner überhaupt zum Funken kommt, muß die Artillerie
schon die Funkanlage vernichtet haben. Kein einziges Morsezeichen darf
hinausgehen in den Äther. Spurlos und lautlos muß der Gegner ver=
schwinden. „Gerade das spurlose Verschwinden von Schiffen in See=
gebieten, in denen keine U=Boote operieren, wird die Verwirrung beim
Gegner noch größer machen", argumentiert der Kommandant.

Wochen später, am 20, Mai.

Es ist eine dunkle Nacht.

Neumondnacht!

Ein Schiff in Sicht.

Ein Schatten.

Michel setzt sich vor.

Das Schnellboot wird ausgesetzt. Es soll den Hilfskreuzer vor Über=
raschungen sichern und nach dem Angriff die überlebenden Seeleute
aufnehmen.

Plötzlich dreht der HSK auf Gegenkurs. Er läuft mit voller Fahrt dem
Gegner entgegen.

„Anlauf beginnt. Enttarnen!"

Das ausgefahrene E=Meßgerät hat den Gegner erfaßt.

Das Schnellboot ist verschwunden. Es jagt von der anderen Seite auf
den Gegner zu. Schon kann man die Masten des Frachters ohne Nacht=
glas ausmachen. Auch die Brücke ist schon sichtbar.

„Ziel aufgefaßt!"

Mit voller Fahrt jagen die beiden Gegner aufeinander zu. Zwei Schat=
ten in dunkler Nacht. Fast querab schwimmt der ahnungslose Frachter,
als *Michel* die Maschinen stoppt.

„Salve! Feuer!"

In der gleichen Sekunde bricht die Hölle los. Blitze durchzucken die
Nacht. Der Donner von Explosionen hallt über das Meer. Ein Feuer=
werk des Kriegswahnsinns unter dem strahlenden Kreuz des Südens.

Dann stoppt von Ruckteschell den Angriff.

Der Frachter brennt. Das Schnellboot taucht im Feuerschein auf.

Es nimmt Überlebende an Bord. Langsam legt sich der Gegner auf die
Seite. Das S=Boot kommt mit Schiffbrüchigen herangeprescht. Sie wer=
den an Bord genommen. Dann jagt von Schack wieder los. Als nirgend=
wo mehr noch ein Lebenszeichen zu entdecken ist, wird das Boot ein=
gesetzt.

Der brennende Dampfer schießt über das Heck in die Tiefe.

Wieder Stille.

Dunkle Nacht.

Friede — als ob dieses grausame Intermezzo nie stattgefunden hätte.

„Ruhe im Schiff. Normaler Ausguck."

Mit voller Fahrt läuft *Michel* von der Versenkungsstelle ab. Erst ein=
mal weg von hier.

Am folgenden Tag steht der HSK wieder an der gleichen Stelle. Er
sucht noch einmal nach Überlebenden. Vielleicht hat man den einen oder
anderen im Dunkeln nicht gesehen.

Aber sie finden nur Trümmer.

Soweit die Generalprobe.

Von nun an gibt es nur noch diese eine Taktik:

Nachtangriff.

Lautlos versenken!

*

„Mann über Bord! Mann über Bord!"

Auf HSK *Thor* reißt der Bootsmann der Wache die Besatzung aus
dem Routinedienst. Der schrille Pfiff der Bootsmannmaatenpfeife gellt
durch alle Decks, alarmiert die Brücke.

Es ist kein Alarm zur Übung. Es ist Ernst. Twist ist über Bord gefal=
len, Twist der Bordhund, Liebling der Besatzung. Twist hat keinen deut=
schen Stammbaum. Twist ist wahrscheinlich sogar ein echter Schotte.
Man hatte ihn auf einem erbeuteten Briten=Tanker entdeckt und mit=
genommen.

Die Brücke hat, ohne zu wissen, wer der Unglückliche ist, der die

Ursache für diesen Alarm gab, sofort die Maschine gestoppt. Kapitän zur See Gumprich riß der Alarm aus seinem Nachmittagsschlaf.

„Was ist los . . .? Wer?" will er wissen.

„Der Twist, Herr Kapitän . . .", berichtet der ·Bootsmann, jetzt betroffen und erschrocken über den Zustand, den er ausgelöst hat, weiß auch er doch, daß Thor mit AK aus dem letzten Operationsgebiet ablaufen muß, daß es im Äther von Alarmmeldungen und Navy=Funksprüchen nur so knistert.

„Machen Sie nicht so ein bedeppertes Gesicht, Bootsmann. Klar wird Twist gerettet", beruhigt Gumprich den Bootsmann der Wache.

Aber das Bootsmanöver braucht seine Zeit. Inzwischen paddelt Twist einige hundert Meter von Thor entfernt. Der kleine Kerl kämpft um sein Leben. Immer öfter und immer länger bleibt er unter Wasser, taucht wieder auf, sackt wieder ab. Bis das Boot zu Wasser gebracht ist, wird Twist schlapp gemacht haben. Ein Steuermannsmaat ergreift die Initiative. Er reißt die Jacke vom Leibe, wirft die ausgezogene Hose an Deck und springt von der Brücke aus in die See. Das Boot bringt ihn und den völlig erschöpften Twist zurück und an Bord. Kapitänleutnant Rasner hüllt den Geretteten wie ein Baby in ein großes Frottiertuch ein.

Twist ist an diesem und den nächsten Tagen das Tagesgespräch.

KAPITEL 14

WIEDER ERFOLGREICHER ZUFUHRKRIEG,
ABER GNADENLOS HART ...

*Zur Lage: Es sind nicht nur die Hilfskreuzer, die — natürlich nur bei An=
griffen — die deutsche Kriegsflagge auf den Weltmeeren zeigen,
um dann wieder, als Japaner, Norweger oder Briten getarnt, für
einige Zeit unterzutauchen, es befahren noch andere deutsche
Schiffe die überseeischen Gewässer, Frachter, deren Namen in Ver=
bindung mit den Hilfskreuzern bereits hier und dort genannt
wurden: deutsche Blockadebrecher in der Japanfahrt. Sie haben
kriegswichtige Rohstoffe an Bord. Vor dem Krieg mit Rußland
konnten diese Güter noch über die transsibirische Eisenbahn trans=
portiert werden. Nun aber, nach Kriegsausbruch mit der UdSSR,
bleibt nur noch der risikoreiche Weg über See.*

*Begonnen hatte dieser überseeische Transport schon vorher, ge=
nau genommen eigentlich mit der von Japan kommenden Erm=
land, die in der Südsee von HSK Orion Gefangene übernahm und
im April 1941 in Bordeaux einlief. Admiral Paul Wennecker,
Marineattaché bei der Deutschen Botschaft in Tokio, hatte es ver=
bittert, daß das OKM in Berlin diese Ermland so plötzlich und
ohne Ladung über das Treffen mit Orion nach Deutschland ab=
berief. Statt kriegswichtige Rohstoffe an Bord zu nehmen, mußte
das Schiff, als ob man sich, des Endsieges schon sicher, diesen
Luxus an bürokratischer Kurzsichtigkeit leisten konnte, in Bal=
last auslaufen. Admiral Wennecker arbeitete daraufhin diesbezüg=
liche Vorschläge aus.*

*Der Krieg mit Rußland erhob diese Pläne schließlich zur lebens=
wichtigen Forderung, denn die Heimat braucht Kautschuk, braucht
Chinin, braucht unter den Erzen vor allem Wolfram und Molybdän
und Zinn .·.. Wie gut, daß man in Tokio auch praktisch vorge=
arbeitet hat, daß man sogar eine fachmännisch besetzte Einkauf=
organisation für diese in der Heimat so kriegswichtigen Mangel=
rohstoffe bereits aufgebaut hatte.*

*Bis zum Juni 1942 kommen von Ostasien nach Europa durch,
laufen in die Häfen der französischen Westküste ein:*

*z w ö l f vollbeladene große deutsche Motorschiffe (auch einige
Italiener waren in der Blockadebrecherfahrt eingesetzt).*

*Die Verluste dieser Aktion betragen vier Motorschiffe, man
möchte sagen n u r vier Motorschiffe.*

Von Europa laufen im Gegenverkehr nach Japan in der gleichen

327

Zeit vier mit für Japan bestimmten Gütern beladene Frachter aus. Bei dieser Aktion treten gar keine Verluste ein.

Unter den Frachtschiffen, die zur Stunde — also bis Ende Juli — noch unterwegs sind, ist auch die Doggerbank, die ehemalige Atlantis=Prise Speybank, die zunächst den Auftrag erhielt, Minen vor Südafrikas Küsten zu legen, ein Unternehmen, das mit sehr viel List, nautischem Können und Mut glänzend gelöst wurde, obwohl die Doggerbank dreimal von britischen See= und Luft= streitkräften gesichtet und kontrolliert wurde.

Das Netz der Überwachung ist also keineswegs so dicht, daß es deutschen Schiffen nicht doch gelingt, aus Häfen der franzö= sischen Biskaya auszubrechen oder nach dort einzulaufen.

Sagen wir besser, es ist n o c h nicht so engmaschig und dicht...

Aber der Gegner schläft nicht. Trotz der Verluste hat er seit dem Januar 1940 bis zum Juli 1942 seine Flugboote verdoppelt (von 48 auf 91), die Flugzeuge der Küstenkommandos mit mitt= lerer Reichweite wurden von 72 im Januar 1940 auf 300 im Juli 1942 erhöht und die seit dem Juli 1941 zum ersten Male auf= gestellte Staffel mit Flugzeugen sehr großer Reichweite verfügte anfangs nur über neun Maschinen, im Juli 1942 über 16 und, greifen wir dem Ablauf voraus, ein Jahr später über 105.

Gleicherweise steigert sich auch der Fleet Air Arm der britischen und amerikanischen Marine, während Deutschland, die Bordflug= zeuge ausgenommen, über keine Seeluftwaffe verfügt.

Diese obigen Zahlen verdeutlichen, daß die gegnerische Luft= überwachung von Monat zu Monat stärker wird

und sie lassen ahnen, daß die Stunde nicht mehr fern sein wird, daß die Biskaya ebenso lückenlos überwacht wird wie die atlan= tischen Engen.

Aber noch ist es nicht soweit.

Zu den bereits in See stehenden beiden Hilfskreuzern der Zweiten Welle stößt im Mai noch der HSK Stier, nachdem er einen dramatisch verlaufenen Marsch durch den Englischen Kanal mit Glück und des Kommandanten Geschick hinter sich gebracht hatte.

HSK Thor ist in den Indischen Ozean eingebrochen und hat hier im Mai einen und im Juni und Juli je zwei Erfolge.

HSK Widder operiert noch immer im Atlantik. Seine Beute ist beachtlich: ein Frachter im Mai, zwei Frachter im Juni, drei Frachter im Juli, ein Erfolg der der neuen Situation angepaßten Taktik des Kommandanten:

Lautlos versenken!

HSK Stier hat, kaum ausgelaufen, in der benannten Periode bereits zwei Erfolge im Juni.

328

Im mittleren Indischen Ozean!

Am 12. Mai setzt der bärtige Kapitän zur See Gumprich mit einem lachenden und einem weinenden Auge seinen Namenszug unter ein Dokument, lachend, weil ihn dieses Ereignis freut, weinend, wenn er daran denkt, wie unmenschlich der Menschen Wege manchmal sind.

Zur gleichen Stunde debattieren die Gefangenen im Raum 71 der *Thor* über das künftige Schicksal eines neuen Erdenbürgers:

ob die Deutschen ihn umbringen werden oder ob der Kapitän ihn zum Frühstück essen wird, wie der holländische Steuermann van Dongen von der *Kirkpool* mit tiefem Ernst spottet, übers Maul gefahren von einem schlanken Australier, der die Deutschen besser kennt und eine Lanze für sie bricht.

Zur gleichen Stunde werden in der Bordtischlerei Kistendeckel glatt gehobelt und zugeschnitten ... und die deutschen Seeleute tun dies mit einem Eifer und mit so glänzenden Augen, als würden sie ein Geschenk für ihre Frau, ihre Braut oder ihre Eltern basteln ...

Durch das ganze Schiff, durch alle Decks kriecht eine freudige Nach= richt. So unwahrscheinlich sie klingen mag, sie ist weder eine Bilgen= krebsparole noch ein Latrinengerücht:

Es ist wahr, daß im Schatten der Kanonen ein Kind den ersten Schrei seines Lebens tat: ein kleiner Chinesenjunge deutscher Nationalität, auf *Thor* kurz nach Mitternacht zur Welt gekommen.

Das Dokument, das der Kommandant unterzeichnete, lautet:

Am 12. Mai. 1942.

02.00 Uhr

wurde an Bord eines deutschen Kriegsschiffes

im Indischen Ozean

der Knabe

MOK KWOK ONN AH FONG

geboren.

Name der Mutter: MARIE AH FONG, geb. MARIA YIN, 24 Jahre.

Name des Vaters: MOK AH FONG, 31 Jahre.

gez. G. Gumprich

Kapitän zur See und Kommandant eines deutschen Kriegsschiffes.

KWOK heißt auf Deutsch Fritz. Ihn so zu benennen, ist der ausdrück= liche Wunsch vom Vater MOK AH FONG gewesen.

Und was sie in der *Thor*=Tischlerei bastelten, war eine Wiege, in der die gelbe Marie ihren Sohn sanft schaukeln soll.

Marie Mok Fong stammt von der *Nankin*, auf der sie in Australien mit ihrem Mann zusammen als Passagierin eingestiegen war. Mit ihr kletterten noch gut zweihundert andere Passagiere an Bord, einige

Weiße, darunter auch Frauen, britische Seeoffiziere und Seeleute, die als Schiffbrüchige der Java=Schlacht gerettet wurden und später auf die *Nankin* kamen, einige Chinesen und viele Inder und Inderinnen.

Es war am 10. Mai, als der Ausguck auf *Thor* — sie schwammen auf dem Treck zwischen Australien und Indien — Mastspitzen entdeckte, als die Arado behutsam wie ein rohes Ei auf die See gesetzt wurde und dann losschnurrte, um von dem Fremden Aufnahmen zu machen und heim=zubringen.

Sie kehrte schnell zurück. Zwischen der Landung auf dem Wasser bis zum Wegfieren in die Flugzeugluk vergingen genau fünfeinhalb Minu=ten. Eine unwahrscheinlich kurze Zeit. Eine Rekordzeit schlechthin.

Das Labor entwickelte stehenden Fußes den Film, und Gumprich sah ihn sich, schweißgebadet in der engen, schlecht durchlüfteten Dunkel=kammer, gleich an Ort und Stelle an*).

„Hm", sagte er, „wenn das man nicht ein Musikdampfer ist . . ."

Der IO neben ihm weiß, was Gumprich für Bedenken hat.

„Sie haben Sorgen wegen der Passagiere an Bord?"

„Natürlich, wo sollen wir sie denn lassen?"

„Auf ihrem eigenen Schiff, furchtbar einfach. Wir brauchen es bloß nicht in Brand zu schießen oder sonst irgendwie schwer zu beschädigen. Für eine Prise ist der Weg nach Japan nicht weit."

„Ihr Wort in Gottes Ohr, daß der sich nicht wehrt. Aber das Funken, das wollen wir ihm auf alle Fälle verleiden. — — — Weil wir es unter=binden müssen!"

„Schiff 10" setzte vor.

Dann startete wieder das Bordflugzeug. Pilot Steenbock und Beobach=ter Oberleutnant zur See Meyer meldeten das Erreichen ihrer Position über UKW=Sprechfunk mit einem nasal klingenden „Still going strong . . . still going strong."

„Antenne reißen", verlangte Gumprich, und Pauke Paulsen flüsterte das Stichwort dafür ins Mikrophon:

„Adlerschlag! Adlerschlag! Adlerschlag . . .!

Steenbock nickte nur, dann setzte er zum Sturzflug an. Die Bordwaf=fen feuerten. Auf die Brücke. Auf das Deck.

Auf dem Fremden brachten sie sich in Deckung. Aber bei allem Schneid der Arado=Flieger . . . die Antenne des Frachters blieb heil. Die

---

*) Luftaufnahmen von verdächtigen Schiffen machen zu lassen, war eine Idee von Kapitän zur See Gumprich, der sein Schiff mit einer modernen Fotoausrüstung und einem auch in den Tropen benutzbaren Labor ausrüsten ließ.

Reißvorrichtung in der Arado, die Schleppantenne, ließ sich nicht aus=
fahren.

Auf *Thor* machten sie sich inzwischen keine Sorgen.

Steenbock wird das schon schmeißen. Er wird dem Fremden, wie mehr=
fach erprobt und bewiesen,· den Mund stopfen, damit er keinen Lärm
schlagen kann, er wird ihm die Antennen zerstören.

Im Funkschapp der *Thor* — es ist übrigens mit den modernsten An=
lagen ausgestattet: mit Ultrakurz= bis zu Langwellengeräten und mit
einem mit einem Tochterkompaß gekoppelten Peilempfänger — warteten
sie mit der Hand an der Taste.

Funkmaat Dieffenbach beruhigte seine Gasten.

„Paßt auf, der muckst sich nicht."

Die Gasten grinsten. „Kann ja auch nicht, Herr Funkmaat . . ."

„Oh . . .! Wer und was pfeift denn da . . .?"

Sehr laut, also sehr nah, vernahmen sie Morsezeichen.

„Attacked by Airplane . . .!!! . . . Attacked by . . ."

„Stören!" schrie Dieffenbach. „Sofort stören!" und er hörte, bevor
noch der Störsender dazwischenhacken konnte, etwas von „Battleship
follows us . . . Attacked by battleship . . . Attacked by battleship crui=
ser . . .!"

Was ist da los?

Hat der Gegner noch eine Notantenne?

Eine Landstelle in Australien hatte den Notruf mitbekommen.

Sie wiederholte den Funkspruch laufend.

Thor, inzwischen aufgelaufen, hatte sofort das Feuer eröffnet.

Der Fremde, er schien an die 8 000 Tonnen groß zu sein, drehte ab
und zeigte sein Heck. Das war nicht bloß eine Geste à la Götz von Ber=
lichingen. Auf dem Heck stand eine respektable Kanone.

Und die schoß jetzt zurück.

Treffer auf dem Gejagten.

Dann sahen sie auf *Thor*, wie sie da drüben in die Boote gingen.

Gumprich stoppte den Beschuß.

„Um Himmelswillen", stöhnte der deutsche Kommandant und krallte
seine Hände in das Teakholz der Reling.

Erst waren es vier Boote . . . nun waren es acht, nein neun, die auf
dem Wasser schwammen, und jedes wirkte wie eine Menschentraube,
so überfüllt war es.

Und dann sahen sie durch ihre Gläser Farbige aller Schattierungen,
einige Weiße darunter, und Frauen und Kinder in den Booten.

„Auch das noch!"

„Prima", hörte man Vau=Null Dr. Sudau in dieses kummervolle Auf=
stöhnen seines Kommandanten sagen.

Gumprich blickte Sudau verständnislos an.

Aber Sudau lachte. „Prima, Herr Kapitän, die Damen sind offenbar
nicht sonderlich ausreichend bekleidet . . . verstehen Sie mich nicht falsch,
ich sehe das nur rein sachlich und fachlich . . . Ich freue mich, daß wir
auf mein Anraten hin eine Nähmaschine mitgenommen haben . . . Sie
wird sich jetzt bewähren . . ."

„Ach so", lachte nun auch Gumprich und steckte sich eine neue Zi=
garre an.

Die ersten Überlebenden kletterten an Bord. Viele hatten nur das bei
sich, was sie am Leibe trugen. Auch die junge Engländerin Miss Palmer.
Sie trat stumm, von Wachtmeister Boeringer geleitet, an den auf dem
Oberdeck aufgestellten Tisch.

Sie sagte ihren Namen. Sie gab ihre Adresse. Ihre Stimme war leise.

Hinter ihr weinten Kinder und warteten Frauen.

„Seid ruhig . . .! Ruhig doch . . . Habt doch keine Angst!

Das sind doch keine Japaner . . . Es sind Deutsche, die tun euch
nichts!"

Die Angst, die sie hatten, von einem Japaner angegriffen worden zu
sein, fiel langsam von ihnen ab.

Einige lächelten. Trotz der ungewissen Zukunft.

Oberleutnant Meckmann meldete Einzelheiten über den gestellten
Frachter.

Das Schiff heißt *Nankin.* Es ist 7 131 BRT groß und ist ein Eastern
Australian Liner, 1912 bereits erbaut. Es hat sieben Flakgeschütze und
eine Heckkanone an Bord.

Der nächste Hafen sollte Rangoon im vom Japaner bedrohten Burma
sein. Die Burma=Front braucht die im Bauch der *Nankin* lagernden Gü=
ter dringend . . .

. . . die 42 000 Kisten Fleisch, die 28 000 Kisten Obst, die 4000 Doppel=
säcke Mehl, die 8 800 Ballen Wollstoff, die Seife, die Schokolade, die
Drops . . . und die 184 Kisten mit in den USA neu gedrucktem chinesi=
schem Geld, Neuauflagen echter Tschungkin=China=Yüans . . . die über
die Burma=Straße nach China eingeschleust werden sollten . . .

Vau=Null Dr. Sudau rechnete die Ladung schnell auf *Thor*=Bedürf=
nisse um:

„Was die da drüben an Bord haben, reicht für uns für 62 Jahre, Herr
Kapitän. Das werden wohl einige von uns nicht überleben . . ."

Mit der *Nankin* hatte Gumprich Glück.

Das Schiff war seeklar und das torgroße, von einer Fünfzehner aus

der Bordwand in Höhe von Luk 1 ausgestanzte Leck hoffte Prisenkom=
mandant Oberleutnant Vogel mit Bordmitteln abzudichten: mit Roß=
haarmatratzen und australischem Speck.

Der *Thor*=Kommandant entließ die als Kohlenschiff fürchterlich qual=
mende Prise auf einen Treffpunkt, auf dem man sie jetzt am 13. wieder=
trifft, nun mit einer Kopfzahl an Bord, die sich um einen Erdenbürger,
um den Deutsch=Chinesen MOK KWOK ONN AH FONG, vermehrt hat.

Gumprich gestattet den Frauen jetzt, ihr Handgepäck von der *Nankin*
zu holen, und er läßt diesen Pendelverkehr nicht mit den Kuttern, son=
dern mit den Schlauchbooten durchführen.

Auch Willy Vogel, der *Nankin*=Kommandant, ist Gumprichs Meinung,
denn die Schlauchboote passen sich der Dünung besser an.

Man wollte den Frauen damit helfen . . .

Drei Jahre später klagen Briten und Amerikaner Willy Vogel in
Singapore des Kriegsverbrechens an. Er habe schiffbrüchige Frauen
in einem Schlauchboot über See transportiert und damit verantwortungs=
los den Gefahren des Meeres ausgesetzt!

Und die *Nankin*?

Sie erreicht Yokohama — — — aber ihr Leben soll nicht mehr lange
währen . . .

✳

Nachts im Südatlantik.

Auf HSK *Michel*.

„Funkspruch vom ausgesetzten S=Boot: Habe Gegner in Sicht. Gro=
ßer, moderner Tanker mit hoher Fahrt", meldet der FTO an die Brücke.

„Soll dranbleiben", der Kommandant.

Im Torpedoraum öffnen die Mechaniker die Tarnklappen und schwen=
ken die Rohre aus der Bordwand heraus. Im Unterwasserraum werden
scharfe Torpedos in die Rohre geschoben. Noch einmal streicht Ober=
gefreiter Nowiki mit dem fettigen Lappen über die blanken Aale. „Und
'nen schönen Gruß von uns."

Schnell kommt der Tanker heran. Er ist bereits ohne Nachtgläser deut=
lich auszumachen. Nichts Unnötiges wird gesprochen. Alles wartet auf
die erste Salve.

Immer noch kommt keine Feuererlaubnis. Warum wird nicht geschos=
sen? Man kann ja fast hinüberspucken. Als ob der Gegner gerammt wer=
den soll, so nahe ist der HSK heran. Fast querab läuft jetzt der Tanker.

Da drüben blitzt kurz ein grünliches Licht auf. Man hat den Hilfs=
kreuzer entdeckt.

„Salve!" Des Hilfskreuzers schnelle Antwort. Er muß dem Gegner
zuvorkommen. Er muß allem zuvorkommen. Das ist seine Chance.

„Dampfer funkt", meldet der Funkraum.

Ein Hagel von Granaten fliegt jetzt hinüber. Ziel sind die Brückenauf=
bauten. Hauptziel ist die FT=Station des Gegners.

Nur einige RRRR konnte der brave Funker da drüben noch aussen=
den. Dann funkte die *Michel*=Artillerie dazwischen. Der Störfunk ist
außerdem sofort in Aktion getreten. Diese verworrenen Signale wird
kaum einer entziffern.

„Die Leute laufen an die Geschütze", schreit der Ausguck in die
Brückennock. „Da ...!"

Von Ruckteschell richtet sein Glas. Mit Ruhe in der Stimme gibt er
den Befehl:

„Leichte Waffen auf Bug= und Heckgeschütz halten."

Nur einige Granaten jagt der Gegner noch hinaus, dann fliegen die
Kanonen mit ihrer Bedienung über Bord.

Drüben wird ein Boot zu Wasser gelassen. Von Ruckteschell stellt
das Feuer ein. Der Tanker brennt stark. Er verliert an Fahrt. Auch *Michel*
stoppt. Aber noch sind die geladenen Geschütze drohend auf den bren=
nenden Tanker gerichtet. Von Ruckteschell hat die KTBs der anderen
Hilfskreuzers gründlich und mehrmals gelesen. Auf eine gegnerische List
fällt er nach den Erfahrungen seiner Kameraden=Kommandanten nicht
mehr 'rein.

Gespenstisch lodern die Flammen gen Himmel und erleuchten die
Stätte der Vernichtung.

Das Schnellboot schießt heran. Schon ist es längsseit. In seiner Glas=
kuppel spiegelt sich das lodernde Feuer. Aus dem Glas schießt es wie
Speere zurück und in die Nacht.

Die ersten Überlebenden werden übernommen. Dann jagt von Schack
wieder davon.

„Help! Help! Help!" Überall schreien sie, bitten sie, jammern sie.

Ein vollbesetztes Boot und ein mit zusammengekauerten Überleben=
den belegtes Floß treiben langsam von dem brennenden Fahrzeug. Der
Brand auf dem Schiff dehnt sich immer mächtiger aus.

Die Nacht wird zum Tage.

Dieser verräterische Feuerzauber bestimmt den Kommandanten, die
Brände auszublasen. Er setzt erneut die schweren Waffen ein, um die
weithin sichtbare Schiffsfackel zu versenken.

Er tut das aber nicht, o h n e daß *Michel* v o r h e r langsame Fahrt
aufnehmen muß.

Von Ruckteschell will, daß auch noch das gesichtete Floß und das Ret=
tungsboot aus der Schußrichtung und dem Sprengwirkungsbereich der
Granaten herausmanövriert werden.

Erst dann gibt er das Feuer frei.

Der Frachter sinkt nun schnell.

Dann ist Schweigen.

Dann ist wieder pechschwarze Nacht.

„Help! Help! Help!"

Erst vereinzelt, dann erklingen die Hilferufe fast im Chor. Unheim= lich mit der Dünung auf= und abschwellend.

Im Wasser treibende Seeleute werden aufgefischt.

Das Schnellboot kommt mit Verwundeten. Sie werden vorsichtig übernommen und sofort in den Operationsraum getragen.

Dann holen sie auch die Überlebenden aus dem Rettungsboot heraus und von dem Floß herunter, völlig verstörte Männer, die davon reden, sie würden nun erschossen werden, nachdem man sie im Wasser selbst nicht traf ...

Daß der Hilfskreuzer sein Artilleriefeuer n i c h t auf das Rettungs= boot und auch n i c h t auf das Floß gerichtet hatte, das ist den leichen= blassen Geretteten nicht klarzumachen.

Als von Ruckteschell das zur Kenntnis bekommt, lacht er erst. „Feind= propaganda", sagt er. „Die werden schon früh genug merken, daß sie nicht erschossen werden. Dummes Geschwätz, daß wir sie im Rettungs= boot und auf dem Floß beschossen haben sollen ... Bin doch extra aus der Gefahrenzone für diese Kerls herausgelaufen ..."

Ein paar Jahre später lacht er nicht mehr, tut er diese aus der Angst geborene Gedankenverwirrung der damaligen Überlebenden nicht mit einer Handbewegung ab ...

Doch darüber später.

„Dort treibt noch jemand", brüllt ein Seemann. Er erinnert auch den Kommandanten an die nackte Wirklichkeit der Stunde.

Eine Leine zischt durch die Luft. Aber der Mann faßt den Tampen nicht. Er liegt mit dem Rücken auf dem Wasser, Arme und Beine sind weit vom Körper abgespreizt. Er trägt einen Schutzanzug aus Gummi, der sich wohl mit Wasser gefüllt hat. Da springt, ohne einen Befehl dazu zu haben, ein deutscher Seemann vom Oberdeck in die See. Er schwimmt auf den fremden Seemann zu.

Er berührt einen Toten.

Mit einer Leine wird aber auch der Verstorbene an Bord geholt. Ihm soll ein würdiges Seemannsbegräbnis zuteil werden.

Die Überlebenden werden in die Baderäume geleitet. Sie sollen sich vom Öl und vom Salzwasser reinigen. Sie empfangen neue Bekleidung. Kaffee und Zigaretten wecken ihre Lebensgeister.

Sie erhalten die gleiche Verpflegung wie die deutsche Besatzung. Man nimmt sogar auf die religiösen Gebräuche der Farbigen hinsichtlich der dargebotenen Kost Rücksicht. Genau wie die Soldaten bekommen auch die Gefangenen Rauchwaren. Hin und wieder sogar eine Flasche Bier.

Viele von ihnen melden sich freiwillig zu allen möglichen Arbeiten. In der Kombüse helfen ständig mehrere von den Farbigen.

Die Chinesen arbeiten in der Wäscherei. Sie machen ihrem Ruf, die besten Wäscher der Welt zu sein, alle Ehre.

„Ik sein deuts Marin. Ik nik geh nak England", erklärt Hon Su bei jeder passenden oder unpassenden Gelegenheit.

Er wurde von den Trümmern eines britischen Frachters geborgen. Er und seine Kollegen sind mit dem Ersuchen an den Kommandanten herangetreten, in die Kriegsmarine übernommen zu werden. Die Schiffs= führung hat aber bedauernd abgelehnt.

„Aber da die Leute anständige Arbeit leisten, sollen sie auch ihren Lohn haben", möchte von Ruckteschell.

So erhalten sie eine Heuer, und Hon Su und seine chinesischen Brüder dürfen nun auch in der Kantine kaufen.

Täglich inspizieren die Schiffsärzte die Gefangenenräume. Auch Wünsche und Anregungen dürfen bei dieser Gelegenheit vorgebracht werden. Im Lazarett werden die Verwundeten bestens versorgt. Schon einigen haben die tüchtigen Ärzte das Leben gerettet und schwere Ver= wundungen ausgeheilt. Einem englischen Matrosen, dem ein 2=cm=Ge= schoß die Vorderzähne wegriß, hat Dr. Schärf sogar ein neues Gebiß angefertigt.

Diesen Einzelheiten bei der Rettung, wie auch über die Betreuung der Gefangenen wird hier absichtlich besonderes Augenmerk geschenkt.

Was zur Rettung der Überlebenden getan wurde,
was man für die Gefangenen an Bord tat, das geschah auf
Helmuth von Ruckteschells ausdrücklichen Befehl!

✶

„Diese schweren Opfer hätten uns erspart werden können." Diese bittere, die Skl anklagende Erkenntnis stand am Ende des Ausbruch= versuchs des letzten deutschen Handelsstörers, dem es trotz verstärkter britischer Angriffe glücken sollte, den offenen Atlantik zu erreichen, des HSKs mit der taktischen Bezeichnung „Schiff 23".

Wie auf allen anderen Hilfskreuzern blieb es auch für Kapitän zur See Horst Gerlach Brauch, den Namen seines Schiffes selbst zu wählen. Das OKM behielt sich lediglich das Einspruchsrecht vor, denn Hilfs= kreuzerkommandanten, Opportunisten reinsten Wassers, waren nicht mit den üblichen Maßstäben zu messen.

Gerlach versprach sich von dem Namen „Stier" ein besonders gutes Omen.

Er meldete ihn dem Oberkommando gelegentlich einer Reise nach Berlin.

„Sie dachten an den ‚Stier von Scapa Flow?' An Günther Prien, und an dessen Erfolge?" fragt der zuständige Sachbearbeiter den Hilfskreu= zerkommandanten.

„Nein, ich dachte dabei an meine Frau."

Pause. Ungläubiges Erstaunen. Dann: „Um Himmelswillen! Ist das etwa der tiefere Grund, sich nach einem solchen Himmelsfahrtskom= mando zu drängen? Ich dachte immer, Sie haben einen sanftmütigen Engel zur Frau?!"

„Ist auch einer, also nicht das, was Sie meinen und befürchten! Stier ist das Sternbild meiner Frau."

„Das ist allerdings etwas anderes. Keine Einwände, Gerlach. Nomen est omen. Dieser Name sollte Ihnen wirklich Glück bringen."

Er brachte Gerlach auch Fortunas Wohlwollen, lief er doch mit sei= nem Hilfskreuzer zu einem Zeitpunkt aus, da die Blütezeit der Hilfs= kreuzerunternehmen schon lange vorbei war und die Aussicht auf Er= folge und eine glückliche Heimkehr wie welkes Laub von herbstlichen Bäumen abblätterte.

Aber das „Tierchen" am Himmel hielt seine Hände schützend über die *Stier*=Besatzung.

Die Sorgen beginnen bereits vor dem Durchbruch durch den Kanal . . .

HSK *Stier* soll, das verlangt die Skl, als „Sperrbrecher 171" in ein für Rotterdam bestimmtes Geleit von deutschen und ausländischen Handelsschiffen eingereiht werden. Gerlach, der schon vorher mehr= fach vorgetragen hatte, den Kanaldurchbruch allein zu fahren, setzt sich sofort mit Berlin in Verbindung.

„Sie gefährden damit meine stärkste Waffe, die des Inkognitos mei= nes Schiffes", trägt er empört und gleichzeitig kopfschüttelnd vor.

„Malen Sie doch keine Gespenster an die Wand. Keiner wird auf den Gedanken kommen, in Ihrem Schiff, in diesem gammeligen Sperr= brecher, einen schneidigen Hilfskreuzer zu vermuten."

„Sie unterschätzen die gegnerische Abwehr! An fünf Fingern kann man es sich abzählen, daß auf allen ausländischen Frachtern, die ge= zwungenermaßen für Deutschland fahren, Agenten eingeschleust wer= den."

„Na und? Selbst wenn es so wäre, dann könnten Sie dem Gegner höchstens das Aussehen des „Sperrbrechers 171" beschreiben."

„Höchstens? Und Sie halten Querverbindungen zu anderen Agenten=

gruppen für ausgeschlossen, zu solchen, die bestätigen können, daß die=
ses Schiff kein Sperrbrecher, sondern in Wirklichkeit ein Hilfskreuzer
mit getarnten Geschützen und einer für einen Sperrbrecher verdächtig
übersollmäßigen Besatzung ist?"

„Ausgeschlossen. Solch ein Zusammenspiel ist unmöglich."

„Und Sie verbürgen sich für jeden Fremdarbeiter, für jede Hilfskraft
in den deutschen Häfen und auf den deutschen Werften?"

„Diese Leute stehen unter strengster Kontrolle."

„Um jeden zu durchleuchten, brauchen Sie mehr Sicherheitsbeamte als
Arbeiter. Das nehme ich Ihnen einfach nicht ab. Sie bringen mein Schiff
und meine Männer von vornherein in eine tödliche Gefahr."

„Mischen Sie sich bitte nicht in Dinge, die nicht zu Ihrem Aufgaben=
bereich gehören. Sie fahren als ,Sperrbrecher 171'. Das ist ein Befehl."

„Ein Irrsinns=Befehl, wenn Sie meine Meinung wissen wollen. Auch
ein Befehl entbindet mich nicht meiner berechtigten und schweren Sor=
gen. Mag sein, daß meine Befürchtungen übertrieben sind, gegnerische
Spionagekreise halten verbindende Fäden zwischen der in einen Hilfs=
kreuzer auf der holländischen Wilton=Werft umgebauten *Cairo* und dem
„Sperrbrecher 171" in den Händen. Das eine wird man in Berlin nicht
abstreiten: wenn Agenten unter den Besatzungen der ausländischen
Schiffe sind — und das redet mir nicht einmal Canaris aus — dann wird
den Engländern dieser Sperrbrecher in allen Einzelheiten beschrieben.
Und wenn die Seekriegsleitung befiehlt, dieses den Briten gemeldete
Schiff ab Rotterdam unter starkem Kriegsschiffgeleit weitermarschieren
zu lassen, dann wird das auch dem Gegner nicht verborgen bleiben.
Die Rechnung wird aufgehen wie zwei mal zwei vier ist. Die Briten wer=
den alle verfügbaren und in jedem Falle überlegenen Kräfte mobili=
sieren, um das Geleit anzugreifen."

„Der Geleitschutz, den wir vorgesehen haben, ist ausreichend genug.
Außerdem ist Ihr Schiff zu wertvoll, um es ohne Schutz auslaufen zu
lassen."

„Mit jedem weiteren Sicherungsschiff, das Sie mir beigeben, wachsen
das britische Mißtrauen und die Gefahr der Anstrengungen, mein Schiff
unter allen Umständen zu vernichten — es wächst auch die Drohung,
daß auch Sicherungsfahrzeuge verloren gehen. Wozu das? Lassen Sie
mich allein fahren! Ich bitte das OKM. Mein Gott, ich habe genau wie
Sie den Wunsch, den Orlog lebend zu überstehen. Ich werde mich dicht
unter der Küste halten. Wenn ich nur nachts marschiere und von Hafen
zu Hafen springe, passiere ich mit weitaus größerer Sicherheit den
Kanal."

„Es tut mir leid, Gerlach. Alle Ihre Vorschläge wurden bereits ein=

gehend geprüft. Es bleibt dabei: Sie fahren als Sperrbrecher bis Rotter=
dam und brechen von dort im Schutze starker Sicherungsstreitkräfte
durch den Kanal."

Wütend wirft Gerlach den Hörer hin.

Was er noch zu sagen hat, ist nicht druckreif.

Das Geleit erreicht unangefochten Rotterdam, aber ...

Stier entmagnetisiert, läuft am 12. Mai wieder aus. Im Schutz von
vier Torpedobooten, von Minensuchbooten, von Vorpostenbooten und
von Schnellbooten setzt sie auf dem sogenannten „Schlachtschiffweg"*)
zum Durchbruch an. Eine eigens für diesen Marsch eingeschiffte B=Dienst=
gruppe soll eventuelle Gegnermaßnahmen rechtzeitig abtasten.

Wenigstens der Wettergott macht eine freundliche Miene. Er schickt
schlechtes Wetter. Saumäßig mieses Wetter.

Aber Nebel ist nicht mehr der Tarnmantel wie ehedem, als es noch
keine Funkmeß=Ortungsgeräte gab ...

90 sm vor Eintritt in die Enge Dover meldet der Leiter der B=Dienst=
gruppe, ein Obermaat, dem Kommandanten:

„Herr Kapitän, die da drüben schlafen nicht. Die Groß=Radarstationen
North= und South=Foreland orten uns."

„Naja, damit haben wir ja gerechnet."

„Aber das ist nicht alles. Operationsfunksprüche lassen erkennen, daß
wahrscheinlich unser Geleit zur Debatte steht."

„Einzelheiten?"

„Ja, Einzelheiten. Die gegnerischen Funksprüche sind sonderbarer=
weise primitiv verschlüsselt. Es ist darin von einem Frachtschiff und von
Torpedobooten, Minensuchbooten und Schnellbooten die Rede."

„Sie sagen primitiv verschlüsselt?! Haben Sie sonst in letzter Zeit
andere Erfahrungen gemacht?"

„O ja. Normalerweise gelang es uns nicht mehr, in den britischen
Navy=Code einzubrechen."

„Sonderbar! Irgendetwas steckt da dahinter."

„Das Empfinden habe ich auch, Herr Kapitän!"

„Halten Sie mich auf dem Laufenden. Sie finden mich auf der Brücke."

Auf ihrem Weitermarsch wird *Stier*, wie erwartet, prompt von den
alarmierten Ferngeschützen der Doverküste zwischen 20.00 und 21.00
Uhr beschossen. Die drei Salven liegen der Seite nach ausgezeichnet,
die erste zu kurz, die zweite und dritte fährt in das Kielwasser des Ver=
bandes.

---

*) Der Schlachtschiffweg ist der Weg, den die deutschen Schlachtschiffe
bei ihrem Kanaldurchbruch im Frühjahr 1942 von Brest nach Deutschland
benutzten.

Dann ist wieder Ruhe.

Der NO, Kapitänleutnant Becher, ehemals Kapitän des MS *Kandel=fels**), brummt vergnügt vor sich hin. „Wenn die schießen, ist keiner draußen."

„Wäre schön, wenn's so ist, Becher."

Kurz nach Passieren der Enge wird erneut ein wieder auffallend ein= fach verschlüsselter Funkspruch des Gegners dechiffriert.

Er ist an zwei in See stehende Schnellbootsflottillen gerichtet.

Diese werden vom Befehlshaber in ihre Einsatzhäfen zurückbefohlen.

„Verstehen Sie das?" wendet sich Gerlach an seine Offiziere.

„Da stinkt etwas im Karton", knurrt der Navigationsoffizier.

„Das meine ich aber auch! — — — Und ob da etwas stinkt!"

Es soll erst später zur Gewißheit werden, daß dieser Funkspruch des Gegners fingiert war, um den Hilfskreuzer und seine Sicherung in Sicher= heit zu wiegen.

Der List der Hilfskreuzer begegnet der Brite mit den gleichen Waffen.

Auf *Stier* vollzieht sich der Weitermarsch vorerst ohne Feindberüh= rungen. Gerlach und seine Offiziere hoffen, daß ihre Besorgnisse viel= leicht doch übertrieben waren.

Aber man hat den Tag vor dem Abend gelobt.

Was Gerlach und die deutsche Seekriegsleitung nicht ahnen, ist, daß der Gegner auf der Höhe von Boulogne zahlreiche Schnellbootsrotten und Kanonenboote aufmarschieren läßt.

Die Nacht bricht herein.

Der Verband dreht dichter unter Land, auf Boulogne zu.

Da fällt es ihn wie ein wütender Hornissenschwarm an. Mit fast an Tollkühnheit grenzendem Schneid und unerhörtem Einsatz greifen von allen Seiten britische Schnellboote und Kanonenboote an. Bei dem nun entbrennenden wilden Nachtgefecht kann die Zahl der Angreifer auch nicht annähernd bestimmt werden. Die See wird von den rasenden und hart kurvenden Schnellbooten und den ringsherum krepierenden Gra= naten aufgewühlt.

Stier verschießt bei diesem Feuerzauber ihren gesamten Bestand an Leuchtgranaten. Trotz des Abwehrfeuers der deutschen Sicherungsstreit= kräfte und des aus allen Rohren schießenden Hilfskreuzers gelingt es einigen Schnellbooten dennoch, den Sicherungsgürtel zu durchbrechen.

Schnellboote und Kanonenboote nähern sich *Stier* bis auf 150 Meter Distanz. Sie jagen ihre Torpedos aus den Rohren. Und wie durch ein Wunder verfehlen alle ihr Ziel.

---

*) MS *Kandelfels*, ein Schwergutschiff der DDSG Hansa, Bremen, wurde, wie berichtet, zum *HSK Pinguin* umgebaut.

Und das ihnen befohlene Ziel ist der in der Geleitmitte schwimmende Frachter.

Die Minensuchboote, die Torpedoboote oder Vorpostenboote inter= essieren nicht.

Auf *Stier* herrscht völlige Ordnung.

Niemand dreht durch.

Alles läuft nach Plan wie auf einem regulären Kriegsschiff.

Gerlach und der WO stehen auf der Brücke. Der NO hält sich im Kartenhaus auf und koppelt mit. Auf dem Artilleriedeck leitet AO Riek= keberg, Archibald genannt, ohne Nervosität das Feuer.

In bewundernswerter Opferbereitschaft versuchen die Einheiten der deutschen Sicherungsstreitkräfte sich immer wieder zwischen Angreifer und das ihnen anvertraute Frachtschiff zu manövrieren, das, so lautete der Befehl, mit allen Mitteln und unter höchstem Einsatz zu schützen wäre.

Die Kommandanten der deutschen Sicherungsschiffe hatten bisher ja keine Ahnung, daß dieser harmlos scheinende Frachter ein Hilfskreuzer ist. Erst als die Tarnungen fielen und dieses Schiff nach allen Seiten aus schweren und leichten Kalibern Feuer spie, dämmerte ihnen die Er= kenntnis.

Erneut greifen die Briten an.

Wie schneesprühende, kleine, immer größer werdende Lawinen schie= ßen S=Boote und Kanonenboote im zitternden Licht der Leuchtgranaten auf den wild kurvenden Hilfskreuzer zu. Vor lauter Gischt und Schaum der Bugwelle ist kaum etwas von den eigentlichen Schiffskörpern der Angreifer zu erkennen.

Auf diesem Kurs, auf dem sie jetzt heranpreschen, müssen ihre Tor= pedos treffen!

Das haben auch die beiden Kommandanten der Torpedoboote *Iltis* und *Seeadler* erkannt.

Ein blitzschnelles Manöver, und schon schieben sie sich zwischen ihren feuerspeienden Schützling und die heranschnaubenden Angreifer.

Kaum hundert Meter von *Stier* abstehend, fangen sie die auf den Hilfskreuzer zurasenden britischen Torpedos ab.

Drei, vier riesige Fontänen springen aus der See. Die beiden alten, aber schnellen und wendigen Torpedoboote verschwinden in grünblau= schimmernden Wasserglocken. Als diese rauschend und tosend in sich zusammenbrechen, sehen sie auf *Stier* — der Herzschlag droht auszu= setzen — die *Iltis* und *Seeadler*, in zwei Teile zerspalten, versaufen. Sie sinken so schnell, daß der größte Teil ihrer Besatzungen den Seemanns= tod findet.

Ihr Befehl ist ausgeführt:
Ihr höchster Einsatz war das Leben.
Aber *Stier* schwimmt.
Ein Trost, der niemanden freut.
Wenig später drehen die Briten ab. Sie sind erschöpft. Sie haben sich verschossen.
Wieviel gegnerische Einheiten versenkt wurden, konnte während des Angriffs der Briten nicht festgestellt werden. Das Britische Admiral=stabswerk stellt heute fest, lediglich ein Motortorpedoboot sei von der Unternehmung nicht heimgekehrt. Gerlach und seine Offiziere über das Gefecht: Wir haben drei Gegnerverluste gesehen, also auch drei Geg=ner versenkt. Einer der Angreifer explodierte, ein zweiter brannte von vorn bis achtern und wurde von seiner Besatzung verlassen, ein dritter war für Sekunden von einem Feuerwirbel umgeben und dann plötzlich weg."
Aber die beiden braven Torpedoboote sollen nicht die einzigen Opfer dieses Durchbruchmarsches bleiben . . .
Stier gelangt zunächst ohne weitere Feindberührung bis nach Boulogne, das als Zwischenhafen angelaufen wird. Das heißt, so ohne weiteres klappte das Einlaufen auch nicht, denn die Hafenkommandantur hatte abends die Balkensperre dichtmachen lassen. *Stier* mußte, nervös in allen Verbänden, von 23.00 Uhr bis 00.30 Uhr warten, ehe die Sperre geöffnet wurde. Diese Vorsichtsmaßnahme war nicht unberechtigt, denn in der Nacht zuvor hatte ein britischer Kommandotrupp einen Tanker gesprengt.
Stier verbleibt den Tag über in diesem Hafen. Erst gegen Abend geht sie erneut in See und kommt glücklich bis nach Le Havre. Auch hier geht *Stier* tagsüber vor Anker. Erst bei Dunkelheit nimmt der Hilfskreuzer seinen Weitermarsch auf. Er fährt die Seine=Bucht voll aus und stampft weiter nach Westen. Auf diesem Marsch ortet das FuMBe=Gerät plötzlich mehrere feindliche Kampfgruppen, die sich nördlich des Hilfskreuzer=weges offenbar in Aufnahmestellung befinden. Mit Sicherheit werden drei unterschiedlich starke Gegnergruppen ausgemacht.
Gerlach dreht sofort um das Ostkap der Halbinsel Cherbourg ab. Da=bei wird in nicht allzu großer Entfernung voraus, also auf dem verlän=gertem Kurs des Hilfskreuzers, Artilleriefeuer beobachtet.
Gerlach entschließt sich, den Hafen von Cherbourg anzulaufen.
Wie sich später herausstellte, waren die vorausstehenden Vorposten=boote von einer der auf HSK *Stier* georteten drei Kampfgruppen, einer Kreuzergruppe, angegriffen und unter schwerstes Feuer genommen wor=den. Wenn auch die britischen Publikationen über diese Operationen

schweigen, so besteht kein Zweifel darin, daß die georteten Kampf=
gruppen ausschließlich auf den Hilfskreuzer angesetzt worden waren.

Stier setzt am nächsten Abend ihren Weitermarsch fort, fährt um
das Kap de la Hague an den englischen Kanalinseln vorbei, dreht bei
Tagesanbruch in die Bucht von Lesandrieux und erreicht schließlich,
nach nächtlichem Passieren von Ouessant, nach einem weiteren, gar
nicht sehr angenehmen Tages= und Nachtmarsch an der französischen
Westküste entlang die Reede von Royan.

Der Durchbruch ist geglückt.

In sein privates Tagebuch vermerkt Kapitän zur See Gerlach:

„Hätte man mich, so wie ich es wollte, allein auf dem Küstenweg
durch den Kanal laufen lassen, wäre ich auch durchgekommen und wir
hätten die beiden Torpedoboote behalten."

Aber nicht nur die beiden Torpedoboote gehen auf das Konto des
Hilfskreuzerdurchbruchs, auch ein Boot der unter dem Befehl von Fre=
gattenkapitän von Kamptz stehenden Minensuchflottille ging verloren.
Britische Flugzeuge griffen es an, als die Boote den Weg bis Kap de la
Hague freiräumten. Ein anderes Minensuchboot kenterte kurz vor dem
Einlaufen des Hilfskreuzers in den Hafen von Cherbourg.

Den Tag über bleibt *Stier* auf der Gironde, um in der Abenddämme=
rung, begleitet von einigen Sicherungsschiffen, in die Biskaya mit Kurs
freier Atlantik auszulaufen. Die Begleitboote werden bald entlassen
und als der Morgen graut, treten die letzten Berge der Pyrenäen unter
die Kimm.

Stier ist allein.

✳

Michel im Golf von Guinea.

Durch ihn führen die Hauptrouten der Geleitzüge von und nach Süd=
afrika.

Von Ruckteschell will das Kriegsglück erzwingen. Trotz der in diesem
Gebiet starken Sicherung.

Den ruhigen Schlaf der Freiwächter stört der Vorstoß in den Golf
ganz und gar nicht.

Rucki, so nennen sie unter sich ihren Kommandanten, wird mit *Michel*
schon klarslippen.

Wie war das doch, nachdem sie den Amerikaner versenkt hatten, der
vorher SOS=Rufe gesandt, dann aber gemeldet hatte, den Maschinen=
schaden allein behoben zu haben ...

Stunden nach dieser Versenkung tauchte von Ruckteschell auf der
Brücke auf. Ohne ersichtlichen Grund befahl er eine Kursänderung von

4 Dez, — also um 40 Grad, — und sagte dem WO nichts weiter als ein freundlich klingendes „Gute Wache" und verschwand.

Später erfuhren sie, das der britische Hilfskreuzer *Alcantara* in dieser Nacht genau auf Kollisionskurs gestanden hatte...

Aber wer auf Wache ist, der paßt jetzt doppelt und dreifach auf. Und wer an Oberdeck erscheint, sucht ohne Befehl mit... die Kimm und den Himmel.

Mit Geschick manövriert *Michel* einen Geleitzug aus, hängt sich an und packt im Schutze der Nacht einen abseits stehenden Frachter, einen Truppentransporter. Obwohl schwer getroffen, läuft das Gegnerschiff, über die ganze Länge brennend, weiter.

Irrsinn von dem Kapitän!

Granaten und Torpedos beenden schließlich das Dasein der *Glou=cester Castle*.

Gerettet werden auch einige Frauen und zwei Jungen.

Das sagen die Frauen aus:

„Wir fühlten uns auf dem Wege nach Kapstadt hier im Golf schon so sicher vor den deutschen U=Booten... Hilfskreuzer?! Unser Kapitän hatte nur ein Lächeln übrig, als wir ihm damit kamen. Er wies nach vorn und nach achtern... auf die Kanonen..."

Als das Gefecht begann, befanden sich die meisten Leute auf dem britischen Dampfer gerade in den Gesellschaftsräumen bei einer Film=vorführung.

Eine der ersten 15=cm=Granaten sei direkt durch den Raum gefegt.

„Handelsschiffe sollten eben Handelsschiffe bleiben und nicht durch so schwere Bewaffnung den Charakter von Kriegsschiffen annehmen", knurrt Leutnant Heimann. „Dadurch ist ja erst die ganze Tragik ent=standen. Als wir die vielen Kanonen sahen... als wir in dem Frachter einen Hilfskreuzer vermuteten..."

Der nächste Tag.

Zwei Tanker sind gesichtet worden.

Anscheinend liegen beide auf gleichem Kurs.

Es soll versucht werden, diese zwei Schiffe im Laufe der Nacht an=zugreifen und, wenn möglich, sofort zu versenken.

Die Seeleute sehen sich, als sie über den Lautsprecher diese Meldung vernehmen, verwundert an.

Von Ruckteschell steht allein in der Steuerbord=Brückennock. Die Funker im B=Raum beobachten ihn durch die Bullaugen.

„Der Alte macht seinen Schlachtplan", sagt der FTO zu Obermaat Rehpen. „Zwei Schiffe auf einen Schlag. Da bin ich aber neugierig."

Die Funkgäste nicken nur und drehen an ihren Empfängern. Blei=

stifte gleiten über das Papier. . . Rufzeichen. Verschlüsselte Funksprüche an die alliierte Schiffahrt. U=Boots=Warnmeldungen.

Alles im normalen Rahmen.

„Nichts außergewöhnliches festzustellen."

Diese Meldung beruhigt die Brücke.

S=Bootskommandant von Schack tritt auf von Ruckteschell zu. Beide unterhalten sich. Von Schack tut es mit gestenreichen Handbewegungen. Der Kommandant ist gespannte Aufmerksamkeit. Am Ende nickt er von Schack zu.

„Gut. So machen wir's. Lassen Sie das Boot schon klarmachen."

Die Entscheidung ist gefallen.

Zwei Schiffe auf gleichlaufendem Kurs.

Vor ihnen her schnauft, vom Gegner unbemerkt, die *Michel*. Vom achteren Mast aus behält Leutnant Behrend den Tag über beide Gegner im Auge.

In der Dämmerung braucht der Hilfskreuzer nur auf Gegenkurs zu gehen.

„Sofort Feuer mit allen Waffen. Alles was raus geht. Auch gleichzeitig Torpedoschuß. Gegner darf nicht erst lange brennen und durch den Feuerschein das zweite Fahrzeug aufmerksam machen. Gleich im Pas= siergefecht versenken. Schnelligkeit muß entscheiden. Das S=Boot wird zur gleichen Zeit U=Boot spielen und seinen Dampfer torpedieren. Der kann dann ruhig Torpedotreffer melden."

Kurz nach 21.00 Uhr ist als Zeitpunkt für den gemeinsamen Angriff vereinbart.

„Schiff 28" schnauft seit Einbruch der Dunkelheit bereits mit äußerster Kraft dem Gegner entgegen. Das S=Boot hält sich noch in der Nähe auf. Im Kartenhaus rechnet Kapitänleutnant Rödel die Kurse nochmals durch. Schweiß steht ihm auf der Stirn. Von seinen Berechnungen hängt es nun ab, ob der Plan klappt. Ein winziger Fehler — aus. Nur eine unvor= hergesehene Kursänderung des Gegners — und der Hilfskreuzer stößt ins Leere.

Aus dem Funkraum wird ihm eine Meldung gereicht.

„S=Boot meldet: Gegner in Sicht. Großer Tanker."

„Gut. Vorsichtig dranbleiben."

Funkmaat Ristau tippt schnell die wenigen Buchstaben aus dem ver= einbarten Code in die Morsetaste.

Da meldet auch schon der Ausguck: „Gegner ist gut auszumachen."

Bis jetzt wäre also alles klar gegangen. Rödel schiebt beruhigt seine Mütze ins Genick.

21.05 Uhr.

„Anlauf beginnt. Enttarnen!" von Ruckteschell.

„Klar Schiff zum Gefecht!" Des Kommandanten nächster Befehl.

Das Schnellboot bekommt zur gleichen Zeit den Anlaufbefehl. Näher, immer näher schiebt sich der Schatten des Gegners heran. Unheimlich, wie eine schwarze Wand. Fast drohend.

Und immer noch keine Feuererlaubnis. Nur das Nötigste wird gespro= chen. Die Männer auf der Brücke blicken wie gebannt auf den Schatten. Jeder wartet auf die erlösende Salve.

Da . . . Der Kommandant gibt das Feuer frei.

Ein Feuersturm bricht los. Aus allen Rohren. Auch der Torpedo trifft sein Ziel und jagt eine riesige Wassersäule hoch in die dunkle Nacht. Ein Hagel von Geschossen zerreißt den Tanker. Er beginnt über das Heck zu sinken.

Auch das Schnellboot meldet zwei Torpedotreffer auf dem ihm zu= gewiesenen Gegner. Dieser Tanker habe seine.Geschwindigkeit vermin= dert, führe aber weiter.

Die Funker pressen die Kopfhörer fest an die Ohren. Aber der be= schädigte zweite Tanker funkt nicht.

„Vielleicht ist seine Anlage ausgefallen", meint Peuse und beobachtet weiterhin die internationale Seenotwelle.

Aber nichts rührt sich. Der Äther gibt keine Kunde von dem, was sich im Augenblick hier im Golf von Guinea in dunkler Nacht ereignet. Der Hilfskreuzer hat sein Feuer eingestellt. Drüben sind Boote weg= gefiert. Sie treiben schnell von dem brennenden Schiff weg.

„Noch einen Torpedo in Höhe Maschine", befiehlt der Kommandant. Nach diesem Treffer geht der Tanker über das Heck in die Tiefe.

William F. Humphrey ist versenkt.

Sie war ein modernes Tankschiff.

Das Schnellboot wird von Ruckteschell zurückgerufen. Es soll sich an der Bergung der überlebenden Seeleute beteiligen. Das muß schnell gehen. Der HSK muß hier verschwinden. Außerdem will der Komman= dant sofort die Verfolgung des beschädigten und noch schwimmenden zweiten Tankers aufnehmen.

„Der läuft mindestens noch seine zehn Meilen", berichtet von Schack, immer noch außer Atem. Er hat alle Überlebenden an *Michel* abgegeben. Sein S=Boot ist inzwischen wieder eingesetzt worden.

Michel's Motoren dröhnen. Mit AK geht die Jagd weiter. Aber die Nacht ist so dunkel wie die Innenseite eines Rabenflügels.

„Wird wohl wenig Zweck haben", knurrt der WO verdrießlich.

„Es wäre wirklich reiner Zufall, wenn wir den finden", bekräftigt von Ruckteschell.

Erst im Laufe des nächsten Tages wird der angeschossene Tanker er=
neut gesichtet. Die zwei kleinen Flugzeug=Torpedos haben ihm nicht viel
getan. Er schwimmt und fährt stur seinen Kurs weiter. Er glaubt sich
entkommen und jetzt sicher.

Am Abend staffelt sich „Schiff 28" wiederum in Angriffsposition. Das
Schnellboot ist bereits unterwegs. Es soll Fühlung halten.

Noch vor Mitternacht speien die Waffen Verderben. Bereits die ersten
Salven liegen gut. Ein Torpedo trifft mittschiffs. Der Tanker zerbricht
hinter der Brücke. Schnell versinkt das Heck in den Fluten. Die Besat=
zung treibt bereits in ihren Booten ab. Nur das Vorschiff hält sich noch
über Wasser.

Von Schack knufft seinen Bootssteuerer mit der Faust in den Rücken.
„Gehen Sie näher ran. Ganz dicht."

Das Schnellboot nähert sich dem Wrack. Ächzend dümpelt es in der
Dünung.

Von Schack stößt den Seemann wieder an. „Noch näher Mann! Ganz
nahe! Ich will da übersteigen."

Dem Bootssteuerer bleibt der Mund offen stehen. Er vergißt das Ru=
der zu bewegen. Das Schnellboot schwingt im Bogen aus, gerät quer
zur See.

Von Schack wird ärgerlich. „Passen Sie auf, Kerl. Tun Sie, was ich
Ihnen gesagt habe."

Der Mann schüttelt den Kopf, legt den Kurs auf das Wrack, schert
daneben und sieht, wie der Oberleutant mit einem Satz einen herunter=
hängenden Tampen ergreift und diesen — weiß Gott, es gibt keinen
anderen Vergleich — wie ein monkey entert.

Von Schack hetzt auf die Brücke. Er stürzt in das dunkle Kartenhaus.
Seine Taschenlampe beleuchtet offene Schubladen, Seekarten, die am
Boden liegen. Er packt alles, was er zusammenraffen kann. Von Schack
bricht in den Funkraum ein. Die Tür klemmt. Er muß sie mit dem Fuß
auftreten. Sie klemmt noch immer. Erst als er sich mit seinem ganzen
Körpergewicht dagegen geworfen hat, gibt sie nach.

Was er sucht, findet er schnell: Das Funktagebuch, Geheimcode und
Dienstanweisungen.

Was er tat, stand zwar nicht im Programm, gehörte auch nicht zu
seinem ihm übertragenen dienstlichen Obliegenheiten. Kein Mensch
hatte ihm befohlen, seinen Hintern auf diesem brüchigen Hohlkörper
von Wrack zu riskieren.

Aber er mußte diesen verrückten Gedanken in die Tat umsetzen!

Nicht zuletzt für von Ruckteschell, den sie als Kommandanten, Men=
schen und Kameraden so verehren.

Auf *Michel* beratschlagen die Offiziere, ob man noch einen Torpedo opfern soll oder nicht, um diesen stummen, aber doch weithin sicht= baren Zeugen für die Anwesenheit der Deutschen zu vernichten.

Von Ruckteschell will keinen Torpedo mehr dranhängen und den Einsatz der schweren Artillerie hält er in dieser stark befahrenen Land= schaft für zu gefährlich.

„Aller guten Dinge sind und waren drei", beendet Ruckteschell den Stehkonvent auf der Brücke. „Bin dafür, meine Herren, daß wir ab= hauen. Man soll Glück nicht strapazieren."

Michel läuft mit Westkurs ab.

In der Britischen Admiralität rätseln sie:

Drei Schiffe verschwanden im Golf von Guinea.

Waren es U=Boote?

Wenn ja, was können wir an U=Bootsjagd=Streitkräften von anderen Gefahrenrevieren abziehen, um die verdammten grauen Wölfe in die Schranken zu weisen?

War es eines der Schwarzen Schiffe, ein Hilfskreuzer etwa?

Es wird gut sein, mit dem einen wie mit dem anderen zu rechnen.

*

Im Indischen Ozean.

Es ist Nacht, und auf dem Heck des holländischen Frachters *Olivia* hält ein Seemann Wache neben der Kanone. Der Posten wandert mal nach Backbord, dann wieder nach Steuerbord, um sich die Beine zu vertreten, und dann hängt er sich mit dem Oberkörper auf die Reling und starrt in das Spiel des phosphoreszierenden Kielwassers hinein. Wenn es nicht mehr so klar und nicht mehr so leuchtend ist, wenn es grau und modrig aufquillt ... dann schwimmt die *Olivia* wieder einmal nach London rauf ... Dann ... Ja dann ...

Ein greller Blitz durchbricht die Dunkelheit der Tropennacht, ein Kugelblitz ...? Oder waren es zwei oder drei, die dicht an der Steuer= bordseite aufflammten und verlöschten. Drei ...? Atmosphärische Blitze? Niemals!

Granatfeuer!

Ein Raider!

Und die *Olivia* hat Benzin geladen.

Einige tausend Tonnen.

Der Mann überlegt keine Sekunde. Mit einem Hechtsprung stemmt er sich über die Reling, stürzt er sich in die See, und als er wieder auf= taucht, krepieren die ersten Granaten auf seinem noch in Fahrt befind= lichen Schiff. Mit ihren Einschlägen explodiert das Benzin. Vorn und achtern entfalten sich gelbrotflammende Pilze über dem todgeweihten Dutchman.

HSK *Thor* greift ihn an:

Sie hatten auf „Schiff 10" am Tage die Mastspitzen gesehen, hatten den Fremden begleitet, ihn nach Anbruch der Dunkelheit im DT Gerät behalten und waren, schnell mit AK auflaufend, bis auf 2000 Meter herangelaufen. Die Heckkanone war des Gegners deutlich sprechende Visitenkarte, kein Neutraler zu sein.

Gumprich läßt nun nach der ersten Salve und den entstandenen Bränden an Bord eine Breitseite nach der anderen in den Rumpf des Gegnerfrachters jagen . . . Er will dieses Feuerfanal auslöschen, weil er es im eigensten Interesse muß.

30 Minuten hält das Geschützfeuer an . . .

30 Minuten dauert der Todeskampf des holländischen Tankers . . .

Nur ein Überlebender wird aus dem Wasser herausgefischt.

Es ist der Posten vom Heckgeschütz.

Ihn bewahrte die Angst vor dem furchtbaren Ende seiner Kameraden.

Die Skl hat *Michel*=Kommandant von Ruckteschell den Befehl erteilt, im Rahmen seiner weiteren Operationen in die Antarktis vorzustoßen, um nach Walfangflotten zu suchen: „Operation Südgeorgien durchführen. Vollster Einsatz Schiff und Besatzung!"

Dieser Befehl paßt von Ruckteschell gar nicht in den Kram. Kurz entschlossen macht er ein Kurzsignal „Antarktis ohne mich!"

Kürzer ging es wirklich nicht.

Besorgt erwarten die *Michel*=Offiziere, von Ruckteschell ausgenommen, die Antwort aus Berlin.

Sie lautet:

„Lieber Ruckteschell,
dann eben ohne Skl
weiterhin recht gute Fahrt
nach der altbewährten Art."

KAPITEL 15

DER HILFSKREUZER SCHWANENGESANG

Zur Lage: Im nördlichen Mittelatlantik ist der Teufel los. U=Boote tauchen in ganzen Rudeln auf, reißen wie Wölfe hilflose Schafe. Im Monat Juni erreichten die Verluste durch die Grauen Wölfe einen für die Alliierten erschreckenden neuen Gipfelpunkt: Im Nordatlantik gingen allein 124 Schiffe mit 623 545 BRT verloren! Insgesamt ver= senkten die U=Boote in diesem Monat auf allen Kriegsschau= plätzen 144 Schiffe mit 700 235 BRT. Das ist fast eine dreiviertel Million!

Damit nicht genug. Hinzukommen elf Verluste mit 54 769 BRT durch Flugzeuge, acht mit 19 936 BRT durch Minen, sieben mit 48 474 BRT durch „Merchant Raider", durch Hilfskreuzer also, und drei mit 10 782 BRT durch unbekannte Ursachen, also zusammen 834 196 BRT.

Bei den Alliierten, den seebeherrschenden Ringmächten, gerät die Hoffnung auf einen Sieg ins Schwanken.

In den Folgemonaten sinkt die Erfolgsziffer der U=Boote wieder ab (im Juli auf 476 065 BRT, im August auf 544 410 BRT und im September auf 485 413 BRT). Die Ursachen dafür sind verschie= dener Art, keineswegs aber sind sie (noch nicht) in einer entschei= denden Verbesserung der gegnerischen Abwehrmittel zu suchen. Größter Feind sind, solange der Gegner sein Radargerät noch nicht bei allen Flugzeugen eingebaut hat, die langen Sommertage mit ihren so kurzen Nächten, denn die Nächte bieten den Angriffs= operationen der nachts über Wasser fahrenden Boote noch immer die besten Chancen. Mit den länger werdenden Nächten schnellen auch die Erfolge wieder in die Höhe, im Oktober sind es 619 417 BRT, im November sogar — bisher unerreicht — 729 160 BRT. Dann aber beginnt sich das gegnerische Radar auszuwirken, zunächst nur das ASV=Gerät...*)*

Zur Stunde der größten Erfolge der U=Boot=Waffe, die sich oft in tagelangen Geleitzugschlachten bis zum Letzten erschöpft, lan= den am 8. November britische und amerikanische Truppen in Marokko und Algier. Das Unternehmen leitet ein dem Namen nach bis dahin mehr oder weniger unbekannter General Eisen= hower. Die Offensive gegen die Festung Europa beginnt aus Süden. Die deutsche Skl vermag nicht viel zur Abwehr dieser

---

*) Siehe Jochen Brennecke: „Jäger — Gejagte!" Deutsche U=Boote 1939—1945. Koehlers Verlagsgesellschaft

Landung zu tun, erwartete sie doch die Transportschiffe weiter
östlich ... hatte sie doch keine eigenen Aufklärungsmittel in der
Luft zur Verfügung. Fehlt der Marine der Mann, der Hitler über=
zeugen könnte, wie sehr die Marine eine eigene Seeluftwaffe
braucht? Er fehlte nicht, denn Hitler war nicht zu überzeugen.

Während sich in Nordafrika das Ende der deutsch=italienischen
Operationen anzukündigen beginnt, bahnt sich in Rußland das
Drama von Stalingrad an.

Nicht genug damit, auch die Hilfskreuzer und die Blockade=
brecher trifft das fahle Licht der Dämmerung des sich immer
klarer abzeichnenden Untergangs, über den auch die großartigen
Erfolge der „Grauen Wölfe" nicht hinwegtäuschen können.

Von Europa nach Asien bestimmte Blockadebrecher werden bei
ihren Ausbruchsversuchen im August, September und Oktober in
der Biskaya immer wieder durch gegnerische Luft= und Seestreit=
kräfte zur Umkehr gezwungen. Flucht, eine bei der glorienschein=
umwobenen deutschen Wehrmacht bisher unbekannte Vokabel,
wird hier die einzige Rettung, so wie sie es auch für die in den
französischen Atlantikhäfen liegenden Schlachtkreuzer Scharn=
horst und Gneisenau war, als diese im Februar 1942 den Eng=
lischen Kanal durchbrachen. Die Times bezeichnete dieses Gelingen
zwar als die für die Royal Navy größte Blamage zur See seit
1700, für die Deutschen blieb es trotz des in Presse und Rundfunk
gefeierten und auch unbestrittenen Erfolges dennoch nicht mehr
und nicht weniger als eine Flucht.

Doch bleiben wir bei den Blockadebrechern in der Japanfahrt.

Im Oktober geht die Burgenland verloren, im Dezember die
Germania und — nach dem zweiten Ausbruchsversuch — auch der
Italiener Cortellazzo. Lediglich von Japan kommenden Blockade=
brechern schenkt das Schicksal noch seine Gunst.

Angesichts der jetzt Tag und Nacht fast schon lückenlosen Über=
wachung der Biskaya durch mit Radar versehene Gegnerflugzeuge
befiehlt die Skl dem HSK Michel, nicht nach Westfrankreich zurück=
zukehren, sondern nach Japan zu laufen. Michel soll dabei mög=
lichst noch im Indischen Ozean operieren, den HSK Thor bereits
Ende August verließ, als er nach Yokohama lief.

Und jetzt geht es Schlag auf Schlag.

Im September geht HSK Stier im Gefecht mit einem so schwer
wie ein Hilfskreuzer bewaffneten amerikanischen Liberty=Schiff
verloren.

Im November wird HSK Thor das Opfer einer Katastrophe in
Yokohama.

Im gleichen Monat scheitert der Versuch, den HSK Komet durch
den Kanal in den freien Atlantik zu schicken. Komet wird auf der
Höhe des Cap de la Hague torpediert und versenkt.

Im Südatlantik.

HSK *Stier* steht auf 25 Grad Süd und 20 Grad West.

Der 27. September 1942 zieht grau in grau herauf. Es ist diesig, und die Sicht beträgt knapp 3000 Meter. In der Nähe schwimmt der aus Japan kommende Blockadebrecher *Tannenfels*. Er hat neben Proviant und anderen brauchbaren Dingen auch ein japanisches Flugzeug für den Hilfskreuzer an Bord.

Heute soll Proviant von der *Tannenfels* übernommen werden. Regen= böen ... immer wieder Regenböen, just ein Wetter, das melancholisch stimmt. Und wenn Hein Seemann von der Melancholie gepackt wird, dann sucht er Zuflucht in Erinnerungen und Zukunftsträumen ... Was wohl die Ulla, seine jetzige und vielleicht letzte Braut in Schlicktown augenblicklich treibt, zerrt es in Signalmaat Meyer. Ist ja Sonntag heute. Wird noch in der warmen Koje liegen. Ha, wenn wir erst wieder in der Heimat sind, dann, Ulla, dann laß uns einen drauf machen im „Alten Fritz" oder im „Monopol".

Obwohl Meyer Mühe hat, solcher Art Gedanken zu bannen und so vor sich hintorft, ist er ganz plötzlich hellwach.

Geisterhaft wälzt sich doch da ein grauer Schatten aus dem Dunst heraus.

Meyer brüllt seine Sichtung Oberleutnant Riekeberg zu, und der gibt sofort Alarm!

Das Boschhorn heult.

Die Umrisse des Fremden werden deutlicher: ein Liberty=Schiff! Es fährt in Ballast.

In Ballast? Gibt es das denn auch? Jetzt mitten im Kriege?

Auf *Stier* rollt alles so planmäßig wie in einem Film ab: Nach dem Alarm, Sekunden später, Schuß vor den Bug des Gegners.

Wozu eigentlich noch einen Schuß vor den Bug, wenn der andere so deutlich sichtbar mit weitreichenden Waffen bestückt ist, mit Kanonen, die laut Haager Konvention lediglich der Verteidigung dienen sollen, arbeitet es in Gerlach. Aber Gerlach kann nicht über seinen Schatten springen. Er will Menschenverluste vermeiden, und er hofft, daß die Schiffsführung da drüben die Sinnlosigkeit eines Widerstandes begreift und der überlegeneren Bewaffnung eines Hilfskreuzers Rechnung trägt.

Trotz der drohenden Gefahr, durch einen ganz dummen Zufallstreffer zur Aufgabe der Unternehmung gezwungen zu werden, beachtet der *Stier*=Kommandant die an sich schon lange überholten Spielregeln des Hilfskreuzerkrieges.

Und sein Schuß vor den Bug, der zum Stoppen und zur Funkstille auffordert, erfährt die befürchtete Antwort.

352

Der Gegner antwortet mit Artilleriefeuer aus so vielen Rohren, daß man sich auf *Stier* einem geschickt getarnten gegnerischen Hilfskreuzer gegenüber glaubt.

Gerlach erwidert das Feuer.

Auf die kurze Entfernung von 3 000 Meter ist fast jeder Schuß ein Treffer.

Auf dem Gegner brechen Detonationswolken und Stichflammen aus dem Liberty=Frachter.

Vorn! Mittschiffs! Achtern!

Aber er schießt weiter.

Auch er erzielt Treffer.

Die erste Granate beschädigt die Ruderanlage auf *Stier*. Eine andere frißt sich durch die ungepanzerte Bordwand in den Maschinenraum. Sie krepiert im 7. Zylinder des Dieselmotors.

Nun liegt auch der Hilfskreuzer bewegungslos in der sanft dünenden See. Der LI versucht, den 7. Zylinder totzulegen. Aber das geht nicht so schnell.

Schwere Granaten reißen die Außenbordwände der *Stier* auf, ihre Splitter zerstanzen Aufbauten und Decks. Bei diesem kurzen Abstand von nur knapp zwei Meilen ist das Gefecht mit so schweren Kalibern ein grausames Unternehmen.

Das Stöhnen von Verwundeten wird vom Gefechtslärm übertönt. Die Brückenverkleidung zerfetzen Granatsplitter. Schwerverletzte werden vom Sanitätspersonal ins Schiffslazarett geschleppt.

Vom Buggeschütz zerrt Sanitätsfeldwebel Weidt einen Matrosen mit klaffender Brustwunde hinweg und keucht mit der schweren Last in das Zwischendeck hinunter. Im Operationsraum schlägt ein Volltreffer ein. Der Schiffsarzt, Stabsarzt Dr. Meyer=Hamme, lebt mit aufgerissenem Leib nur noch wenige Minuten.

„Grüßt meine Frau und meine fünf Kinder. Der Älteste soll meine Uhr haben."

Das waren seine letzten Worte.

Tiefer Schmerz durchzuckt Gerlach, als er vom Tod dieses so beliebten und vorbildlichen Sanitätsoffiziers hört.

Das Gefecht dauert nun bereits über eine Viertelstunde. Auf dem brennenden Gegner schweigen jetzt alle Waffen. Bis auf ein mittschiffs montiertes Geschütz. Endlich, nach 20 Minuten, feuert auch dieses nicht mehr*).

---

*) Der Geschützführer, der es bediente, ein Fähnrich, erhielt für seinen tapferen, verzweifelten Einsatz das Viktoria=Kreuz.

Als der Gegner schweigt, läßt Gerlach sofort das Feuer einstellen. Das Liberty=Schiff brennt über die ganze Länge. Immer wieder schießen Explosionswolken aus dem Frachter heraus, dann und wann von riesigen Stichflammen durchzuckt.

Langsam sackt der tödlich verwundete Gegner mit dem Achterschiff tiefer und tiefer. Er sinkt schließlich, in eine wogende Wolke von Was=serdampf gehüllt, über das Heck.

Aber auch *Stier* brennt lebensgefährlich.

Sie hat 32 Treffer erhalten.

Eine Schadens= und Brandmeldung jagt die andere:

Der Kohlenbunker brennt!

Die Tabakslast, die Kleiderkammer stehen in Flammen!

Noch bedrohlicher ist das Feuer in den Räumen beim und unter dem Torpedoraum, dieweilen die unter der Munitionskammer liegenden, ebenfalls brennenden Räume noch geflutet werden können.

Jeden Augenblick können die Torpedos in die Luft fliegen, wenn sich der Brand erst einmal bis zu diesen durchgefressen hat.

Da alle Pumpen ausgefallen sind, funktionieren auch die Feuerlösch=mittel nicht. Mit den von Hand zu Hand gemannten Wassereimern, Barkassen, Töpfen und Pützen sind die Brände nicht mehr einzudämmen.

Im Innern des Hilfskreuzers sieht es toll aus, und an Oberdeck wur=den fast sämtliche Rettungsboote zerschossen oder von Granatsplittern leckgeschlagen.

Der Kommandant sieht keine Möglichkeit mehr, sein Schiff zu retten. Er muß sich zu dem schweren Entschluß durchringen, *Stier* aufzugeben und zu sprengen.

„Sehen Sie einen anderen Weg, meine Herren?" fragt Gerlach seine auf die Brücke befohlenen Abschnittsleiter.

Keine Antwort kommt von den Lippen der rußgeschwärzten Gesichter. Nur ein Kopfschütteln.

Die *Tannenfels*, sie hatte übrigens mit ihrer einen 15=cm=Kanone in das Gefecht eingegriffen, wird längsseit gerufen. Kapitän Gerlach ver=sammelt seine Besatzung an Oberdeck. Er legt seinen Männern die Gründe für seinen Entschluß dar, und er dankt ihnen für ihr hervor=ragendes Verhalten im Gefecht mit dem so schwer wie ein Hilfskreuzer bewaffneten 8500 BRT großen Amerikaner *Stephen Hopkins*. Seine letzten Worte gelten den gefallenen Kameraden. Trotz der Härte des Artillerieduells hat die *Stier*=Besatzung nur drei Tote zu beklagen.

Die Überlebenden, unter diesen 28 mehr oder weniger verletzte See=leute, steigen auf die *Tannenfels* über.

Als Letzter verläßt Kapitän zur See Gerlach sein Schiff. Es hat der deutschen Flagge nicht viel Erfolge einbringen können, die wenigen aber haben Unruhe im Atlantik geschaffen...

... die britische *Gemstone*, die noch funken konnte. Der *Gemstone*=Kapitän steht noch bildhaft, wie er an Bord von *Stier* kam, vor Gerlachs Augen. Kein Wort über das soeben verlorene Schiff. Er fluchte: „Stellen Sie sich vor, meine Leute haben mir beim Einsteigen ins Boot sämtliche Zigaretten geklaut!", und erst dann stellte er sich als Master Griffiths vor. Immerhin, die *Gemstone* hatte 7 500 Tonnen Erz für Baltimore an Bord, genug, um ein amerikanisches Hüttenwerk damit wochenlang zu beschicken...

... der US=Tanker *Stanvac=Calcutta* sank lautlos. Die erste Granate schon traf die Funkbude und verwundete den Kapitän tödlich. Dennoch: sie wehrten sich da drüben mit ihren drei Kanonen. Auch *Stier* mußte Treffer einstecken. Dann aber gab der Ami auf. Nur notdürftig bekleidet, zum Teil völlig nackt, so kamen die Amerikaner an Bord...

... und dann die britische *Dalhousie*. Sie erwischten sie auf ihrem Maidentrip. Ihr Kapitän Davis — er hatte bis zu seinem Aussteigen heftig funken lassen — berichtete, Tränen in den Augen, er habe das nietenneue Schiff gerade aus der Werft geholt. „Es sollte meine letzte Reise werden... Wollte das Schiff nur abliefern und dann in England in Pension gehen..." Er unterbrach sich, seine Augenbrauen schoben sich zornig zusammen. „Verdammt, hätten sich meine Kerls in Kapstadt mit dem Klarmachen des Schiffes nur beeilt. Habe diese Burschen immer wieder gedrängt. Früher ausgelaufen, hätten Sie uns nicht getroffen."

„Ja, ja, wenn der Mantel fällt, muß der Herzog nach, sagte bei uns Schiller. Aber etwas anders: Warum haben Sie uns nicht v o r dem Stoppschuß gesehen?" wollte Gerlach wissen.

„Yes, der zweite Grund für meinen Ärger ist noch schlimmer als der erste. Auf See befahl ich meinen Leuten, im Topp Ausguck zu halten. Ich habe schließlich Erfahrungen aus dem Ersten Weltkrieg. Wissen Sie, was diese boys mir entgegenhielten: Toppausguck stünde nicht aus=drücklich im Heuervertrag. Sehen Sie, so liefen wir Ihnen dann direkt in die Arme. Als ich in letzter Minute versuchte, abzudrehen und weg=zulaufen — bedenken Sie, mein Schiff war neu und schnell — da haben mich meine eigenen Leute zum Beidrehen und Stoppen gezwungen. Was wollen Sie da machen, Sir?"

Ja, das war die erste Begegnung mit Captain Davis. Eine andere folgte später...

Nach der Versenkung der *Dalhousie* begann es im Äther zu lärmen. Die USA=Presse berichtete von einem deutschen Korsarenschiff... an=dere von einem als Transporter getarnten Handelsschiff mit unheim=

licher Geschwindigkeit. USA=Rundfunkstationen beruhigten die Welt: Flugzeugträger würden auslaufen und das Geisterschiff schnell vernich= ten. Drei Tage später schon spukte die Vernichtungsmeldung bereits über Funk und durch die Presse ...

Und nun ist es tatsächlich soweit.

Auf *Stier* gehen die Sprengladungen hoch. Das Schiff wehrt sich lange, ehe es mit wehender Kriegsflagge am Mast in die Tiefe fährt.

Kapitän Gerlach bemüht sich zusammen mit dem *Tannenfels*=Kapitän Haase nach der Abbergung seiner eigenen Besatzung sofort um das Schicksal der Überlebenden des gesunkenen Liberty=Schiffes. Mit der *Tannenfels* suchen sie den Raum um die Untergangsstelle des Gegners ab. Sie finden keinen Lebenden.

Nur Trümmer — und Tote.

Erst später stellt sich heraus, daß die Besatzung der *Stephen Hopkins* — sie fuhr offenbar als Behelfs=Hilfskreuzer, daher die überraschend starke Bewaffnung — bis auf sechs Mann gefallen war. Dieser Rest er= reichte nach einer sechswöchigen Bootsfahrt in einem offenen Rettungs= boot die südamerikanische Westküste.

Am 2. November macht die *Tannenfels* am Seebahnhof auf dem süd= lichen Girondeufer bei Le Verdon fest.

Wie die britischen Kapitäne die deutschen Soldaten und die deutsche Schiffsführung mit ihren Augen sahen, das sagt ein Brief aus, den die Kapitäne der *Gemstone* und der *Dalhousie* dem *Stier*=Kommandanten vor dem Einlaufen übergeben ließen.

Die Übersetzung dieses Briefes lautet:

„Sehr geehrter Herr,

vor dem Vonbordgehen wünsche ich Ihnen für die gute Behandlung zu danken, welche wir während unseres Aufenthaltes an Bord Ihres Schiffes erhielten.

Selbst unter den besten Umständen ist es keine sehr angenehme Situation, ein Kriegsgefangener zu sein, aber Ihre eigene Höflichkeit und die Ihrer Offiziere und Mannschaften, die Freundlichkeit und meh= rere Gefälligkeiten des Herrn Petersen*) haben unseren Aufenthalt weni= ger beschwerlich und viel leichter gemacht, wofür wir alle aufrichtig dankbar sind.

Als Brite auf der gegnerischen Seite stehend, wünsche ich Ihnen na= türlich kein Jagdglück auf Ihrer Suche. Sie haben mein Schiff versenkt und mich meiner Freiheit beraubt, so wie das Kriegsschicksal ist, und ich

---

*) P. war Prisenoffizier an Bord. Ludolf Petersen, HAPAG=Kapitän vor dem Kriege und jetzt Kapitän *TS Essen*, hatte seine Erfahrungen als Prisen= offizier auf *Admiral Scheer* gesammelt.

trage keinen Groll gegen Sie, im Gegenteil, ich hoffe, daß Sie, mein Herr, und Ihre gesamte Besatzung sicher und unverletzt durch diesen Krieg kommen, und ich meine das mit aller Aufrichtigkeit.

Hiermit reiche ich das mir freundlichst überlassene Wörterbuch zu= rück, bedaure aber, daß ich in der deutschen Sprache sehr wenig Fort= schritte gemacht habe wegen meines Nichtverstehens der Deutschen Druckschrift. Gelernt habe ich „Kaputt" und „Nichts verstehen", was ich sehr nützlich finde. Wir mögen uns nach dem Kriege wiedersehen, wer weiß. Wir werden dann wissen, was es alles auf sich hat. Ich bin überzeugt, daß wir uns als Freunde treffen.

In der Zwischenzeit meine Hochachtung und ein
Gott=beschütze=Sie

Ihr sehr ergebener
gez.: E. Griffith late Master
S/S. *Gemstone*

und
gez.: F. Davis late Master
M/V. *Dalhousie*

*

Mitte September 1942 war es.

Die Skl teilt Admiral Wennecker, Marineattaché bei der Deutschen Botschaft in Tokio, mit:

„beabsichtigen schiff zehn nach japan zu entsenden — stop — besat= zung 400 mann — stop — frage: kann schiff zehn dort überholt und für neues unternehmen neu ausgerüstet werden?"

Die Antwort:

„geht in ordnung — stop — bieten auch der besatzung jede gelegenheit zur erholung."

J e d e Gelegenheit ist vielversprechend.

Selbst pensionsreife Kapitäne beim OKM schmunzeln in Erinnerun= gen.

Es wurden tatsächlich vierzehn tolle Tage. Es ging von Empfang zu Empfang, von Fest zu Fest.

Alle auf HSK *Thor* atmeten erleichtert auf, als der gesellschaftliche Trubel, er stand betont im Zeichen der deutsch=japanischen Waffen= brüderschaft, endlich verebbte.

Die Nachricht von der völlig überraschenden Landung der Engländer und Amerikaner in Nordafrika trug überdies dazu bei, das Leben wieder realistischer zu sehen.

Ende November machte die *Uckermark* in Yokohama fest. Das Schiff kam aus der Heimat. Es fuhr früher unter dem Namen *Altmark* zur See. Als *Altmark* ging es in Verbindung mit der *Cossack*=Affaire bereits in die Geschichte ein.

Das riesige Troßschiff hatte, da der Tankraum der Verbündeten knapp war und jede Transportgelegenheit in den Südraum ausgenutzt werden mußte, in Shonan*) einige Tausend Tonnen Brennstoff für die japanische Marine an Bord genommen.

Es war ein vorwinterlicher Tag, als die *Uckermark* festmachte, be= staunt von den Japanern. Man sprach von ihr als von einem „Wunder= schiff".

An Bord des Versorgers verliefen die üblichen Arbeiten durchaus programmgemäß.

Es war am 30. November, als um die Mittagszeit im Büro des Marine= attachés ein Telefongespräch von der Deutschen Botschaft angemeldet wurde.

Auf der anderen Seite sprach der Erste Dolmetscher.

„Herr Admiral...", des Dolmetschers Stimme zittert vor Erregung, „in Yokohama ereignete sich furchtbares Explosionsunglück. *Uckermark* und Hilfskreuzer *Thor* sind beschädigt. Berichte sagen, Schiffe seien ver= nichtet, andere in hellen Flammen..."

Admiral Wenneker unterbricht:

„Aber hat man denn nichts unternommen, um die Brände zu löschen?"

„Doch, doch, Herr Admiral, aber Schiffe explodieren immer wieder neu. Niemand kann retten! Niemand kann löschen! Sie verstehen, Herr Admiral?"

„Und die Ursache?" fragt Wenneker, „haben Sie darüber etwas ge= hört?"

„Nichts, Herr Admiral, gar nichts. Deutsche Stellen meinen, Sabotage nicht ausgeschlossen."

Soweit diese telefonische Hiobsnachricht...

Was war da vorgegangen?

Die Deutsche Botschaft deutete unter Umständen Sabotage an?

Wenneker und seine Offiziere überlegen...

Das Einlaufen der beiden Schiffe war natürlich nicht geheim geblieben. Es gibt zu viele nicht achsenfreundliche Neutrale in Japan. Es leben zu viele Russen in Tokio und Yokohama. Die Russen sind Deutschlands, aber nicht Japans Feinde. Sie dürfen sich hier aber völlig frei bewegen. Sie sind diplomatisch vertreten und genießen die gleichen Freiheiten wie die Deutschen auch.

---

*) Shonan ist der japanische Name für Singapore.

Daß alle Schiffsbewegungen über russische Kanäle den westlichen Alliierten bekannt würden, damit hatte man von Anfang an gerechnet, wenn auch nicht damit, wie sich später erwies, daß ein deutscher Journalist namens Sorge die Hauptrolle in diesem Spionagering spielte.

Wie dem auch sei, Sabotage war unter diesen Aspekten absolut nicht ausgeschlossen.

Aber warum immer gleich an das Extremste denken. Lag es nicht nahe, daß vielleicht bei der in diesen Tagen begonnenen Munitionsübergabe von der *Uckermark* auf *Thor* eine Ungeschicklichkeit passierte. Vielleicht war auch ein Brandherd entstanden, irgendwo, an einer unbeobachteten Stelle ...

In jedem Falle mußte mit erheblichen Personalausfällen gerechnet werden. Wo sollten die vielen Verletzten untergebracht und behandelt, wo die Nichtverwundeten gepflegt und bekleidet werden, wenn, was zu befürchten stand, beide Schiffe ausgebrannt und verloren waren?

Admiral Wenneker sah nur einen einzigen Weg zur Beantwortung all der schwebenden Fragen:

Zehn Minuten nach Eingang des Anrufs war bereits ein Offizier, des Admirals I. Gehilfe und Chef des Stabes, nach Yokohama unterwegs.

Kapitän zur See Werner Vermehren über seine Eindrücke:

„Die Fahrt von Tokio nach Yokohama dauert ungefähr eine Stunde. Gut nach 30 Minuten sehe ich dort, wo sich das Hafengebiet befinden muß, eine riesige, sich wild blähende Rauchwolke stehen. Aus der schwarzen Wand schießen immer neue Explosionswolken heraus. Sie haben die Form von Pilzen, ehe der Wind sie verweht.

Wie mögen die beiden Schiffe aussehen? Wie die rassige *Uckermark?* Wie die kleine *Thor* mit ihren modernen Steven, dem Kreuzerheck und der breiten, an den Nocken abgerundeten Brücke? Und was — das bedrängt Vermehren am meisten — ist mit den Kameraden geschehen? Köstliche Stunden kameradschaftlicher Verbundenheit hatten sie vor Tagen noch gefeiert, auf die Erfolge von gestern und morgen angestoßen.

Vermehren besteigt einen Wagen. Das Auto prescht am Hauptbahnhof von Yokohama vorüber. Zur Linken öffnet sich das Hafenbecken. Die hier aufsteigenden Rauchwolken werden immer dichter. Der Himmel verdunkelt sich. Das Sonnenlicht erstirbt.

Auf den Straßen Glas ... Überall Glas. Von zerbrochenen Scheiben und zertrümmerten Schaufenstern.

Bewohner laufen aufgeregt hin und her. Andere stehen in Gruppen zusammen und starren auf das schaurige Bild.

Durch die Bahnunterführung führt der Weg über die nach links abbiegende Straße zum Hafen hinunter. Wenige Minuten später hält der Wagen vor dem Deutschen Konsulat. Hier sind deutlich die makabren Geräusche des Brandes und das Donnern der Explosionen zu hören.

Auf der Treppe zum Konsulat sieht Vermehren leichtverwundete Männer mit rauchgeschwärzten Gesichtern und mit zerfetzten und ver=brannten deutschen Uniformen.

„Wo sind die anderen?", fragt Vermehren erregt.

„Einige im Krankenhaus. Die anderen leben."

„Und die Kommandanten?"

„Leben auch. Sind oben im Konsulat, Herr Kapitän."

Im Zimmer des Generalkonsulats trifft Vermehren außer dem Gene=ralkonsul Kapitän zur See Gumprich und Korvettenkapitän von Za=torski, Kommandant der *Uckermark*, sowie einige weitere gerettete Offi=ziere. Von Zatorski ist verletzt. Er sitzt mit lang ausgestreckten Beinen auf dem Sofa. Er atmet schwer. Er hat Schmerzen.

Alle sind rauchgeschwärzt. Allen sind die Uniformen zerrissen und naß. So, wie sie sich aus der Katastrophe hatten retten können.

Bei Whisky — diesmal ohne Soda — und ausgesucht guten Zigarren löst sich allmählich die Verkrampfung des Schocks. Langsam formt sich aus den Gesprächen der Kommandanten, der Abschnittsleiter und der anderen geretteten Offiziere ein Bild des Explosionsunglücks.

Die Werft hatte *Thor* gleich nach dem Einlaufen nach der Unterneh=mung gründlich abgehorcht und repariert, was zu reparieren war. Am 30. November verholte der Hilfskreuzer, maschinell und auch sonst wie=der hundertprozentig einsatzklar, in den Hafen. Er machte neben der *Uckermark*, die am Kai vertäut war, fest.

Die Leinen waren noch nicht einmal gelegt, da begann schon die Über=nahme von Brennstoff, Munition und Proviant und vielen anderen Aus=rüstungsgegenständen aus den schier unerschöpflichen Laderäumen des Versorgungsschiffes.

All hands, wie der Seemann sagt, waren zu Gange.

Der Kommandant hatte an diesem Tage Vertreter der deutschen und der japanischen Presse eingeladen. Sie hatten in der Offiziersmesse ge=meinsam gegessen. Auf dem Vorschiff entstand ein Erinnerungsfoto. Anschließend hatte sich der Kommandant mit den Gästen und den dienstfreien Offizieren auf der Wasserseite von Bord begeben. Er fuhr mit dem Verkehrsboot zum Wohnschiff *Leuthen*, der ehemaligen *Nan=kin* hinüber. Die *Leuthen* lag auf der gegenüberliegenden Seite des Ha=fenbeckens — circa 150 Meter entfernt — am Pier. Von dort aus erreich=ten die Gäste das Werfttor schnell und damit auch den nächsten Zug nach Tokio.

Die dienstlich beschäftigten Offiziere, die an Bord zurückblieben, waren auf dem Vorschiff verblieben. Sie unterhielten sich angeregt mit noch einigen Journalisten, die ihren Besuch ausgedehnt hatten und noch tausend Fragen über die gespenstische Fahrt über die Meere der Welt auf dem Herzen hatten.

Die Uhr zeigte auf genau 13.22 Uhr . . .

Aus der *Uckermark* heraus dröhnt eine Detonation. Sie ist nicht stär=ker als etwa der Abschuß eines mittleren Geschützes. Auf dem Ver=sorger wie auf *Thor* halten die Männer in ihrer Arbeit inne. Auf dem Vorschiff stockt die Unterhaltung.

Ehe sie auf der *Uckermark* und auf *Thor* begreifen, erdröhnt eine zweite, bedeutend stärkere Explosion. Unter lautem Zischen schießt eine grelle, überdimensionale Stichflamme aus dem Mittelschiff des Versor=gers heraus. Ihr Brandwurf trifft auch die längsseit liegende *Thor*. Der Gluthauch setzt auf dem Hilfskreuzer Holz und alles, was sonst noch brennbar ist, in Flammen.

Auf Schiffen wie die *Uckermark* und *Thor* sind Katastrophen und Feuerlöschrollen bis zur Bewußtlosigkeit geübt worden. Es bedarf nur eines Winks und nicht einmal der Befehle, daß Offiziere und Männer auf die ihnen rollenmäßig zugewiesenen Plätze eilen. Mit Feuerlöschern, Kohlensäure und allen sonstigen Mitteln versuchen sie, die Brände zu bekämpfen.

Eine neue noch schwerere Detonation erschüttert die *Uckermark*. Die Explosion reißt die Brücke des Versorgers und *Thor's* Bordwände bis zur Brückenhöhe auf. Trümmer wirbeln durch die Luft.

Es ist schlimmer als bei einem Gefecht.

Seeleute der *Thor* bemühen sich, die Leinenverbindung mit der *Ucker=mark* zu lösen. Sie arbeiten buchstäblich in einem Regen aus der Luft auf sie herabstürzender Eisenteile und Trümmerstücke. Das Vorschiff kommt noch frei. Das Heck aber muß geräumt werden, bevor die letzte Trosse losgeworfen werden kann.

Für die Mitglieder der *Thor*=Besatzung wird die Situation kritisch.

Ihres Schiffes Schicksalsstunde hat geschlagen.

Das an der Backbordseite aufgerissene Leck ist so riesengroß, daß *Thor* immer schneller zu sinken beginnt.

Rette sich wer kann! Das ist die einzige und auch letzte Parole, die den Männern bleibt.

Aber wohin?

Der Weg über die *Uckermark* zum Kai ist durch die an Bord wütenden Brände versperrt, und im Hafenbecken breitet sich immer mehr das aus den Bunkern auslaufende Öl aus.

Und dieses Öl brennt.

Das Wasser wird zum Feuermeer. Es treibt, zum Entsetzen der Beobachter, in breiter Front auf das Wohnschiff *Leuthen* zu.

Im Augenblick der ersten Explosion hatte sich das Verkehrsboot mit dem Kommandanten an Bord in der Mitte des Hafenbeckens befunden. Es holte sofort Hilfe, es alarmierte Ruder= und Hafenboote, um im Was= ser treibende Besatzungsmitglieder aufzunehmen.

So gelingt es, wenigstens eine relativ große Zahl Schwimmender zu retten, bevor sie von der sich ausdehnenden brennenden Ölschicht er= faßt werden.

Doch manche geraten doch in den Feuerwirbel, werden zur Fackel und versinken.

13 Mann der *Thor* und 43 der *Uckermark,* sowie eine große Anzahl Japaner und auch einige Chinesen werden vermißt. Zehn Mann sind schwer verwundet. Gottlob schweben sechs davon bereits außer Lebens= gefahr.

Doch damit des Unglücks nicht genug.

Auch die *Leuthen* fängt Feuer.

Alles vollzieht sich so schnell, daß auch hier die Brände nicht mehr einzudämmen sind. Mit der *Leuthen* geht auch ein japanischer Dampfer in Flammen auf. Er hat Waffen und Munition für die Burma=Front an Bord.

Endlich, um die zehnte Abendstunde, tritt eine gewisse Beruhigung der Lage ein. Man kann die Verluste übersehen und weiß allerdings nun auch, daß keines der drei deutschen Schiffe und auch der japanische Frachter nicht mehr zu retten sind.

Noch immer explodieren auf der *Uckermark* wie auch auf dem Japaner Munitionsbestände.

Noch immer flammt ein zuckendes und flackerndes Rot über den Him= mel von Yokohama.

Die Untersuchung des Unglücks ergibt einwandfrei, daß Öl in den Tanks explodierte. Bei diesem für die japanische Marine aus dem Süd= ostraum mitgebrachten Öl handelte es sich um ein stark benzinhaltiges Produkt, um ein sogenanntes „crude oil" (= Rohöl). Der Vorschrift entsprechend hätte dieses Öl nur in Spezialtankern transportiert werden dürfen.

Aber es ist Krieg...

Zwar hat die *Uckermark* nach der Entlöschung in Yokohama die Tanks gründlich gereinigt und gelüftet. Dennoch aber muß in einigen Tanks ein stark explosives Benzin=Luftgemisch zurückgeblieben sein.

Die Untersuchung ergibt weiter, daß an dem Unglücksmorgen sechs

Chinesen in einen solchen Tank zum Rostklopfen hinuntergeschickt wurden. Entweder ist dieses gefährliche Gasgemisch durch Funkenbil= dung beim Rostklopfen oder bei unerlaubtem Rauchen entzündet wor= den. Die Stichflamme hat auf die im Nebenraum liegende Torpedo= munition übergegriffen. Das Krepieren hier lagernder Torpedos ver= ursachte schließlich die furchtbaren Zerstörungen mittschiffs der *Ucker= mark* wie auch das riesige Leck an der Backbordseite der *Thor*.

Ein Verdachtsmoment, daß Sabotage für das Unglück verantwortlich zu machen ist, liegt nicht vor.

Völlig einwandfrei wird die Ursache jedoch nie geklärt werden können.

Von den Chinesen, die sich in dem zuerst explodierten Tank befan= den, blieb keiner am Leben.

Nach dem offiziellen Untersuchungsergebnis ist die Schuld demnach einerseits bei der japanischen Marine zu suchen, denn diese hatte das gefährliche Ölprodukt ohne eine Analyse von der *Uckermark* überneh= men lassen, mehr noch, das Öl wurde sogar ausdrücklich als Schweröl be= zeichnet. Andererseits liegt ein Verschulden in der mangelnden Vor= sicht beim Reinigen nach der Entlöschung der Tanks.

Keinesfalls durfte sofort nach der Reinigung in den Tanks Rost ge= klopft werden.

Der einzige Trost bleibt die geringe Zahl an Opfern. Bei der Schwere der Explosion hätte sie wesentlich größer sein können.

*

Das Schicksal will es, daß im gleichen Monat noch ein weiterer Hilfs= kreuzer der Zweiten Welle, auch ein bewährter HSK auf zweiter Un= ternehmung, verloren geht.

Im Englischen Kanal wird am 14. November der HSK *Komet* von bri= tischen Seestreitkräften angegriffen, torpediert und versenkt.

Der Kommandant, Kapitän zur See Brocksien, und die gesamte Be= satzung sterben den Seemannstod.

Kein einziger wird gerettet.

Die Torpedobestände detonierten. Granaten krepierten. Die Gewalt der Explosionen zerrissen das Schiff.

Ist *Komets* Ende eine schicksalhafte Fügung gewesen?

Oder lag es im Bereich menschlichen Ermessens, diese Katastrophe zu verhindern oder zu vermeiden . . .?

Die Antwort gibt der Lagebericht des nächsten Kapitels.

KAPITEL 16

HSK MICHEL – DER LETZTE KORSAR

Zur Lage: Nach den beiden Katastrophen steht nun nur noch der HSK Michel am Feind. Nach einem Vorstoß in den Indischen Ozean, der Michel zwei gegnerische Frachter als Beute einbrachte, ist von Ruck=teschell, versorgt durch den Tanker Brake*) wieder in den Süd=atlantik marschiert. Hier erreicht ihn ein Skl=FT des Inhalts: „Sofort Japan anlaufen. Durchbruch zwecklos."

Die Natal=Freetown=Enge wie vor allem die Biskaya werden jetzt permanent von alliierten See= und Luftstreitkräften kon=trolliert. Für Überwassereinheiten stehen die Chancen für einen Durchbruch 1 zu 100. Und über dem Englischen Kanal haben die Briten unbestritten die Lufthoheit erobert. Unter dem Schutz der Schwingen mit dem Pfauenauge oder dem Stern der USA greifen schnelle und wendige britische Seestreitkräfte jedes deutsche Geleit mit Schneid und Hingabe an, auch das, das den HSK Coronel in den Absprunghafen an der französischen Atlantikküste geleiten soll. Fliegerbomben beschädigen den unter dem Kommando des Kapitän zur See Thienemann stehenden Hilfskreuzer. Er sucht Schutz in Boulogne, dann in Dünkirchen und wird schließlich nach Deutschland zurückgerufen, um nicht total zerbombt zu werden.

Großadmiral Raeder zu dieser Phase heute: „Von vornherein allerdings habe ich mir mit meinem Stab keinerlei Illusionen dar=über gemacht, daß die ungeheure Überlegenheit des Gegners und die Anstrengungen, die er zur Abwehr unserer Angriffe machen mußte, mit Sicherheit eines Tages ein Ende der atlantischen See=kriegsführung mit Überwasserstreitkräften herbeiführen würden. Es war damit zu rechnen, daß diese in absehbarer Zeit abgenutzt und aufgebraucht sei und ihr Einfluß auf den Zufuhrkrieg zurück=gehen würde. Bis dahin würde, so hoffte ich, die U=Boot=Waffe so stark geworden sein, daß sie dann mit größter Wirkung zum Tragen kommen könnte."

Was der Großadmiral prophezeit hatte, traf augenscheinlich ein. Als die ozeanische Seekriegsführung mit Überwasserstreitkräften mit der Vernichtung von Thor und Komet wie auch mit dem Schlachtkreuzer Scharnhorst praktisch zum Erliegen kam, hatte die U=Boot=Waffe einen zahlenmäßigen Höchststand erreicht, der versprach, die so gewaltigen Erfolge sogar noch zu übertreffen.

---

*) Siehe auch „Käp'n Kölschbach", Der Blockadebrecher mit der glücklichen Hand. Koehlers Verlagsgesellschaft

Hitler sonnte sich im Glanz der Erfolge der Grauen Wölfe und das Deutsche Volk, fast täglich durch Versenkungsmeldungen durch deutsche U=Boote animiert, rechnete sich den Tag aus, da die Alliierten kein Schiff mehr auf den ozeanischen Gefilden fahren lassen könnten, ohne daß es nicht von den U=Booten ge= sichtet und vernichtet würde.

Aber: wo viel Licht ist, sind auch starke Schatten.

Dönitz selbst gibt sich keinen Illusionen hin. Immer stärker bekommen die U=Boote bereits jetzt schon die gegnerische Radar= ortung zu spüren. Dönitz sieht nur einen Weg, um seine Waffe scharf zu halten: Die U=Boote müssen ins Wasser ... Die Marine muß endlich das totale Tauchboot für Anmarsch und Angriff und Rückzug entwickeln.

Als Dönitz im Januar 1943 den Oberbefehl über die Kriegs= marine übernimmt, sind diese neuen U=Boot=Typen aber noch immer Projekte*).

Im Mai 1943 läuft der im März eingekommene und in Japan ausgerüstete HSK Michel zu einer erneuten Feindfahrt aus. Der gleiche Mai wird auch das Stalingrad der U=Boote im atlantischen Kampfraum.

Der Mai ist der Anfang vom Ende,
für die Grauen Wölfe genauso
wie für den letzten der Korsaren, den Hilfskreuzer Michel, den Kapitän zur See Gumprich für den erkrankten von Ruckteschell übernommen hat, und der nach zwei Erfolgen im Indischen Ozean und einer Beute im östlichen Pazifik wegen Brennstoffschwierig= keiten nach Japan zurückmarschiert ...

Sonntag, der 17. Oktober 1943.
Es ist die Zeit kurz nach 00.00 Uhr.

Michel ackert durch die Nacht. Die See ist leicht bewegt. Über das dun= kelblaue Himmelmeer schwimmt, ab und an von flammenähnlichen Wolkenfetzen verdeckt, die silberne Sichel des zunehmenden Mondes. Die Bugsee murmelt ihr geschäftiges Lied und der Fahrtwind spielt in Stagen und Wanten, rüttelt an der Brückenschanzverkleidung und zaust den Männern der eben neu aufgezogenen Brückenwache in den Haaren.

Auf der Brücke, wie aus Stein gehauen, die Ausguckposten mit ihren großen Nachtgläsern vor den Augen. Wachoffizier ist jetzt Oberleut= nant zur See Horn. Er pendelt zwischen den Nocken hin und her. Er kümmert sich um den Kurs, mal taucht er im Kartenhaus auf und sieht dem Steuermannsmaaten über die Schulter, mal ist er im Ruderhaus,

---

*) Siehe Jochen Brennecke: „Jäger — Gejagte!" Deutsche U=Boote 1939—1945. Koehlers Verlagsgesellschaft

wo er mit schnellem, geübtem Blick den anliegenden Kompaßkurs kon=
trolliert.

Unten im Schiff kriechen die Männer der abgelösten Wache in ihre
Kojen. Die Seeleute, die Funker und die Heizer. Nach und nach zieht
wieder Ruhe ins Schiff ein. Nur die Motoren hämmern und die Lüfter
rauschen monoton. Irgendwo knarrt ein Schott im Takt der Bewegun=
gen des Schiffes.

„Und morgen ist Sonntag", sagt der Gefreite Jahnel von der Funkerei.
Er streckt sich behaglich in seiner Koje aus.

„Du torfst wohl schon, was? Heute ist Sonntag. Wir haben zehn
Minuten nach Mitternacht", ödet der Obergefreite Viereck seinen Kame=
raden an.

„Schiet, ob heute oder morgen, jedenfalls können wir in dieser Nacht
eine halbe Stunde länger filzen. Und das freut einen Seemann dann ja
auch."

„Eine halbe Stunde länger Schlaf ist eine halbe Stunde näher dem
Land..."

„Komisch, wie schnell das halbe Jahr verging..."

„Haltet den Jabbel. Quasselt morgen weiter", knurrt eine verärgerte
Stimme in den dämmerlichtigen Raum, den nur die Notbeleuchtung er=
hellt.

„Nacht z'sammen."

„Gute Ruh..."

Auf der Brücke, im Funkraum, in der Maschine wachen die Kame=
raden.

Oberleutnant Horn unterbricht seinen Pendelgang.

„Noch nichts zu sehen?"

„Was denn, Herr Oberleutnant?"

„Na Land, Mann. Wir stehen doch direkt vor Japan."

„Das ist also wahr?"

„Natürlich, Mann, freu dich doch!"

„Oh ja, muß man sich ja direkt seelisch auf den ersten Landgang vor=
bereiten."

„Nicht nur seelisch. Mußt auch vorher nochmal baden, wenn's Frisch=
wasser nicht mehr rationiert ist."

„Baden, Herr Oberleutnant? Hier an Bord? Kommt gar nicht in Frage.
Ich lasse mich baden. Im Asahiro an Land."

„Ist sie hübsch...?"

„Aber Herr Oberleutnant, der feine Mann..."

„Ich weiß, der genießt und schweigt. Paß gut auf. Ich gehe wieder
nach Backbord."

Doch vorher macht der Oberleutnant schnell einen Sprung zu den Funkern rein.

„Was los, Boys?"

„Nö, Herr Oberleunt."

„Auch nichts auf Tokio 8F6?"

„Nichts. Keine U=Boot=Warnung. Station ist prima zu hören. Kein Wunder, wo wir doch so dicht unter Japan stehen."

„Erraten. Ziemlich dicht sogar. Aber zwei Tage wirds noch dauern, bis wir unter der Küste entlang im Hafen sind."

Der Oberleutnant dreht sich mit einem fröhlichen Lachen um, ver= schwindet hinter dem Verdunkelungsvorhang und eilt in die Backbord= Brückennock. Er wartet, bis sich die Augen an die Dunkelheit gewöhnt haben, dann hebt er sein Glas und sucht nun zusammen mit dem Aus= guckposten die tintenschwarze See ab. Seine Augen müssen sich aber erst vollends an die Dunkelheit gewöhnen. Er sieht daher nicht den vor= aus in der See schräg auf die *Michel* heranschießenden hellen Streifen.

Aber der Posten neben ihm hat ihn entdeckt.

„Schaumstreifen! Backbord voraus...! Blasenbahn!"

Horn zuckt wie unter einem Peitschenhieb zusammen.

Mit drei langen Schritten springt er an die Alarmanlage. Mit schlaf= wandlerischer Sicherheit erwischt er die Taste. Er drückt sie nieder.

Wie kalt ist das Eisen, und wie naß dazu.

Die Sirenen heulen.

Im Ruderhaus krallen sich die Hände des Rudergängers um die Steuer= hebel. Es zuckt dem Mann in den Fingern, *Michel* hart nach Steuerbord oder nach Backbord drehen zu lassen. Er will irgend etwas tun. Ein Rudermanöver im Gefahrenfalle ist meist richtig, hier erst recht, wo amerikanische U=Boote zu fürchten sind...

Aber der Befehl dazu kommt nicht.

Will Horn das Risiko eines selbständigen Ruderbefehls nicht auf sich nehmen? Denkt er überhaupt nicht daran, daß jetzt ein schnelles Ma= növer zunächst wichtiger ist, als Alarm zu geben... Hat der neue Kom= mandant seinen WOs diese Selbständigkeit im Notfalle beschnitten? Bei von Ruckteschell war es doch Gesetz, notfalls auch ohne seine Zu= stimmung zu handeln...?

In das abgerissene Heulen der Sirenen mischt sich der dumpfe Knall einer Explosion.

Michel bäumt sich auf.

Horn wird in die Ecke geschleudert. Dem Ausguckposten reißt es die Beine weg.

Brücke und mittleres Vorschiff verschwinden in einer phosphoreszie=

renden Wasserglocke. Horn und seine Männer spüren, wie *Michel* sich nach Steuerbord überlegt. Sie hören, weil ihre Ohren noch von dem fürchterlichen Knall wie taub sind, das Rauschen der zusammenbre=chenden Fontäne wie aus nebelhafter weiter Ferne. Aber sie spüren das Wasser.

Und plötzlich wird das Dunkel, das sie umfließt, wieder um einige Grade heller. Die Sicht ist wieder frei.

Michel schwingt nach Backbord über.

Die Alarmsirenen=Signale werden schwächer und schwächer. Dann brechen sie ganz ab.

Im Ruderhaus klingelt das Telefon. Horn reißt den Hörer ab.

„Maschinen ausgefallen. Wir haben Wassereinbruch", meldet der Wachingenieur. Horn will noch etwas fragen, da taucht neben ihm ein Schatten auf: der Kommandant.

Gumprich handelt.

„Schotten dicht!" sein erster Befehl.

„Enttarnen!" der zweite.

„Klar Schiff zum Gefecht ...!" der dritte.

Schnell aufeinander fallen die Befehle.

Zu Horn gewandt: „Kümmern Sie sich um das Schnellboot. Es soll sofort ausgesetzt werden."

Die Geschützbedienungen rasen an ihre Waffen. So, wie sie geweckt wurden, so, wie sie aus ihren Kojen fielen, eilen sie auf ihre Gefechts=stationen ... im Schlafanzug ... im Sportzeug ... nackend ...

Die, die den Oberdecksgang an der Backbordseite benutzen müssen, warnen sich gegenseitig, der Vorherlaufende den nachfolgenden Kame=raden.

„Wahrschau! Loch im Deck."

Ein Loch im Deck? Granattreffer? Torpedotreffer?

Ein breiter Spalt gähnt mitten im Gang. Scharfkantige Eisenteile ragen aus dem dunklen Loch heraus. Unten rauscht die See. Es klingt wie ein tosender Wasserfall.

Michel verliert immer mehr an Fahrt.

Die Maschinen stehen ja still.

Die Kommando= und Feuerleitanlagen sind ausgefallen.

Die Zehnkommafünf beginnt zu bellen. Der AO läßt Leuchtgranaten schießen. Aber in dem flackernden Licht ist weit und breit kein Gegner auf dem Wasser zu sehen.

Kann auch nicht, denn der Angreifer hat wohlweislich getaucht. Er liegt auf der Lauer und macht wohl gerade jetzt die Rohre für einen neuen Torpedofächer klar ...

Alle Geschütze auf *Michel* feuern nun.

Sinnlos ... aber beruhigend.

Im Funkraum ist die elektrische Uhr stehen geblieben. Sie zeigt auf 02.17 Uhr, die genaue Zeit, da der Torpedo krepierte und der elektrische Strom ausfiel. Als der Notdynamo angeworfen wurde und das Notlicht entflammt, bietet sich den Funkern ein Bild der Verwüstung.

Die Empfänger sind aus ihren Halterungen gerissen. Schreibmaschinen liegen an Deck. Tagebuchblätter sind über den ganzen Raum verstreut. Dazwischen tummelt sich die hellblaue Kaffeekanne. Ihr Inhalt, der frisch und munter halten sollte, hat sich über die Papiere ergossen. Aber die Kanne ist ganz. Sonderbar. Sie überstand die ganze Reise. Sie stammt noch aus dem Inventar, als das Schiff noch Zivil tragen durfte.

Beißender, giftiger Qualm dringt auch in die Funkstation ein. Er kommt aus den Tiefen des Schiffes. Er schlängelt sich durch die aufge=brochenen Türen, durch die entstandenen Risse in den Wänden. Die Männer husten. Ihr Atem stockt. Aber sie harren aus.

Zwei Empfänger sind bereits auf Batteriebetrieb umgeschaltet wor=den. Der FTO, Oberleutnant von Rabenau, läßt eben den großen Sender einschalten. „Los, macht schnell, beeilt euch! Stimmt auf Tokio=Welle ab!"

In diesem Augenblick taucht durch den nebelhaften Dunst der Rauch=schwaden der Navigationsoffizier auf. Dicht hinter ihm folgt der Ober=steuermann. „Hier, von Rabenau, hier ist die letzte Position."

Der Obersteuermann blättert die Seekarte auseinander. Sein Finger tippt auf einen eingezeichneten Bleistiftstrich.

„FTO sofort verschlüsselten Funkspruch nach Tokio, daß wir torpe=diert sind."

Von Rabenau will den Befehl bestätigen. Die Antwort erstirbt auf seinen Lippen. Aus dem Reservefunkraum stürzt ein Funkgast herein. Der Mann ist völlig verstört. Mit fliegendem Atem stößt der Gefreite heraus:

„Oberfunkmeister Rahn läßt sich dienstunfähig melden. Er ist schwer verwundet. Bauch aufgerissen!"

„Bauch aufgerissen?" mischt sich der NO ein, „wieso denn das, um Himmelswillen?"

Der Funkgefreite, ein blasses junges Kerlchen, erklärt. Rahn sei durch den Treffer in seiner Koje hochgeschleudert worden. Dabei sei er am Kleiderhaken hängengeblieben. Man habe ihn in die Offiziersmesse geschafft.

„Entsetzlich", sagt der NO und fährt sich mit seiner Hand über die schweißnasse Stirn. „Braver Kerl, der Rahn ... Aber helfen können wir ihm nicht. Wir müssen funken. Wir müssen uns um das Schiff kümmern. Tun wir das nicht, erweisen wir Rahn auch keinen Dienst. Was ist ..."

Obermaat Ristaus Stimme übertönt die Debatte und den Alarm der unablässig feuernden Geschütze: „Der Sender strahlt nicht! Die Antenne ist gerissen!"

„Mann, Ristau! Packen Sie doch an. Was nützt mir denn Ihre Meldung. Los, zwei Mann raus! Notantenne anbringen!", fährt der FTO den Obermaaten an, dabei ist Ristau einer seiner besten Leute.

Aber auch der FTO, sonst die Ruhe in Person, wird nervös.

An Oberdeck ist der Teufel los. *Michel* hat so stark nach Steuerbord gekrängt, daß sich die Männer festhalten müssen, um nicht abzurutschen.

Kommandos hallen in die Nacht.

Da schreit einer auf die Brücke rauf; daß Feuer im Schiff sei, daß es in der Wachtmeisterei brenne.

Auf dem Achterdeck blitzt es unaufhörlich auf. Die beiden 15=cm= Geschütze feuern. Auch die Kanone hinter dem Schornstein beteiligt sich an dem planlosen Schießen. Die Abschüsse fallen unregelmäßig. Die Bedienung ist nicht vollzählig. Wo die anderen sind, weiß niemand zu sagen. Der Obergefreite Günther macht seinem Geschützführer eine Andeutung.

„Die kommen nicht mehr, Herr Obermaat. Als es knallte, als ich aus der Koje fiel und als ich aus dem Wohndeck noch herauskam, reichte mir das Wasser schon bis an die Brust. Die anderen begriffen wohl nicht so schnell, was los war, waren wie Menschen, die aus einer Ohnmacht erwachten, nachdem sie von einem Lastwagen überfahren worden waren. *Michel* torpediert? Unmöglich! Das versuchten sie erst zu begreifen, und dabei war jede verlorene Sekunde ein Schritt zum Abgrund ..."

„Sie meinen, die anderen sind abgesoffen, sind wie Ratten draufgegangen ...?"

Günther gibt darauf keine Antwort. Er wendet sich ab und dem Geschütz wieder zu.

Ein Schrei hallt durch die Nacht. So laut, daß er trotz der Abschüsse zu hören ist. Am 8. Geschütz schreit es einer in die Nacht:

„Torpedolaufbahn von achtern!"

Tatsächlich. Direkt auf das Heck des Hilfskreuzers zu fressen sich zwei grünlich schillernde Blasenbahnen durch die See. An Backbord- und Steuerbordseite fahren die Torpedos vorbei, so dicht neben dem Schiff, daß man glaubt, ihr Schrammen an der Bordwand zu hören.

Obermaat Brandt, der auf dem Poopdeck mit vier Mann die 3,7 cm bedient, der zuerst die Torpedos sah, schüttelt den Kopf.

„Mann, Mann, der versteht seinen Kram. Schießt zwei Aale aufs Heck und nur um Daumenbreite daneben."

„Vielleicht war es ein Verzweiflungsschuß", wendet einer ein.

„Vielleicht, Leute, vielleicht veranstalten sie, der Beute auch sicher, ein Übungsschießen. Was wollen wir denn mit dem gestoppten Schiff tun. Weglaufen? Ausgeschlossen. Der braucht nur herumzukurven, sich in die richtige Position zu setzen und auf die Taste zu drücken. Es sei, er hat keine Torpedos mehr an Bord."

Zur gleichen Zeit, da man auf dem Achterschiff im Beutel Munition für die 3,7 cm heranschleppt, da die 3,7 ein Schnellfeuer auf die ver= meintliche Abschußstelle der Torpedos eröffnet, haben andere Seeleute unter dem Befehl der Prisenoffiziere den Versuch unternommen, die Rettungsboote zu Wasser zu bringen. An der Steuerbordseite leitet Leutnant Behrend das Aussetzmanöver. Der erste Kutter schwimmt, obwohl im Dunkeln gefiert, haben die Männer das schwere Boot glatt auf die See aufgesetzt. Hauptgefreiter Pietsch hält den Kutter mit dem Bootshaken an der Bordwand fest.

In diesem Augenblick schwoit der Kutter von der Backbord etwas ab. Das ist die gleiche Sekunde, in der sie achtern die beiden heranrasenden Torpedos sahen.

Pietsch hat das Gefühl, als greife eine eiskalte Hand an seine Gurgel. Er beugt sich in dem torkelnden Boot etwas vor, um das Wasser besser sehen zu können. Seine Augen narren ihn nicht. Zwischen der Bordwand und dem Kutter rast der eine der beiden Torpedos vorbei. Er streift das Boot. Er streift auch die Bordwand. Pietsch hat deutlich das dumpfe metallene Geräusch in den Ohren.

Am Leibe bebend wie von einem Schüttelfrost gebeutelt, sieht Pietsch der Blasenbahn des todbringenden Geschosses nach. Irgendwo — ein paar hundert Meter von dem Schiff entfernt — wird er in die Tiefe fahren.

Wenn jemand in dieser elenden Situation Bewunderung verdient, dann sind es die Männer vom Maschinenpersonal.

Im Heizerraum wie im Maschinenraum arbeiten sie fieberhaft an der Notanlage.

Michel s o l l wieder fahren.

Michel m u ß wieder fahren.

Aber wird Michel bis dahin weiteren Torpedos ausweichen können...

Werden es die Männer schaffen? Bereits dringen Wasser und Öl durch die Flurplatten in die Räume. Bereits behindern auch hier giftige Gase die Männer bei ihren Arbeiten.

Der Obermaschinist ist zuversichtlich.

„Nur noch wenige Minuten", so schreit er dem Wachingenieur zu, „dann funktioniert die Brennstoffzufuhr wieder."

Weil Ölleitungen rissen, mußte *Michel* stoppen. Man hat die Fehler=quelle entdeckt. Das ist der halbe Weg nach Rom.

Kein Mensch hat Angst hier unten. Solange sie arbeiten, solange sie schuften, solange sie mit der Behebung der Schäden beschäftigt sind, denkt niemand an die Gefahr eines weiteren Torpedoschusses.

Die Brücke schreit nach Strom. Zum Teufel. Auch einige Generatoren sind ausgefallen. Solange die Generatoren nicht arbeiten, bekommen die Winschen keinen Saft. Arbeiten die Winschen nicht, kann das Schnell=boot nicht ausgesetzt werden.

Das Schnellboot ist des Kommandanten letzte Chance. Damit hofft er, den Gegner zu bedrängen. Schon die hochtourigen Schraubenge=räusche des Bootes werden bei dem U=Boot=Kommandanten Besorgnis erregen. Er wird Wasserbomben fürchten. Er wird auf größere Tiefen gehen.

Man weiß ja bei den Deutschen nie, was sie an neuen Teufeleien aus=geheckt haben, welche neuen Taktiken sie anwenden...

Korvettenkapitän von Hanstein ist für das Aussetzen des Schnell=bootes verantwortlich.

„So geht das nicht", stöhnt er schließlich, denn die mechanischen Ein=richtungen zum Aussetzen des schweren Bootes sind beschädigt. „Es müssen mehr Leute her. Wir müssen es mit der Hand versuchen." Mit Putzwolle wischt er sich die öligen Hände ab. Dann trocknet er sich den Schweiß von der Stirn. Sein Bordjackett ist weit geöffnet. Das weiße Hemd ist schwarz von der Arbeit.

„Hat einer eine Zigarette?" fragt er die Männer. Die Zigarette ist schnell gereicht. Auch das Feuer. Einer der Seeleute hat seine Jacke auf=gerissen, ausgebreitet und darunter Feuer geboten.

„Danke", sagt von Hanstein, und seine Augen wandern über die schattenhaften Gestalten seiner Männer, die hier ihre Gefechtsstation haben.

„Wo sind bloß die anderen? Wo sind denn die ganzen Leute?"

Einer der Heizer hält eine Sekunde mit seiner Arbeit inne. Seine Hand fällt wie Blei herab. Der Zeigefinger weist nach unten, als es ton=los aus ihm herausbricht:

„Das Heizerwohndeck ist voller Wasser, und das Schott zum Tor=pedoraum war dicht, als der Aal krepierte.

Was das bedeutet, weiß jeder.

Einer von Kapitän von Hansteins Gruppe ist noch herausgekommen. Aber er schweigt. Ihn schüttelt noch das Grauen...

Wie er rauskam, weiß er selbst nicht. Es gab einen Knall und plötz=
lich war der Raum bis fast unter die Decke voller Wasser. Die meisten
seiner Kameraden sind gar nicht mehr wach geworden. Sie wurden vom
Wasser überrascht. Sie ertranken in den Kojen. Nur die, die oben im
dritten Stock schliefen, denen bot sich noch ein Hoffnungsfunken. Sie
schwammen auf, sie trieben unter die Decke ... aber das Schott war
dicht.

Den einen, der davonkam, hatte der Sog nach draußen gerissen, als
das Schiff überlegte, als das eingedrungene Wasser für Sekunden durch
das Loch wieder nach draußen strebte.

Der Matrosengefreite Timm, auch er arbeitet mit am Schnellboot, er=
lebte dasselbe im Matrosendeck. Er sieht sie noch bildhaft vor seinen
Augen ... die Kameraden, die sich nach der Torpedodetonation einfach
auf die andere Seite gedreht hatten, die stur weiterschliefen, als das
Wasser ihm selbst bereits bis zur Brust geklettert war.

Doch jetzt müssen sie, die die Torpedoexplosion überlebten, an das
nackte eigene Ich denken.

Die Schlagseite nimmt zu.

Ohne sich festzuhalten, vermag keiner mehr auf seinen Beinen zu
stehen. Aber noch immer feuern die Geschütze.

Ein sinnloses Schießen.

Doch — endlich — geschieht etwas. Eins Null Trendtel schreit den
Oberbootsmann an, er möge sofort sämtliche Flöße zu Wasser bringen.
„Beeilen Sie sich, Oberbootsmann!"

Smarting will bestätigen. Sein „OK, Herr Kapitän!" bleibt ihm im
Halse stecken. Ein fürchterlicher Stoß trifft ihn unter die Fußsohlen,
läßt die Kinnladen wie bei einem Boxhieb aufeinanderschlagen, den
Oberbootsmann zusammensacken.

Der zweite, schon lange erwartete und jede — quälend lange — Sekunde
befürchtete Torpedotreffer ist da. Der Aal krepierte in Höhe des achteren
Mastes.

Durch die Luft wirbeln die Verschalungen des Flugzeugluks, und der
Druck der Explosion reißt den Männern der Bedienung der in der Nähe
montierten Zehnkommafünf die Beine weg. Wie ein unsichtbarer riesi=
ger Besen, so fegt der Druck diese Leute von ihren Podesten und — — —
in den dunklen Schlund des nun offenen Luks hinein.

Im Reservefunkraum hatte Oberfunkmaat Rott gerade befohlen, die
Geheimsachen in den Versaufsack zu stopfen, denn der Rauch und die
Gase wurden immer stärker.

Als der Torpedo traf, erlosch die Notbeleuchtung ...

Für Sekunden herrscht völlige Finsternis. Dechow sucht die Taschen=

lampe. Lag sie nicht auf dem Ablagetisch? Er arbeitet sich nach der Wand hin, er streckt den Arm aus, schiebt einen Kameraden zur Seite. Er tastet den Tisch ab und fühlt den geriffelten Griff der Lampe. Eben will sein Daumen den Schalterknopf nach oben schieben, da tut sich die Hölle auf. Die rückwärtigen Wände der Station stürzen zusammen. Dechow preßt sich an die nach außen zu liegende Seite. Er hört, wie die Sender und Empfänger an Deck stürzen, und er hört auch die kurzen, dann schnell erstickten Aufschreie seiner Kameraden.

Die Lampe blitzt auf.

Ihr Schein geistert zitternd über ein furchtbares Durcheinander. Unter den Geräten, unter den Kabeln und dem Gewirr von Stahl und Eisen liegen Dechows Kameraden. Erschlagen. Heißer Dampf entweicht aus geborstenen Rohren. Sein feuchtheißer Würgegriff langt auch nach dem letzten noch Lebenden in diesem Raum.

Und das Wasser steigt. Gurgelnd stürzt es in Kammern, Räume und Gänge, klettert höher und höher.

„Boote zu Wasser!" Der Kommandant muß brüllen, um seinen Befehl verständlich zu machen.

Er wiederholt ihn jetzt zum dritten Male...

Einige Männer bemühen sich auch, wenigstens an der Steuerbordseite die Boote wegzufieren, denn an Backbord sind alle bei dem ersten Tor= pedotreffer beschädigt worden, und — das außerdem — bei der starken Schlagseite würde sie jetzt ohnehin keiner mehr zu Wasser bringen können. Also bleiben nur die Rettungskutter an der Steuerbordseite. Einige sind unklar und ein Boot hängt, es ist vorn durchgerauscht, senk= recht im Davit.

Auf das Oberdeck und das Vorschiff leckt mit gierigen Flammen= zungen bereits die seit der Erde Bestehen so unbarmherzige See.

„Alle Mann aus dem Schiff! Rette sich, wer kann!"

Kapitän zur See Gumprich gibt den schwersten und letzten Befehl. Bis jetzt hatte er damit gezögert... hatte er noch einen Funken Hoff= nung in sich gehegt, der Gegner würde von seinem Opfer ablassen... *Michel* würde nicht sinken...

Die, die in seiner Nähe stehen, wiederholen den Befehl. Wer ihn hört, gibt ihn weiter und handelt.

Ein dritter Torpedo krepiert.

In der Höhe des Vorschiffs bricht die See auf und stülpt eine zum nächtlichen Himmel ansteigende Wasserglocke über die todgeweihte *Michel*. Als die Riesenfontäne rauschend in sich zusammenfällt, ist *Michel* bereits mit dem Heck tief in die See eingesackt.

Plötzlich läuft ein Zittern durch den Rumpf.

Der Bug reckt sich steil in den nachtschwarzen Himmel.

Über das Heck fährt *Michel* in die Tiefe.

Dem Lärm des Untergangs folgt eine beklemmende Stille.

Wer es war, vermag keiner mehr zu sagen. Aber plötzlich geistert eine Stimme durch die Nacht.

„Kameraden . . . Kameraden . . . unserer *Michel* . . . und unseren ge= fallenen Kameraden ein dreifaches Hurra . . . !"

Dann ist's wieder still. Um den überfüllten Kutter, in dem auch Dechow hockt, glupscht und gluckert die See. Die Bordwand ragt knapp eine Handbreit aus dem Wasser heraus. Das Boot ist um mehr als das Doppelte belegt. Statt 30 sind fast 70 Mann an Bord. Hier kommt einer, dort ein anderer Kamerad herangeschwommen. Die See leuchtet silbern auf, wenn die Arme der Schwimmer sie zerteilen.

Einige sehen das dem Sinken nahe Boot mit großen Augen an – – –

Sie schwimmen schweigend wieder weg.

Und niemand ruft sie zurück. Niemand bringt ein „Halt Kameraden" über die Lippen.

So treiben sie in dem Boot dahin. Bis sie eine Stimme aus dem Wasser aufrüttelt.

„Ist ein Offizier im Boot?"

Niemand antwortet.

„Dann übernehme ich das Kommando."

Sie zerren Oberleutnant Behrend in den Kutter. An seinem Schlaf= anzug fehlt das rechte Bein. Jemand reicht ihm einen blauen Wachmantel hin. Behrend schiebt die Männer zur Seite. Er windet sich durch die be= benden Leiber in Schlafanzügen und in Sportzeug hindurch. Wortlos setzt er sich ans Ruder.

Nach einer kurzen Pause ergeht der Befehl, die Ruder aufzunehmen und in Richtung Küste zu pullen.

Mit der Morgendämmerung werden die Masten aufgerichtet und Segel gesetzt. Der Himmel ist grau. Die Wolken hängen tief.

„Kurs Nordwest!" hat Behrend bestimmt. Einige andere wollen es besser wissen. Sie äußern Zweifel.

Behrends Stimme ist metallen hart, als er diese Männer zurechtweisen muß, als er als Tagesration einen halben Becher Wasser, eine Milch= tablette und ein Stück Zwieback bewilligt.

Stunden später murrt keiner mehr.

Sie sehen japanische Flugzeuge, sie winken wie besessen, aber sie werden nicht gesehen . . .

Sie sichten Fischerboote, und sie rudern mit ihren letzten Kräften, aber sie werden nicht entdeckt . . .

Und am nächsten Tage schiebt sich eine stahlgraue Wolkenwand über die Kimm. Eine Sturmböe fegt über die See. Das Boot arbeitet bedroh= lich in der von den kurzen aber heftigen Windstößen aufgewühlten See. Aber es kentert nicht.

Und plötzlich ist das, was wie ein Spuk kam, auch wie ein Spuk vorbei.

Sie sehen Land.

Und Behrend muß sich erneut durchsetzen, denn das Land sind un= bewohnte Inseln.

Und wieder breitet eine Nacht ihre dunklen Schwingen aus, wieder frieren die Männer, wieder rücken ihre Leiber ganz dicht zusammen, um einander zu wärmen, wieder werden die drei Wachmäntel von Mann zu Mann gereicht, damit sich jeder einmal aufwärmen kann. Oberleut= nant Behrend macht keine Ausnahme.

Mit dem ersten schwachen Licht des Morgens kommt die Rettung. Sie sehen das japanische Festland, auf das ein günstiger Strom sie in der Nacht zutreiben ließ.

Aber der kleine Küstendampfer, der mit dem Tageslicht über die Kimm heraufschwimmt, kümmert sich weder um die Fackeln, noch um die Rufe, noch um die winkenden Hände und wehenden Hemden.

Nachmittags schwimmen sie mit ihrem Boot dicht vor der Brandung, dahinter, in fast greifbarer Nähe, Land. Sie erkennen Häuser und an den Strand eilende Menschen.

Mit übermenschlichen Kräften pullen sie das schwere und überladene Boot auf die hochgehende donnernde Brandung zu. Alle im Boot sind sich mit Behrend einig, die dargebotene Hand des jetzt von der japani= schen Signalstation heranschnaubenden Motorbootes nicht in Anspruch zu nehmen.

Sie kommen ohne fremde Hilfe durch. Sie kentern nicht.

Knirschend setzt der Kiel auf den Strand auf.

Japaner strömen auf das Boot zu.

Die Überlebenden trauen ihren Augen nicht. Die Japaner sind bewaff= net. Sie haben Gewehre im Anschlag unter dem Arm, sie haben Sensen und Knüppel in den Händen. Und in ihren Gesichtern steht Haß, gna= denloser Haß.

„Kokoni doitsuno kaigun!" brüllt Dechow ihnen entgegen . . . „Hier deutsche Kriegsmarine . . ."

Die Füße der Japaner stocken.

Ein Polizeibeamter bewegt gestenhaft seine Hände zurück, er weist seine Landsleute an, zurückzubleiben. Mit gezogenem Säbel geht er mit langsamen Schritten auf das Boot zu, in dem die Japaner alles andere, nur keine Schiffbrüchigen vermuten. In allem Ernst, die Japaner glauben, dieses Boot sei der Vorreiter der erwarteten amerikanischen Invasion. Plötzlich ist ein japanischer Seeoffizier von der Signalstation da. Sein Mißtrauen ist nicht zu zerreden. Er ist zwar zu überzeugen, das diese waffenlosen und erschöpften Weißen keine Invasoren sein können, aber vielleicht gehören sie zu einem Sabotagekommando, deren Mitglieder sich als schiffbrüchige Deutsche ausgeben. Aber schließlich läßt sich der japanische Offizier darauf ein, daß Oberleutnant Behrend in seiner Gegenwart von der Polizeistation die Deutsche Botschaft in Tokio anruft.

Admiral Wennecker, der Marineattaché bei der Botschaft, kann es nicht fassen, was ihm Behrend berichtet. Behrend muß seine Meldung wiederholen.

„Jawohl, Herr Admiral, es stimmt, was ich soeben durchgab. Wir sind hier 70 Überlebende und sind auf der Halbinsel Izu bei Irosaki gelandet. *Michel* ist auf 44°39 Nord und 139°01 Ost versenkt worden. Die Position bezieht sich auf unser letztes Mittagsbesteck. Der Angreifer kann nur ein amerikanisches U=Boot gewesen sein. Ich sah das Boot eine Stunde nach dem Untergang der *Michel*. Es tauchte in unmittelbarer Nähe unseres Rettungsbootes auf, übernahm aber niemanden, kümmerte sich auch nicht um uns und verschwand."

Admiral Wennecker verspricht, sofort das japanische Marineministerium zu alarmieren, um den Versenkungsplatz nach weiteren Überlebenden abzusuchen.

Die 70 Geretteten werden in einem exclusiven Hotel in der Nähe der Schwefelquellen untergebracht und von den Japanern, von Zivilisten wie Militärs, nun mit allergrößter Zuvorkommenheit und Hochachtung behandelt. Die Deutschen bekommen, was sie nur erbitten. Als charmante und grazile Japanerinnen jedem der deutschen Gäste nach deren Bad je ein kleines Tischchen mit 20 bis 30 verschiedenen auserlesenen Speisen in den Speisesaal stellen, als die japanischen Mädchen die großen weißen Männer im Gebrauch der Eßstäbchen für den körnig gekochten Reis unterweisen, verblassen die Strapazen der letzten Tage und die letzten Minuten auf der versunkenen Heimat *Michel*.

Das Lächeln eines Mädchens genügt, um das Grauen und die Opfer bei diesen zur Enthaltsamkeit gezwungenen Männern vergessen zu lassen. Kein Volk hat solches treffender in Worte gekleidet als die Franzosen, in die Worte: "C'est la guerre".

Beruhigend für alle sind auch die Worte, die der in den späten Abendstunden aus Tokio eingetroffene 1. Gehilfe des Marineattachés und Leiters des deutschen Marinesonderstabes in Tokio, Kapitän zur See Vermehren, an die Überlebenden richtet. Nach seinen Darstellungen hätten

die Japaner sofort nach Bekanntwerden der Katastrophe Rettungsfahr=
zeuge in den Bereich der Versenkungsstelle entsandt.

Die Wahrheit verschweigt Vermehren, eine bittere, hoffnungslose
Wahrheit. Lediglich Oberleutnant Behrend bekommt sie zu hören: Der
deutsche Admiral sei zwar sofort vom japanischen Marineminister emp=
fangen worden. Dieser habe, ehrlich bestürzt, sein aufrichtiges Bedauern
ausgesprochen, aber keine Möglichkeit gesehen, Kriegsschiffeinheiten
oder andere Fahrzeuge an den Platz der Versenkung zu entsenden. Die
Überlebenden zu suchen, bedeute, japanische Kriegsschiffe und Seeleute
zu opfern. So sieht es zur Stunde bereits um den verblassenden Glorien=
schein der ruhmreichen Marine Nippons aus.

Dennoch gelangen in den nächsten Tagen noch weitere Überlebende
in Schlauchbooten an Land. Insgesamt sind es 116 Mann von 400, die
die Katastrophe überleben.

Unter den Vermißten ist auch der Kommandant, Kapitän zur See
Gumprich.

Admiral Wennecker in seinem Bericht an das OKM in Berlin:

... Nach Aussagen Geretteter habe Gumprich kurz vor dem dritten
Torpedotreffer den Befehl zum Verlassen des Schiffes gegeben. Er habe
nichts zu seiner eigenen Rettung unternommen.

Er habe sich umgedreht und sei dann langsam in das Kartenhaus ge=
gangen ...

✳

Mai 1945.

In Europa schweigen die Waffen.

Der Krieg ist aus.

HSK *Michel* war und blieb der letzte der Korsaren, der letzte Zeuge
vollendeter Fairneß auf See, trotz der Härte eines so irrsinnigen Krieges
umrankt mit dem goldenen Schimmer der Romantik und des großen
Abenteuers.

Von elf deutschen Hilfskreuzern kamen

neun zum Einsatz,

drei davon zogen ein zweites Mal hinaus.

Insgesamt versenkten die deutschen Hilfskreuzer im Zweiten Welt=
krieg

... BRT.

Der Frachtraum, der durch das Auftreten der deutschen Gespenster=
schiffe in den Häfen an den Ozeanen der Welt oft für Tage und Wochen
liegen blieb oder durch notwendig gewordene Geleitzugfahrten verzö=
gert wurde oder Zeiteinbußen durch immer neue Umwege erlitt,

ist in Zahlen einfach nicht auszudrücken.

Gemessen an den Erfolgen waren die Opfer, so schwer sie auch wie=
gen, verhältnismäßig gering, denn einen Krieg ohne Risiko hat es nicht
gegeben und wird es auch nicht geben.

Dies soll kein Trost sein, eine Warnung vielmehr, denn das Risiko
ist heute für beide Teile größer denn je.

*

Doch mit der Waffenruhe endete nicht der Krieg.

Die Sieger tragen Haß im Herzen.

Mit der Befreiung von der braunen Diktatur säen sie Angst, fördern
sie die Denunziation, setzen sie fort, was sie bei Hitler so verurteilten:
die mangelnde Achtung vor der Kreatur Mensch, die irren und auch
irregeleitet werden kann, denn Haß macht blind.

Erst Hitler — — — nun die Sieger.

In den Gefangenenlagern — im Osten wie im Westen verenden Tau=
sende und Abertausende. Männer von der Luftwaffe, vom Heer, von
der Marine und der Waffen=SS.

Schuldige, Belastete und Unschuldige ohne Unterschied, nur weil sie
Deutsche sind.

Im Hamburger Curio Haus wird von den Briten der Kapitän zur See
und Hilfskreuzerkommandant Hellmuth von Ruckteschell angeklagt,
derselbe deutsche Marineoffizier, den die Briten schon einmal, nach dem
Weltkrieg Eins, auf die schwarze Liste gesetzt hatten, weil er zu viel
versenkt und zu kompromißlos, das heißt zu britisch, gehandelt hatte.

Das britische Gericht — es setzt sich, obwohl es über einen Marine=
Fall Recht finden soll, sonderbarerweise aus Heeresoffizieren, aus vier
Obersten, und nur einem jungen Navy=Offizier zusammen — wirft von
Ruckteschell vor:
a) er habe als Kommandant des HSK *Michel* nicht genügend Vorberei=
   tungen für die Aufnahme von Schiffbrüchigen getroffen,
b) er habe Rettungsboote mit Überlebenden beschossen.

Das ist glatter Nonsens.

Von Ruckteschell hat zwar hart, aber dennoch fair gekämpft, und er
ist, wie bewiesen, stets in den Morgenstunden an den Schauplatz einer
nächtlichen Versenkung zurückgekehrt, um erneut und nun bei Tages=
licht nach Überlebenden zu suchen, und dieses auch, wenn der Gegner
gefunkt hatte oder wenn gegnerische Seestreitkräfte in diesem Seeraum
zu erwarten waren.

Nichts, gar nichts davon ist wahr, daß von Ruckteschell mit Über=

lebenden besetzte Rettungsboote beschießen ließ oder aus Versehen beschoß!

Er wartete stets, bis die Rettungsboote mit den Überlebenden aus dem Schußbereich der Hilfskreuzerwaffen herausgepullt worden waren; es mag allerdings vorgekommen sein, daß Splitter krepierender Grana=ten in dem einen oder anderen Fall bis in die Nähe der Rettungskutter flogen.

Die deutsche Verteidigung entkräftet die Vorwürfe, und das Gericht muß sich zu der Einsicht bequemen, daß auch die Aussagen des norwegi=schen Kapitäns, der sich als Zeuge anbot, widerspruchsvoll sind und die Anklage auf schwache Füße stellen.

Deutsche Besatzungsmitglieder entlasten von Ruckteschell, und da sie keine Naziverfolgten sind, beziehungsweise solches nicht vorgeben, son-dern sich offen und ehrlich zu ihrem Soldatentum bekennen, gelten ihre Worte wenig oder nichts.

Sie haben Gelegenheit, mit ihrem Kommandanten zu sprechen. Sie erleben ihn verzweifelt an der Gerechtigkeit dieser Welt. Resigniert schüttelt er immer wieder den Kopf. Und irgendwann fällt während dieser Unterredungen ein Wort, das Millionen Deutsche bewegt, das Wörtchen Hunger.

Was die ehemaligen *Michel*=Offiziere ... Erhardt, Roedel, Hoppe und Behrend ... an Tagesverzehr bei sich führen, zerren sie aus den Taschen ihrer zerschlissenen Uniformjacken heraus.

Von Ruckteschell, ausgezehrt und ausgehungert in einem alliierten, von Deutschen bewachten Untersuchungsgefängnis, verzehrt das Brot schweigend ... zehn Scheiben trockenes Brot, die zusammenkamen.

„Ja", sagt er nach seinem Dank, „lieber hungern, als noch einmal diese Demütigungen durchmachen zu müssen. Man hat mich während der Zeit meiner Gefangenschaft gelehrt, daß die Zahnbürste nicht nur ein Reinigungsinstrument für die Zähne sein kann ..."

Wie die Gefangenschaft — so auch das Urteil.

Von Ruckteschell wird auf Grund der zweifelhaften Zeugenaussagen schuldig gesprochen und zu zehn Jahren Gefängnis verurteilt.

Der britische Unteroffizier, ein Mitglied der britischen Navy, nimmt von Ruckteschell auf der Fahrt zum Hamburger Gefängnis die Hand=schellen ab, reicht ihm eine Zigarette und gibt ihm Feuer:

„Ich habe den Prozeß mit angehört. Für mich sind Sie kein Kriegs=verbrecher, Sir."

Vae victis!

Wehe den Besiegten!

Ein Wort noch dazu:

Die deutschen Hilfskreuzer haben gegnerische Handelsschiffe gestellt und versenkt, das war ihre völkerrechtlich erlaubte Aufgabe. Sie haben, wie geschildert, in allen Fällen Überlebende gerettet und an Bord genommen. Von der Gegenseite, der es genauso darum ging, Frachtschiffe der Deutschen aufzubringen, nur drei Beispiele*).

Der Blockadebrecher *Rio Grande* wurde von alliierten Seestreitkräften am 4. Januar 1944 im mittleren Südatlantik gestellt und von seiner Besatzung selbst versenkt. Schiff und Rettungsboote lagen bis zum Untergang der *Rio Grande* unter schwerstem Feuer der gegnerischen Seestreitkräfte. Dabei hatte die *Rio Grande* nicht einmal den Versuch gemacht, die Waffen zu besetzen.

Der *Weserland* erging es nicht viel anders und vielen anderen deutschen Frachtschiffen ebenso.

Im Indischen Ozean wird der deutsche Versorger *Brake* von gegnerischen Seestreitkräften gestellt und zur Selbstversenkung gezwungen. Kapitän Kölschbach verläßt als letzter sein sinkendes Schiff. Kölschbach, sein Erster Offizier, ein Marineoffizier und ein Matrose haben sich in das Dingi gerettet. Sie schwimmen 200 Meter von der *Brake* ab, als diese nach dem Krepieren der letzten Sprengladung in die Tiefe fährt.

Nur noch Rettungsboote schwimmen jetzt auf der See. Als die vier Schiffbrüchigen mit ihrem kleinen Dingi mit einer See emporgehoben werden, sehen sie den Zerstörer direkt auf sich zubrausen. Er schwimmt aber vorbei. Als er 400 Meter abgelaufen ist, beginnt er plötzlich mit dem Maschinengewehr auf das Dingi und die vier Überlebenden zu schießen... Wer mehr über dieses unfaßbare Geschehen lesen will, findet es in Kapitän Kölschbachs Buch*).

Diese kleine Auslese — es ist nur eine Auslese! — mag genügen.

Um die Überlebenden kümmerten sich die Angreifer in obigen Fällen nicht, eine Tatsache, die auch in Verbindung mit der Selbstversenkung des HSK *Atlantis* bei allem Verständnis für diese Handlungsweise des britischen Kommandanten noch einmal Erwähnung verdient.

Bleiben wir bei den Beispielen, wohlbemerkt nur Beispielen:

a) die angreifenden alliierten Seestreitkräfte hatten nicht im mindesten Vorkehrungen zur Aufnahme der Schiffbrüchigen unternommen, sondern widmeten sich nach der Versenkung ihrer Kontrollaufgabe in den ihnen zugewiesenen Seegebieten.

b) in den genannten Fällen wurden nicht nur sich nicht wehrende Schiffe beschossen, sondern auch Rettungsboote mit Überlebenden mit Granatfeuer belegt.

---

*) „Käp'n Kölschbach. Der Blockadebrecher mit der glücklichen Hand." Koehlers Verlagsgesellschaft, Biberach a. d. Riß.

In Bad Harzburg haben die Justizminister der Bundesrepublik im Oktober 1958 auf einer Konferenz beschlossen, bisher ungesühnte Kriegs= und KZ=Verbrechen von einer Zentralstelle verfolgen zu lassen, um diese gerecht zu ahnden. „Das ist gut so", schrieb die Frankfurter Allgemeine mit dem 6. Oktober 1958 dazu und schließt: „Niemand wird die Unabhängigkeit und Gerichte antasten wollen. Aber kann es sich ein Rechtsstaat leisten, daß seine Bürger, wenn sie im Freundeskreis, an Stammtischen und in Kneipen über die sanften Urteile der letzten Monate reden, immer wieder — empört oder mit einem Augenzwin= kern — auf die möglichen psychologischen Handicaps der Richter zu sprechen kommen?"

Von einem aber ist nicht die Rede: wer kümmert sich um Verbrechen an deutschen Menschen, an Bürgern, an Frauen und Kindern, an Solda= ten und an Seeleuten? Wer ahndet Fälle, wie sie oben geschildert wurden und wer die Legion all der anderen?

Aber wir wollen vergessen.

Hellmuth von Ruckteschells Name bleibt unbefleckt.

∗

1946.

Im November hat das IMT, das Internationale Militär=Gericht, ver= sucht, Recht zu sprechen. Das Wort von der Kollektiv=Schuld wird ge= boren. Nicht die Hingerichteten allein seien die Schuldigen. Jeder Deutsche! Auch die Frauen! Auch die Kinder! Denn auch diesen ver= wehren die Befreier das Brot.

In Wilhelmshaven hat der ehemalige Hilfskreuzerkommandant Kapi= tän zur See Horst Gerlach eine bescheidene Notunterkunft gefunden. Aber arbeiten darf er nicht. Die deutschen Stellen haben — nicht einmal unter dem Druck der Besatzungsmächte — von sich aus Anweisung ge= geben, daß Gerlach in keiner gehobenen oder mittleren Stellung be= schäftigt werden dürfe. Er sei als Hilfsarbeiter heranzuziehen, er, der auch einer jener Kriegsverbrecher sei ... So in den Augen *jener* chamä= leonhaft wandlungsfähigen Deutschen, die nie in der Partei gewesen waren, die immer dagegen gewesen seien, die stets Widerstand geleistet hätten, so viel Widerstand, daß es danach kaum Nazis hätte geben dürfen.

In diesen Tagen bekommt Gerlach ein Paket. Der Poststempel weist einen Absender in England aus.

Das Paket enthält Fett, Milchpulver, Fleischkonserven, Wollsachen, Zigaretten und viele andere in Deutschland fast kostbarer als Gold ge= wordene Dinge.

Der Absender ist der britische Kapitän Griffith, jener Brite, dessen Schiff Gerlach als Soldat und Kommandant eines Hilfskreuzers versen= ken mußte.

Der Brite macht nicht viel Worte in seinem Begleitschreiben.

„Ich denke, das können Sie, Sir, jetzt gebrauchen. Gott beschütze Sie! Ihr sehr ergebener . . ."

Das ist alles.

Manchmal ist wenig viel!

Es war kein Einzelfall, auch andere Kommandanten wurden ähnlich überrascht.

*

Mai, 1950!

In diesen Tagen kommt es im Hamburger Hafen zu einer Begegnung zwischen dem britischen Captain Woodcock und dem ehemaligen Kom= mandanten des HSK *Atlantis.*

Rogge hatte im Kriege, am 17. Juni 1941, auf der Höhe von Pernam= buco Woodcocks *Tottenham* versenkt. Woodcock war gewißlich kein Freund des Hilfskreuzerkommandanten. Was sich die beiden auf der im Hamburger Hafen am Schuppen 83 vertäuten *Wanstead,* Woodcocks werftneuem Schiff, zu erzählen hatten, hörte der deutsche Pressephoto= graph Kallmorgen mit an,

ein ermutigendes Gespräch, weil es wieder einmal bewies, daß die Kluft zwischen den erbitterten Feinden von gestern und die eisige Di= stanz zwischen Siegern und Besiegten, durch persönlichen Kontakt leicht zu überbrücken ist — wenn Feinde von gestern sich mit gutem Gewis= sen ins Auge schauen können.

Es war überaus eigenartig zu sehen und zu hören, wie die beiden Seeleute sich durchaus freundschaftlich unterhielten, und der eine strah= lend erzählte, was er getan hatte, um der Verfolgung des anderen zu entgehen, und der wiederum erklärte, was er unternommen hatte, um ein Entkommen zu vereiteln.

Da standen die Beiden also auf dem Mitteldeck des funkelnagelneuen Schiffes, auf das der Engländer offensichtlich stolz war. Sie unterhielten sich über ihre damalige Begegnung.

„Ich kann überhaupt nicht begreifen", sagt Woodcock nachdenklich, „wie Sie mich damals gefunden haben. Ich wollte über Kapstadt durch den Suez nach Alexandrien. Hatte Flugzeuge und Flugzeugteile, Uni= formen, Proviant, Traktoren und Kraftfahrzeuge für den Nachschub der achten Armee an Bord. Wie haben Sie mich eigentlich nun wirklich ent= deckt?"

„Das war das Bordflugzeug! Es kam mit der Meldung zurück: Schö=
nes, großes Schiff mit Ostsüdostkurs."

„Und das freute Sie natürlich!"

„Es freute mich!"

„Kann ich begreifen. Es ist mir unverständlich, wieso wir das Flug=
zeug weder hörten noch sahen. Schlamperei, denken Sie, nicht wahr?"

„Den Vogel konnten Sie doch gar nicht sehen, kein Wort also von
Schlamperei!"

„Na, dann ist es gut! Und was taten Sie nun?"

„Jetzt versuchte ich, die Rätsel zu lösen, die Sie mir aufgaben."

„Ich wüßte nicht, was da viel zu raten war."

„Ich fuhr außer ihrer Sichtweite neben Ihnen her, lose Fühlung hal=
tend durch unseren Ausguck im Masttop."

„Im Masttop?"

„Ja, ich hatte immer einen Mann im Masttop. Er hockte da oben, mit
einem Feuerwehrgurt auf einem Motorradsattel angeschnallt. Der Sattel
lief auf einer Schiene, so daß der Mann um den Mast herumfahren
konnte."

„Gute Sache! Fühlte sich der Mann sehr glücklich da oben?"

„Der Mann klagte immer, es sei etwas windig. Aber die Tatsache,
daß er da oben saß, ermöglichte es mir, bei Tage Fühlung zu halten und
bei Nacht überraschend anzugreifen. Und am Nachmittag war es, als Sie
uns das Rätsel aufgaben. Jetzt können Sie es ja lösen, das Rätsel näm=
lich. Plötzlich legten Sie gegen 16.00 Uhr eine
Nebelwand und schossen noch dazu aus Ihrem Heckgeschütz. Wir dach=
ten, was treibt der denn da? Auf was schießt der denn? Warum macht
er so viel Lärm?"

Der Engländer lächelte leicht. Dann meinte er. „Aber ich hatte Sie
doch gar nicht gesehen! Ich dachte, ich wäre mutterseelenallein. Da pro=
bierte ich die Nebelanlage aus, und da wir nun schon einmal beim Pro=
bieren waren, nahm ich mir das Heckgeschütz vor und ballerte auf das
Nebelfaß. Traf es auch. Und nun erzählen Sie von der Nacht!"

„Es war gar nicht so einfach, Sie zu fassen. Als ich annahm, ich sei
nahe genug an Sie herangekommen, gab ich Feuererlaubnis, und meine
Artillerie schoß los."

„Aber Sie schossen gar nicht gut. Verzeihen Sie, wenn ich Ihnen das
sage. Und es war mein Glück, daß Sie so schlecht schossen, denn ich
konnte meine Notmeldung an die Britische Admiralität noch durchbrin=
gen. Warum schossen Sie eigentlich so schlecht?"

Rogge, etwas beeindruckt: „Ich hatte die Entfernung falsch geschätzt.
Ihr Schiff lag sehr hoch aus dem Wasser. Dann war der Anstrich der

Tottenham hellgrau und sehr schlecht sichtbar. Mein Scheinwerfer kam nicht bis zum Ziel durch, daran lag es. Sie drehten ab."

„Natürlich drehte ich ab, und dann schossen Sie Leuchtgranaten. Schlechte Leuchtgranaten, wenn ich Ihnen auch das sagen darf, ganz schlechte, gingen immer gleich aus. Und dann schickten Sie uns Ihre Torpedos herüber."

Rogge, wieder stark beeindruckt: „War kein guter Einfall, die Sache mit den Torpedos. Hätte mich fast bei dieser Gelegenheit selbst torpe= diert. Denken Sie, ich schieße einen Torpedo ab, er wird zum Kreis= läufer und kommt wieder auf uns losgebraust."

Der Engländer sehr interessiert: „Böse Sache das! Aber die anderen Torpedos, die Sie auf uns schossen! Na wissen Sie! Der eine lief ganz woanders hin. Der zweite war gut geschossen, das muß ich zugeben. Er traf mich in den Bug. Und als ich nun dachte, jetzt fliegen wir in die Luft, da geschah gar nichts. Ganz schlechter Torpedo!"

Über den dramatischen Schluß des Geschehens wurden sich Rogge und der *Tottenham*=Kapitän schnell einig. Die Engländer gingen in die Boote und die *Atlantis* versenkte die *Tottenham* mit Artillerie. Captain Woodcock kam als Gefangener an Bord der *Atlantis*.

„Die drei Monate, die ich auf Ihrem Schiff gefangen saß, sind übrigens wie im Flug vergangen. Muß Ihnen mein Kompliment machen. Sie ha= ben alles getan, uns unser Los zu erleichtern. Hatte ein paar nette Drinks mit Ihrem Adjutanten, das war ein elend langer Bursche. Den mochten wir sehr gern. Hieß Mohr, war sehr freigiebig. Besonders nett war Ihr Navigationsoffizier, Kapitän Kamenz. War ein „Old Sailor". In dieser Beziehung war die *Atlantis* ein feines Schiff. Sah nie mißvergnügte Ge= sichter. Alle waren zufrieden, und was Sie für die Gefangenen taten...! Die gute Unterbringung und Verpflegung, der Spielplatz für die Kinder, die Sandkiste... Und erinnern Sie sich auch noch an das: Sie hatten an Bord einen Scotch Terrier, und einmal kamen Sie auf die Idee, ein Kinderfest zu veranstalten unter dem Motto: ‚Reiten der Kinder auf dem Hund des Kommandanten'. Wurde ein voller Erfolg. Vor allen Dingen für den Hund. Aber eines geschah, und das konnten Sie damals nicht wissen, das will ich Ihnen heute verraten."

„Was war's denn?"

„Wir wußten jederzeit den Schiffsort!"

Rogge wird böse: „Wie denn? Was denn? Das ist ja unglaublich! Wie haben Sie denn das gemacht?"

„Ich nicht, sondern mein Erster Offizier. Der baute sich heimlich aus Konservenbüchsen und Spiegeln einen Sextanten. Hatten Sie wohl keine Ahnung von, was?"

„Nein, bei Gott nicht."

Captain Woodcock ganz stolz: „Und wie unsere Berechnungen stimm=
ten. Nach drei Monaten erst hatten wir Gelegenheit, unsere Arbeit zu
überprüfen. Da versenkten Sie ein Schiff im Pazifik. Als die Crew an
Bord kam, fragten wir nach der letzten Mittagsposition. Bis auf vierzig
Seemeilen stimmten unsere Berechnungen. Ist das nicht eine feine Lei=
stung?"

Rogge: „Mein Kompliment."

„Und das muß ich noch sagen. Ihre Leute: anhängliches Volk. Saß da,
mit einer Ihrer Prisen nach Deutschland geschafft, später im Gefan=
genenlager in der Nähe von Bremen. Plötzlich kommt Besuch. Wer?
Ihr Adjutant, dieses nette lange Stück. Kommt uns besuchen. Wollte
mal ,Guten Tag' sagen. Brachte Geschenke. Good old fellow, dieser
Doktor Mohr. Wollen wir jetzt Tee trinken?"

Die beiden gehen in die Kajüte. Rogge strahlt. Der alte Seemann sitzt
wieder in der Kajüte eines Schiffes.

Da sagte der Brite:

„Bin doch nun, weiß Gott, auf vielen Schiffen gewesen. Eines müssen
Sie mir aber erklären. Ihre *Atlantis* war, als ich an Bord kam, dreizehn
Monate auf See. Ohne Hafen, ohne Werft. Ihre Leute immerzu ange=
spannt, denn schließlich führten Sie Krieg. Das ganze Schiff mit allen
seinen Einrichtungen war tadellos intakt. Wie haben Sie das nur tech=
nisch geschafft?"

Rogge, der sonst keine Zigaretten raucht, nimmt die angebotene, um
Woodcock zufriedenzustellen, raucht unbeholfen und sagt:

„Hat mit der Technik nichts zu tun, sondern mit der Seele."

Der Brite erschrickt, setzt die Teetasse hin, macht große Augen und
fragt: „Was für eine Seele?"

„Alte Seeleute wissen, daß jedes Schiff eine Seele hat, die von Men=
schen betreut sein will."

„Was Sie nicht sagen!"

„Es ist für den Erfolg unbedingt erforderlich, daß Sie die Seele des
Schiffes mit der menschlichen in Gleichklang bringen."

„Nehmen Sie noch etwas Tee? Was Sie da sagen, ist etwas schwer
zu verstehen, denn es sind doch viele menschliche Seelen an Bord, nicht
nur eine."

„Wir kommen der Sache schon etwas näher. Sie müssen nämlich da=
für sorgen, daß sich eben nicht viele menschliche Seelen an Bord be=
finden, sondern nur eine. Und diese *eine* muß mit der Schiffsseele har=
monieren."

„Ach? Ameisenhaufen?"

386

„Nicht Ameisenhaufen. Menschliches. Es fängt an, bevor das Schiff ausläuft. Es kommt zum Beispiel darauf an, wie die Intelligenzen ver= teilt sind."

„Möglichst viel Intelligenzen, wie?"

„Keineswegs. Die Intelligenz muß gut durchschnittlich sein und nicht mehr. Man muß dafür sorgen, daß es nicht allzu viele überragende In= telligenzen gibt, nur wenige, damit das Gespräch nicht abreißt. Ein paar genügen, um als Anregende da zu sein. Wären es mehr, so würden sie die Gemüter beeinträchtigen. Es kommt also nicht auf ein hohes Niveau an, sondern auf eine einheitliche Seele. Man braucht also Menschen mit Herz, mit Seele, mit Gemüt und mit Charakter.

Und jetzt braucht man noch darauf achten, daß diese Seele, eben diese einheitliche Seele, schwingt."

Dreimal sagt der Engländer „hm" und dann: „Wissen Sie noch, was Sie zu mir sagten, nachdem Sie mein Schiff versenkt hatten? Ich war broken down damals, was verständlich ist. Aber ich habe Ihre Worte nicht vergessen. Erinnern Sie sich?"

„Genau, denn ich habe diese Sätze nicht nur zu Ihnen gesagt, sondern zu jedem Kapitän, der in gleicher Lage wie Sie zu mir an Bord kam. Ich sagte: ‚Ich bedaure, daß ich Ihr Schiff versenken mußte, besonders deswegen, weil nach meiner Auffassung ein Schiff keine Sache ist, son= dern ein Wesen mit Seele und zudem jahrelang die Heimat von Berufs= kameraden war. Sie haben den Krieg ebensowenig gewollt wie ich und Sie müßten im umgekehrten Falle mit mir das gleiche tun.'"

Jetzt trennen sich die beiden. Da sagt der Engländer: „Haben Sie den steifen, schwarzen Hut noch?"

„Welchen Hut?" fragt Rogge.

Der Engländer: „Aber Sie müssen sich doch erinnern! Sie trugen auf der Brücke Ihres Schiffes, das doch ein Kriegsschiff war, einen schwarzen, steifen Hut! Nachdem ich das wußte, dachte ich gut von Ihrem Cha= rakter."

So sieht das also aus, wenn nach vielen Jahren sich ein Engländer und ein Deutscher treffen, von denen der eine des anderen Schiff ver= senkte.

Sollte die Welt doch vernünftiger sein, als wir glauben?

*

Perth in Australien, 1958.

Jeden Sonntag, jeden Feiertag wandert eine ergraute Frau zum Fried= hof hinaus. An einem mit Liebe gepflegtem Grab legt sie Blumen nieder, spricht sie ein Gebet, ein Gebet für einen einst jungen, lebensfrohen Menschen, der hier seine letzte Ruhestätte fand,

und ein Gebet für einen, auch jungen Mann,

den die See fraß.

Der, den sie hier Anfang 1942 mit militärischen Ehren bestatteten, war der deutsche Marine=Obergefreite Erich Meyer, ehemals Mitglied der Besatzung des deutschen Hilfskreuzers *Kormoran*, verstorben nach der glücklichen Errettung der Überlebenden im Hospital zu Perth.

Der andere, dem die feiertägliche Andacht dieser alten Dame gilt, war ein Besatzungsmitglied des australischen Leichten Kreuzers *Sydney*, einer der Besatzung, von der nach dem Seegefecht mit dem Raider *Kormoran* kein einziger den Untergang überlebte.

Dieser „andere" ist der Sohn dieser alten Frau . . .

Das Kind einer Mutter,

deren Liebe größer ist als Haß.

HILFSKREUZER: IHRE BEDEUTUNG, IHRE AUFGABEN

Wieviel heillose Verwirrung herrscht nicht nur bei Laien, nein auch in maritimen Kreisen, also auch bei solchen, die es eigentlich wissen sollen, über Begriffe wie Kaperschiffe, Hilfskreuzer, Hilfskriegsschiffe, Handelsstörkreuzer oder getarnte Kriegsschiffe.

Grundsätzlich, das sei vorausgeschickt, muß ein Unterschied zwischen reinen Hilfskriegsschiffen und sogenannten Hilfsbeischiffen gemacht werden.

Unter den Begriff Hilfskriegsschiffe fallen nicht nur die Hilfskreuzer an sich, sondern auch die vielen anderen Fahrzeuge, die bei einem Not= stand — vor allem im Kriege mit einer stärkeren und überlegenen See= macht — aus ehemaligen Handelsschiffen umgebaut und unter der Kriegs= flagge der betreffenden Nation in Dienst gestellt werden. Das bezieht sich vornehmlich auf Vorpostenboote, Hilfs=Minensuchboote, Minen= leger, auf U=Boot=Jäger, Netzleger oder Sperrbrecher und dergleichen. Diese Schiffe hatten bzw. haben im Ernstfalle eine rein militärische Be= satzung mit einem verhältnismäßig hohen Prozentsatz an Reservisten, meist Männer, die schon früher als zivile Seeleute auf solchen Schiffen fuhren und daher mit den Eigenarten dieser Typen vertraut sind.

Dies trifft in besonderem Maße auf die Hilfskreuzer zu, auf denen die verantwortungsvolle Dienststellung des Navigationsoffiziers in vielen Fällen A6=Patentinhaber, also „Kapitäne auf großer Fahrt", bekleideten und die Prisenoffiziere mit ihren gleichzeitigen Funktionen als WO's grundsätzlich HSO's gewesen sind. Auch bei den Ingenieur=Offizieren wurden vielfach Handelsschiffs=Ingenieure, hier meist die ehemaligen Chiefs der Schiffe, für leitende Dienststellungen herangezogen, und die Besatzung bestand, je nach Kommandant und dessen Vorstellungen und Erfahrungen, aus einer wohl überlegten Auswahl an aktiven und aus der Handelsmarine kommenden Reservisten.

Aufgabe der Hilfsbeischiffe ist es, den Einheiten einer Kriegsmarine, also auch den Hilfskriegsschiffen, als V=Schiffe, Truppentransporter, Wohn= oder Werkstattschiffe und dergleichen zu dienen und zwar unter einer rein zivilen Besatzung. Solche Schiffe sind nicht berechtigt, die Kriegsflagge ihres Landes zu führen. In der Kriegsmarine des Zweiten Weltkrieges fuhren sie unter der Reichsdienstflagge des Dritten Reiches.

Der Hilfskreuzer ist — wie es schon der Name sagt — ein Hilfskriegs=

schiff. Er ist ein Handelsschiff, das zur Erfüllung von Kreuzeraufgaben im Kriegsfall in die Kriegsmarine übernommen wird. Im Frieden gehört das Schiff also nicht der Kriegsmarine an, sondern steht in der Handels= flotte im Fahrgast= oder Frachtgutdienst. Die Friedensaufgaben der als Hilfskreuzer vorgesehenen Handelsschiffe lassen den Einbau beson= derer Schutzeinrichtungen, sei es in Form einer besonders engen Schot= tenteilung oder sogar in Form einer leichten Panzerung, nicht zu. Diese zusätzlichen Schutzeinrichtungen würden das Fassungsvermögen der Schiffe für den Güter= oder Fahrgasttransport derartig stark beeinträch= tigen, daß sie völlig unwirtschaftlich arbeiten würden.

Wird nun ein Handelsschiff als Hilfskreuzer in die Kriegsmarine ein= gereiht, dann muß das Schiff nach den geltenden internationalen Bestim= mungen (Haager Abkommen von 1907) erstens die Kriegsflagge führen und zweitens sein Kommandant ein in der Rangliste der Kriegsmarine geführter Seeoffizier sein. Englische Hilfskreuzer führten übrigens in den letzten beiden großen Kriegen, einem alten Brauch folgend, an der Gaffel die Kriegsflagge und an der Fockrah die rote Handelsflagge, um die frühere Zugehörigkeit des Schiffes zur Handelsmarine zu kenn= zeichnen.

Bewaffnete, frachttragende Handelsschiffe der Briten, die Geschütze — angeblich — zur Verteidigung an Bord-hatten, waren keine Hilfskreuzer, da sie auch weiterhin die Handelsflagge führten und auch keinen mili= tärischen Kommandanten an Bord hatten. Unternahmen solche Schiffe auch nur den Versuch, feindliche Handelsschiffe aufzubringen, begingen sie Seeraub und stellten sich damit außerhalb des Völkerrechts.

Ein Hilfskreuzer ist auch nicht als Kaperschiff zu bezeichnen, denn die Kaperei ist durch die Pariser Deklaration von 1856 abgeschafft wor= den. Diese Bestimmung war eine der wenigen internationalen Abma= chungen, die von allen vertragsschließenden Mächten eingehalten wur= den.

Die Kaperschiffe früherer Jahrhunderte waren bewaffnete Handels= schiffe, die häufig von Privatleuten ausgerüstet wurden, und mit denen sie auf eigene Gefahr, aber auch für eigene Rechnung Kaperkrieg führ= ten. Der Kapitän, der meist nicht Besitzer, sondern höchstens nur Mit= aktionär war, war hierzu durch den Kaperbrief einer kriegführenden Macht berechtigt. Dieser Brief schützte Offiziere und Mannschaften im Falle der Gefangennahme vor der Behandlung als Seeräuber.

Man sieht bereits aus diesen kurzen Ausführungen, wie unangebracht der Ausdruck Kaperschiff für Hilfskreuzer oder die Bezeichnung Kaper= kriegführung für die in den letzten beiden Weltkriegen angewandte Handelskriegführung mit Hilfskreuzern ist.

Der Hilfskreuzer wurde fast ausschließlich zur Handelskriegführung — sei es als Handelsschützer oder als Handelsstörer — herangezogen. Seine Verwendung für andere Kreuzeraufgaben verbot sich von selbst, da er einmal zu langsam und zum anderen gegenüber jedem Kreuzer konstruktiv (geringere Stabilität und Sinksicherheit) und gewöhnlich auch artilleristisch unterlegen war. Seine Tätigkeit erstreckte sich daher auf die Weite der Ozeane. Er operierte auf den Handelsstraßen gegen die feindliche Versorgungsschiffahrt und schützte den eigenen Übersee= handel, soweit dieser durch das gegenseitige Kräfteverhältnis zur See möglich war.

Unsere HSK's (Handels=Stör=Kreuzer) hatten die Aufgabe, gegneri= sche Seetransporte zu stören und zu beunruhigen und darüber hinaus feindliche Seestreitkräfte zu diversionieren.

Gemäß ihrer strikten Anweisung mußten sich die deutschen Hilfs= kreuzer beim Insichtkommen feindlicher Streitkräfte jeder Gefechts= berührung durch schnellstes Abdrehen und Ablaufen entziehen, soweit dies im Einzelfall überhaupt noch möglich war.

Unter der Störung feindlicher Seetransportwege sind nun nicht un= bedingt mehrere Versenkungen in dem jeweiligen Seegebiet zu verste= hen, obschon die dem Gegner dadurch direkt entzogene Tonnage auch eine direkte Schwächung seines Frachtraum=Potentials einschließt.

Hauptanliegen der Hilfskreuzer war es, den Gegner durch möglichst mysteriöses Verschwinden von Handelsschiffen in den verschiedenen See= gebieten zu beunruhigen. Aus diesem Grunde waren alle Kommandanten bestrebt, ein gesichtetes Gegnerschiff „still", das heißt ohne gegnerische Positionsmeldung aufzubringen. Glückte dies, blieb dem Hilfskreuzer eine je nach Operationsgebiet unterschiedliche Frist, weiterer Tonnage nachzujagen, ohne die Kenntnis seiner Anwesenheit beim Gegner be= fürchten zu müssen. Selbst wenn das vorher lautlos aufgebrachte und versenkte Schiff einige Tage überfällig war, konnte sich der Gegner bei den oft langen Routen des betreffenden Frachters kein genaues Bild davon machen, wo der Hilfskreuzer nun sein Opfer überlistete; auf die Route Sundastraße — Kapstadt als Beispiel bezogen, konnte das ebenso unmittelbar im Bereich der Straße selbst, im mittleren Indischen Ozean oder auch südlich von Madagaskar der Fall gewesen sein.

Ließ sich dieser Idealfall nicht realisieren, das heißt, war die Angabe einer QQQ=Funk=Meldung*) bei dem angegriffenen Frachtschiff nicht zu verhindern, erfüllte der HSK im gleichen Maße seine ihm gestellte Auf= gabe der Störung und Beunruhigung, wenngleich er nunmehr gezwun= gen wurde, zur Vermeidung von Begegnungen mit gegnerischen Such=

---

*) Später wurden vier Buchstaben, also QQQQ oder RRRR verlangt.

streitkräften in ein anderes Operationsgebiet abzulaufen oder, je nach Lage, für eine geraume Zeit in abgelegene Seeräume auszuweichen. In einigen Fällen haben die Kommandanten entgegen dieser Spielregel so= gar Wert auf ein Gegner=FT gelegt, besonders dann, wenn sie eigene (siehe *Pinguin*, Fall: *Domingo de Larrinaga*) oder von der Skl befoh= lene Täuschungsabsichten (siehe *Orion*, Fall: *Haxby*) damit verbanden.

Eine der wesentlichsten Aufgaben des Handelsstörers war, durch sein Auftreten das Inseesein gegnerischer Schiffe durch notwendige Umwege zu verlängern und damit die Ausnutzung des gegnerischen Transport= raums unwirtschaftlicher zu machen.

Die zu erwartenden Gegenmaßnahmen bestanden entweder darin, die gradlinige überseeische Direktroute aufzuheben und die Schiffe im Schutze der Küsten fahren zu lassen, wodurch sich in allen Fällen oft erhebliche Zeitverluste ergaben, oder aber, daß der Schiffsverkehr in diesen Gebieten vorübergehend ganz eingestellt wurde. Zeitverlust be= deutete hier Tonnageverlust. Oft waren diese Verluste, im Ganzen ge= sehen schwerwiegender, als die Versenkung von zwei oder drei Fracht= schiffen in diesem Raum, trafen doch diese Auswirkungen viele Schiffe der betreffenden Linienreedereien. Weiter aber sah sich der Gegner so= fort oder im Wiederholungsfalle eines Auftretens solcher Hilfskreuzer gezwungen, nun doch Kriegsschiffeinheiten von anderen, gleich wich= tigen Kriegsschauplätzen abzuziehen, um in diesen gefährdeten Seege= bieten die Raider zu jagen oder um dort vorübergehende oder auch per= manente Kontrolle für den nächsten zu erwartenden Wiederholungs= fall auszuüben.

Betrachtet man die riesigen Seeräume und die durch sie hindurch= führenden Schiffahrtslinien, so ermißt man die Bedeutung der Hilfs= kreuzertätigkeit und die Bedrängnis, in die der Gegner geriet, alle diese überseeischen Gefahrenzonen neben all den anderen Flottenaufgaben zusätzlich zu sichern.

Schwerwiegend für die Schiffsführung auf den deutschen HSK's war das Problem, Stimmungskrisen bei der Besatzung zu überwinden, wenn ein Hilfskreuzer aus taktischen Überlegungen viele Wochen ohne Erfolge bleiben mußte, oder wenn er auf Grund vergeblicher Suchaktionen keine Sichtungen hatte. Die sonst so einsatzbereite und tatendurstige Mann= schaft wurde nervös und mißvergnügt. Es gibt ja kaum eine größere Be= drohung der Einsatzbereitschaft eines Kriegsschiffes als solcher Art Kri= sen unter der Mannschaft. Dem psychologischen Fingerspitzengefühl des Kommandanten oblag es nunmehr, seine Männer abzulenken, um

die Krise zu überwinden. Nicht zuletzt ergab sich dies aus den Persön=
lichkeitswerten der einzelnen Hilfskreuzerkommandanten, von denen
hinsichtlich der Menschenführung besonders hohe Qualitäten gefordert
wurden, um solchen Imponderabilien zu begegnen.

Zwischen den einzelnen Hilfskreuzern militärische Wert= und Lei=
stungsvergleiche anzustellen, ist schwerlich möglich, da bei allen Schif=
fen dieser Art die Bedingungen grundverschieden gelagert waren. Die
Unternehmungen selbst, die Sonderaktionen und die sonstigen Erleb=
nisse der einzelnen Hilfskreuzer bilden zwar eine Grundlage für nütz=
liche Rückschlüsse und militärische Betrachtungen, diese aber zu ver=
allgemeinern oder gar als Grundsätze hinzustellen, wäre ebenso untrag=
bar wie ungerecht. Der Dienst der Hilfskreuzer wies schließlich eine be=
sonders große Zahl an den verschiedensten Möglichkeiten auf, und er
war mehr als bei anderen Einheiten vom Zufall abhängig.

Wer zweckdienliche Überlegungen aus den Unternehmungen der
einzelnen Hilfskreuzer ableiten will, muß, ähnlich wie beim Schachspiel,
aus den zahllosen Figuren in der jeweiligen Lage ergründen, den ent=
sprechenden und vor allem richtigen Gegenzug zu machen, er muß dar=
über hinaus auch den persönlichen Einfluß des Spielers, also des Kom=
mandanten auf die Bordgemeinschaft übertragen und zu ermessen ver=
stehen. Das, was der in Übersee allein verantwortliche Kommandant
aus sich selbst heraus in einer zufälligen oder von ihm selbst beabsich=
tigten Stellung heraus beschlossen oder nach reiflicher Überlegung un=
terlassen hat, muß nachempfunden und in der Weise durchdacht wer=
den, wie man wohl selbst unter gleichen gegebenen Umständen und bei
eigener ausschließlicher Verantwortung gehandelt haben würde. Hierbei
ist aber zu berücksichtigen, daß man als Leser bereits das Endergebnis
sowie eine spätere Maßnahme des Gegners kennt, während der Kom=
mandant auf der Brücke — welch ein einsamer, nur auf sich selbst ange=
wiesener Mann — erst jeden Pulsschlag des Krieges suchen, abtasten und
beobachten muß, um danach aus seinem militärischen Gefühl und Wis=
sen heraus passend zu entscheiden . . . zu seinem und seiner Flagge Glück
oder . . . Untergang.

So viel steht fest:

Es gab und gibt kein Rezept für die Tätigkeit eines Hilfskreuzers.

Eines indessen ist unbestritten; wenn auch der Zufall eine nicht zu
unterschätzende Rolle spielte, so wurde er doch wesentlich durch die
Eigenschaften und das Können des Kommandanten eingeschränkt.

So unterschiedlich die Kommandanten in ihrer Mentalität, ihrem Tem=
perament und ihren Dienstauffassungen waren, so unterschiedlich ver=
liefen die verschiedenen Unternehmungen. Trotz der vorher dargestell=

ten Einschränkungen trugen, last not least, alle Unternehmungen den Stempel der Persönlichkeit der jeweiligen Kommandanten, alles ausgesuchte, hochqualifizierte Offiziere, zu blitzschnellen Improvisationen fähig, die trotz der von der Skl klar abgesteckten Rahmenaufgaben einen individuellen Handelskrieg führten.

Der Hilfskreuzerkrieg war trotz aller Rahmenbefehle und vorbereitender Maßnahmen eine irreguläre Aufgabe, die sogar die in verschiedene Kommandanten gesetzten Vorstellungen sprengte.

Manche handelten anders, als es ihr Ruf und ihr Name versprachen, keineswegs zu ihrem Nachteil ... in einigen Fällen aber doch zu ihrem Schicksal.

Noch ein Wort über die Hilfskreuzer selbst.

Während im Ersten Weltkriege und auch im Zweiten bei den Engländern vornehmlich große schnelle Passagierschiffe Verwendung fanden, wurden im Zweiten Weltkriege deutscherseits ausschließlich mittelgroße und vor allem schnelle Frachtschiffe für diesen Zweck ausgerüstet. Sie wurden neben ihrer normalen, Einzelfahrern überlegenen Geschwindigkeit in der Hauptsache nach dem Gesichtspunkt einer besonders langen Seetüchtigkeit ausgewählt und in der Masse mit sechs 15=cm=Geschützen, mit Fla=Waffen, Torpedos und mit einem oder zwei Wasserflugzeugen ausgestattet. Die Unterbringung der vielköpfigen Besatzung war in den meisten Fällen so gelöst, daß den Männern für die zu erwartende lange Seefahrtszeit in den ehemaligen Laderäumen der Schiffe ein einigermaßen erträgliches Heim für die Freizeit zur Verfügung stand. Die Kommandanten kümmerten sich mit kameradschaftlicher Sorgfalt um die wohnliche Ausgestaltung dieser von jedem Außenlicht abgeschnittenen Räume und auch für eine gute Durchlüftung. Bei der gegebenen Zeitnot bedurfte es nicht selten der persönlichen Vorstellungen der Kommandanten, um diese oder jene Ausrüstungsmittel zu beschaffen.

Die Grundbedingungen für das Gelingen der Aufgaben der Hilfskreuzer waren nicht nur sein überraschendes Auftreten, sondern auch die ihm gegebenen technischen Möglichkeiten, seine äußere Schiffsform immer wieder zu verändern.

Alle Hilfskreuzer waren daher mit verschiedenartigen, zahlreichen und teilweise sehr geschickten Hilfsmitteln ausgerüstet. Ihre Masten und Schornsteine ließen sich teleskopisch wie Fernrohre ineinanderschieben oder verlängern. Attrappenschornsteine und Attrappenladeräume aufzustellen, war kein Problem. Falsche Schanzkleider, falsche Deckshäuser und Pseudodecksladungen waren andere, von Fall zu Fall angewandte Kunstgriffe.

Unter oft größten Schwierigkeiten wurden die Schiffe auf hoher See und nicht selten, dem Gebot der Stunde folgend, bei schwerem Seegang mit einem neuen Anstrich versehen. Leistungen, die auch beim Gegner uneingeschränkte Bewunderung auslösten.

Daß alle an Bord aufgestellten Waffen nach außen hin getarnt waren, bedarf keiner Erwähnung. Die Tarnung für die SA wurde für alle Hilfs= kreuzer nach dem Vorbild eingerichtet, das für und auf „Schiff 16" entwickelt worden war, nämlich dahingehend, daß die Klappen nicht wie früher (also im Weltkrieg Eins) nach unten, sondern nach oben geöffnet wurden (eine Konstruktion des Leitenden Ingenieurs von „Schiff 16"). Allerdings waren trotz aller modern durchdachten und durchkon= struierter Tarnanlagen die schweren Geschütze älteren Datums. Alle 15=cm=Kanonen waren Weltkrieg=Eins=Veteranen, von denen die mei= sten im Arsenal und einige auf den Exerzierplätzen ihren Lebensabend fristeten, bevor sie, der Not und dem Mangel an geeigneten Kanonen gehorchend, auf den HSK's eingebaut wurden. Es handelte sich hier um die SK's der alten Linienschiffe, die nach 1931 mit etwas moderneren Rohren, nämlich mit 15 cm L/45 C/13 (diese waren bei bis zu 850 Schuß ziemlich ausgeschossen) ausgerüstet worden waren und ab 1939 ohne diese fuhren. Die 15 cm L/45 C/16 waren Rohre der 1918 nicht mehr fertig gebauten kleinen Kreuzer. Erst die letzten Hilfskreuzer der Zwei= ten Welle wurden nach den überzeugenden Erfolgen der HSK's der Ersten Welle mit modernsten weittragenden 15=cm=Kanonen bestückt... wieder einmal zu spät, wie so oft in diesem Kriege.

Ein Sorgenkind bildeten auch alle Feuerleiteinrichtungen. Sie waren, gemessen an denen der aktiven Kriegsschiffe, geradezu primitiv. Radar= Anlagen, das heißt DeTe=Geräte, waren in der letzten Phase in verschie= denen Fällen vorgesehen und auch eingebaut worden. Sie erfüllten ihre Zwecke aber nur bedingt, da die Spezial=Anlagen unter Zeitdruck ent= wickelt wurden.

Hervorragend klappte die überseeische Versorgung.

Hierfür stand eine ganze Reihe von Tankern und Trockenladungs= schiffen zur Verfügung, Schiffe, die bei ihrem Anmarsch in den offenen Atlantik zum Teil sogar aus heimatlichen Häfen die Blockade durch= brechen mußten oder die, aus einem neutralen Hafen, in dem sie bei Kriegsbeginn Schutz gesucht hatten, auslaufend, durch FT der Skl auf die geheimen Treffpunkte mit den Hilfskreuzern angesetzt wurden. Diese Treffpunkte lagen entweder in wenig frequentierten Seegebieten der unermeßlichen ozeanischen Weiten oder aber auch bei entlegenen, von der Schiffahrt gemiedenen Insel=Ankerplätzen, bei denen eine Be= unruhigung durch gegnerische Streitkräfte unwahrscheinlich schien. An den Treffpunkten wurden über Ölschläuche die Treibstoffbunker auf=

gefüllt – stets stand ein Seemann mit dem Kappbeil bereit! – und die Proviant= und Munitionsreserven ergänzt, hier wurden auch lebenswich= tige Überholungen an den Maschinenanlagen durchgeführt, denn man= che V=Schiffe hatten alle wichtigen Ersatzmaterialien an Bord.

Oft wurden auch Prisen, meist mit brauchbarem Öl beladene Tanker, als Versorgungsschiffe zurückgehalten, um später die Besatzungen der versenkten Schiffe als Gefangene zu übernehmen und in einen deut= schen Flottenstützpunkt zu fahren.

Stark kritisiert wurden vom Gegner die Ankerplätze in den von den Japanern verwalteten Marschall= und Karolinen=Inseln oder auch der der Marianen=Gruppe. Japanische Kriegsschiffe und Regierungsdampfer sichten zeitweilig diese Schiffe, inspizierten diese, wie die Engländer feststellen, aber nur oberflächlich.

Britische Stellen sagen:

„Obgleich wir keine direkten Unterlagen über eine wohlgesonnene japanische Hilfe gegenüber den Raidern hatten, bevor Japan selbst in den Krieg eintrat, ist es schwer, den Verdacht auszuschließen, daß sie die wirklichen Aufgaben dieser Schiffe nicht doch erkannt haben und daß sie ihr Einverständnis zur Benutzung ihres Territoriums gaben."

Diesen Argumenten mußte damals widersprochen werden, wo immer sich eine Gelegenheit bot. Die Japaner haben verdächtige deutsche Schiffe, also auch HSK's*), stets gründlich durchsucht. Daß sie keine Anhalts= punkte fanden, spricht für die ausgezeichnete, selbst mißtrauische Ja= paner täuschende Tarnung auch im Innern des Schiffes.

Auf einen bloßen Verdacht hin konnte der Japaner nichts unterneh= men. Er wollte es allerdings auch nicht. Das sei zugestanden.

Das sind die wesentlichen Grundzüge der Hilfskreuzerunternehmen des II. Weltkrieges, die durch die eben erwähnte, hervorragend funk= tionierende Versorgungsorganisation zu solchen langen, bis zu zwei Jahren andauernden Seetörns fähig waren, bis der Gegner nach dem Eintritt der USA in den Krieg über ausreichende zusätzliche Seestreit= kräfte verfügte, um auch abgelegene Seegebiete laufend unter Kontrolle zu halten.

---

*) HSK = Abkürzung für Handels=Stör=Kreuzer, ursprünglich aber die Abkürzung für Handels=Schutz=Kreuzer. Diese letztere Abkürzung wurde übrigens sogar noch in GKdos=Schreiben des Jahres 1941 (unterzeichnet von Admiral Wurmbach) gebraucht.

DIE HILFSKREUZER

(geordnet nach dem Datum des Auslaufens)

1940	Atlantis	HSK 2	Schiff 16	11. 3. 1940
	Orion	HSK 1	Schiff 36	30. 3. 1940
	Widder	HSK 3	Schiff 21	5. 5. 1940
	Thor (I. Fahrt)	HSK 4	Schiff 10	6. 6. 1940
	Pinguin	HSK 5	Schiff 33	15. 6. 1940
	Komet (I. Fahrt)	HSK 7	Schiff 45	3. 7. 1940
	Kormoran	HSK 8	Schiff 41	3. 12. 1940
1942/43	Thor (II. Fahrt)	HSK 4	Schiff 10	14. 1. 1942
	Michel (I. Fahrt)	HSK 9	Schiff 28	9. 3. 1942
	Stier	HSK 6	Schiff 23	9. 5. 1942
	Komet (II. Fahrt)	HSK 7	Schiff 45	8. 10. 1942
	Coronel	HSK ?	Schiff 14	31. 1. 1943
	Michel (II. Fahrt)	HSK 9	Schiff 28	21. 5. 1943
	(später: Hansa)	HSK ?	Schiff 5	
			(nicht ausgelaufen)	

Zu den Tabellen

Die Spalten enthalten folgende Angaben:

1. Schiffsname. Der Zusatz (P) bedeutet: Prise

2. Baujahr

3. Größe in BRT

4. Nationalität. Alle Schiffe des Britischen Commonwealth rangieren als britische Schiffe: Br.

5. Aufbringungsdatum

6. Aufbringungsposition. Aus Raumersparnisgründen sind Grad und Minuten nur durch Komma getrennt

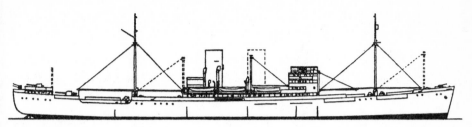

Hilfskreuzer ATLANTIS = HSK 2

Schiff 16: ex Fracht=Motorschiff *Goldenfels* (DDSG Hansa, Bremen)

Größe:	7862 BRT
Baujahr:	1937
Bauwerft:	Bremer Vulkan, Vegesack.
Maschinenleistung:	7600 PS
Geschwindigkeit:	16 kn
Bewaffnung:	6 — 15 cm
	1 Anhaltekanone, 7,5 cm
	2 — 3,7 cm (2)
	4 — 2 cm
	4 TR (2 ↑)
	2 Bordflugzeuge
	92 Minen
Kommandant:	Kapitän zur See Bernhard Rogge, geb. 4.11.99 in Schles=wig; Ritterkreuz 7.12.40, Eichenlaub 31.12.41
Besatzung:	einschließlich 4 Prisenkommandos 350 Mann
Ausgelaufen:	11.3.40 Kiel
Operationsgebiete:	Indischer Ozean, Südatlantik, Pazifik
Reiseende:	22.11.41, versenkt durch britischen Schweren Kreuzer *Devonshire*
Reisedauer:	622 Tage
Reisedistanz:	102000 sm
Schicksal d. Besatz.:	8 Verluste bei Versenkung (insgesamt 12 Verluste), 305 Überlebende

1		2	3	4	5	6
1. Scientist		38	6 199 BRT	Br.	3. 5. 40	19,55 S — 04,20 O
2. Tirranna	(P)	38	7 230 BRT	No.	10. 6. 40	22,40 S — 69,20 O
als Prise 5. 8. 40 nach Gironde entlassen, dort tor=pediert und gesunken, 22. 9. 40						
3. City of Bagdad		19	7 506 BRT	Br.	11. 7. 40	00,14 N— 86,43 O
4. Kememndine		24	7 770 BRT	Br.	13. 7. 40	04,12 S — 81,47 O
5. Talleyrand		27	6 732 BRT	No.	2. 8. 40	30,30 S — 67,00 O
6. King City		28	4 744 BRT	Br.	24. 8. 40	16,53 S — 65,17 O
7. Athelking		26	9 557 BRT	Br.	9. 9. 40	21,52 S — 67,20 O
8. Benarty		26	5 800 BRT	Br.	10. 9. 40	18,32 S — 70,07 O
9. Commissaire Ramel		20	10 061 BRT	Fr.	20. 9. 40	28,30 S — 74,13 O
10. Durmitor	(P)		5 623 BRT	Ju.	22. 10. 40	08,40 S —102,30 O
als Prise am 20. 10. 40 nach Mogadiscio entlassen, vom Feind in Chisimaio aufgebracht.						
11. Teddy		30	6 748 BRT	No.	14. 11. 40	02,21 S — 93,13 O
12. Ole Jacob	(P)	39	8 306 BRT	No.	10. 11. 40	06,29 S — 90,16 O
als Prise am 16. 11. 40 nach Japan entlassen; nach Versorgertätigkeit auf dem Marsch nach Bordeaux am 23. 12. 41 beim Angriff alliierter Flugzeuge und Zerstörer vor dem nordspanischen Hafen Puerto de Carino selbstversenkt						
13. Automedon		22	7 528 BRT	Br.	11. 11. 40	04,19 S — 89,40 O
14. Mandasor		20	5 144 BRT	Br.	24. 1. 41	06,23 S — 61,40 O
15. Speybank	(P)	26	5 154 BRT	Br.	31. 1. 41	03,00 S — 52,00 O
als Prise am 21. 3. 41 nach Gironde entlassen, dort eingetroffen 10. 5. 41						
16. Ketty Brövig	(P)	18	7 301 BRT	No.	2. 2. 41	04,30 S — 50,50 O
als Prise am 5. 3. 41 von englischen Kreuzern Can=berra und Leander aufgebracht						
17. Zam Zam		09	8 299 BRT	Ag.	17. 4. 41	27,41 S — 08,10 W
18. Rabaul		16	6 809 BRT	Br.	14. 5. 41	19,26 S — 04,05 O
19. Trafalgar		24	4 530 BRT	Br.	24. 5. 41	27,17 S — 01,51 O
20. Tottenham		40	4 762 BRT	Br.	17. 6. 41	07,38 S — 18,53 W
21. Balzac		20	5 372 BRT	Br.	22. 6. 41	15,16 S — 27,43 W
22. Silvaplana	(P)	38	4 793 BRT	No.	10. 9. 41	27,00 S —165,00W
als Prise am 27. 9. 41 nach Bordeaux entlassen. Ein=getroffen am 17. 11. 41						

insgesamt 145 968 BRT

„Schiff 16" trat am 11. März 1940 unter dem Kommando von Kapitän zur See Bernhard Rogge seinen Feindmarsch als Handelsstörer an.

Als erstes Operationsgebiet wurde Rogge der Indische Ozean zuge=wiesen. Auf dem Marsch dorthin wurde dieser Befehl aber am 17. April nach dem Anlaufen der Norwegen=Aktion dahingehend widerrufen, daß Rogge die Route Kapstadt—Freetown stören sollte, um hier gegnerische Streitkräfte zu binden und ihren Abzug an die Norwegenfront zu ver=hindern. Am 3. Mai funkte der britische Frachter *Scientist*, von einem verdächtigen Schiff angegriffen worden zu sein. Nach seiner Versenkung war die Rogge gestellte Aufgabe erfüllt, und *Atlantis* marschierte mit großer Fahrt südwärts, warf vor dem Kap Agulhas ihre Minen und segelte dann, sich einer neuen Tarnung bedienend, als Holländer in den Indischen Ozean.

Am 10. Juni wurde der norwegische Tanker *Tirranna* von Melbourne nach Mombassa aufgebracht und als Prise entlassen (die *Tirranna* wurde vor der Gironde kurz vor dem Einlaufen torpediert und sank). Rogge stieß nach Norden vor. Am 11. und 13. Juli sanken die britische *City of Bagdad* und die gleich große *Kemmendine* und im August der Norweger *Talleyrand* und der Brite *King City*. *Atlantis* wich aus und kehrte an die südlicher gelegene Australien=Route zurück, auf der sie den bri=tischen Tanker *Athelking* stellte, der bei dem hartnäckigen Versuch, QQQ=Meldungen abzugeben, beschossen und schwer beschädigt wurde.

Trotz dieses Alarms ging am nächsten Tage der britische Dampfer *Benarty* auf Tiefe, dem es ebenfalls glückte, noch einen Notruf zu sen=den. Wertvolle Geheimanweisungen und Geheimpost fielen *Atlantis* bei der Durchsuchung in die Hände.

Rogge jagte in östlicher Richtung auf der gleichen Route weiter und erbeutete am 20. September den französischen Passagierdampfer *Commissaire Ramel*, der außer Passagieren Stahl, Weizen, Häute und Felle für England an Bord hatte.

Am 22. Oktober wurde der Jugoslawe *Durmitor* aufgebracht und nach Mogadiscio als Prise entlassen. Erst der folgende Monat brachte wieder einen größeren Fischzug ein. Eben südlich des Bengalischen Golfs packte *Atlantis* am 9. und 10. November die norwegischen Tanker *Teddy* und *Ole Jacob*, der eine mit Heizöl, der andere mit Fliegerbenzin beladen. Der Tanker *Teddy* wurde am 14. November versenkt, während *Ole Jacob* am 16. November als Prise Nr. 3 nach Japan entlassen wurde. Inzwi=schen wurde am 11. November noch der Brite *Automedon* angegriffen und versenkt.

Am 23. November erhielt Rogge von seinem Oberkommando den Befehl, sich zwischen dem 25. November und 15. Dezember nördlich des

30. Grad südlicher Breite aufzuhalten, um die Operationen des Schwester=
schiffes, des HSK *Pinguin*, nicht zu stören. Später wurde ein Zusammen=
treffen mit der *Pinguin* vereinbart, die ihm mit dem erbeuteten Tanker
Storstad entgegenfuhr.

Am 10. Dezember traf sich Rogge mit Kapitän zur See Krüder, Kom=
mandant vom HSK *Pinguin*, und der *Pinguin*=Prise *Storstad*, der Ge=
fangene übergeben und aus deren Ladung Treiböl übernommen wurden.
Während Krüder danach in die Antarktis vorstieß, suchte Rogge die ab=
gelegenen Kerguelen=Inseln zur Generalüberholung seines Schiffes auf.
Vom 15. Dezember 1940 bis Anfang Januar 1941 wurden die Maschinen
überholt, neue Wasservorräte übernommen und das Schiff von oben bis
unten neu gepöhnt. Es verwandelte sich nun in das norwegische Motor=
schiff *Tamesis*.

Das neue Operationsgebiet Rogges lag nach der am 11. Januar been=
deten Liegezeit am nördlichen Ende des Mozambique= Kanals, also vor
den Seychellen=Inseln. Am Morgen des 24. Januar sichtete Rogges Bord=
flugzeug einen Frachter. Mit Hilfe einer besonderen Einrichtung zerstörte
das Flugzeug im Tiefflug die Antenne des Schiffes. Es war das erstemal,
daß diese Taktik angewandt wurde. Rogges Opfer war die *Mandasor* der
British India Steam Navigation Company, die sich mit Heeresgut von
England auf dem Wege nach Indien befand.

Am 31. Januar fiel der Britenfrachter *Speybank* in deutsche Hände.
Letzterer wurde als Prise Nr. 4 nach der Gironde entlassen, wo er am
10. Mai auch eintraf.

Die im Kriegstagebuch von Rogge vermerkte Sichtung vom 27. Januar
war übrigens nicht, wie von der Schiffsführung vermutet, die *Queen
Mary*. Nach britischen Angaben muß es der Truppentransporter *Strath=
aird* gewesen sein.

Die *Atlantis* hatte inzwischen vom Oberkommando den Befehl er=
halten, im westlichen Teil des Indischen Ozeans zu bleiben, und zwar
nördlich des 60. Breitengrades, damit ein Zusammentreffen mit dem
Schweren Kreuzer *Admiral Scheer* vereinbart werden konnte. Am 2.
Februar meldete Rogge, daß er die *Ketty Brövig* erbeutet und zur Prise
gemacht habe. Er schlug vor, die Ladung des Tankers der *Admiral Scheer*
zuzuführen. Darauf erhielt er den Befehl, mit der *Ketty Brövig* bis zum
12. Februar südöstlich der Seychellen zu warten.

Rogge füllte am 12. Februar aus der Ladung der *Ketty Brövig* seinen
eigenen Treibölvorrat auf und am nächsten Tage trafen die drei
Schiffe, die *Atlantis*, die *Ketty Brövig* und die *Speybank*, den deutschen
Frachter und Blockadebrecher *Tannenfels*, der von Italienisch=Somali=
land kam und das auf die *Durmitor* kommandiert gewesene Prisen=

kommando an Bord hatte. Inzwischen traf ein Funkspruch von *Admiral Scheer* ein, daß sie die *Atlantis* am 14. Februar südöstlich der Saya=de= Malha=Bank erwarte. Rogge ging am Nachmittag des 14. Februar an Bord des Schweren Kreuzers, aber die Seeverhältnisse waren so schlecht, daß an eine Verladung der erbeuteten Brennstoffvorräte nicht zu den= ken war. Man beschloß deshalb, in ein Schönwettergebiet abzudrehen.

Es kam dann zu einer Art Arbeitsteilung zwischen dem HSK=Kapitän Rogge und dem Kommandanten des Schweren Kreuzers, Kapitän Krancke. *Admiral Scheer* sollte in dem Gebiet nördlich von Madagaskar operieren, während die *Atlantis* östlich der Seychellen jedes Schiff an= halten sollte, das durch die Anwesenheit des Schweren Kreuzers von der Route abgewichen war. Außerdem übernahm die *Atlantis* die Ver= antwortung für den Nachschub an Brennstoff und stand ferner für die Abstellung von Prisenkommandos, die das Panzerschiff benötigte, zur Verfügung.

Rogges nächste Operation bestand darin, daß er das italienische U= Boot *Perla*, das einzige Überbleibsel der italienischen U=Boot=Flotte aus dem Roten Meer, mit Treiböl versorgte. Er traf das Schiff etwa 200 Meilen südlich vom Kap Dauphin und blieb vom 28. März bis zum 2. April in dessen Begleitung. Die *Perla* erhielt den Befehl, am südlichen Ende des Mozambique=Kanals zu operieren, während sich die *Atlantis* in den Südatlantik begab. Sie umschiffte das Kap der Guten Hoffnung und wartete an der Sammelstelle im mittleren Atlantik. Hier traf sie am 13. April das Versorgungsschiff *Dresden*, das am 28. März in Santos ausgelaufen war. Beide Schiffe begaben sich mit halber Fahrt ostwärts und blieben während der nächsten drei Tage zusammen. Der Hilfs= kreuzer übernahm von der *Dresden* neuen Proviant und entließ sie am 16. April vorübergehend. Rogge befürchtete nämlich, daß er während der Verladung überrascht werden könnte, da seine Funkstelle einen QQQ=Funkspruch des norwegischen Dampfers *Tai Yin* aufgefangen hatte. Da sich kein anderer deutscher Raider in der Nähe befand, nahm Rogge an, daß ein britisches Patrouillenfahrzeug die *Tai Yin* gestoppt hatte, wobei der Norweger das Patrouillenschiff offenbar für einen deut= schen Handelsstörer gehalten hatte.

In einer hellen Mondnacht gegen 4 Uhr sichtete die *Atlantis* in etwa zehn Meilen Entfernung ein nicht näher zu bestimmendes Schiff. Man stellte fest, daß es ein Viermaster war und den langen, typisch dünnen Schornstein der „Bibby=Line" besaß.

Rogge hielt das Schiff deshalb für die *Oxfordshire*, von der man wußte, daß sie im Dienst der Admiralität fuhr, und da dies den aufgefange= nen Funkspruch der Norweger verständlich machte, beschattete Rogge sein Opfer drei Stunden lang und eröffnete 06.25 Uhr das Feuer. Der Abstand betrug kaum noch drei Meilen. Das Handelsschiff machte keine Anstrengungen, einen RRRR=Spruch zu senden, sondern erhöhte nur noch die Geschwindigkeit. Schließlich gab er sich als der neutrale ägyp= tische Dampfer *Zam Zam* zu erkennen, der von New York und Baltimore nach Trinidad, Pernambuco und Kapstadt unterwegs war.

Rogge stand damit vor einer ungeheuren Schwierigkeit, denn die *Zam Zam* hatte außer der 100=köpfigen Besatzung noch 217 Passagiere an Bord, davon 77 Frauen und 38 Kinder. Außerdem waren 137 der Passagiere amerikanische Missionare. Dazu kamen noch Sanitätsper= sonal des amerikanischen Field=Service und die Journalisten J. V. Mur= phey und David E. Sherman vom „Time=Life". Da Rogge die *Zam Zam* in den Grund gebohrt hatte, blieb ihm nichts anderes übrig, als die Pas= sagiere und Besatzung an Bord zu nehmen.

Er rief die *Dresden* wieder herbei und traf sie am nächsten Tage auf dem vorher mit Kapitän Jäger vereinbarten Treffpunkt. Alle Gefangenen mußten umsteigen. Am 26. April gab er der *Dresden* den Befehl, ein neutrales Schiff anzuhalten, um die Gefangenen abzugeben. Aber dieser Befehl wurde später durch das Oberkommando zurückgezogen. Die *Dresden* erhielt den Auftrag, die alliierte Blockade zu durchbrechen. Sie erreichte auch tatsächlich Bordeaux, und die Amerikaner wurden über Lissabon in die Vereinigten Staaten repatriiert.

Inzwischen hatten noch andere deutsche Schiffe die Sammelstelle er= reicht, der HSK *Kormoran*, das Versorgungsschiff *Alsterufer* und der Tanker *Nordmark*. Von der *Alsterufer* erhielt die *Atlantis* drei Arado 196 und eine Anzahl Torpedos.

Rogge verwandelte nun den Typ seines Schiffes in das niederländische Motorschiff *Brastagi*, da er befürchten mußte, daß die entlassenen ame= rikanischen Passagiere melden würden, daß sich ein deutsches Kaper= schiff als norwegische *Tamesis* getarnt habe.

Am 7. Mai stoppte Rogge den Frachter der Vichy=Regierung *Lieutenant de la Tour**), ließ ihn aber nach einer gründlichen Untersuchung weiter= fahren. Er setzte seinen Ostkurs fort und versenkte ungefähr 200 Mei= len vor Kap Frio (Portugiesisch=Westafrika) am 14. Mai kurz nach Mit= ternacht den britischen Frachter *Rabaul*, der Kohle geladen hatte.

Da *Rabaul* keine Chance gehabt hatte, eine Raiderwarnung auszu= senden, operierte Rogge weiter auf der Route Freetown—Kapstadt. Hier wäre es beinahe um ihn geschehen gewesen, denn am 17. Mai nachts

---

*) Dieses Schiff fuhr, wie Vizeadmiral Rogge ergänzt, nicht als Frachter, sondern als Truppentransporter.

wurden das britische Schlachtschiff *Nelson* und das Flugzeugmutterschiff *Eagle* gesichtet, die in diesem Gebiet Raiderjagd durchführten. Es herrschte heller klarer Mondschein bei typischem Passatwolkenhimmel. Die Passatwolken warfen so harte Schlagschatten, daß ein Erkennen durch die Gegner erschwert, das heißt in diesem Falle verhütet wurde. So gelang es der *Atlantis*, ungesehen zu entkommen. Nur der bessere Ausguck und die erhöhte Wachsamkeit gaben Rogge die Initiative in die Hand.

Noch auf der Kap=Route stehend, überraschte „Schiff 16" in der Nacht vom 24. Mai den britischen Dampfer *Trafalgar* und versenkte ihn. Süd= westlich davon sinkt am 17. Juni die britische *Tottenham*, der Gelegen= heit zu mehrfachen QQQ=Meldungen und Positionsberichten blieb, die von verschiedenen Flottenstützpunkten in diesem Raum bestätigt wur= den.

Der englische Dampfer *Balzac* war der letzte Erfolg im südatlantischen Raum. Er sank auf der La=Plata=Route.

Inzwischen hatte Rogge vom Oberkommando in Berlin die Instruktion erhalten, daß noch im Juni eine Begegnung mit der *Orion* zustande kom= men sollte. Am 23. Juni meldete die *Orion*, daß sie am 1. Juli südlich von Tristan da Cunha die *Atlantis* erwarten werde. Durch den Verlust der Tanker *Egerland*, *Esso=Hamburg* und *Lothringen* waren die *Orion* und die *Atlantis* nun gezwungen, die Ölvorräte zu teilen.

Am 30. Juni gab das Oberkommando auf Grund der dem OKM von Rogge vorher gemachten Vorschläge den beiden Schiffen folgenden Be= fehl:

1. Einer der beiden HSK's solle den Südatlantik verlassen und sich in ein anderes Operationsgebiet begeben, am besten die *Atlantis*, da sie über den größeren Brennstoffvorrat verfüge

2. Der HSK, der sich in das neue Operationsgebiet begibt, soll um das Kap der Guten Hoffnung fahren und vor Westaustralien operieren oder

3. eine Begegnung mit dem Versorgungsschiff *Anneliese Essberger* herbeiführen, das sich bis November im südlichen Pazifik auf= halten muß.

Rogge traf am 1. Juli mit der *Orion* zusammen und blieb fünf Tage in ihrer Gesellschaft. Der Plan, mit *Orion* gemeinsam im Südatlantik zu operieren, so wie *Orion* zusammen mit *Komet* erfolgreich im Pazifik operiert hatte,. wurde von Rogge abgelehnt. Gemeinsame Operationen kamen für ihn im Atlantik nicht in Frage, da nach seiner Meinung im Falle einer Aufbringung des einen auch der andere Hilfskreuzer vernich=

tet werden würde. *Atlantis* versorgte die *Orion* mit Treibstoff und trennte sich wieder. Sie wurde in den Indischen Ozean entsandt und mußte sich südlich vom 25. Breitengrad aufhalten, um den nördlichen Teil des Indischen Ozeans der *Kormoran* zu überlassen...

Rogge umschiffte das Kap der Guten Hoffnung und begab sich auf dem direkten Weg zum südlichen Teil des Indischen Ozeans, ohne jedoch irgendein Schiff zu sichten. Am 14. August erreichte er den Pazifik und nahm Nordkurs, um auf der Route Neu=Seeland—Panama zu operieren. Am 10. September, also zwei Tage nachdem er sein eigentliches Operationsgebiet erreicht hatte, gelang es ihm, das norwegische Motorschiff *Silvaplana* zu erbeuten, das mit Gewürzen und Chinin von Batavia nach New York unterwegs war. *Silvaplana* wurde die Prise Nr. 6 und erhielt Befehl, bis zum 14. September südlich der Marquesas=Inseln zu warten. Die *Atlantis* nahm Kurs auf Nordwest.

Das Oberkommando hatte ein Treffen zwischen der *Atlantis* und dem Versorgungsschiff *Münsterland* vorgesehen, an dem sich möglicherweise auch der Hilfskreuzer *Komet* beteiligen sollte. Die *Komet* operierte am Eingang des Panama=Kanals und befand sich in Gesellschaft des erbeuteten holländischen Frachters *Kota Nopan*. Rogge fuhr mit voller Fahrt ostwärts, um die *Münsterland* und *Komet* zum festgesetzten Zeitpunkt zu erreichen. Er entließ die *Silvaplana* am 18. September mit dem Befehl, an Ort und Stelle auf ihn zu warten. Am Morgen des 21. September traf er die *Komet* und ihren erbeuteten Frachter. Am nächsten Tag kam auch noch die *Münsterland* dazu. Da die *Komet* ihren Nachschub in der Hauptsache schon vom Versorgungsschiff *Anneliese Essberger* erhalten hatte, übernahm die *Atlantis* die halbe Ladung der *Münsterland*. Rogge ließ die Gefangenen auf die *Münsterland* und die *Kota Nopan* umsteigen und trennte sich wieder von der *Komet*. Er begab sich abermals südwärts, um die *Silvaplana* wiederzutreffen. Die *Münsterland* begleitete ihn. Am 28. September hatten sie die *Silvaplana* erreicht. Sie wurde mit Proviant und Brennstoff versehen. Danach entließ Rogge die *Münsterland* nach Japan und die *Silvaplana* nach Bordeaux.

Da sich in dem aufgesuchten Paumoutu=Insel=Gebiet kein Schiff zeigte, lief Rogge das Atoll Vana=Vana an, auf dem sich die Besatzung die Beine vertreten konnte. Danach suchte Rogge bei der Bounty=Meuterer=Insel Pitcairn Beute. Vergebliches Mühen. 100 sm nordöstlich von Pitcairn verblieb *Atlantis* in Lee von Hendertson Island, auf dem ebenfalls Mannschaften ausgeschifft wurden. Da auch die südlichen Wege keine Sichtung brachten, lief Rogge endgültig ab.

Rogge nahm nun Südostkurs auf Kap Horn.

Noch im Pazifik stehend, hatte Rogge der Skl die Versorgung von U=

Booten der Kapstadt=Gruppe angeboten. Rogges Funker hatten nämlich dem FT=Verkehr mit der Heimat entnommen, daß das U=Boot=Versor= gungsschiff wahrscheinlich in Verlust geraten war. Der von der Skl ge= funkte Treffpunkt mit U 68 (Merten) war aber Rogge äußerst unsym= pathisch. Er funkte seine Bedenken, bekam aber zu hören, daß U 68 wegen Brennstoffmangels nur westlich von St. Helena stehen könne.

Rogge antwortete, daß er am 13. November zur Stelle sein werde. Nachdem er Kap Horn passiert hatte, nahm er Nordkurs auf das Zentrum des Südatlantiks und traf am 13. November U 68. Rogge verlegte die Versorgung sofort 300 sm nach Südwesten. Zwei Tage später trennten sie sich wieder.

Vorher aber, noch während der Versorgung, kam eine neue Anfrage, die U 126 (Bauer) betraf. Rogge dazu: „Ich sprach eingehend mit Merten über den vorgesehenen Treffpunkt zwischen Freetown und Bahia und brachte zum Ausdruck, daß der Punkt doch im laufenden Feindschiffs= verkehr liege. Da ich aber beim ersten Mal von der Skl zurechtgewiesen und darauf aufmerksam gemacht worden war, daß die Skl schließlich wisse, wie die Schiffe führen und mir die Lage von U 126 wieder als angespannt, gerade hinsichtlich des Ölvorrats geschildert worden war, unterließ ich auch mit Rücksicht auf das Seegebiet einen neuen FT."

Am 17. November wechselte Rogge den Typ seines Schiffes in den des niederländischen Motorschiffs *Polyphemus* und begab sich nord= wärts, um U 126 ungefähr 350 Meilen nordwestlich der Ascension=Insel zu treffen. Im Morgengrauen des 22. Novembers hatte er U 126 erreicht.

08.15 Uhr sichtete Rogge ein Schiff, das er drei Minuten später als einen schweren englischen Kreuzer der County=Klasse erkannte. Die *Atlantis* beschrieb sofort einen Kreis nach Steuerbord und versuchte, mit Südostkurs zu entkommen. Um 08.30 Uhr eröffnete der Feind das Feuer. Rogge ließ sich jedoch nicht einschüchtern. Er hoffte, daß ihm seine Tarnung als niederländisches Schiff zugute komme und daß U 126 dadurch eine Gelegenheit zum Angriff erhalten werde. Um 08.40 Uhr gab er einen RRR=Spruch, der folgendermaßen lautete: „RRR RRR de *Polyphemus* — 4°20 Süd, 18°35 West — 0940 GMT." Der *Atlantis*=Fun= ker funkte in seiner Erregung nur drei R statt, wie vorgeschrieben, RRRR und machte den „Holländer" dadurch zusätzlich verdächtig.

Der englische Kreuzer, die *Devonshire*, feuerte eine Stunde lang trotz= dem nicht, aber begann um 09.30 Uhr, nachdem er mit dem CiC=Free= town Verbindung aufgenommen hatte, abermals mit Wirkungsschießen. Die *Atlantis* wurde wiederholt schwer getroffen und geriet in Brand. Um 09.58 Uhr gab Rogge den Befehl, das Schiff zu verlassen. Die Mannschaft ging von Bord.

10.15 Uhr sank die *Atlantis*.

Wie es kam, daß *Atlantis* bisher allen auf sie angesetzten Jägern ent=
kam, erklärt der heutige Vizeadmiral und Wehrkreisbefehlshaber I in
Kiel damit:

„Ich weiß inzwischen aus Veröffentlichungen der ehemaligen Gegner,
daß meine Überlegungen hinsichtlich des Hineindenkens in Reaktionen
beim Gegner voll berechtigt gewesen sind. Ich habe z. B. bei vorliegenden
Notmeldungen von zwei Schiffen beim Aufbringen eines dritten Schiffes
nun nicht den Kurs in der Verlängerung von zwei oder drei Notmel=
dungsorten gesteuert, sondern einen erheblichen Haken nach einer an=
deren Himmelsrichtung geschlagen, während die Engländer bei Festlie=
gen eines Notmeldepunktes und Auftreten einer zweiten Notmeldung
die Verlängerungslinie und damit den wahrscheinlichen Kurs gemutmaßt
und nun entsprechend die Abwehrstreitkräfte eingesetzt haben, die dann
immer ins Leere stießen."

Die *Atlantis* hatte unter ihrem Kommandanten Kapitän zur See Bern=
hard Rogge über 21 Monate in feindlichen Gewässern operiert.

Sie war über alle Ozeane gefahren und hatte 16 Schiffe von insgesamt
106 227 Tonnen versenkt. Sechs weitere mit einer Gesamttonage von
38 137 Tonnen wurden erbeutet.

Insgesamt schädigte Rogge mit seiner *Atlantis* die gegnerische Han=
dels= und Versorgungsschiffahrt um 145 698 BRT!

„Fürwahr ein moderner Sir Frances Drake in einer modernen Golden
Wind", so schreibt Richard Pattee, Mitarbeiter des US=Naval Instituts
in USA. Er schließt: „Man muß Rogge zugestehen, daß er damit eine
Reise vollbracht hat, wie sie nur ganz wenigen in der langen dramati=
schen Geschichte der Seefahrt geglückt ist."

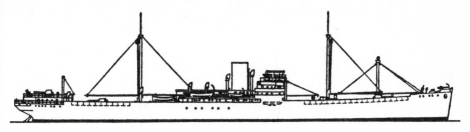

Hilfskreuzer ORION = HSK 1

Schiff 36: ex Fracht=Turbinenschiff *Kurmark* (HAPAG, Hamburg)

Größe:	7021 BRT (15 000 ts max.)
Baujahr:	1930
Bauwerft:	Blohm & Voß, Hamburg
Maschinenleistung:	6200 PS
Geschwindigkeit:	13,5 kn
Bewaffnung:	6 — 15 cm
	1 Anhaltekanone auf der Back, 7,5 cm (polnisch)
	4 — 3,7 (2) cm
	4 — 2 cm
	6 TR (3 ↑)
	2 Bordflugzeuge vom Typ „Arado 196"
	230 Minen
Aktionsradius:	18 000 sm bei 10 kn
Kommandant:	Fregattenkapitän Kurt Weyher, geb. 30. 8. 01; Ritterkreuz
Besatzung:	einschließlich Prisenkommandos, 377 Mann
Ausgelaufen:	30. 3. 40 aus Kiel, dann vor Anker in der Süder=Piep= Bucht (Westküste Schleswig=Holstein), Anker auf zur Unternehmung am 6. 4. 40
Operationsgebiete:	Südlicher Pazifik, Westlicher Indischer Ozean, Süd= und Nordatlantik
Reiseende:	23. 8. 41, in Royan, Westfrankreich, eingelaufen.
Reisedauer:	511 Tage
Reisedistanz:	127 337 sm
Schicksal d. Besatz.:	Keine Ausfälle bis auf einen Mechaniker=Gefreiten (Lam= bert Harder), schwerverletzt bei Explosion einer Tarn= mine und an Bord gestorben. Schwerverletzt wurde dabei noch ein weiterer Mechaniker=Gefreiter (Karl Putz)

1. Haxby	29	5 207 BRT	Br.	24. 4. 40	31,38 N — 51,40 W
2. Tropic Sea (P)	20	5 781 BRT	No.	19. 6. 40	28,43 S —166,04 O

als Prise entlassen, am 18. 5. 41 vor Kap Finisterre vom britischen U=Boot HMS *Truant* angehalten und vom Ka=pitän selbst versenkt.

3. Notou	30	2 489 BRT	Fr.	16. 8. 40	23,43 S —164,40 O
4. Turakina	23	9 691 BRT	Br.	20. 8. 40	38,33 S —167,12 O
5. Ringwood	26	7 203 BRT	No.	13. 10. 40	05,29 N—159,42 O

30 371 BRT

Während des Verbandsunternehmens wurden von *Orion* und *Komet* im Rahmen der gemeinsamen Aktion versenkt:

6. Holmwood	11	546 BRT	Br.	25. 11. 40	43,44 S —177,30 W
7. Rangitane	29	16 712 BRT	Br.	27. 11. 40	36,48 S —175,07 W
8. Triona	31	4 413 BRT	Br.	6. 12. 40	05,12 S —165,39 O
9. Vinni	37	5 181 BRT	No.	7. 12. 40	00,28 S —166,55 O
10. Komata	38	3 900 BRT	Br.	7. 12. 40 vor	00,42 S —167,17 O
11. Triadic	38	6 378 BRT	Br.	8. 12. 40 Nau=ru	00,43 S —167,20 O
12. Triaster	35	6 032 BRT	Br.	8. 12. 40	00,54 S —167,24 O

43 162 BRT

Hierzu ist im einzelnen zu sagen: Bei dem auf Nauru gefahrenen Verbandsunternehmen operierten beide Schiffe an sich doch getrennt. *Orion* versenkte allein die *Triadic* (11.) und *Triaster* (12.), *Komet* die *Vinni* (9.) und *Komata* (10.).

Schlüssel A:

Vorher sichtete und versenkte im Rahmen des Verbands=unternehmens *Komet* die *Holmwood*, *Orion* die *Rangi=tane*. Sie wurden dann aber gemeinsam angegriffen, aller=dings von einem Prisenkommando der *Komet* geentert. Die *Triona* wurde von *Orion* entdeckt und trotz Wider=spruchs des *Komet*=Kommandanten weiterverfolgt, bis dieser schließlich ebenfalls zum Angriff auflief und, da schneller, auch das Prisenkommando ausbrachte. Zusam=men versenkten beide Schiffe während der Unternehmung als 43 162 BRT, also kommen auf jedes Schiff 21 581 BRT.

Schlüssel B:

Will man die Erfolge indessen nach den Sichtungen be=
werten — denn ohne Sichtung kein Erfolg —, müßten
Orion zugesprochen werden: die *Rangitane*, *Triona* sowie
Triadic und *Triaster* ohnehin (33 535 BRT); der *Komet*:
die *Holmwood* und die *Vinni* und *Komata* (9627 BRT).

13. Chaucer	29	5 792 BRT Br.	29. 7. 41	16,46 N — 38,01 W

35 503 BRT o h n e Verbandsoperationen

insgesamt: 57 744 BRT mit Verbandsoperationen nach Schlüssel A
69 698 BRT mit Verbandsoperationen nach Schlüssel B

Hinzu kommen noch die Erfolge durch die von *Orion* vor
den neuseeländischen Hafen Auckland gelegten Minen:

1. die 13 415 BRT große britische *Niagara* und

2. das 927 BRT große Hilfsminensuchboot *Puriri* (1938 er=
baut für die Anchor Shipping and Foundry Co. Ltd., of
Nelson).

3. schwer beschädigt wurden und für lange Zeit fielen aus
der 8276 BRT große Frachter *Port Bowen* und zwei Ad=
miralitäts=Trawler.

Mit den Minenerfolgen am gegnerischen Frachtschiffraum
erhöht sich der Gesamterfolg der *Orion*:

a) nach dem Schlüssel A auf 72 083 BRT

b) nach dem Schlüssel B auf 84 040 BRT

Mit seinen 13,5 kn Höchstgeschwindigkeit war HSK *Orion* der lang=
samste aller deutschen Handelsstörer. Er war auch hinsichtlich Unter=
bringung der Besatzung der am schlechtesten ausgerüstete Hilfskreuzer.
Orion verließ am 6. April 1940 die heimatlichen Nordseegewässer.
Der Auslauftermin war etwas unglücklich gewählt, denn *Orion* geriet
bei seinem Marsch zur Dänemarkstraße mitten in die britischen Gegen=
operationen zur deutschen Norwegenunternehmung „Weserübung".
Mag sein, daß die verantwortlichen Stellen zur Stunde noch nicht mit
einem derart umfassenden Gegenstoß der Briten gerechnet hatten und
daß man weiter gehofft hatte, daß ein alleinfahrender, dazu noch als

holländischer Frachter *Beemsterdijk* getarnter Hilfskreuzer für den Geg=
ner uninteressant sein würde. Richtig war es jedoch in keinem Falle,
Weyher nichts über das bereits angelaufene Unternehmen „Weser=
übung" zu sagen. Man hatte ihm im OKM und beim Marine=Gruppen=
Kommando=West eigene „Flottenoperationen" vor Norwegens Küste
lediglich als möglich angedeutet.

Auf ihrem Nordkurs kamen *Orion* statt der deutschen Einheiten mor=
gens zwei, einen Frachter begleitende britische Zerstörer in Sicht. *Orion*
vermochte eben noch in einer Regenboe zu entwischen. Nachmittags tra=
ten vier britische Zerstörer über die Kimm. Auch sie beschatteten einen
Frachter, den Weyher als Truppentransporter ansprach, der aber in
Wirklichkeit der Minenleger *Teviotbank* war, den die Briten im Rah=
men der Minenoperation „Wilfried" vor Norwegens Küsten eingesetzt
hatten. Zwei der Zerstörer näherten sich dem Holländer *Beemsterdijk*,
also *Orion*, drehten dann aber ohne irgend eine Signalansprache zurück.

Der Marsch durch die Dänemarkstraße verlief ohne eine Begegnung.
Durch FT wurde Weyher aber entgegen dem generellen Op=Plan auf=
gefordert, im Nordatlantik die Anwesenheit eines Panzerschiffes vorzu=
täuschen, um durch einen dadurch erhofften Abzug an britischen, zur
Jagd angesetzten Einheiten die Norwegenfront zu entlasten. Am 24.
April erfüllte sich dieser Befehl, als *Orion* die 5 207 BRT große britische
Haxby angriff. Der Gegner funkte einen RRR=Notruf, statt das in die=
sem Falle notwendige QQQ=FT zu senden.

Orion drang auf ihrem Weitermarsch um Kap Horn in den Stillen
Ozean ein und legte in der Nacht vom 13. zum 14. Juni 238 Minen vor
dem neuseeländischen Hafen Auckland, denen am 19. Juni die 13 415
BRT große *Niagara* zum Opfer fiel. Diese hatte unter anderem Gold im
Werte von 2,5 Millionen Pfund Sterling an Bord.

Ein Jahr später, am 14. Mai, ging das Hilfsminensuchboot *Puriri* auf
einer dieser Minen verloren*), danach wurden noch zwei Admiralitäts=
Trawler und der 8276 BRT große Frachter *Port Bowen* schwer beschädigt.

Orion setzte sich zur Kermadec=Gruppe ab und kaperte hier die nor=
wegische *Tropic Sea* ohne Gegenwehr. Das Schiff wurde als Prise nach
Frankreich entlassen, aber kurz vor dem Hafen von dem britischen U=

---

*) Die *Puriri* ging verloren, als diese zusammen mit dem Minensucher
Gale eine am 13. Mai von dem Fischkutter *Pear Line* gesichtete und von
dem Navy=Kutter *Rawea* mit einer Flagge markierte deutsche Mine beseitigen
wollte. Das neuseeländische Seekriegswerk kritisiert den auf der *Gale* fahren=
den Senioroffizier, er habe dem *Puriri*=Kommandant keine klaren Anweisun=
gen gegeben. Verluste: 5 Besatzungsmitglieder (darunter der Kommandant)
von 31 Mann.

Boot, HMS *Truant* versenkt. Durch die von den Briten übernommenen, an Bord der Prise befindlich gewesenen *Haxby*=Gefangenen erfuhren — wie Roskill schreibt — die Briten zum ersten Male von der Existenz eines deutschen Hilfskreuzers im weiträumigen Pazifik.

Es folgten Wochen ohne eine Sichtung. Erst am 16. August winkte eine neue Beute: die mit 3 900 ts Kohlen beladene französische *Notou* wurde im Seeraum vor Französisch=Nouméa gestellt und versenkt.

Orion wandte sich nun südlicheren Breiten zu und griff am 20. August in der Tasmanischen See den britischen Frachter *Turakina* an. Das 9 691 BRT große Schiff wehrte sich verzweifelt. Die Funksprüche des briti=schen Frachters lösten Großalarm aus. Der Gegner entsandte Kriegs=schiffe und Flugzeuge. Aber *Orion* entwischte auf südlichem Kurs, ope=rierte vorübergehend südlich Australiens und an der Ausfallroute in die Indische See.

Da dieses Gebiet von der Skl dem HSK *Pinguin* für Minenoperationen zugewiesen wurde, mußte *Orion* das Feld räumen. Weyher nahm wie=der Kurs in den Pazifik. Nach verschiedenen, von der Skl gesteuerten Umdispositionen und vergeblichen Suchfahrten lief er das zu den Marshall=Inseln gehörende Ailinlapalapp=Atoll zur Versorgung aus der aus Japan kommenden *Regensburg* an. Einem Vorschlag der Skl folgend, nahm *Orion* Kurs auf das westlich gelegene, zu den Karolinen=Inseln gehörende Lamutrek=Atoll, eine Order, die Weyher gar nicht gelegen kam, da er im Ailinlapalapp=Atoll hoffte, die übermäßig strapazierten Kesselanlagen in Ruhe zu überholen.

Auf dem Marsch zum Lamutrek=Atoll lief *Orion* die 7 203 BRT große *Ringwood* aus Oslo über den Weg. Der Norweger wurde versenkt.

Im Lamutrek=Atoll trafen Weyher und die ihn begleitende *Regens=burg* außer HSK *Komet* noch den Versorger *Kulmerland*.

Nachdem die *Regensburg* nach der Versorgung am 20. Oktober entlas=sen worden war, operierten die beiden Hilfskreuzer, die *Kulmerland* in ihrer Mitte, verbandsmäßig in den früheren Jagdrevieren der *Orion*.

Anfang November stießen die drei Schiffe auf die neuseeländische Ostküste zu. Am 25. November sichtete *Komet* als rechter Flügelmann des „Deutschen Fernostgeschwaders" die 546 BRT große *Holmwood*.

Am 27. November wurde auf *Orion* 03.00 Uhr morgens ein großer Schatten ausgemacht. *Orion* verständigte über die *Kulmerland Komet*. Beide Schiffe griffen den Fremden gemeinsam an. Es handelte sich um die 16 712 BRT große britische *Rangitane*. Nach der Abbergung der Überlebenden, unter diesen 111 Passagiere, wurde sie von *Komet* durch Torpedoschuß versenkt.

Der Verband nahm nunmehr Kurs auf die ehemals deutsche, jetzt unter britischer Verwaltung stehende Phosphat=Insel Nauru, um, einem vom *Komet*=Kommandanten entwickelten Plan folgend, dort die auf ihre Abfertigung wartenden Spezialfrachter anzugreifen und die Insel selbst im Handstreich zu überfallen.

Auf dem Marsch traf *Orion* auf einen alten Bekannten, auf die 4 413 BRT große *Triona*, die Weyher vor Monaten wegen ihrer hohen Ge= schwindigkeit hatte laufen lassen müssen. *Komet* wurde über die *Kulmerland* von *Orion* verständigt. Die *Triona* versuchte erneut zu ent= kommen, lief aber der vom Norden anlaufenden *Komet* direkt in die Arme. Von beiden Hilfskreuzern unter Feuer genommen, gab der *Triona*=Kapitän auf.

Am 7. Dezember begann der Angriff auf die Nauru=Schiffahrt. Vier Phosphatfrachter wurden das Opfer der gemeinsamen Aktion. *Orion* versenkte die Briten *Triaster* und *Triadic*, *Komet* den Neuseeländer *Komata* und den Norweger *Vinni*.

Die gesamte Schiffahrt nach Nauru wurde für Wochen gestoppt.

Am 21. Dezember ankerten die Schiffe vor der benannten Insel, setz= ten die Gefangenen an Land, versorgten sich aus der *Kulmerland* und trennten sich am 22. Dezember. Der Fernostverband wurde aufgelöst, denn *Orion* mußte endlich ihre überfällig gewordenen Maschinen über= holen. Weyher versuchte es erst im Lamutrek=Atoll, wurde dort aber von Bedenken aufgescheucht, als *Komet* unerwartet doch das nicht allzu ferne Nauru beschoß und die Gefahr bestand, bei einer weitgreifenden Suchaktion des Gegners entdeckt zu werden. Zusammen mit der *Atlan= tis*=Prise, dem als Versorger eingesetzten Tanker *Ole Jacob*, verlegte er zur Maschinenüberholung und Versorgung in das Maug=Atoll der Marianen=Gruppe.

Vergeblich suchte *Orion* in den Wochen nach der Überholung im Süd= seegebiet nach einer Beute. Sie verholte dann in den Indischen Ozean, in dem aber *Admiral Scheer*, *Pinguin* und *Atlantis* derart aufgeräumt hatten, daß es zu keiner Sichtung kam. Lediglich am 18. Mai entdeckte der Bordflieger ein Gegnerschiff, einen Kreuzer der *County*=Klasse oder die *Cornwall* selbst, die am 8. Mai HSK *Pinguin* versenkt hatte. Nur mit Mühe gelang es Weyher, den noch unter der Kimm stehenden Gegner auszumanövrieren.

Mitte Juni rundete *Orion* das Kap der Guten Hoffnung und traf sich am 1. Juli 1941 nordöstlich von Tristan da Cunha mit HSK *Atlantis*.

Orion war sechs Monate ohne einen einzigen Erfolg gekreuzt. Alle Mühen waren umsonst, alle zermürbenden Suchfahrten vergebens. Ihre letzte Beölung hatte Anfang Juni durch den Ex=Norweger Tanker *Ole Jacob* stattgefunden, der anschließend nach Bordeaux beordert wurde, wo er auch einkam und später in *Benno* umbenannt wurde.

Erschwerend für die Versorgung aller Hilfskreuzer und damit für ihre weiteren Operationen trat hinzu, daß der Gegner nach der Vernich= tung des Schlachtschiffes *Bismarck* zu einer großangelegten und auch erfolgreichen Aktion gegen die deutsche Versorgungsschiffahrt ausgeholt hatte.

Die Schwierigkeiten traten zunächst dadurch auf, daß das Treffen mit dem Motorschiff *Anneliese Essberger* verschoben wurde, da diese, erst jetzt in Japan ausgelaufen, vorher noch *Komet* versorgen sollte, spä= ter aber nicht mehr über genügend Bestände verfügte, um *Orion* zu hel= fen. Die Skl hatte daraufhin den Tanker *Egerland* als Ersatz bestimmt. Aber die *Egerland* wurde in der Natal=Freetown=Enge in der Nacht vom 4. zum 5. Juni durch den britischen Schweren Kreuzer *London* und den britischen Zerstörer *Brilliant* gestellt. Unmittelbar vorher, am 4. Juni, wurde fast auf der gleichen Position der Tanker *Esso Hamburg*, ur= sprünglich als Versorger für *Bismarck* und *Prinz Eugen* bestimmt, auf 07°35 N und 31°25 W durch die *London* zur Selbstversenkung ge= zwungen.

Am gleichen Tage gingen verloren:

a) der Tanker *Gedania**), für *Bismarck* und *Prinz Eugen* sowie für U= Boote vorgesehen, wurde auf 43°48 N und 28°15 W durch HMS *Marsdale* gekapert. (Die *Gedania* wurde als *Empire Garden* wieder in Dienst gestellt);

b) das Versorgungsschiff *Gonzenheim*, ebenfalls ursprünglich für *Bis= marck* und *Prinz Eugen* vorgesehen, auf 43°29 N und 24°04 W ge= stellt durch HMS *Esperance Bay*, sowie durch Flugzeuge des Trägers *Victorious* und Bordflugzeuge des Schlachtschiffes *Nelson* und des Leichten Kreuzers *Neptun*.

Einen Tag zuvor wurde der Tanker *Belchen* nordöstlich von Neufund= land auf 59 N 47 W durch die Leichten Kreuzer *Aurora* und *Kenya* ver= senkt.

Damit nicht genug:

Am 12. Juni wurden auf 49 48 N und 24 W, genau in der Mitte zwi=

---

*) Die *Gedania* muß zuerst genannt werden, da der Kapitän dieses Ver= sorgers den Briten alle Geheimunterlagen übergab, nachdem er keinen Ver= such gemacht hatte, sein Schiff selbst zu versenken. So verriet er andere Versorger und deren Positionen.
Siehe Klähn, „Käp'n Kölschbach. Der Blockadebrecher mit der glücklichen Hand." Koehlers Verlagsgesellschaft, Biberach a. d. Riß, 1958.

schen Neufundland und Frankreich stehend, durch den Leichten Kreuzer *Sheffield* der Tanker *Friedrich Breme* gestellt. Das Versorgungsschiff konnte sich noch selbst versenken.

Am 15. Juni ging im Mittelatlantik auf 19 49 N — 30 30 W der Tanker *Lothringen* verloren. Das Schiff wurde derart plötzlich durch den Leich= ten Kreuzer *Dunedin* und Flugzeuge des Trägers *Eagle* überrascht, daß es nicht rechtzeitig versenkt werden konnte. Es wurde vom gegnerischen Prisenkommando geentert.

Außerordentlich schwerwiegend für die Tätigkeit der deutschen Hilfs= kreuzer wirkte sich der Verlust des Versorgungsschiffes *Babitonga* aus, das in der Natal=Freetown=Enge auf 2 05 N — 27 42 W durch den Schwe= ren Kreuzer *London* am 21. Juni gestellt wurde. Auf seinem Heimmarsch traf es noch den Versorger *Alstertor*. Am 23. Juni wurde es von HMS *Marsdale* und Zerstörern der 8. Flottille auf 41 20 N — 13 32 W westlich von Spanien zur Selbstversenkung gezwungen.

Unter diesen gegebenen Umständen konnte Rogge hinsichtlich der am 30. Juni gegebenen Skl=Befehle (Einzelheiten siehe „Schiff 16") *Orion* nur mit 700 t Öl versorgen, ohne seine eigenen Vorhaben zu gefährden, das heißt jene Pläne der Skl, die seinem Schiff als der noch voll einsatz= klaren Einheit zufielen.

Der *Orion*=Kommandant war über diese geringe Ölmenge bestürzt, hatte er doch mindestens 1 200 t über die Skl geltend gemacht. Fregatten= kapitän Weyher mußte also nunmehr auf Operationen im Atlantik ver= zichten. Das ursprünglich erst für September vorgesehene Einlaufen wurde auf Mitte August vordatiert. Immerhin gestattete der Brenn= stoffvorrat *Orion* noch einige Kreuzschläge im mittleren Nordatlantik. Vier Wochen nach dem Treffen mit der *Atlantis* und sieben und einen halben Monat nach erfolglosem Kreuzen verzeichnete *Orion* mit der Versenkung des britischen Schiffes *Chaucer* am 29. Juli ihren letzten Erfolg.

Am 23. August lief *Orion* die Gironde hinauf.

Roskill im Britischen Admiralstabswerk „The war at sea" abschlie= ßend zur *Orion*=Unternehmung:

„Die *Orion* war ein altes Schiff und, obwohl sie kein sehr erfolgreicher Raider war, hat sie doch das bemerkenswerte Heldenstück vollbracht, 511 Tage ohne festen Stützpunkt in See zu bleiben."

Darüber hinaus hat *Orion* mit ihren durchfahrenen 127 337 sm auch die längste Seefahrt ohne Werft und ohne Hafen durchgestanden.

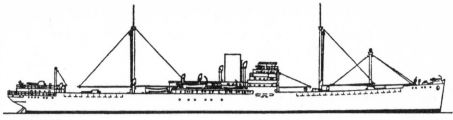

HSK 3 = WIDDER

Hilfskreuzer WIDDER = HSK 3

Schiff 21: ex Fracht=Turbinenschiff *Neumark* (HAPAG, Hamburg)

Größe:	7851 BRT (16 000 ts max.)
Baujahr:	1929
Bauwerft:	Howaldts Werke, Kiel
Maschinenleistung:	6200 PS
Geschwindigkeit:	14 kn
Bewaffnung:	6 — 15 cm
	4 — 3,7 cm (2)
	2 — 2 cm
	4 TR (2 ↑)
	2 Bordflugzeuge
Kommandant:	Korvettenkapitän Hellmuth v. Ruckteschell; Ritterkreuz am 31. 10. 40
Besatzung:	363 Mann
Ausgelaufen:	5. 5. 40 Elbe, aus Bergen am 6. 5. 40
Operationsgebiete:	Mittlerer und südlicher Nordatlantik
Reisedauer:	180 Tage
Reiseende:	31. 10. 40
Schicksal d. Besatz.:	2 Ausfälle. (Ein Seemann wurde wegen Seekrankheit auf Versorger abkommandiert. Er fiel dort durch Flieger=beschuß. Ein zweiter, ebenfalls ein Matrose, fiel über Bord und ertrank.)

Versenkungen — Prisen

1. British Petrol		25	6 891 BRT	Br. 13. 6. 40	20,10 N — 46,56 W
2. Krosfonn	(P)	35	9 323 BRT	No. 26. 6. 40	22,00 N — 45,00 W
		Als Prise in St. Nazaire eingelaufen			
3. Davisian		23	6 433 BRT	Br. 10. 7. 40	18,09 N — 54,40 W
4. King John		28	5 228 BRT	Br. 13. 7. 40	20,40 N — 59,26 W
5. Biaulieu		30	6 114 BRT	No. 4. 8. 40	25,46 N — 48,44 W
6. Oostplein		21	5 059 BRT	Du. 8. 8. 40	28,58 N — 34,28 W
7. Killoran		00	1 817 BRT	Fi. 10. 8. 40	33,06 N — 34,19 W
8. Anglo Saxon		29	5 596 BRT	Br. 21. 8. 40	26,12 N — 34,08 W
9. Cymbeline		27	6 317 BRT	Br. 2. 9. 40	27,55 N — 36,01 W
10. Antonius Chandris		18	5 866 BRT	Gr. 8. 9. 40	11,36 N — 34,30 W
		insgesamt	58 644 BRT		

Am 18. Juni 1940 erreichten Überlebende von zwei von einem bewaff=
neten deutschen Handelsschiff versenkten britischen Handelsschiffen eine
kleine Insel des Westindischen Archipels. Die Überlebenden beschrieben
den unheimlichen, plötzlich Feuer speienden Fremden in allen Einzel=
heiten. Für die Engländer waren diese Berichte die ersten Bestätigungen
über die Tätigkeit eines deutschen Hilfskreuzers im freien, zentralen
Atlantik.

Unbekannt blieb der Britischen Admiralität, daß es sich hier um das
„Schiff 21", um den Hilfskreuzer *Widder* handelte. Kommandant dieser
am 5. Mai 1940 ausgelaufenen Einheit war der schon aus dem Ersten
Weltkriege als U=Boot=Kommandant bekannt gewordene Fregatten=
kapitän von Ruckteschell, der übrigens später das Kommando vom
Hilfskreuzer *Michel* übernahm und nach dem Kriege, auf Grund zwei=
felhafter Zeugenaussagen wegen angeblicher Verletzung der Haager
Konvention von einem britischen Kriegsgericht zu zehn Jahren Gefäng=
nis verurteilt wurde.

Den Weg durch die „Dänemark=Straße" suchend, hatte *Widder* nach
ihrer Passage der Norwegen=Shetland=Enge im Schutze der norwegischen
Westküste nordwestlich von Bergen Gefechtsberührung mit dem briti=
schen U=Boot *Clyde,* ohne daß es zu einer Behinderung des Weiter=
marsches kam.

Nordmeer vor, verharrte hier kurz und trat zum Durchbruch durch die
Dänemark=Straße an, die der Hilfskreuzer zwischen dem 10. und 14.
April (Kap Farewell) passierte. *Widder* nahm nun geraden Kurs auf
den mittleren südlichen Nordatlantik, wo sie nördlich und südlich des
20. Breitengrades bis dicht an die pan=amerikanische Neutralitätsgrenze
operierte. Im Juni wurden ein britischer Tanker und ein norwegisches
Schiff von gleicher Art auf halbem Wege zwischen Kap Verden und
Westindien des Hilfskreuzers Opfer. Im nächsten Monat spürte von
Ruckteschell zwei weitere Schiffe in mehr westlicher Richtung auf. Es
handelte sich um die Briten *Davisian* und *King John,* die am 10. und 13.
Juli gestellt wurden. Überlebende dieser beiden versenkten Frachter er=
reichten bereits am 18. Juli die nahen Westindischen Inseln. Über sie
erfuhr der CIC=Westindien von der Anwesenheit eines deutschen Han=
delsstörers und leitete sofort, allerdings erfolglos bleibende Gegenmaß=
nahmen ein.

In der Zeit vom 4. August bis zum 2. September verlegte *Widder* ihr
Jagdgebiet weiter nach Norden, und zwar zwischen die Bermuda= und
die Kanarischen Inseln. Dieser Fischzug brachte von Ruckteschell fünf
wertvolle Frachtschiffe, unter diesen zwei Tanker, ein. Hierbei handelte
es sich um Einzelfahrer mit unabhängigen Routen, wie sie vornehmlich

zwischen den Ölhäfen der Karibischen See nach Westafrika oder Gibral= tar zu finden waren. Nach dieser erfolgreichen Periode stieß *Widder* zum Süden vor und bewies dem sich windenden Kapitän eines griechi= schen Frachters, dessen Ladung in Wirklichkeit für britische Rechnung bestimmt war, daß sein Schiff nach prisenrechtlichen Gesetzen versenkt werden dürfte. Das war am 8. September.

Schon vorher hatte das technische Personal dieses Hilfskreuzers Schwierigkeiten mit den nicht mehr neuen Antriebsanlagen. Diese konn= ten auch nicht durch die Hinzuziehung eines Versorgungsschiffes beho= ben werden. Ein weiterer, noch schwererer Turbinendefekt zwang den Kommandanten schließlich, das Unternehmen abzubrechen, da die her= abgesunkene Geschwindigkeit für die weiteren Operationen nicht mehr tragbar war.

In welcher kritischen Situation sich der Kommandant der *Widder* be= fand, beweist, daß er den damals noch sicheren, aber längeren Durch= bruchsweg durch die Dänemark=Straße mied und in den näher liegen= den Hafen Brest am Ausgang des Kanals am 31. Oktober einlief.

Obwohl von Ruckteschell nur knappe sechs Monate in See stand, kehrte er mit der beachtlichen Erfolgsziffer von zehn aufgebrachten und versenkten Schiffen mit zusammen 58 644 BRT heim.

Der Gegner führte später seine Erfolge auf die Anwendung besonders „harter" und „unbarmherziger" Angriffsmethoden zurück. Mit dieser am Rande vermerkten Feststellung soll offensichtlich versucht werden, das spätere falsche Gerichtsurteil zu rechtfertigen.

In Wirklichkeit hat auch von Ruckteschell nicht anders gehandelt als die anderen Hilfskreuzer=Kommandanten. Als ehemaliger und dazu noch sehr erfolgreicher U=Boot=Kommandant aus dem Ersten Welt= kriege brachte er allerdings wenige angenehme Erfahrungen mit seinem alten, in letzter Konsequenz auch gegen sich selbst harten und rück= sichtslos handelnden Gegner mit, die gewisse Entschlüsse im Interesse der eigenen Sicherheit notwendig machten, ohne dabei weder die in der Haager Konvention verankerten Vereinbarungen noch die ungeschrie= benen Gesetze seemännischer Fairneß zu verletzen, soweit deren Be= achtung nicht die eigene Sicherheit gefährdeten.

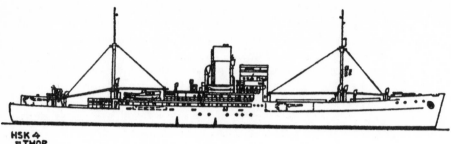

HSK 4
= THOR

Hilfskreuzer THOR = HSK 4 — I. Reise

Schiff 10: ex Fracht=Turbinenschiff *Santa Cruz* (Oldenburg=Portugiesische Dampfschiffahrtsgesellschaft, Oldenburg)

Größe:	3862 BRT (10 000 ts max.)
Baujahr:	1938
Bauwerft:	Deutsche Werft, Hamburg=Finkenwerder
Maschinenleistung:	6500 PS
Geschwindigkeit:	17 kn
Bewaffnung:	6 — 15 cm 1 Anhaltekanone 6 cm 2 — 3,7 cm, 4 — 2 cm 4 TR (2 ↑) 1 Flugzeug von Typ Arado Ar — 196 A — 1 Minen: keine
Aktionsradius:	40 000 sm bei 10 kn, als HSK: 32 000 sm bis 12 kn
Kommandant:	Kapitän zur See Otto Kähler, geb. 3. 3. 94 in Hamburg, Ritterkreuz 22. 12. 40, Eichenlaub 15. 9. 44 (als Seekommandant „Bretagne")
Besatzung:	einschließlich Prisenkommandos 350 Mann
Ausgelaufen:	6. 6. 40 aus Kiel
Operationsgebiete:	Mittel= und Südatlantik
Reiseende:	30. 4. 41 Hamburg
Reisedauer:	329 Tage
Reisedistanz:	57 532 sm
Schicksal d. Besatz.:	3 Verluste im Gefecht mit *Alcantara*

420

Versenkungen — Prisen

1. Kertosono	(P)	23	9 289 BRT	Du.	1. 7. 40	12,52 N — 31,36 W
			Als Prise auf 12,58 N — 31,30 W entlassen, Lorient ein 12. 7. 40				
2. Delambre		17	7 032 BRT	Br.	7. 7. 40	06,13 S — 25,06 W
3. Bruges		04	4 983 BRT	Be.	9. 7. 40	10,59 S — 23,54 W
4. Gracefield		28	4 631 BRT	Br.	14. 7. 40	20,25 S — 30,43 W
5. Wendover		28	5 489 BRT	Br.	17. 7. 40	23,08 S — 34,49 W
6. Tela		11	3 777 BRT	Du.	19. 7. 40	24,30 S — 35,05 W
7. Kosmos		29	17 801 BRT	No.	26. 9. 40	00,30 S — 32,06 W
8. Natia		20	8 715 BRT	Br.	8. 10. 40	00,50 S — 22,12 W
9. Britannia		26	8 799 BRT	Br.	25. 3. 41	08,37 N — 25,28 W
10. Trolleholm		22	5 047 BRT	Sw.	25. 3. 41	09,02 N — 27,05 W
11. Voltaire		23	13 245 BRT	Br.	4. 4. 41	14,25 N — 40,40 W
12. Sir Ernest Cassel		10	7 739 BRT	Sw.	16. 4. 41	38,07 N — 39,57 W
	insgesamt		96 547 BRT				

Bemerkenswert und aus der Tabelle nicht ersichtlich ist für die erste Reise des so kleinen, aber sehr schnelllen Hilfskreuzers die Tatsache, daß er fast wie ein Magnet gegnerische Hilfskreuzer anzog, nämlich:

a) den AMC*) *Alcantara*,

b) den AMC *Carnarvon Castle* und

c) den AMC *Voltaire*, der nach einem dramatischen und für *Thor* sogar kritisch zu nennenden Gefecht (Ausfall verschiedener Hauptgeschütze) versenkt wurde.

Außerdem hatte HSK *Thor* als einziger Hilfskreuzer eine Begegnung mit einem gegnerischen Truppentransporter, mit der *Britannia*. Besondere Einzel= heiten siehe Hauptteil des Buches.

---

*) AMC = die britische Abkürzung für Hilfskreuzer: armed merchant cruiser = bewaffneter Handelskreuzer.

Als viertes Schiff der ersten Welle ging „Schiff 10", Hilfskreuzer *Thor*, unter dem Kommando von Kapitän zur See Otto Kähler durch völlig an= ders gelagerte, selbst von der Skl nicht erwartete Erfolge und Leistungen in den Akten der Seekriegsgeschichte ein.

Thor, die übrigens, wie an anderer Stelle berichtet wird, noch eine zweite Unternehmung fuhr, hat mit drei um ein Vielfaches größeren, schnelleren und auch artilleristisch überlegeneren britischen Hilfskreu= zern Gefechtsberührung gehabt. „Schiff 10", verließ Kiel am 6. Juni 1940 und wählte, als Sperrbrecher getarnt, den unverdächtigen Kurs nach Norwegen. In einem abgelegenen, völlig unbewohnten Fjord ließ Kähler sein Schiff in einen russischen Frachter umtarnen und setzte dann zum Durchbruch durch die Dänemarkstraße an. Dieser glückte ohne Feindberührung, da die Masse der britischen Kriegsflotte noch immer vor den norwegischen Gewässern engagiert war. Bereits am 16. Juli stand *Thor* querab vom Kap Farewell, der Südspitze Grönlands. Mit direktem Südkurs strebte der HSK dem südlichen mittleren Nordatlantik zu.

Nach der Vernichtung von sechs gegnerischen Handelsschiffen (siehe S. 421) kam es am 28. Juli zu einer Begegnung mit dem 22 209 BRT großen englischen Hilfskreuzer *Alcantara*, dem Kähler zunächst auszu= weichen suchte, da es laut Skl=Befehl nicht seine Aufgabe war, sich in eine Gefechtsberührung mit gegnerischen Streitkräften, gleich welcher Art, einzulassen. Die *Alcantara* verfügte indessen über eine etwas größere Geschwindigkeit und holte das ihr verdächtig scheinende Schiff langsam auf. Da Kähler die Zwecklosigkeit seines Versuchs einsah, den Verfolger abzuschütteln, drehte er *Thor* auf Gegenkurs, enttarnte und nutzte somit seine größte Stärke, die der Überraschung, aus.

Bereits nach der ersten auf 138 hm Entfernung geschossenen Voll= salve wurden Treffer auf dem Gegner beobachtet, während im Verlaufe des Gefechts HSK *Thor* zwei Treffer hinnehmen mußte. Sie beschädig= ten zwar keine lebenswichtigen Anlagen, kosteten aber das Opfer von drei Besatzungsmitgliedern. Drei andere Seeleute wurden verwundet. Um den gut deckenden Salven auszuweichen, drehte Kähler, gleichzeitig nebelnd, zum Heckgefecht ab. Als nach fünf Minuten das Nebeln ge= stoppt wurde, hatte die Entfernung zugenommen. Der Brite nahm auch seinerseits das Feuer wieder auf. Kähler konnte diesem aber mit nur geringen Kursänderungen ausweichen. 13.55 Uhr war die Entfernung so groß geworden, daß der Artilleriebeschuß keine Treffsicherheit mehr gewährleistete. Der Gegner hatte inzwischen gestoppt. Vermutlich hatte er Treffer im Maschinenraum erhalten. Außerdem zeigte das Schiff eine leichte Schlagseite.

An Bord wurden die Schäden beseitigt, auch jene, die an vielen Stel=

len durch das eigene Schießen durch den Luftdruck entstanden und sich besonders in den Wohnräumen auswirkten. Der Gefechtszustand des Schiffes war aber nicht beeinträchtigt. *Thor* lief nach Süden, bewegte sich dann nach Osten und kämmte hier auf der Höhe von Kapstadt in Kreuz= schlägen den mittleren Südatlantik ab. Von hier aus wendete sie sich mit wechselnden Kursen nach Norden und tauchte Ende September auf der Höhe von Natal auf. Hier stellte sie am 26.9. das 17 801 BRT große norwegische Walfangmutterschiff *Kosmos*. Obwohl die *Kosmos* unbe= schädigt in deutsche Hände fiel und 17 622 t Walöl an Bord hatte, ließ der *Thor*=Kommandant das Schiff versenken. Es erschien ihm als Prise zu auffällig und mit neun Knoten auch zu langsam. Das war vielleicht ein Fehler, denn *Pinguins* erbeutete, nicht minder auffällige Walkoche= reien, kamen trotzdem alle heim.

Am 8. Oktober operierte *Thor* etwas nordwestlicher und zwar wie *Widder* ebenfalls in panamerikanischem Neutralitätsgebiet, das der Kommandant zu Recht nicht anerkannte! — *Thor* jagte die 8 715 BRT große britische *Natia*, die wegen ihrer Funkmeldung beschossen werden mußte.

Kähler gab, wieder südlicher auf dem Treffpunkt „Meise" stehend, am 9. November seine 350 Gefangenen an den deutschen Blockade= brecher *Rio Grande* ab (die *Rio Grande* erreichte am 13. Dezember die Gironde), und operierte nunmehr vor Buenos Aires und Rio de Janeiro.

Auf dem Marsch dorthin erhielt *Thor* von der Skl durch Funk eine Meldung über den Standort britischer Seestreitkräfte im Südatlantik. Danach befand sich das britische Schlachtschiff *Resolution* (29 150 ts) im Gebiet vor Freetown. An der langen Küste von Westafrika bis hin= unter nach Kapstadt hielten sich die Schweren Kreuzer *Devonshire* (9 750 ts), *Canberra* (9 850 ts), *Dorsetshire* (9 975 ts), *Shropshire* (9 830 ts) und *Cornwall* (10 000 ts) sowie die Leichten Kreuzer *Delhi* (4 850 ts), *Dragon* (4 850 ts) und der Schulkreuzer *Vindictive* (9 100 ts) auf. Und schließlich standen an der Ostküste Südamerikas die beiden Leichten britischen Kreuzer *Hawkins* (9 800 ts) und *Enterprise* (7 580 ts). Über Zahl und Größe der außerdem vorhandenen Hilfskreuzer sagte der Funkspruch nichts.

In den ersten Morgenstunden des 5. Dezember kam es zu einer Be= gegnung mit dem 20 122 BRT großen britischen Hilfskreuzer *Carnarvon Castle*, der plötzlich, in einer Nebellücke, querab auf Gegenkurs gesich= tet wurde. Gleichzeitig mit dem Anhalteschuß des *Thor* nun folgenden und anrufenden Briten ließ Kähler enttarnen und lag mit seinen ersten Salven sofort am Ziel. Während des 20 Minuten dauernden Artillerie= duells erhielt die *Carnarvon Castle* 20 Treffer, während *Thor* selbst das heftige Gegnerfeuer aus 15,2=cm=Kanonen ausmanövrierte. Plötzlich nebelte der schnelle britische Hilfskreuzer und entzog sich weiteren Treffern durch die Flucht.

Der Brite lief später einen Nothafen an. Seine Opfer waren schwer: 37 Mann waren gefallen, 82 verwundet.

Der Bericht der Schadenskommission war über 200 Seiten lang.

Der Engländer setzte alle Südatlantikstreitkräfte zur Suche an. Die Aktionen blieben erfolglos. *Thor* hatte sich mit Ostkurs abgesetzt und traf sich während der Tage zwischen Weihnachten und Neujahr im Mitt= leren Südatlantik mit *Admiral Scheer,* versorgte aus der *Nordmark* und zusätzlich aus dem britischen Kühlschiff *Duquesa,* das als „Verpflegungs= amt Wilhelmshaven Süd" in den Skl=Akten bereits ein offizieller Begriff geworden war.

Nach der Versenkung eines weiteren Frachters fiel *Thor* der Truppen= transporter *Britannia* zum Opfer.

Am 4. April schob sich ein großes Schiff über die Kimm. *Thor* nahm den Fremden an. Der Stoppschuß hatte eben das Rohr verlassen, da er= kannte Kähler, daß er es erneut mit einem britischen Hilfskreuzer zu tun hatte. Kähler griff sofort mit Batteriesalven an. Der Gegner antwor= tete. Wieder schoß sich die *Thor*=Artillerie schnell ein. Bereits nach kur= zer Zeit loderten in den Passagierschiffaufbauten des Gegners Brände auf. Das Feuer des Briten wurde immer unregelmäßiger. Ein Treffer mußte seine Ruderanlage beschädigt haben, denn nun fuhr das mitt= schiffs lichterloh brennende Schiff in Höchstfahrt im Kreise. Wenn auch die Mittschiffsgeschütze ausgefallen waren, so wehrte sich der Gegner noch immer mit intakten Bug= und Heckkanonen. Als auch das Heck= geschütz schwieg, gaben sie auf dem Briten auf.

Erst nach der Anbordnahme der Überlebenden, die aus dem aufge= triebenen Öl herausgezogen wurden, erfuhr man auf *Thor* den Namen des Gegners, der in einem über eine Stunde andauerndem Gefecht nie= dergekämpft wurde. Es handelte sich um den 13 245 BRT großen, zum Hilfskreuzer umgebauten britischen Passagierdampfer *Voltaire.* Drei= viertel seiner Besatzung, darunter auch der Kommandant, wurden ge= rettet.

.Kähler trat den Marsch nach Norden mit Kurs Heimat an. Am 16. April wurde wieder im Nordatlantik stehend, ein weiteres Schiff gesich= tet und versenkt.

Am 23. April erreichte *Thor* die Biskaya. Der Marsch durch den Kanal glückte, und am 30. April dampfte „Schiff 10" die Elbe hinauf.

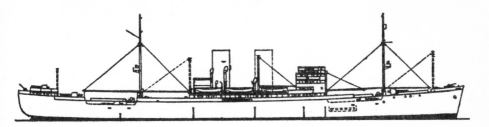

Hilfskreuzer PINGUIN = HSK 5

Schiff 33: ex Fracht=Motorschiff *Kandelfels* (DDSG „Hansa", Bremen)

Größe:	7766 BRT (16 000 ts max.)
Baujahr:	1936
Bauwerft:	A.G. „Weser", Bremen
Geschwindigkeit:	16 kn
Bewaffnung:	6 — 15 cm, 1 Buggeschütz 7,5 cm
	2 — 3,7 cm (2), 2 — 2 cm
	4 TR (2)
	2 Bordflugzeuge vom Typ „He 114", später 1 Arado 196;
	420 Minen, darunter 80 Minen für U=Boote; außerdem
	für U=Boote: 25 Torpedos
Kommandant:	Kapitän zur See Ernst=Felix Krüder, geb. 6. 12. 1897 in Hamburg; Eichenlaub zum Ritterkreuz
Besatzung:	einschließlich Prisenkommandos 420 Mann
Ausgelaufen:	Gotenhafen am 15. 6. 40
Operationsgebiete:	Indischer Ozean und Antarktis sowie Randgebiete Austra=liens
Reiseende:	Versenkt durch HMS *Cornwall* am 8. 5. 41 südlich der Seychellen im westlichen Indischen Ozean
Reisedauer:	357 Tage
Reisedistanz:	59 188 sm
Schicksal d. Besatz.:	Gefallen 18 Offiziere, 15 Feldwebel, 54 Unteroffiziere, 254 Mannschaften; außerdem blieben im sinkenden Schiff 213 Gefangene (Mehrzahl Inder).
	Gerettet wurden: 3 Offiziere (ohne Kmdt), 3 Feldwebel, 7 Unteroffiziere und 47 Mann,
	dazu kamen 23 Gefangene (8 britische Offiziere und 15 Inder)

1. Domingo de Larrinaga		29	5 358 BRT	Br.	31.	7. 40		05,26 S —	18,06 W
2. Filefjell		22	7 616 BRT	Br.	.27.	8. 40		29,38 S —	45,11 O
3. British Commander		22	6 901 BRT	No.	27.	8. 40		29,30 S —	46,06 O
4. Morviken		38	5 008 BRT	No.	26.	8. 40		30,08 S —	46,15 O
5. Benavon		30	5 872 BRT	Br.	12.	9. 40		25,20 S —	52,17 O
6. Nordvard	(P)	25	4 111 BRT	No.	16.	9. 40		30,32 S —	69,09 O

Als Prise entlassen, trotz Feindberührung am 3. 12. 40 Bordeaux erreicht

7. Storstad	(P)	26	8 998 BRT	No.	7. 10. 40		15,07 S —	107,50 O

Nach Erledigung der Aufgaben als Hilfsminenschiff *Passat* (Minen in der Baßstraße und vor Melbourne und Adelaide) am 30. 11. 40 als Prise entlassen. Im Südatlantik Treffen mit Schwerem Kreuzer *Admiral Scheer* und Marineversorger *Nordmark*. Abgabe des größten Teils der Ölladung, Durchbruch nach Westfrankreich, 4. Februar fest vor Pauillac, Gironde

8. Nowshera		19	7 920 BRT	Br.	19. 11. 40		31,02 S —	100,51 O
9. Maimoa		20	10 123 BRT	Br.	20. 11. 40		32,14 S —	100,56 O
10. Port Brisbane		23	8 739 BRT	Br.	21. 11. 40		29,29 S —	95,37 O
11. Port Wellington		24	8 303 BRT	Br.	30. 11. 40		31,10 S —	70,37 O
12. Ole Wegger	(P)	14	12 201 BRT	No.	14. 1. 41		57,45 S —	02,30 O

Als Prise vom Punkt Andalusien zur Westküste Frankreichs entlassen und in Bordeaux eingelaufen

13. Solglimt	(P)	.00	12 246 BRT	No.	14. 1. 41		57,45 S —	02,30 O

Als Prise vom Punkt Andalusien zur Westküste Frankreichs entlassen und in Bordeaux eingelaufen

14. Pol VII	(P)	36	336 BRT	No.	14. 1. 41		57,45 S —	02,30 O

Als Prise entlassen, Bordeaux erreicht

15. Pol VIII	(P)	36	298 BRT	No.	14. 1. 41		57,45 S —	02,30 O

Als Prise entlassen, Bordeaux erreicht

16. Pol IX	(P)	37	354 BRT	No.	14. 1. 41		57,45 S —	02,30 O

Als zweites Auge von HSK *Pinguin* zurückgehalten und zusammen mit dem Versorger *Alstertor* zu den Kerguelen geschickt.
Von HSK *Pinguin* auf Treffpunkt im Indischen Ozean belassen, als dieser Tanker für Minenoperation suchte. Am 8. 5. 41 nach Versenkung von *Pinguin* von Versorger

Alstertor auf Treffpunkt in Obhut genommen. Dann an HSK *Komet* abgegeben, von diesem als Minenschiff *Adjutant* für Minenoperation Neuseeland verwandt. Nach Erledigung dieser Aufgabe von HSK *Komet* selbst versenkt

17. Pol X	(P)	37	354 BRT	No. 14. 1. 41	57,45 S — 02,30 O

Als Prise entlassen, Bordeaux erreicht

18. Pelagos	(P)	01	12 083 BRT	No. 14. 1. 41	58,21 S — 02 56 O

Als Prise entlassen, Bordeaux erreicht

19. Star XIV	(P)	29	247 BRT	No. 14. 1. 41	58,21 S — 02,56 O

Als Prise entlassen. Am 13. März einem Gibraltar—England=Geleit begegnet. Von Geleitzerstörer auf 4° N, 10° W gestellt. Von Besatzung selbst versenkt, Besatzung von Zerstörer übernommen

20. Star XIX	(P)	30	249 BRT	No. 14. 1. 41	58,21 S — 02,56 O

Als Prise entlassen, Bordeaux erreicht

21. Star XX	(P)	30	249 BRT	No. 14. 1. 41	58,21 S — 02,56 O

Als Prise entlassen, Bordeaux erreicht

22. Star XXI	(P)	35	298 BRT	No. 14. 1. 41	58,21 S — 02,56 O

Als Prise entlassen, Bordeaux erreicht

23. Star XXII	(P)	36	303 BRT	No. 14. 1. 41	58,21 S — 02,56 O

Als Prise entlassen, Bordeaux erreicht

24. Star XXIII	(P)	36	357 BRT	No. 14. 1. 41	58,21 S — 02,56 O

Als Prise entlassen, Bordeaux erreicht

25. Star XXIV	(P)	37	361 BRT	No. 14. 1. 41	58,21 S — 02,56 O

Zusammen mit Star XIV aufgebracht und selbst versenkt, obwohl vorher angehalten und bereits als unverdächtig wieder entlassen

26. Empire Light	40	6 828 BRT	Br. 25. 4. 41	00,24 S — 58,14 O
27. Clan Buchanan	38	7 266 BRT	Br. 28. 4. 41	05,24 N — 62,46 O
28. British Emperor	16	3 663 BRT	Br. 7. 5. 41	08,30 N — 56,25 O
insgesamt:		136 642 BRT		

Hinzuzurechnen sind noch die dem Gegner durch die von *Pinguin* und Hilfsminenschiff *Passat* gelegten Minen verursachten Verluste:

1. Motorschiff *Nimbin*   1 052 BRT
2. der Australier *Millimumul*   287 BRT
3. SS *Cambridge*   10 846 BRT
4. SS *City of Rayville*   5 883 BRT

Mit den Minenverlusten erhöht sich der Gesamterfolg des Hilfskreuzers *Pinguin* auf 154 710 BRT

Am 15. Juni 1940 verließ der HSK 5, das später vom Kommandanten in Hilfskreuzer *Pinguin* benannte „Schiff 33", als fünfter Hilfskreuzer der ersten Welle Gotenhafen. Kommandant war Kapitän zur See Ernst= Felix Krüder, ein stiller, fast schweigsamer, beinahe musischer Offizier, ein Spezialist auf dem Gebiet des Sperrwaffenwesens, eine aufrechte, in allen Punkten korrekte, auch gegen sich selbst harte und unbestechliche Persönlichkeit.

„Schiff 33" marschierte durch den Belt zunächst nach Norwegen mit Kurs auf die norwegische Küste und verholte in den einsamen Sörgulen= Fjord. Der HSK tarnte hier in einen Russen um und verließ am 22. Juni 1940 den Fjord mit Kurs auf die Dänemark=Straße. Ausgelaufen, wurde der „russische" Frachter bei schwerem Wetter von einem britischen U=Boot gesichtet und nach einer, dem U=Boot verdächtigen Kursände= rung erst angemorst und dann mit Torpedos beschossen. Die Torpedos verfehlten ihr Ziel. „Schiff 33" lief mit seiner, für einen so alten Russen ungewöhnlich hohen Geschwindigkeit davon.

Im Bereich der Dänemark=Straße herrschte ausnahmsweise gutes und klarsichtiges Wetter. Aber der eingeschiffte Meteorologe versprach be= reits für den kommenden Freitag ein Tiefdruckgebiet, also schlechtes und damit gutes Wetter für den Durchbruch. Was er prophezeite, traf zu gründlich ein. *Pinguin* erlebte einen fürchterlichen Polarsturm, kam aber bei diesem Wetter wenigstens ungesehen in die Dänemark=Straße. Ausgerechnet in der Mitte der Straße verebbte der Sturm, so schnell er gekommen war. Die ihm folgende helle Nordnacht wurde aber, welch ein Geschenk des Himmels, schnell von dichtem Nebel abgelöst. Die Straße wurde ohne Sichtung passiert.

Als Operationsgebiet war Kapitän zur See Krüder zunächst der In= dische Ozean zugewiesen worden; weiter aber sollte er während der Walfangperiode in die Antarktis eindringen und dort gegnerischen bzw. norwegischen Walfangflotten nachspüren.

Am 31. Juli griff Krüder, trotz des Stillhaltebefehls bis zum Indischen Ozean, den britischen Frachter *Domingo de Larrinaga* an; er tat dies, um seinen Kommandanten=Kameraden Kapitän zur See Otto Kähler vom Hilfskreuzer *Thor* zu entlasten (Einzelheiten siehe Bericht im vor= deren Teil des Buches).

„Schiff 33", der Besatzung vom Kommandanten nunmehr als Hilfs= kreuzer *Pinguin* vorgestellt, rundete das Kap der Guten Hoffnung und operierte zunächst südlich und südöstlich der Insel Madagaskar auf den direkten Schiffahrtsrouten zwischen Kapstadt=Australien, zwischen Kap= stadt und der Sundastraße, und zwischen Kapstadt und den Häfen Süd= ostasiens.

Der Indische Ozean war indessen schon lange kein jungfräuliches See=
gebiet mehr. Die später spurlos und lautlos verschwundene *City of
Bagdad* hatte eine QQQQ=Meldung über ein anderes Gespensterschiff
gefunkt. Außerdem hatten die Norweger *Tirranna* und *Talleyrand* ihre
Bestimmungshäfen nicht erreicht. Unruhe vor den unheimlichen Ge=
spensterschiffen beherrschte den Indischen Ozean. Die Kapitäne wurden
vorsichtiger ... Dennoch gelang es *Pinguin*, mit Unterstützung des Flug=
zeuges und unter Zuhilfenahme einer List, den norwegischen Tanker
Filefjell zu überrumpeln und ohne Funkwiderstand zu besetzen. Krüder
wollte die auf dem Tanker befindlichen 500 t Öl sowie den Frischpro=
viant übernehmen. Das ließ sich hier in diesen befahrenen Gewässern
aber nicht verantworten. Als sich Krüder zusammen mit dem Tanker
auf dem Marsch in ein östlicheres, ruhigeres Seegebiet befand, sichteten
die aufmerksamen Ausguckposten in der Nacht einen niedrigen Schat=
ten. Der Beute=Tanker mußte mit der Fahrt heruntergehen, *Pinguin*
indessen morste den Fremden an. Der Gegner, der britische Regierungs=
tanker *British Commander* funkte sofort, mußte beschossen werden und
wurde dann versenkt. Am gleichen Tage, am 27. August, meldete das
Prisenkommando des aufholenden Benzintankers *Filefjell*, eine Rauch=
fahne beobachtet zu haben. Krüder drehte darauf zu. Ohne Gegenwehr
wurde der nietenneue Norweger *Morviken* aufgebracht und versenkt.

Krüder tat nun genau das, was der Gegner von ihm am allerwenigsten
erwartete; er blieb trotz der Alarmrufe der *British Commander* im See=
gebiet von Madagaskar.

Am 12. September endete der Brite *Benavon* nach einer dramatischen
Aufbringung. *Pinguin* hatte, da der IO der *Benavon* ohne Befehl oder
Einverständnis seines Kapitäns mit der Heckkanone das Feuer eröffnet,
einen Treffer erhalten. Es war, Gott sei Dank, ein Blindgänger, da der
Gegner in seiner Nervosität vergessen hatte, bei den Granaten die Zün=
der einzuschrauben. Ein Treffer in den Minenraum oder in die Maschi=
nenanlage hätte die Reise der *Pinguin* bereits jetzt schon beenden kön=
nen. Da der Gegner — übrigens ein Schwesterschiff der kurz vorher,
am 10. September, durch Hilfskreuzer *Atlantis* etwas östlicher versenk=
ten *Benarty* — gefunkt hatte, verholte *Pinguin* weiter nach Osten, wobei
sich allerdings die von der Skl nicht klar umrissenen Operationsgebiete
jetzt mit denen des HSK Atlantis bedenklich überlappten. Am 16. 9.
wurde der norwegische Tanker *Nordvard* aufgebracht und als Prise und
Gefangenenschiff nach Bordeaux geschickt. Trotz Feindberührung und
mannigfacher Schwierigkeiten kam die Prise heil in Bordeaux an.

Wie Kapitän zur See Rogge, so verlegte auch Krüder unglücklicher=
weise fast gleichzeitig sein Operationsrevier in den nordöstlichen Indi=

429

schen Ozean, vor das Gebiet der Sundastraße, das Krüder aber sehr bald schon wieder verließ, nachdem er den norwegischen Tanker *Stor= stad* aufgebracht, auf hoher See zum Hilfsminenleger umgebaut und als *Passat* in Dienst gestellt hatte.

Es war des ehemaligen Sperrwaffenspezialisten Krüder ureigenste Idee, zusammen mit dem Hilfsminenleger *Passat* eine Parallelunterneh= mung vor Ost= und Südostaustraliens Küste zu fahren.

Krüder hatte absichtlich einen Beutetanker zum Hilfsminenleger um= gebaut, da, so überlegte er, kein noch so mißtrauischer Gegner auf die absurde Idee verfallen würde, ausgerechnet in einem Tanker mit zu= meist hoch explosiver und feuergefährlicher Ladung ein Minenschiff zu vermuten.

Wie richtig Krüders Überlegungen waren, bewies die Praxis und die verschiedenen Begegnungen, die *Storstad* bei dieser Unternehmung hatte (Einzelheiten sind im vorderen Teil des Buches berichtet worden).

Die Minenunternehmen glückten und beide Schiffe trafen sich am 15. November südwestlich vom Kap Leeuwin (Australien). Aus der *Passat* wurde wieder der Tanker *Storstad*. Er fuhr ab nun für HSK *Pinguin* — auch eine Krüder=Idee — als „Zweites Auge" und hatte durch den dadurch bedeutend erweiterten Sichtbereich an den Erfolgen der nächsten Operationsperiode durch seine Meldungen einen nicht unwe= sentlichen Anteil.

In schneller Folge mußte der Gegner vier wertvolle Frachter westlich von Australien auf dem Kapstadt=Treck abschreiben.

Die letzten Schiffe versenkte Krüder nur noch im Nachtangriff.

Der am Tage gesichtete Gegner wurde in Mastspitzensichtweite be= schattet und nachts auf Kollisionskurs angenommen. Krüder ließ von nun an sofort die Brücke des Gegners beschießen, einmal um die Funk= anlagen zu zerstören, zum anderen um jeglichen Widerstand überhaupt zu brechen. Wehrte sich der Gegner nicht, stellte Krüder sofort das Feuer ein und kümmerte sich um das Abbergen der Überlebenden.

Am 10. Dezember traf *Pinguin* den Hilfskreuzer *Atlantis* zu einem Erfahrungsaustausch. Gleichzeitig wurde die Prise *Storstad* als Gefan= genenschiff ausgerüstet und zunächst mit einem Offizier, 16 *Pinguin=* und zwei *Atlantis*=Seeleuten mit 510 Gefangenen in Marsch gesetzt. Später kamen noch weitere Gefangene von *Admiral Scheer* hinzu. Das deutsche Kommando wurde um einen Offizier und einen Unteroffizier erhöht. Von den 14 000 t Gasöl, die *Storstad* an Bord hatte, übernahm *Pinguin* 4 000 t; 3 000 t wurden an die *Atlantis* abgegeben.

Inzwischen war in der Antarktis die Walfangsaison angebrochen. Krüder ließ sich mit seinen Eismeer=Operationen aber Zeit. Er wartete

absichtlich ab, um die Kochereien möglichst mit bereits vollem Walöl=
bestand zu erbeuten. Auf die Anregung der Skl, das Antarktis=Unter=
nehmen zusammen mit dem im Südatlantik für diesen Zweck auf den
Treffpunkt gelegten Schweren Kreuzer *Admiral Scheer* zu fahren, rea=
gierte Krüder überhaupt nicht. (Wie diese Aktion verlief, ist im vorderen
Teil des Buches ausführlich behandelt worden).

Nur das eine soll in diesem Zusammenhang nochmals hervorgehoben
werden:

Eine ganze Walfangflotte *ohne* einen Schuß Pulver zu überlisten, war
der tollste Husarenstreich der Hilfskreuzerunternehmen beider Welt=
kriege.

Pinguin schickte die erbeutete Walfangflotte, also die drei beladenen
Kochereien und die elf Fangboote, auf den Treffpunkt „Andalusien" im
Südatlantik. Der Hilfskreuzer selbst lief voraus, übernahm aus den
Beständen des „Verpflegungsamtes Wilhelmshaven Süd", des von
Admiral Scheer aufgebrachten britischen Kühlschiffes *Duquesa*, Eier und
Fleisch und besprach noch einmal die Besetzung der Walfangprisen,
für die der Schwere Kreuzer *Admiral Scheer* den größten Teil seiner
Prisenkommandos abgetreten hatte. Lediglich das Fangboot *Pol IX*
wurde zurückgehalten. Krüder wollte dieses sehr seetüchtige Schiff als
neues „Zweites Auge" einsetzen.

Pinguin traf sich anschließend — er mußte, da er bereits auf Südkurs
lag, zurücklaufen — mit HSK *Kormoran* zum Erfahrungsaustausch. Sie
marschierte dann zu den in der Antarktis liegenden Kerguelen=Inseln,
wo bereits das vorausgelaufene Versorgungsschiff *Alstertor* mit dem in
Adjutant umbenannten Walfangboot *Pol IX* auf sie wartete. Hier unten
kam es auch zu der Begegnung mit dem Hilfskreuzer *Komet*. Krüder
machte sich die Erfindung der *Atlantis* zunutze, als er auf den Kerguelen
über eine Wasserfall=Wasserleitung auch Quellwasser übernahm.

Pinguin nahm — frisch ausgerüstet und mit überholten Motoren —
ihre Operationen im Indischen Ozean wieder auf.

Diesmal stieß sie bis auf die Höhe von Italienisch=Somaliland Ost=
afrikas vor. Ein gefährliches Unterfangen, da dieses Gebiet sehr inten=
siv von britischen Seestreitkräften kontrolliert wurde, bündelten sich
doch hier die neun Ausweichrouten der gegnerischen Schiffahrt.

Es war Krüders Bestreben, unbedingt seine letzten Minen loszuwer=
den. Er hatte vor, diese Teufelseier heimlich vor Karatschi oder anderen
wichtigen Häfen des Indischen Ozeans zu legen. Um eine möglichst große
Breitenwirkung dieser Operation zu erzielen und um wenigstens einige
Sperren mit Sicherheit unbemerkt legen zu können, suchte Krüder wie=
der einen für den Gegner unauffälligen Tanker.

Krüders Bitte an die Skl, ihm vorübergehend den für die *Orion* zu=
geteilten Versorgungstanker *Ole Jacob* zur Verfügung zu stellen (*Orion*
operierte im südöstlichen Teil des Indischen Ozeans), wurde in Berlin
abschlägig beschieden, da dieser Tanker für dringende Versorgungs=
aufgaben im südlichen Indischen Ozean benötigt wurde. Des OKM's
Rat an Krüder: „Sucht Gegnertanker", zwang diesen nunmehr, sich nach
einem Feindtanker umzusehen, den er jedoch nicht mehr im freien Indik
erwarten durfte. Die Verhältnisse hatten sich — das war auch in Berlin
bekannt — seit dem halben Jahr, da *Pinguin* westlich Australiens Kreuzer=
krieg führte, zum Nachteil der deutschen Handelsstörer entwickelt.
Durch die Erfolge erst vom Schiff 16, dann durch Schiff 33, dann wieder
durch Schiff 16 und im Februar 1941 auch des Schweren Kreuzers
Admiral Scheer gezwungen, führte der Gegner nunmehr den gesamten
Schiffsverkehr gebündelt und dicht unter der Küste der englischen Stütz=
punkte entlang. Außerdem hatte er seine eigenen wie auch die in seinen
Diensten stehenden Schiffsführer zu wirksamen Gegenmaßnahmen ver=
pfichtet, wozu unbedingt Funkmeldung bei verdächtigen Schiffen (oder
Kriegsschiffen) und notfalls auch Artillerieeinsatz gehörten. *Pinguin*
stellte also die Minenoperation bis zur lautlosen Aufbringung eines
Gegnertankers zurück.

Nachdem *Pinguin* am 25. und 28. April zwei britische Frachter ver=
senkt hatte, sichtete man am Nachmittag des 6. Mai einen Gegnertanker,
nahm die Verfolgung auf und wurde wegen der QQQQ=Meldungen des
Tankers — es handelte sich um die *British Emperor* — zum Wir=
kungsschießen gezwungen. Die Funksprüche des Tankers alarmierten
prompt die in diesem Raum stationierten und inzwischen verstärkten
Seestreitkräfte, und nur einen Tag später, am 8. Mai, wurde *Pinguin*
durch den britischen Schweren Kreuzer *Cornwall* gestellt.

Es gelang der als Norweger getarnten *Pinguin*, den Kreuzer soweit
zu überlisten, daß er bis in die Reichweite ihrer Artillerie auflief. Es
gelang auch, nach dem Enttarnen das Überraschungsmoment auszunut=
zen und einige Treffer auf dem Gegner anzubringen, der sich dann aber
mit hoher Fahrt schnell aus dem Bereich der deutschen Waffen heraus=
manövrierte. Als Krüder einsah — auch die geschossenen Torpedos (es
waren leider alte also keine blasenfreien Torpedos) waren, vom noch
in der Luft befindlichen Gegnerflugzeug gesichtet und gemeldet, von
der *Cornwall* ausmanövriert worden — daß ein weiterer Widerstand
sinnlos war, wollte er den Befehl zur Aufgabe und zum Verlassen des
Hilfskreuzers geben. In diesem Augenblick traf eine Vollsalve von vier
20,3=cm=Granaten den ungepanzerten Leib der *Pinguin*. Eine davon kre=
pierte im Minenraum und ließ die hier noch lagernden 130 Minen deto=

nieren. *Pinguin* wurde in Stücke gerissen. Der Schwere Kreuzer *Corn=wall* konnte nur noch sechzig Deutsche und 23 Gefangene retten.

16.29 Uhr, also 27 Minuten nach der Gefechtseröffnung, sank der Hilfskreuzer *Pinguin* auf 03 Grad 50 Minuten Nord und 53 Grad 50 Minuten Ost, etwas nördlich des britischen Inselstützpunktes der Sey=shellen=Gruppe, nach den vernichtenden Treffersalven in nicht einmal einer Minute.

Pinguin hatte in diesem für ihn aussichtslosen Gefecht 200 Schuß ab=gegeben und damit vier Treffer erzielt.

Der Schwere Kreuzer *Cornwall* brachte es, laut britischem Gefechts=bericht, auf 136 Schuß 20,3=cm= und 10,2=cm=Granaten.

Am Tag des Untergangs hatte *Pinguin* 59.188 Seemeilen zurückgelegt. 59.188 Seemeilen sind 109,616 Kilometer, sind mehr als der doppelte Erdumfang.

Die versenkte beziehungsweise gekaperte Gesamttonnage wurde von keinem anderen Hilfskreuzer in beiden Weltkriegen überboten:

136.642 BRT wurden aufgebracht. 53 045 BRT davon wurden als Prisen in die Heimat entlassen. 18 068 BRT beweisbar durch Minen ver=nichtete Feindtonnage kamen hinzu.

Das waren zusammen 154 710 BRT, die dieser einzige deutsche Hilfs=kreuzer an Feindtonnage während der nur elf Monate dauernden Unter=nehmung ausgeschaltet hatte.

154 710 BRT waren das Zwanzigfache der eigenen Größe der *Pinguin!*

Der Wert an Schiffsraum und Ladung ist schwer in Ziffern auszu=drücken.

Er ging in die Hunderte Millionen.

Die Zahl der Todesopfer auf der Gegenseite war während der Ope=rationen gering, denn der Hilfskreuzerkrieg galt nicht den Besatzungen der gegnerischen Schiffahrt, er galt den Schiffen, den Trägern kriegs=wichtiger Massengüter.

Eben die Tatsache, daß Kapitän zur See Krüder es als seine vor=nehmste Pflicht betrachtete, das Leben der gegnerischen Besatzungen zu schonen, den Krieg in überseeischen Gewässern so unblutig wie nur irgend möglich zu führen, läßt seinen und seiner Besatzung Opfergang in besonders tragischem Licht erscheinen.

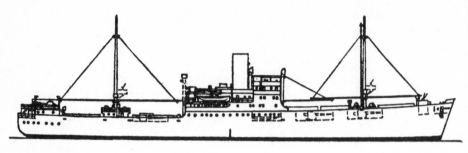

HSK 7 = KOMET

Hilfskreuzer KOMET = HSK 7 — I. Reise

Schiff 45: ex Fracht=Motorschiff *Ems* (Norddeutscher Lloyd, Bremen)

Größe:	3 287 BRT (7 500 ts max.)
Baujahr:	1937
Bauwerft:	Deutsche Werft, Hamburg=Finkenwerder
Maschinenleistung:	3 900 PS
Geschwindigkeit:	16 kn
Bewaffnung:	6 — 15 cm 1 — 7,5 cm 2 — 3,7 cm 4 — 2 cm 4 TR (2 ↑) 2 TR (↓) 2 Bordflugzeuge: Arado 196 1 Leichtes Schnellboot (für Minen)
Kommandant:	Kapitän zur See Robert Eyssen, 1.1.41 Konteradmiral, geb. 2.4.92 in Frankfurt a.M.; Ritterkreuz 29.11.41
Besatzung:	274 Mann
Ausgelaufen:	3.7.40 Gotenhafen; 9.7.40 Bergen (Norwegen)
Operationsgebiete:	Pazifik, Indischer Ozean (Ausweiche: Antarktis)
Reiseende:	30.11.41 Hamburg
Reisedauer:	516 Tage
Schicksal d. Besatz.:	Keine Verluste

Versenkungen — Prisen

Während des Verbandsunternehmens wurden von *Komet* und *Orion* im Rahmen der g e m e i n s a m e n Aktion ver=
senkt:

1. Holmwood	11	546 BRT Br.	25. 11. 40	43,44 S — 177,30 W
2. Rangitane	29	16 712 BRT Br.	27. 11. 40	36,48 S — 175,07 W
3. Triona	31	4 413 BRT Br.	6. 12. 40	südlich Nauru
4. Vinni	37	5 181 BRT No.	7. 12. 40	
5. Komata	38	3 900 BRT Br.	7. 12. 40	vor Nauru,
6. Triadic	38	6 378 BRT Br.	8. 12. 40	siehe S. 410
7. Triaster	35	6 032 BRT Br.	8. 12. 40	

Hierzu ist im einzelnen zu sagen: Bei dem auf Nauru ge=
fahrenen Verbandsunternehmen operierten beide Schiffe an sich doch getrennt. *Komet* versenkte allein *Vinni* (4.) und *Komata* (5.). *Orion* die *Triadic* (6.) und *Triaster* (7.).

S c h l ü s s e l A:

Vorher sichtete und versenkte im Rahmen des Verbands=
unternehmens *Komet* die *Holmwood*; *Orion* die *Rangi=
tane*. Sie wurden dann aber gemeinsam angegriffen, allerdings von einem Prisenkommando der *Komet* ge=
entert. Die *Triona* wurde von *Orion* entdeckt und trotz Widerspruchs des *Komet*=Kommandanten weiter verfolgt, bis dieser schließlich ebenfalls zum Angriff auflief und, da schneller, auch das Prisenkommando ausbrachte. Zu=
sammen versenkten beide Schiffe während der Unter=
nehmung also 43 162 BRT, also kommen auf jedes Schiff 21 581 BRT.

S c h l ü s s e l B:

Will man die Erfolge indessen nach den Sichtungen be=
werten — denn ohne Sichtung kein Erfolg —, müßten *Orion* zugesprochen werden: die *Rangitane*, *Triona* sowie *Triaster* und *Triadic* ohnehin (33 535 BRT). Der *Komet*: die *Holmwood* und die *Vinni* und *Komata* (9 627 BRT).

8. Australind	29	5 020 BRT Br.	14. 8. 41	04,08 S — 91,30 W
9. Kota Nopan (P)	31	7 322 BRT Du.	17. 8. 41	05,00 S — 90,00 W

Als Prise entlassen, eingetroffen Bordeaux 17. 11. 41

10. Devon	15	9 036 BRT Br.	19. 8. 41	04,08 S — 92,23 W

21 378 BRT ohne Verbandsoperationen

insgesamt: 42 959 BRT mit Verbandsoperationen nach Schlüssel A
31 005 BRT mit Verbandsoperationen nach Schlüssel B

Komet, der Zwerg unter den HSK's, allerdings eines der am besten ausgerüsteten Schiffe, marschierte von Gotenhafen zunächst nach Bergen, das sie am 9. Juli 1940 verließ, um nach Entlassung der Sicherungsstreit= kräfte Kurs Nord in Richtung Narvik und Tromsoe zu halten. Der Kom= mandant, Kapitän zur See Eyssen, während der Fahrt zum Konter= admiral befördert, wählte die Nordpassage, den unter strengster russi= scher Kontrolle stehenden sibirischen Seeweg.

Zweifelsohne ging es dem deutschen Marine=Oberkommando nicht bloß darum, einen Hilfskreuzer abseits der von den Engländern über= wachten Wasserwege in pazifische Gewässer zu schleusen, im stillen verband man damit die Hoffnung, auch einmal Frachtschiffe mit kriegs= wichtiger Ladung diesen, vom Gegner nicht zu kontrollierenden Weg in den fernen Pazifik und in die Häfen des befreundeten Japan passieren zu lassen, vorausgesetzt, daß Rußland, das damals mit Deutschland noch durch einen Freundschaftspakt verbunden war, seine Unterstützung nicht versagen würde.

Während der ersten Zweidrittel des Weges gaben sich die Russen vollendete Mühe. Auf der Höhe vom Kap Schelagsskij vor der Tschaun= bucht erhielt Eyssen plötzlich die Order, hier zu ankern und weitere Befehle aus Moskau abzuwarten. Die Russen versagten ab nun jede Hilfe. Sie zogen Eisbrecher und Eislotsen zurück, wahrscheinlich in der Absicht, das ihnen inzwischen verdächtig gewordene Frachtschiff *Donau* nunmehr „auf Eis" zu legen.

Eyssen faßte den Entschluß, auf die russische Hilfe zu verzichten und auf eigene Faust durchzubrechen. Dieses Vorhaben kam für die Russen so unerwartet, daß sie nicht einmal auf den Gedanken kamen, Eyssen den Weitermarsch einfach zu verbieten.

Unter vollem Einsatz nahm *Komet* die letzte Barre und stand am 5. September im Bering=Meer, hinter sich die markanten Höhenzüge der Tschuktschen=Halbinsel Sibiriens und der Halbinsel Seward Alaskas, die die Beringstraße begrenzen, einem Schiffahrtsweg, den noch nie ein Schiff unter deutscher Flagge und sonst — Amerikaner ausgenommen — auch keines unter anderer als russischer befuhr.

Südlich der Tschuktschen=Halbinsel suchte sich *Komet* einen Anker= platz. Aus dem Frachtschiff *Donau* wurde der Russe *Dejnew*.

Für die 2 960 sm lange Strecke der Nordpassage brauchte *Komet* 18 Tage. 720 sm waren reine Eisfahrt, zum Teil in 9 Ball starkem Packeis.

Am 14. Oktober lief *Komet* das Lamutrek=Atoll in den Ost=Karolinen an und traf sich hier mit der *Kulmerland* und dann mit dem MS *Regens= burg* und dem HSK *Orion*. Über die gemeinsamen Operationen von *Komet*, *Orion* und der *Kulmerland* als erweitertes Auge wurde bereits

436

in Verbindung mit HSK *Orion* berichtet. Da es sich um eine Verbands=
fahrt des „Deutschen Ostasiengeschwaders" handelte, erscheint es
müßig, sophistisch abzuwägen, welchem Hilfskreuzer der größere An=
teil an dieser gemeinsamen Operation zugesprochen werden soll und
kann.

Während der ersten Zeit der Verbandsoperationen wurde an einem
der Tage nach Anbruch der Dunkelheit und nach dem üblichen Zusam=
menschluß für die Nachtfahrt des nun in Kiellinie laufenden Verbandes
vom Schlußschiff *Orion* im Neumondschein ein erleuchteter Frachter ge=
sichtet. Nach der Morseansprache und dem Stoppschuß stellte sich der
Fremde als der Amerikaner *City of Elwood* vor. Prisenrechtliche Maß=
nahmen gegen Amerikaner waren aus politischen Gründen untersagt.
Der 6 197 BRT große US=Frachter mußte daher laufen gelassen werden.

Auf seinem Weitermarsch geriet der Verband in einen ungewöhnlich
schweren, volle fünf Tage andauernden Sturm.

Ohne etwas zu sichten, harkten die drei Schiffe danach die Routen
vor Auckland im Zickzack=Kurs ab.

Am 18. November besprachen sich die beiden Kommandanten an
Bord der *Komet* über die weiteren Operationen. Man beschloß, zwei=
hundert Meilen südlicher festzustellen, ob der Verkehr neuerdings viel=
leicht in der Nähe der Chatham=Insel vorbeilaufe. Wenn nicht, dann
sollte der Verband an den Kerguelen=Inseln zur Insel Norfolk segeln,
um von dort durch die Korallensee weiter nach Norden zu steuern. Die
Tasmanische See, in der mehr Schiffsverkehr zu erwarten war, blieb
um diese Zeit für den Hilfskreuzer *Pinguin* reserviert.

Als rechtes Flügelschiff sichtete *Komet* am 25. November einen kleinen
Dampfer. *Komet* stoppte das Schiff. Es handelte sich um die nur 546 BRT
große *Holmwood* aus Wellington. Das Schiff hatte unter anderem Stück=
gut, Wolle und 1370 lebende Hammel an Bord. Letztere konnten zum
größten Teil als willkommene Frischfleischergänzung von beiden Schif=
fen übernommen werden.

Die nächsten Opfer waren, wie an anderer Stelle ausführlich geschil=
dert, die 16 712 BRT große *Rangitane* und dann die von *Orion* gesich=
tete und später gemeinsam angenommene *Triona*. Bei dem Verbands=
unternehmen gegen die Schiffahrt vor der Phosphatinsel Nauru ver=
senkte *Komet* den 5 181 BRT großen Norweger *Vinni* und die 3 900 BRT
große *Komata*.

Nach dem Vorstoß auf Nauru setzten beide Schiffe ihre Gefangenen
ab, *Komet* alle, also auch die weißen Seeleute und Schiffsoffiziere, *Orion*
dagegen lediglich die Farbigen, um die weißen seemännischen Kräfte
dem Gegner für die Dauer des Krieges zu entziehen. Eyssen wurde

wegen der Aussetzung auch der weißen Gefangenen später von der Skl durch FT gerügt.

Komet wollte ursprünglich, wie auch mit *Orion* vereinbart, nunmehr im Seeraum vor Niederländisch=Indien operieren, wurde aber durch das Abhören gegnerischer Funksprüche ermuntert, sein taktisches Lieb= lingskind, nämlich die Phosphatinsel Nauru wenigstens zu beschießen, wieder aufzugreifen. Eyssen plante, Nauru noch vor dem Eintreffen der in den Funksprüchen angekündigten starken Sicherungsstreitkräfte zu beschießen.

Das Vorhaben wurde ausgeführt, ohne daß es seitens Nauru zu einer Gegenwehr kam.

Die Förderanlagen sanken in sich zusammen, die Phosphatwerke folgten, auch die Festmachertonnen wurden nicht verschont. Zuletzt gingen die großen Öltanks in Flammen auf.

Für die nächste Zeit waren alle Förder= und Verladeanlagen der reich= sten Insel der Welt — jährlich wurden eine Million Tonnen Phosphate ausgeführt — unbrauchbar geworden.

Trotz des nicht zu bestreitenden Erfolges verbot die Skl ab nun, allen Hilfskreuzern jede weitere nur ähnliche Aktion.

Komet umging in weitem Bogen den Tuamotu=Archipel, tauchte im Gebiet der Chatham=Insel bei Neuseeland auf, ohne aber eine Sichtung zu haben und drehte dann ins südliche Eismeer ab. Strategische Auf= gaben waren hier allerdings im Augenblick nicht mehr zu suchen, nach= dem HSK *Pinguin* erst vor kurzem die norwegische Walfangflotte über= wältigt und als Prisen in die Heimat entsandt hatte. Immerhin durfte sich die *Komet*=Besatzung rühmen, unter den HSK's den nördlichsten wie auch den südlichsten Punkt der Ozeane befahren und gesehen zu haben.

Nach diesem, beinahe privat zu nennenden Eismeerausflug verließ *Komet* die Davis=See und traf sich Ende Februar mit dem Versorger *Alstertor* und dem HSK *Pinguin* in der Bucht einer der einsamen Ker= guelen=Inseln. Nach einer Ölversorgung durch die *Atlantis*=Prise *Ole Jacob*, die *Komet* auf einem geheimen Treffpunkt in der Indischen See erwartete, kreuzte Eyssen im westlichen Indischen Ozean.

Noch vor kurzem hatte Pinguin in diesem Seegebiet gewaltige Erfolge. *Komet* bekam aber trotz dreimonatiger Kreuzfahrt keine einzige Mast= spitze in Sicht. Statt dessen kam es zu einer anderen unerwarteten Be= gegnung.

Komet hatte von dem Walfänger *Adjutant ex Pol IX* gehört, der nach der Versenkung der *Pinguin* mutterlos geworden war, er hatte auch die Funksprüche zwischen der Skl und *Kormoran* sowie mit dem Versorger

Alstertor mitgehört und dechiffriert. *Komet* forderte den Walfänger für eigene Operationen an.

Die Skl stimmte zu, zumal *Kormoran* nicht daran interessiert war, *Adjutant* als Beischiff zu benutzen.

Eyssen rüstete dieses kleine Schiff nach der Idee Kapitän zur See Krüders als Minenleger aus. *Adjutant* legte befehlsgemäß Minen vor Littleton und Wellington auf Neuseeland, kehrte glücklich zurück und wurde am 1. Juli 1941 südöstlich von Neuseeland versenkt.

Eyssen wechselte erneut das Operationsgebiet und stieß in Richtung Panamakanal vor. Bei den Galapagos=Inseln winkte *Komet* endlich die erste, selbständig aufgebrachte Beute, das britische Motorschiff *Austra= lind*, das am 14. August in die Tiefen des Pazifiks fuhr.

Drei Tage später mußte der mit Gummi und Mangan beladene Hol= länder *Kota Nopan* seine Flagge streichen. Er wurde als Prise nach Bor= deaux in Marsch gesetzt und erreichte diesen Hafen ohne Zwischenfälle am 17. November.

Am 19. August endete das Dasein des britischen Schiffes *Devon*.

Nach diesen Erfolgen in jungfräulichen Gewässern — bisher hatte sie noch kein Hilfskreuzer aufgesucht — versuchte Eyssen noch einmal im mittleren Pazifik sein Glück und drehte, ohne eine Sichtung gehabt zu haben, schließlich auf Heimatkurs.

Komet rundete Kap Horn und nahm Kurs auf den mittleren südlichen Atlantischen Ozean, lief die Insel Tristan da Cunha dicht auf, überschritt zum achten Male die Linie, um dann westlich der Azoren von deutschen U=Booten aufgenommen und sicher nach Cherbourg geleitet zu werden.

Nach kurzer Liegezeit in Cherbourg unternahm Eyssen den Versuch, durch den Kanal nach Hamburg durchzubrechen. *Komet* wurde auf der Höhe von Kap Griz Nez vom Gegner entdeckt und später von den alar= mierten Bomberstreitkräften vergeblich angegriffen.

Diese Erfolglosigkeit der Operationen gegen den HSK und seine Sicherungsstreitkräfte entschuldigt der Gegner heute mit der schlechten Sicht, die den Durchbruch des Hilfskreuzers begünstigt habe.

Lediglich am 29. November erzielte eine Beaufort einen Bombentref= fer auf *Komet*, der aber keinen Schaden anrichtet, da die Bombe nicht detonierte.

Am 30. November machte *Komet* in noch einsatzklarem Zustand in Hamburg fest.

Die Reise dauerte nahezu 17 Monate. Sie schwächte das gegnerische Tonnagepotential mit sechsundeinhalb versenkten bzw. als Prise ent= lassenen Frachtschiffen direkt um 42 959 BRT. Das halbe Schiff erklärt sich aus den gemeinsamen Operationen mit *Orion*: sieben Schiffe im

Raum Neuseeland und Nauru, also dreieinhalb Schiffe als Anteil für *Komet*. Unter den indirekten Schädigungen sind die Ausfälle in der kriegswichtigen Nauru=Fahrt nach der Beschießung der Insel zu nennen, ganz gleich ob die Skl nun mit diesem Angriff einverstanden war oder nicht.

Die größte Leistung der *Komet*=Unternehmung, das ist abschließend zu sagen, lag weniger auf dem militärischen, sondern mehr auf dem nautischen Sektor. Wenn *Komet* auch nur wenige, um nicht zu sagen bescheidene Erfolge aufzuweisen hatte, so ragt sie durch den Marsch durch die Nordpassage auf ihre Art aus den Hilfskreuzerunternehmen heraus. Da das Marine=Oberkommando zusammen mit den Dienststel= len der deutschen Kriegswirtschaft ein strategisches wie auch wirtschaft= liches Interesse an der Erschließung des sibirischen Seeweges hatten, kam dieser Unternehmung trotz der verhältnismäßig geringen Direkt= erfolge eine außergewöhnlich große Bedeutung zu.

Ohne Zweifel bildete die Beschießung der Phosphat=Insel Nauru noch einen weiteren Höhepunkt, da:

a) alle nach Nauru gehenden Frachtschiffe nunmehr Geleitschutz er= hielten,

b) die Phosphatausfuhr für Monate stockte und die Jahresausfuhrquote dieses auch für Brandbombenfüllungen so wichtigen Rohstoffes um 500 000 Tonnen reduziert wurde.

Die Frage drängt sich auf, ob das Oberkommando der Kriegsmarine die Erfolgsseite des Nauru=Angriffes überhaupt untersuchte bzw. richtig einzuschätzen wußte, wie sonst hätte es Eyssens*) Überfall auf Nauru derart scharf verurteilen können. Auf der anderen Seite stimmt die Überlegung nachdenklich, warum die Briten, wenn Nauru schon ein so wichtiger Platz war, die durch die Beschießung entstandenen Schäden nicht durch Einsatz von Ingenieurtruppen pp. schneller behoben haben und warum die Phosphatverschiffung nicht stärker aktiviert wurde, um die entstandenen Zeitverluste in der Verschiffung auszugleichen. Doch all diese Zusammenhänge zu untersuchen, würde den Rahmen des Buches sprengen.

Korrekterweise sollte man aber auch bei der Beurteilung der Erfolge berücksichtigen, daß der Pazifik auch nicht annähernd ein so ertragrei= ches Jagdrevier wie zum Beispiel der südliche oder mittlere Atlantik war.

---

*) Nach seiner Rückkehr wurde Konteradmiral Eyssen als Marineverbin= dungsoffizier zur Luftflotte IV versetzt, dann als Chef der KMD Oslo, später als Kommandeur des Wehrbezirkskommandos Wien III verwandt und schließ= lich im Februar 1945 beurlaubt.

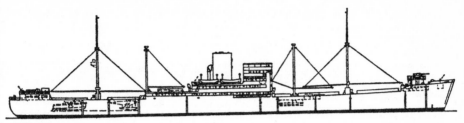

HSK 8 =
KORMORAN

Hilfskreuzer KORMORAN = HSK 8

Schiff 41: ex Fracht=Motorschiff *Steiermark* (HAPAG, Hamburg)

Größe:	8 736 BRT (19 000 ts max.)
Baujahr:	1938/39
Bauwerft:	Germaniawerft, Kiel
Maschinenleistung:	16 000 PS (Elektro=Motorschiff)
Geschwindigkeit:	18 kn
Bewaffnung:	6 — 15 cm 2 — 3,7 cm (Heeres=Pak, eben noch vor dem Auslaufen über eine Querverbindung beschafft) 5 — 2 cm 5 MG 4 TR 53,3 cm ↑ (2) 2 Bordflugzeuge Arado 196 420 Minen 1 Leichtes Schnellboot als Minenleger
Aktionsradius:	365 Tage Dauerfahrt bei 11 kn
Kommandant:	Kapitän zur See Theodor Detmers, geb. 22. 8. 02, Witten a. d. Ruhr; Ritterkreuz 4. 12. 41
Besatzung:	einschließlich Prisenkommandos 397 Mann
Ausgelaufen:	3. 12. 40 08.00 Uhr aus Gotenhafen
Operationsgebiete:	Indischer Ozean
Reisedauer:	350 Tage
Reiseende:	Am 19. 11. 41 nach Gefecht mit australischem Kreuzer *Sydney*, der dabei in Brand geriet und später mit der ge= samten Besatzung gesunken ist. Eigene Verluste 80 Mann

Versenkungen — Prisen

1. Antonis	15	3 729 BRT	Gr.	6. 1. 41	08,17 N — 23,22 W
2. British Union	27	6 987 BRT	Br.	18. 1. 41	26,29 N — 31,07 W
3. Afric Star	26	11 900 BRT	Br.	29. 1. 41	08,44 N — 24,38 W
4. Eurylochus	12	5 723 BRT	Gr.	29. 1. 41	08,19 N — 25,01 W
5. Agnita	31	3 552 BRT	Br.	22. 3. 41	02,20 N — 23,48 W
6. Canadolite (P)	26	11 309 BRT	Br.	25. 3. 41	02,30 N — 23,30 W

Als Prise am 13. 4. 41 eingetroffen in der Gironde (Bor=
deaux)

7. Craftsman	22	8 022 BRT	Br.	9. 4. 41	00,32 S — 23,37 W
8. Nicolaos D.L.	39	5 486 BRT	Gr.	12. 4. 41	01,54 S — 22,12 W
9. Velebit	11	4 153 BRT	Ju.	26. 6. 41	09,30 N — 86,30 O
10. Mareeba	21	3 472 BRT	Br.	26. 6. 41	08,15 N — 88,06 O
11. Stamatios G. Embiricos		3 941 BRT	Gr.	26. 9. 41	00,01 S — 64,30 O

insgesamt: 68 274 BRT (11 Schiffe)

+ Sydney*) 34 + 6 830 t Br. 19. 11. 41

---

*) Die *Sydney* (ex *Phaeton*) war ein Leichter Kreuzer der Australischen Marine. — Seine Daten waren: Panzerung Deck: 51 mm, Kommandoturm: 25 mm; Wasserlinie über Wasser: 76, unter Wasser: 51; Artillerie: 25; Was= serverdrängung: 6830 t; Geschwindigkeit: 32,5 kn; Bewaffnung: 8 — 15,2 l/50, 8 — 10,2 l/45 Flak (2), 4 — 4,7; 12 Mg=Flak (4), 8 — TR 53,3 in Vierlings= sätzen; 2 Flugzeuge; Fahrstrecke: 12 000 sm; PS: 72 000; Länge: 169 m; Breite: 17,3 m; Tiefgang: 4,8 m; Friedensbesatzung: 550 Mann.
Die *Sydney* war zu Beginn des Krieges im Geleitdienst zwischen Australien und Colombo und dann zwischen Colombo und Aden eingesetzt, danach wurde sie der 7. Cruiser Squadron im Mittelmeer zugeteilt. Hier nahm sie an verschiedenen Unternehmen und Gefechten teil, so unter anderem an der Beschießung von Bardia und an der Calabria=Seeschlacht. Bei der sogenann= ten Capa=Spada=Aktion versenkte die *Sydney* den italienischen Leichten Kreuzer *Bartolomeo Colleoni* (ein 1930 in Dienst gestellter Kreuzer von 5069 t Wasserverdrängung, der lediglich um zwei 10=cm=Kanonen geringer bewaffnet war, dabei aber bedeutend schneller gewesen ist). Die *Sydney*, Namensträger jenes Kreuzers, der im Weltkrieg Eins die deutsche *Emden* vernichtete, war also nicht ohne Grund der „Stolz der australischen Navy"!

Unter den Hilfskreuzern beider Weltkriege ist HSK *Kormoran* zwei=
felsohne mit der interessanteste Handelsstörer, gelang es ihm doch,
unter dem Kommandanten Fregattenkapitän Detmers und seiner vor=
züglich eingespielten Besatzung durch ein geschickt ausgenutztes Über=
raschungsmoment den australischen Kreuzer *Sydney* anzugreifen und
zu vernichten.

HSK *Kormoran*, „Schiff 41", war das erste Schiff der zweiten Welle,
das bereits am 3. Dezember 1940 die Heimat verließ. Der Hilfskreuzer,
der ehemalige HAPAG=Frachter *Steiermark*, stellte als Diesel=Elektro=
schiff einen völlig neuen, ursprünglich für den Ostasiendienst vorge=
sehenen Typ dar, über den allerdings noch keine grundlegenden Erfah=
rungswerte vorlagen.

Der fast 9 000 BRT große Frachter war mit vier Dieselmotoren zu je
4 000 PS ausgerüstet. Jeder dieser Motoren trieb einen Dynamo, dessen
Kraftstrom auf einen Fahrstand und von dort auf die beiden Schrauben=
wellen geschickt wurde. Die Höchstgeschwindigkeit lag bei 18 kn, je=
doch durfte sie nur in Ausnahmefällen gefahren werden, da sich bei
längerer Fahrt zu hohe Maschinentemperaturen entwickelten. Vertretbar
war indessen eine längere Höchstfahrt bei 17,5 kn.

Die Hauptbewaffnung bestand, auch bei diesem Hilfskreuzer meist
aus veralteten Kanonen. Wie die 15=cm=Kanonen stammten auch die
Torpedorohre noch aus dem Ersten Weltkrieg.

Kormoran wählte den üblichen Weg durch die Dänemarkstraße, die
sie, wie die meisten anderen HSK's, als Russe getarnt bei durchschnitt=
lich unhandigem Wetter ohne Zwischenfall passierte.

Das erste Opfer war am 6. Januar der 3 729 BRT große Grieche
Antonis, dem am 18. Januar der 6 987 BRT große britische Tanker
British Union in die Tiefe folgte.

Am 29. Januar versenkte *Kormoran* die 11 900 BRT große *Afric Star*,
ein überaus wertvolles Kühlschiff, das von Buenos Aires nach London
unterwegs war. In den Abendstunden des gleichen Tages verloren die
Alliierten noch den in ihren Diensten fahrenden 5 723 BRT großen
Griechen *Eurylochus*, der Kriegsmaterial für die nordafrikanische Front
geladen hatte.

Da beide Schiffe trotz Warnung gefunkt hatten, war der Gegner über
die Anwesenheit eines Handelsstörers unterrichtet und ergriff sofort
Gegenmaßnahmen. Aber seine Suchaktionen blieben ohne Erfolg, denn
inzwischen war *Kormoran* auf den auf 20 Grad Süd liegenden Versorger=
Treffpunkt abgelaufen, um in der Zeit zwischen dem 7. und 9. Februar
aus der *Nordmark* Öl usw. und aus der *Admiral=Scheer*=Prise *Duquesa*
Eier und Fleisch zu übernehmen.

Kormoran traf sich am 25. bis 26. Februar mit HSK *Pinguin* zum Erfahrungsaustausch, marschierte wieder nordwärts, übernahm hier zwischen Natal und Freetown von U 124 350 kg aus der Heimat geschicktes Weißmetall und hatte am 17. bis 19. März eine Begegnung mit dem Schweren Kreuzer *Admiral Scheer*. Das nicht einsatzklar gewordene Radargerät wurde an den auf dem Heimmarsch befindlichen Kreuzer abgegeben.

Danach versenkte *Kormoran* nach siebenwöchiger Erfolgspause am 22. März den 3 552 BRT großen Tanker *Agnita*.

Am 25. März sichtete der aufmerksame Ausguck im Nebel dieser Tage einen hellgrauen Schiffsrumpf, einen Tanker, der zwar zu entkommen versuchte, schließlich aber im Feuer der absichtlich dicht neben das Schiff gezielten Granaten aufgab. Der 11 309 BRT große kanadische Tanker *Canadolite* wurde als Prise ausgerüstet und nach Bordeaux geschickt. Danach folgten vom 28. März bis 2. April ein erneutes Treffen mit der *Nordmark*, die Versorgung von zwei U=Booten, von U 105 und U 106 und in der Zeit vom 3.—5. April eine Versorgung durch den aus Spanien ausgelaufenen Tanker *Rudolph Albrecht*, um dann mit Südkurs zu neuer Jagd abzulaufen.

Kormoran wandte sich dem Seegebiet zu, das den Übergang zwischen dem U=Boots=Gebiet vor Freetown nach der amerikanischen Zone vor den südamerikanischen Häfen bildete. Mit Erfolg. Am 9. April mußten die Briten die 8 022 BRT große *Craftsman*, die unter anderem ein großes U=Boot=Netz nach Kapstadt bringen sollte, abschreiben, und am 12. April die 5 486 BRT große *Nicolaos D. L.*, einen erst 1939 in Dienst gestellten Griechen.

56 708 BRT waren das Ergebnis der bisher viereinhalb Monate andauernden Kreuzfahrt im Zentralatlantik. *Kormoran* nahm Südkurs auf und wandte sich dem befohlenen Treffpunkt mit HSK *Atlantis* zu. Am 19.—22. April bot sich dann Gelegenheit zu einem Erfahrungsaustausch mit einem der erfolgreichsten HSK=Kommandanten, mit Kapitän zur See Rogge, und auch zu einer nochmaligen Versorgung aus der *Nordmark*, in deren Nähe noch die Blockadebrecher *Alsterufer* und die aus dem La Plata gekommene *Dresden* schwammen.

Kormoran hatte kaum Südafrika gerundet, als die Nachricht vom Ende der *Pinguin* einging und der Befehl, den Versorger *Alstertor* zu beölen und das zweite Auge der *Pinguin*, den Walfänger *Adjutant ex Pol IX*, unter die Fittiche zu nehmen. Am 14. Mai kamen beide Schiffe in Sicht. Die Beölung wurde durchgeführt, dieweilen *Adjutant*, den inzwischen HSK *Komet* angefordert hatte, ausgerüstet und zur australischen Westküste entlassen wurde.

444

Kormoran übernahm nunmehr das Operationsgebiet von *Orion* und *Komet*, die abgedampft waren. Wochenlang kam im Raum südlich von Ceylon nichts in Sicht. Das einzige Schiff, das man sah, war ein Dampfer mit gesetzten Lichtern, ein Amerikaner. Am 15. 6. allerdings kam ein Passagierdampfer, den Schiffen der Brit. India Co. ähnlich, in Sicht. Der Fremde drehte plötzlich ab und lief mit hoher Fahrt davon*).

Kormoran stieß nun tief in die Bengalische See vor.

Vor Madras sollten endlich die Minen gelegt werden.

Am 24. Juni stand „Schiff 41" südöstlich von Madras, schrieb das Minenlegen nach Insichtkommen eines vermeintlichen Hilfskreuzers (tat= sächlich: HMS *Canton*) ab.

Tage später versenkte *Kormoran*, die durch die Hilfskreuzer=Alarm= meldungen ausgelöste Whooling ausnutzend, einen Jugoslaven, nämlich die 4 153 BRT große *Velebit*, und, 12 Stunden später, nach einer Jagd in Regenböen, die 3 472 BRT große australische *Mareeba*. Danach setzte sich *Kormoran* nach 6 Grad Süd 86 Ost zur Überholung ab.

Wieder voll betriebsklar, von den Lagerschäden abgesehen, stieß Detmers in die Gebiete um Java und Sumatra vor und wandte sich nach vergeblicher Suche dem Raum vor Madagaskar zu. Bereits nach einer Woche ging der 3 941 BRT große Grieche *Stamatios G. Embiricos* auf Tiefe. Ende September verlegte Detmers nach 32 Grad 30 Süd 97 Ost, wo er Mitte Oktober den Versorger *Kulmerland* traf.

Am 29. November kam es gegen 16.00 Uhr zu der Begegnung mit einem Kriegsschiff, das zunächst als ein Schiff der *Perth=Klasse* ange= sprochen wurde und später als der australische Leichte Kreuzer *Sydney*, Stolz der australischen Navy, erkannt wurde. Der Kreuzer wurde, wie ausführlich im ersten Teil des Buches geschildert, durch *Kormoran* ver= senkt. *Kormoran* erhielt lediglich vier Treffer. Der unglücklichste Tref= fer aber krepierte im Maschinenraum. Dessen Folgen bestärkten den Entschluß des Kommandanten, das Schiff zu verlassen und zu sprengen.

Bis auf 80 Mann, die gefallen waren, erreichten alle Überlebenden nach zum Teil qualvollen Bootsfahrten, die Küste.

---

*) Nach dem Kriege wurde von verschiedenen (auch von offiziellen) Stellen behauptet, der Dampfer sei der britische Hilfskreuzer HMS *Shengking* ge= wesen. Kapitän Detmers dazu: Obschon uns bekannt war, daß Passagier= dampfer der British India Co. als Hilfskreuzer verwandt wurden, erscheint mir dies in diesem Fall doch sehr zweifelhaft. Mag unsere Tarnung als neu= traler Japaner noch so gut gewesen sein, es hinderte den Gegner, wäre er ein HSK gewesen, nicht, nach unserem Namen und dem Woher und Wohin zu fragen, besonders, als wir in der verräterischen Nebelwolke zu verschwinden versuchten.

Hilfskreuzer THOR — II. Reise

Schiff 10:	siehe *Thor* I. Reise
Bewaffnung:	dazu ein DeTe=Gerät
Kommandant:	Kapitän zur See Günther Gumprich, geb. 6.1.1900 in Stuttgart; Ritterkreuz 31.12.42
Ausgelaufen:	14.1.42 Gironde
Operationsgebiete:	Atlantik, Indischer Ozean
Reiseende:	9.10.42. Am 30.11.42 in Yokohama liegend, bei der Ver= sorgung aus der *Uckermark* bei der Explosionskatastrophe auf der *Uckermark* vernichtet
Reisedauer:	268 Tage
Schicksal d. Besatz.:	Nach bisherigen Ermittlungen 13 Verluste bei der Kata= strophe in Yokohama

Versenkungen — Prisen

1. Pagasitikos		14	3 492 BRT	Gr.	23. 3. 42	31,20 S — 12,00 W
2. Wellpark		38	4 649 BRT	Br.	29. 3. 42	22,00 S — 13,00 W
3. Willesden		25	4 563 BRT	Br.	1. 4. 42	18,00 S — 14,00 W
4. Aust		20	5 630 BRT	No.	3. 4. 42	21,00 S — 16,00 W
5. Kirkpool		28	4 842 BRT	Br.	10. 4. 42	34,00 S — 11,00 W
6. Nankin	(P)	12	7 131 BRT	Br.	10. 5. 42	26,43 S — 89,56 W

Wurde als Prise zum Versorgertreffpunkt *Regensburg* entlassen und von dort nach Japan geschickt. Eingetroffen in Japan am 18. Juli. Hier unter dem Namen *Leuthen* un= ter Kapitän Sander als Vorratsschiff in Dienst gestellt. Am 30.11.43 durch Explosionskatastrophe zusammen mit *Thor* und *Uckermark* vernichtet

7. Olivia		3	6 307 BRT	Du.	14. 6. 42	26,00 S — 77,00 O
8. Herborg	(P)	31	7 892 BRT	No.	19. 6. 42	28,00 S — 86,00 O

Wurde als Prise nach Japan geschickt; hier unter dem Namen *Hohenfriedberg* unter Kapitän Heidberg als Blockadebrecher in Dienst gestellt. Am 19.12.42 aus Japan nach Westfrankreich ausgelaufen; am 26.2.43 bei Begeg= nung mit dem Schweren Kreuzer *Sussex* selbst versenkt

9. Madrono	(P)	17	5 894 BRT	No.	4. 7. 42	29,50 S — 82,00 O

wurde als Prise nach Japan geschickt und als *Roßbach* wieder in Dienst gestellt. Die *Roßbach* verließ am 17.1.43 Japan mit dem Ziel Bordeaux. Die Skl rief das Schiff aus dem Südatlantik nach Batavia zurück. Sie wurde im Mai 1944 vor Kobe durch ein feindliches U=Boot versenkt

10. Indus		40	5 187 BRT	Br.	20. 7. 42	26,44 S — 82,50 O
insgesamt:			55 587 BRT			

HSK *Thor* war der dritte Hilfskreuzer der Zweiten Welle.

Thor, die am 30. April 1941 nach ihrem Kanaldurchbruch in Hamburg festgemacht hatte, wurde später von Kiel (am 30. 11. 1941) in die Gironde beordert. Die Überführungsfahrt durch den Kanal verlief ohne Ereignisse, obwohl der Gegner auf der Höhe der holländischen Küste starke Luftstreitkräfte angesetzt hatte. Zweifelsohne trug das schlechte Wetter dazu bei, daß *Thor*, die nur in der Nacht westwärts marschierte, die Gironde am 17. Dezember ohne Gegnerangriffe erreichte. Auch während der späteren Zeit blieb das verhältnismäßig kleine Schiff von gezielten Anflügen britischer Bomberverbände verschont.

Roskill schreibt: „Die Planung der Unternehmung wurde außerordentlich geschickt durchgeführt."

Auf der Gironde wurde *Thor* auf Grund der gemachten Erfahrungen der ersten Unternehmung und der anderer Hilfskreuzer modernisiert. Die Bewaffnung blieb im Prinzip die gleiche, allerdings wurden die alten, aus dem Weltkrieg Eins stammenden 15=cm=Kanonen durch neue, nämlich durch die modernsten 15=cm=Kanonen, über die die Kriegsmarine seinerzeit verfügte, ausgetauscht. Außerdem wurde *Thor* mit einem Funkmeßgerät, mit dem DeTe=Gerät, dem deutschen Radar, ausgerüstet.

Am 14. Januar 1942 löste die Besatzung die letzten Verbindungen mit dem Festland. *Thor*, die dem Kommando von Kapitän zur See Gumprich anvertraut wurde, manövrierte sich girondeabwärts, marschierte dicht unter der französischen und spanischen Küste entlang und stieß in Höhe von Nordspanien in den freien Atlantik vor.

Das große Abenteuer auf dem riesigen Schachbrett der Ozeane hat begonnen.

Thor hatte kaum die besonders gefährdeten Gewässer der Biscaya hinter sich, als ein ungemein schweres Wetter das Schiff erst zum Beidrehen und dann zum Zurücklaufen zwang. *Thor* suchte unter der nordspanischen Küste Schutz. Als der Orkan etwas abflaute nahm Gumprich wieder Fahrt und Kurs auf. Eine Woche später schon stand der Hilfskreuzer im mittleren Atlantik. Von nun an zeigte die Kompaßrose als Generalkurs Süd an. Des Kommandanten erster Auftrag lautete, in der Antarktis alliierte Walfangflotten aufzuspüren. Bis zum Erreichen dieses Operationsgebietes war das *Thor*=Kommando gehalten, allen Sichtungen tunlichst auszuweichen.

Ende Februar drang *Thor* in den riesigen Weltozean ein, in jene Zone, die ohne eine Landbehinderung den südlichen Erdball umfaßt und in deren ewiger Westwinddrift nicht nur schwere und schwerste Stürme, sondern auch Eisbergfelder jedes dort navigierende Schiff bedrohen.

Aber was dem Hilfskreuzer *Pinguin* in geradezu klassischer Form glückte, blieb *Thor* versagt. Trotz weiträumiger Kreuzfahrten, die das Schiff bis dicht an das antarktische Festland, bis an das Queen=Maud= Land, führten, trotz für die Flieger lebensgefährlicher Flugzeugstarts= und Landungen in künstlich geschaffenen Treibeislücken, wurde weder ein Walfangmutterschiff noch einer der kleinen Walfänger gesichtet. Sosehr man sich auch bemühte, auch in der Funkbude wurde kein Spruch aufgefangen, der auf eine Anwesenheit alliierter Walfänger schließen läßt.

Es mag sein, daß die seinerzeit von der *Pinguin* gefangen genom= menen und später nach Norwegen entlassenen norwegischen Walfang= Nautiker über die norwegische Widerstandsbewegung die Alliierten die Methode wissen ließen, die *Pinguin* zu ihrem einmaligen Überrumpe= lungserfolg verhalf, d. h., daß man nunmehr auf jedweden Telefonie= und Funkverkehr beim Walfang verzichtete, um deutschen Hilfskreuzern keine Anhaltspunkte zu geben.

Am 11. März brach der *Thor*=Kommandant die Jagd nach den Wal= fangflotten ab, zumal er gezwungen war, seine fast erschöpften Treiböl= bestände zu ergänzen.

Thor drehte auf Nordkurs, um sich, wie mit der Skl vereinbart, im südlichen Atlantik mit dem Versorger *Regensburg* zu treffen.

In unmittelbarer Nähe des Versorgungspunktes lief *Thor*, die nun= mehr frei für andere Operationen war, am 23. März ein Frachter über den Weg. Das Schiff wurde, ohne daß es zu einem Widerstand kam, gestoppt. Es handelte sich um den in britischen Diensten fahrenden Griechen, *Pagastitikos*, dessen Schicksalsstunde geschlagen hatte.

Im Britischen Seekriegswerk wird betont vermerkt, daß dieser Grieche das erste Opfer nach sechswöchiger vergeblicher Handelsstörtätigkeit gewesen wäre.

Am nächsten Tage traf sich „Schiff 10" mit der auf Position liegenden *Regensburg*. Danach strebte *Thor* in nördlicher gelegene Seegebiete des Südatlantiks, um an der Route Kapstadt—Rio bzw. Bahia, Pernambuco zu operieren. Die Pechsträhne, die das Schiff beschattete, schien gerissen. In schneller Folge sichtete und vernichtete *Thor* drei weitere Gegner= schiffe, nämlich zwei britische und einen norwegischen Frachter.

Thor verholte südlicher und versenkte am 10. April noch ein Schiff: die britische *Kirkpool*.

Das *Thor*=Kommando bekam von der Skl Befehl, mit Rücksicht auf die inzwischen angelaufenen Operationen der Hilfskreuzer *Michel* und *Stier*, den Südatlantik zu verlassen, um die Schiffahrt im Indischen Ozean zu beunruhigen. *Thor*, deren Erfolge bis jetzt fünf Schiffe mit 23 176 BRT betrugen, rundete das Kap der Guten Hoffnung und patrouil=

lierte zunächst an der Schiffahrtsroute Australien–Kapstadt. Aber diese Kreuzfahrten blieben ohne einen Erfolg, da der Gegner diese Route offenbar noch immer oder im Turnus der wechselnden Kurse schon wieder mied.

„Vermutlich lassen die Alliierten ihre gesamte, von Australien um das Kap bestimmte Schiffahrt über den Umweg nach Ceylon an der afrika= nischen Küste entlanglaufen." Diese Überlegung des Kommandanten sollte sich als richtig erweisen, als er sein Operationsgebiet 2000 See= meilen süd= und südöstlich von Ceylon verlegte, wo Gumprich nicht nur Begegnungen mit diesen Umwegschiffen, sondern auch solche mit direkt nach Ceylon und Indien bestimmten Frachtern erhoffte.

Zunächst traf sich *Thor* auf 22° 30 Süd und 80° Ost wieder mit dem Versorger und Blockadebrecher *Regensburg* und setzte dann zu systema= tischen Kreuzschlägen im neuen Operationsgebiet an.

Bereits am 10. Mai lief dem ozeanischen Jäger das britische Passagier= schiff *Nankin* in die Fänge. Der 7 131 BRT große Dampfer war für Co= lombo bestimmt. Die Maßnahmen der *Nankin*=Schiffsführung waren im Hinblick auf die an Bord befindlichen Frauen und Kinder nicht gerade ver= antwortungsbewußt: Die *Nankin* funkte unaufhörlich QQQQ, auch dann noch, als *Thor* nach dem Stoppschuß gezieltes Feuer eröffnete.

Da das Gegnerschiff bei dem Beschuß keine ernsthaften Beschädigun= gen erhielt und der *Thor*=Kommandant vor allem keine Möglichkeit sah, die vielköpfige Zahl an Passagieren und Besatzung bei sich unterzu= bringen, entließ er den Briten unter dem Namen *Miöllnir* (der Hammer *Thors*) unter dem Befehl eines deutschen Prisenkommandos auf den Treffpunkt der *Regensburg*. Diese sollte so viel wie möglich aus der wertvollen Ladung der Ex=*Nankin* entnehmen.

Da durch QQQQ=Meldung durch den australischen Flottenstützpunkt Perth bekannt war, daß der Gegner über die Tätigkeit eines deutschen Hilfskreuzers in diesem Seeraum erfuhr, verlegte *Thor* weiter südlich, während das gekaperte Schiff von der *Regensburg* nach Erledigung der Übernahme nach Japan entlassen wurde. Hier traf es am 18. Juli ein. Die Passagiere und die alte Stammbesatzung wurden interniert. Das Schiff selbst wurde unter dem neuen Namen *Leuthen* in deutsche Dien= ste übernommen. Das Kommando über dieses Vorratsschiff erhielt der Handelsschiffskapitän Sander.

Nach dem 4. Juni bewegte sich *Thor* mit wechselnden Kursen in ihrem Operationsgebiet.

Am 14. sank der 6 307 BRT große Holländer *Olivia*. Fünf Tage später wurde der norwegische Tanker *Herborg* (7 892 BRT) gekapert und als Prise nach Japan geschickt, wo er unter dem Namen *Hohenfriedberg* weitergeführt und als Blockadebrecher nach Deutschland geschickt wurde.

Im Juli wurde ein weiterer Norweger erbeutet und als Prise nach Japan entlassen, nämlich der Norweger *Madrono*, der Japan erreichte und unter dem neuen Namen *Rossbach* der Blockadebrecherflotte zuge= teilt wurde.

Am 20. fuhr der Brite *Indus* ins nasse Grab.

Er war das letzte Opfer des HSK *Thor*.

Ende August kam es auf 27 Grad Süd und 76 Grad Ost zu einer Be= gegnung mit dem auf dem Wege von Japan nach Bordeaux stehenden Blockadebrecher *Tannenfels*, nachdem *Thor* ein neues Operationsgebiet zwischen 20 Grad und 30 Grad Süd und 80 Grad und 100 Grad Ost zu= gewiesen wurde. Trotz wechselseitiger Suchkurse zeigte sich keine Mast= spitze an der Kimm. Schließlich strebte *Thor* der Sunda=Straße zu und versorgte sich am 25. August in Balikpapan auf Borneo mit neuem Öl, da im Augenblick kein Versorgungsschiff im Raum der Indischen See zur Verfügung stand.

Laut Skl=Befehl sollte der Hilfskreuzer Japan anlaufen. Durch die China=See steuernd, erreichte *Thor* am 9. Oktober Yokohama. Schiff und Besatzung wurden ab nun von dem Marineattaché bei der Deutschen Botschaft in Tokio, Admiral Wennecker, betreut und gesteuert.

Am 30. November passierte die Katastrophe.

Thor hatte neben der *Uckermark*, der ehemaligen *Altmark*, deren Öltanks in diesen Tagen gerade gereinigt wurden, zur Versorgung fest= gemacht. In der zweiten Nachmittagsstunde ereignete sich auf der *Ucker= mark* eine heftige Explosion, der weitere, schwerere folgten. Der sich rasend schnell ausbreitende Brand griff auf HSK *Thor* und später über ausgelaufenes, auf dem Hafenwasser brennendes Öl auch auf den im gleichen Hafenbecken vertäuten Dampfer *Leuthen* ex *Nankin* über. HSK *Thor* und das Vorratsschiff *Leuthen* brannten ebenfalls total aus.

„Damit trat ein weiterer Hilfskreuzer von der Bühne ab, einer, der uns auf seiner ersten Reise beträchtlichen Schaden zugefügt hat", schließt Captain Roskill heute das Kapitel über den HSK *Thor* im Britischen Admiralstabswerk.

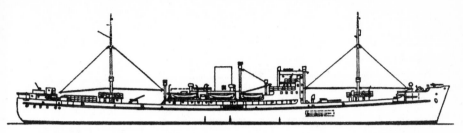

HSK 9 = MICHEL

Hilfskreuzer MICHEL = HSK 9 — I. Reise

Schiff 28: ex Fracht=Motorschiff *Bielsko* (polnische Gdynia=Amerika=Linie)

Größe:	4 740 BRT (11 000 ts max.)
Baujahr:	1939
Bauwerft:	F. Schichau, Danzig
Maschinenleistung:	6 650 PS
Geschwindigkeit:	16 kn
Bewaffnung:	6 — 15 cm
	1 — 10,5 cm
	6 — 3,7 cm (2)
	2 — 2 cm
	MG
	4 TR (↑ II)
	2 TR (↓ I)
	2 Bordflugzeuge Arado Ar — 196 A — 3
	1 Leichtes Schnellboot (Motor=Torpedoboot)
Kommandant:	Fregattenkapitän Hellmuth v. Ruckteschell; Ritterkreuz 31. 10. 40
Besatzung:	400 Mann
Ausgelaufen:	9. 3. 42 von Kiel nach Cuxhaven, 20. 3. 42 aus Le Havre
Operationsgebiete:	Südatlantik, Indik
Reiseende:	1. 3. 43 Yokohama
Reisedauer:	373 Tage
Schicksal d. Besatz.:	Keine Verluste, ein Teil der Besatzung, fast die Hälfte, wurde abkommandiert, als Kapitän zur See Gumprich die *Michel* übernahm, da v. Ruckteschell wegen Krankheit aussteigen mußte. Die Abkommandierten fanden in Japan und Südostasien bei deutschen Dienststellen Verwendung

451

Versenkungen

1. Patella	27	7 468 BRT	Br.	19.	4. 42	24,18 S — 20,00 W
2. Connecticut	38	8 684 BRT	USA	22.	4. 42	23,00 S — 16,00 W
3. Kattegat	36	4 245 BRT	No.	21.	5. 42	28,11 S — 11,30 W
4. Georg Clymer	42	7 176 BRT	USA	6.	6. 42	14,49 S — 18,30 W
5. Lylepark	29	5 186 BRT	Br.	11.	6. 42	14,00 S — 10,00 W
6. Gloucester Castle	11	8 006 BRT	Br.	15.	7. 42	08,00 S — 01,00 O
7. William F. Humphrey	21	7 893 BRT	USA	16.	7. 42	05,37 S — 00,56 O
8. Aramis	31	7 984 BRT	No.	17.	7. 42	05,15 S — 03,51 O
9. Arabistan	29	5 874 BRT	Br.	14.	8. 42	18.00 S — 09.00 W
10. Empire Dawn	41	7 241 BRT	Br.	11.	9. 42	33,00 S — 04,00 O
11. American Leader	40	6 778 BRT	USA	11.	9. 42	34,21 S — 02,00 O
12. Sawokla	20	5 882 BRT	USA	30.	11. 42	28,52 S— 52,51 O
13. Eugenie Livanos	36	4 816 BRT	Gr.	7.	12. 42	27,48 S — 53,58 O
14. Empire March	41	7 040 BRT	Br.	3.	1. 43	22,00 S — 10,00 W

insgesamt: 94 273 BRT*)

Im Gegensatz zur Ersten Welle, bei der alle HSKs in verhältnismäßig kurzen Abständen in ihre Operationsgebiete marschierten, verzögerte sich der Einsatz der weiteren Einheiten der Zweiten Welle.

Monate gingen ins Land, ehe „Schiff 28" als zweites Schiff der Zwei= ten Welle seine Fahrt antreten konnte.

Erst im März 1942 war der Hilfskreuzer *Michel* klar zum Einsatz.

Ursprünglich war „Schiff 28" von einer polnischen Reederei als der Frachtdampfer *Bielsko* bei der Danziger Schichau=Werft in Auftrag ge= geben worden. Bei Kriegsausbruch beschlagnahmte das OKM den erst halb fertigen Fünftausendtonner, um ihn zu einem Lazarettschiff um= bauen zu lassen. Später — die Umbauarbeiten waren bereits in vollem Gange — ließ man diesen Plan fallen und entschied sich dafür, die Ex= *Bielsko* zu einem Hilfskreuzer umzubauen. Da inzwischen HSK *Widder* seine kurze, wenn auch erfolgreiche Unternehmung wegen Maschinen= schadens beenden mußte, übertrug das OKM dem ehemaligen *Widder*= Kommandanten, Kapitän zur See von Ruckteschell, das Kommando über

---

*) In der Literatur wird häufig auch der britische Frachter *Reynolds* (5 113 BRT) als von *Michel* versenkt gemeldet. Versenkt wurde das Schiff durch U 504 (Korv. Kpt. Fritz Poske) am 31. Oktober 1942 auf 30,25 S — 35,20 O.

452

„Schiff 28". Von Ruckteschell sah sich in der glücklichen Lage, nicht nur seine eigenen praktischen Erfahrungen, sondern auch jene seiner noch in See stehenden Kommandantenkameraden für den Umbau auszuwer=
ten. Großadmiral Raeder, bei dem er hohes Ansehen und Vertrauen genoß, ließ ihm alle Freiheiten, seinen Hilfskreuzer nach seinen eigenen Vorstellungen fertigbauen zu lassen. Dies wirkte sich insbesondere auf die Bewaffnung aus, weiter aber auch auf die Unterbringung der Be= satzung wie auf die Lasten für Proviant, Munition und dergleichen.

Obgleich Hitler um jene Zeit in einer Rundfunkrede der Welt ver= kündete, er habe den größten Teil der Rüstungsindustrie auf Friedens= produktion umstellen lassen, da man über genügend Mengen an Re= serven an Waffen und Munition verfüge, konnte das OKM dem *Michel=* Kommandanten keine modernen weitreichenden Geschütze beschaffen. Sie waren einfach nicht da; die Marine hätte sie, wären sie angefordert worden, auch nie rechtzeitig bekommen, zumindest nicht für diesen Ver= wendungszweck. So mußte sich denn auch von Ruckteschell wie seine Kameraden mit einer mehr oder weniger veralteten schweren Artillerie begnügen.

Die sechs alten 15=cm=Kanonen waren wie folgt aufgestellt: je zwei standen, durch hydraulisch aufklappbare Bordwände verdeckt, im Vor= bzw. Achterschiff, eine weitere Kanone war im Luk Zwo, Vorkante Brücke montiert, das letzte und sechste fand auf dem Bootsdeck hinter dem Schornstein unter einer zurückfahrbaren Tarnhütte Aufstellung. Darüber hinaus ließ von Ruckteschell hinter dem achteren Mast eine moderne 10,5=Kanone aufstellen. Hier verzichtete er bewußt auf eine Tarnung, da der Gegner seine Waffen ja auch frei sichtbar an Deck fuhr. Bei der sich ergebenden Notwendigkeit, sich von Fall zu Fall auch als Brite zu tarnen, wäre ein Fehlen jeglicher Bewaffnung verdächtig ge= wesen.

Hinzu kamen noch zwei 3,7=cm=Schnellfeuerkanonen in Doppellafet= ten. Sie standen auf der Hütte und auf der Back, und damit diese typisch deutschen Waffen nicht auffielen, ließ von Ruckteschell über die beiden Doppelrohre je ein Ofenrohr stülpen. In dieser Verkleidung wirkten sie wie zwei weitere mittelschwere Geschütze, waren aber mit einem Handgriff schnell zu enttarnen.

Ein 2=cm=Vierling kam auf Luk Eins und einige Zwozentimeter und Maschinengewehre wurden über das Schiff verteilt.

Neben einer modernen Torpedowaffe erhielt HSK *Michel* die obligate Arado 196. Leider stand der Marine trotz der wenig glücklichen Erfah= rungen mit diesem Typ kein anderes, besser geeigneteres Flugzeug zur Verfügung. Die Marine=Luftwaffe unterstand in allerhöchster Instanz

Hermann Göring, und dieser hatte seine eigenen Ansichten über die Marine und die Marinefliegerei.

Neu auf einem HSK und von Ruckteschells ureigenste Idee war ein kleines Torpedo=Motorboot, das er operativ in der Nacht einzusetzen gedachte. Das Boot LS 4, auf den Namen *Esau* getauft, gehörte zu der Baureihe LS 2=20 und war ein amtlicher Friedensentwurf*), den die Dornierwerft, Friedrichshafen, baute. Während LS 2 und 3 der Hilfs= kreuzer *Komet* und *Kormoran* noch mit Offensivminen ausgerüstet waren, hatte LS 4 dafür vernünftigerweise zwei Einzeltorpedorohre (45 cm) erhalten, die achteraus schossen und an sich auch schon für LS 2 und 3 geplant worden waren. Als Torpedos mußten leider die leichten Flugzeugtorpedos verwendet werden. Sie haben sich nicht voll bewährt, da ihre Sprengladung nicht immer ausreichte, an größeren Schiffen eine vernichtende Wirkung auszulösen. Kein Wunder, daß mancher von der Luftwaffe damals als versenkt gemeldete Frachter später munter weiter= schwamm. Von Ruckteschell indessen konnte die angeknackten Frachter noch mit seinem Schiff weiter jagen, und er hat sie dann auch in allen Fällen noch einmal gestellt und versenkt.

Michel verholte im März 1942 über Kiel nach Cuxhaven. Der Kom= mandant reiste nach Berlin, um sich die letzten Weisungen zu holen.

Am 13. März stand der Hilfskreuzer nach einigen weiteren Probe= fahrten auf der Höhe von Vlissingen, um im Geleit von fünf Torpedo= booten und neun Minensuchern durch den Kanal durchzubrechen. Um die Mitternachtsstunde passierte der Verband die engste Stelle des vom Gegner schärfstens bewachten Ärmelkanals. Plötzlich aufgefangene Operationsfunksprüche deuteten darauf hin, daß der Gegner das Geleit mit seinen Radargeräten aufgefaßt und Gegenmaßnahmen eingeleitet hatte. Bereits in den ersten Morgenstunden griffen sechs Torpedoschnell= boote und drei Motor=Kanonenboote an, vermochten aber den Ring der Geleitzugssicherung nicht zu durchbrechen. Die Sicherungsschiffe wie auch *Michel* eröffneten ein mörderisches Feuer, während die deutsche Küstenartillerie Leuchtbomben schoß und damit auch das Vorfeld der Angreifer fast in Tageslicht tauchte. Deutscherseits wurden auf mehreren Booten Treffer beobachtet.

Das Britische Seekriegswerk spricht von keinen eigenen Verlusten, es erwähnt auch keine bei dem kurz darauf folgenden Angriff jener fünf Zerstörer, die auf dem Patrouillenweg vor Beachy Head standen und auf das deutsche Geleit angesetzt wurden. Es heißt lediglich, daß die beiden Zerstörer *Windsor* und *Walpole* ihre Torpedos zwar losmachen konnten, aber keine Treffer erzielten.

---

*) Entwurf Oberingenieur Heinz Docter; vgl. Wehrtechnische Hefte 1/57.

Augenzeugen auf *Michel* bestätigen dagegen schwere Trefferwirkun=
gen auf einem der größeren Angreifer, der, über seine ganze Länge
brennend, mit schwerer Schlagseite achteraus sackte und liegenblieb.

Auf der deutschen Seite gab es keine Beschädigungen, wohl aber wurde
ein Oberfähnrich durch einen Granatsplitter tödlich verwundet.

Der Verband erreichte in den Abendstunden des 15. März Le Havre.
Von hier aus marschierte *Michel* allein nach La Pallice weiter, wo die
letzten Vorbereitungen für die Unternehmung getroffen wurden.

Am 20. März nahm *Michel* Kurs in den offenen Südatlantik und in
Beachtung der von Ruckteschell gegebenen Skl=Befehle ließ der *Michel*=
Kommandant fünf Frachtschiffe, die er auf diesem Wege sichtete, unge=
schoren.

In Verbindung mit dem Auslaufen des HSK *Michel* befaßt sich der
Bearbeiter des Britischen Seekriegswerkes in seinem Band II erneut mit
der Persönlichkeit von Ruckteschells und mit seinen Angriffsmethoden,
die er als „rauh" bezeichnet. Er sagt dann weiter: „Wie dem auch sei,
von Ruckteschells Verhalten gegenüber den Besatzungen seiner Opfer
mag unverantwortlich gewesen sein, das eine steht fest, daß der Hilfs=
kreuzerkrieg (la guerre de course) für die Deutschen härter und gefähr=
licher geworden war. Im Hinblick auf diese gesteigerten Gefahren=
koeffizienten sind von Ruckteschells Erfolge trotz allem als bedeutende
Erfolge zu werten."

Roskill befaßt sich dann mit den beiden Grundrezepten, nach denen
von Ruckteschell handelte:

Einmal habe er es stets verstanden, das Aussehen seines Schiffes auf
allen Meeren und unter allen Küsten vor dem Gegner geheimzuhalten,

zum anderen wäre es sein oberster Grundsatz gewesen, keinen der
von ihm angegriffenen Schiffe eine Möglichkeit zur Abgabe einer Raider=
meldung zu geben.

Der *Michel*=Kommandant habe diese Praxis mehrfach in seinem
Kriegstagebuch behandelt und begründet. In der Tat: Von Ruckteschell
beschattete tagsüber gesichtete Frachter und griff fast ausschließlich,
meist unter zusätzlichem Einsatz seines Torpedoschnellbootes, in der
Nacht an. Er legte den Schwerpunkt seiner Operationen stets so, daß ihm
meist mondlose Nächte zur Verfügung standen. Er griff stets plötzlich an,
also ohne Warnung, und mit allen ihm zur Verfügung stehenden Waf=
fen. Diese Praxis hatten vor ihm bereits die beiden erfolgreichsten Hilfs=
kreuzerkommandanten, die Kapitäne zur See Krüder und Rogge in der
zweiten Phase ihrer Operationen durchexerziert. Von Ruckteschell hat
sie lediglich mit äußerster und letzter Konsequenz durchgeführt.

Roskill deutet in seiner Betrachtung bereits das wesentliche Merkmal der Phase an, die für die Hilfskreuzer der zweiten Welle Gültigkeit hatte: „Der Krieg auf See war, nicht zuletzt durch das Eintreten der Amerikaner, härter und bedingungsloser geworden. Alle alliierten Schiffe waren mehr oder weniger mit modernen und vor allem weittragenden Geschützen ausgestattet, die es den Hilfskreuzern der Zweiten Welle praktisch unmöglich machten, diese Schiffe am Tage zu verfolgen und anzugreifen. Wir wissen, daß die Kapitäne der alliierten Frachtschiffe Anweisung hatten, grundsätzlich jeder Sichtung auszuweichen, auch dann, wenn sie mit Sicherheit erkannt hatten, daß das kommende Schiff ein Brite oder ein Amerikaner war. Das bedeutete, daß sich die Hilfs=kreuzerkommandanten der Zweiten Welle lediglich auf den Zufall oder auf die Nachlässigkeit gegnerischer Schiffsführungen verlassen mußten, um überhaupt in den Wirkungsbereich ihrer veralteten schweren Ar=tillerie vorzustoßen . . ."

Also blieb nur der Nachtangriff, wie ihn von Ruckteschell prakti=zierte.

Um die gleiche Zeit waren auch die letzten Schranken im U=Boot=Krieg gefallen.

Für gegnerische Frachtschiffe gab es keine Warngebiete mehr. Alle Meere der Welt waren zum Schlachtfeld geworden und jeder Frachter durfte von einem U=Boot ohne Warnung angegriffen und versenkt wer=den, sofern er mit Sicherheit als Feindschiff erkannt worden war.

Übersehen wir ferner nicht, daß von Ruckteschell einer der erfolgs=reichsten U=Boots=Kommandanten des Ersten Weltkrieges war und daß er seiner ganzen Mentalität nach auch als Hilfskreuzerkommandant in irgendwie die Rechte der U=Boots=Kommandanten für sich in Anspruch nahm. Die von Roskill in Verbindung mit der Unternehmung des HSK *Michel* mehrfach herausgestellten, teilweise sehr schwere Verluste an Besatzungsmitgliedern und Passagieren, die bei den nächtlichen Über=fällen des Hilfskreuzers im Feuer der Artillerie und der Torpedos blie=ben, sollen offensichtlich nur eine Rechtfertigung jenes Urteils sein, das ein britisches Militärtribunal nach dem Kriege über von Ruckteschell fällte, als es diesen zu zehn Jahren Gefängnis verurteilte.

Wir werden dieses Urteil nach Lage der Dinge niemals anerkennen können, denn der Gegner hätte im umgekehrten Fall genauso, wenn nicht noch härter gehandelt.

Hätte von Ruckteschell wirklich verbrecherisch gehandelt, wie es für die Rechtmäßigkeit eines solchen Urteils notwendig gewesen wäre, Ros=kill hätte gewißlich andere Worte gefunden, als lediglich von „rauhen Methoden" und „unverantwortlichem Verhalten" zu sprechen.

Zur Reise selbst: Mitte April traf *Michel* im Südatlantik ein, wo er aus dem Tanker und Versorger *Charlotte Schliemann* auf 25 Grad Süd und 22 Grad West seine Bestände auffüllte. Er war nunmehr klar für seine ersten operativen Aktionen, deren erstes Opfer am 19. April das britische Schiff *Patella* wurde, das 10 000 Tonnen Öl von Trinidad nach Kapstadt transportieren sollte.

Fünf Tage später wurde zum ersten Male das Motortorpedoboot, dessen Höchstgeschwindigkeit übrigens bei 37,5 Knoten lag, gelegent= lich eines Nachtangriffes gegen den USA=Tanker *Connecticut* angesetzt. Der Tanker war ebenfalls mit Öl für Kapstadt beladen. Am ersten Mai wollte von Ruckteschell diese Taktik wiederholen, als er den Briten *Menelaus* in Sicht bekam und sein Motorboot in der Nacht voraus= schickte. Der britische Frachter rauschte, wie an anderer Stelle aus= führlich geschildert, mit hoher Fahrt davon.

Nach einem erneuten Treffen mit dem Versorgungsschiff *Charlotte Schliemann* und Abgabe der Gefangenen versenkte *Michel* am 20. Mai in der Nacht den tagsüber gesichteten norwegischen Frachter *Kattegat* durch Geschützfeuer.

Im Juni wandte sich „Schiff 41" nach Nordosten. In den Gewässern südlich von St. Helena spürte *Michel* den Amerikaner *Georg Clymer* auf, der sich seit dem 30. Mai in Seenot befand und durch verschiedene Funksprüche Hilfe angefordert hatte (von HSK=*Michel*=Funkern auf der 600 m Welle aufgenommen: SOS SOS SOS de WHPH drifting with engine trouble position...). Diesen Frachter, der übrigens inzwischen funkte: „TUgs not needed — going slowly" (Schlepperhilfe nicht mehr notwendig, komme allein mit langsamer Fahrt voran), spürte *Michel* auf und versenkte ihn durch sein Torpedo=Motorboot, während der Hilfs= kreuzer selbst im Hintergrund blieb. Es war von Ruckteschells Absicht, einen U=Boots=Angriff vorzutäuschen. Der Gegner funkte dann auch prompt SSS, ohne indessen zu sinken. Der *Michel*=Kommandant glaubte dagegen das Frachtschiff versenkt. In Wirklichkeit wurde der torpedierte, aber noch schwimmende Frachter von dem wiederhergestellten britischen Hilfskreuzer *Alcantara*, der gerade das Geleit WS 10 beschattete und vom CIC=Südatlantik zur Hilfeleistung detachiert worden war, auf= gesucht. Die *Alcantara* übernahm die Besatzung und verblieb in der Nähe des Wracks, dessen Abbergung aber schließlich doch nicht möglich schien. So versenkte denn die *Alcantara* die *George Clymer*, unternahm verschiedene Vorstöße in die vermuteten Operationsgebiete des Angrei= fers, ohne daß es zu einer Begegnung zwischen diesen beiden Schiffen kam.

Fünf Tage später lief *Michel* südlich von Ascension der Brite *Lylepark* über den Weg. Danach traf man sich erneut mit der *Charlotte Schlie=*

mann und mit dem Minenleger und Blockadebrecher *Doggerbank*, der inzwischen seine überflüssigen Bestände an den Tanker abgegeben hatte.

Bei der *Doggerbank* handelte es sich um die ehemalige britische *Spey=bank*, die vom Hilfskreuzer *Atlantis* aufgebracht und als Prise nach Frankreich geschickt worden war. Der Frachter wurde zum Minenlegen eingerichtet und auf die Häfen Südafrikas angesetzt. Es gelang der Schiffsführung, in zwei Anläufen sämtliche Minen loszuwerden und gegnerische Kriegsschiffe, die sich für die *Doggerbank* interessierten, zu täuschen. Die *Doggerbank* lief nach ihrer Minenoperation auf den Treff=punkt im Südatlantik.

Alle drei Schiffe verblieben eine Woche auf dem Treffpunkt. Während die *Doggerbank* über Batavia nach Japan entlassen wurde, um als Blok=kadebrecher beladen zu werden, stieß *Michel* nunmehr in das Gebiet der Walfischbay vor, wo von Ruckteschell auf der Route Freetown—Kapstadt stärkeren Schiffsverkehr erwartete. Sein Weg führte ihn durch die Enge der beiden britischen Stützpunkte St. Helena und Ascension. Er hatte Glück, viel Glück sogar. Beim Einbruch in den Golf geriet *Michel* in ein alliiertes Geleit, das er behutsam ausmanövrierte, von dem er aber einen Nachzügler beschattete und in der Nacht durch Artillerie und Torpedo so plötzlich versenkte, daß der Gegner keinen Funkspruch mehr abzugeben vermochte. Es handelte sich hier um das Passagier= und Frachtschiff *Gloucester Castle*, das mit militärischen Versorgungsgütern nach Kapstadt und von dort weiter nach Ägypten unterwegs war.

Nach Roskills Angaben kostete der Angriff auf den Gegner 90 Men=schenleben.

In der Morgenstunde des nächsten Tages, des 16. Juli, wurden ach=teraus die Mastspitzen von zwei auf Parallelkurs liegenden Tankern ausgemacht. Von Ruckteschell beschattete die Schiffe bis in die Abend=stunden. Während *Michel* mit Artillerie und Torpedos den Tanker *Wil=liam Humphrey* in die Tiefe schickte, griff das S=Boot an. Beide Tor=pedos trafen, zeigten aber auf dem norwegischen Tanker *Aramis* keinen vernichtenden Erfolg. Der Tanker verlor zwar an Fahrt, konnte seine Reise aber fortsetzen.

Während Roskill davon spricht, daß der Tanker Raider=Meldung funkte, erklären Mitglieder des Funkpersonals des Hilfskreuzers *Michel*, der Gegner habe nicht einmal den Versuch gemacht, einen Notruf aus=zusenden.

Michel lief dem angeknackten Tanker nach, beschattete ihn am Tage und griff ihn nach Mitternacht des 17. Juli an. Die *Aramis* zerbrach nach einem Torpedotreffer in zwei Teile. Das Heck versank, das Vorschiff schwamm weiter. Von Ruckteschell wollte keinen weiteren Torpedo opfern und überließ das Wrack seinem Schicksal, nachdem er, wie üblich, in den Morgenstunden den Angriffsplatz noch einmal nach Überleben= den abgesucht hatte.

Diese letztere Feststellung erscheint uns wichtig, denn von Ruck= teschell hatte in der Tat alles unternommen, um in allen Fällen un= mittelbar nach Angriff und Versenkung eines Gegners Überlebende zu bergen, und er war stets, trotz der damit für sein Schiff verbundenen Gefahren, in den Morgenstunden zurückgekehrt, um den Katastrophen= platz noch einmal bei Tageslicht abzusuchen.

Oft genug, und auch das ist beweisbar, brachten sich Besatzungsmit= glieder der *Michel* bei diesen Rettungsaktionen selbst in größte Gefahr.

Michel setzte sich nach diesen drei stillen Erfolgen nach Süden ab und traf im mittleren Südatlantik zunächst den Hilfskreuzer *Stier* und dann, mit diesem zusammen, den Versorger *Charlotte Schliemann*.

Nach seinem Treffen mit HSK *Stier* und der Beölung durch *Charlotte Schliemann* setzte *Michel* seine Kreuzfahrt im Südatlantik fort.

Von Ruckteschell stieß erneut in die östlichen Gebiete vor und griff am 14. August, südlich von St. Helena operierend, in der Nacht ohne Warnung das britische Schiff *Arabistan* an.

Captain Roskill spricht von einer „savagely attack", von einem „wil= den Angriff", und er hebt hervor, daß nur ein einziger Überlebender aufgepickt wurde.

Das nächste Ereignis war die Jagd, die dem 19 355 BRT großen Hol= länder *Marnix van St. Aldegonde* galt, einem als Truppentransporter eingesetzten Ex=Passagierliner, der aber vermöge seiner höheren Ge= schwindigkeit zu entkommen vermochte, eine Tatsache, die in der bri= tischen Routenkarte besonders hervorgehoben wird.

Gegen Monatsende traf *Michel* erneut östlich von Tristan de Cunha die *Charlotte Schliemann*, um die Ölvorräte zu ergänzen. Nach dem Mu= ster erprobter Angriffsmethoden versenkte *Michel* in der Nacht vom 10. zum 11. September die Frachter *American Leader* und das britische Schiff *Empire Dawn*, um dann wieder in den südlichen Mittelatlantik zurück= zusegeln, wo man für kurze Zeit mit HSK *Stier* zusammenlag. In des= sen Begleitung befand sich der Blockadebrecher *Tannenfels*, an den *Stier* ihre Gefangenen abgab. Die Beölung erfolgte diesmal aus dem Versorger *Uckermark*, der bis zum 5. Oktober in unmittelbarer Nähe der *Michel* verblieb, während *Stier* zu eigenen Operationen ablief.

Am 27. September hörte man auf *Michel* die Notrufe des Amerika= ners *Stephen Hopkins* ab, während *Michel* gerade bei der Übernahme wichtiger Versorgungsgüter aus der *Uckermark* war. Kurz danach ging ein Kurzsignal direkt vom HSK *Stier* ein, dessen Kommando darum bat, auf die im Notruf der *Stephen Hopkins* benannte Position zu kommen. Von Ruckteschell glaubte aber nicht, daß *Stier* in eine bedrohliche Situation geraten sei und daß er seiner, also des HSK *Michel* Hilfe bedürfe. Der *Michel*=Kommandant vermutete vielmehr eine vom Gegner raffiniert ausgedachte und angelegte Falle und marschierte mit Höchstfahrt in genau entgegengesetzter Richtung ab.

Erst Mitte Oktober sollte von Ruckteschell erfahren, daß die Begegnung mit dem Amerikaner *Stephen Hopkins* auch *Stiers* Schicksal besiegelte und daß die *Stier*=Besatzung wirklich Hilfe notwendig gehabt hatte.

Zur Störung des Nachschubs für Nordafrika beschloß Ruckteschell einen Vorstoß in das Gebiet südöstlich von Kapstadt und Madagaskar. Wochen voller Eintönigkeit folgten. Dann kam endlich wieder eine Mastspitze in Sicht. Nach kurzem Nachtgefecht sank die vollbeladene *Sawokla*. Als am nächsten Morgen die *Michel* wieder an der Versenkungsstelle stand, wurden noch drei Mann geborgen, die in der Dunkelheit nicht gefunden werden konnten. Ein in Brand geschossener und später versenkter Grieche wurde dem HSK gefährlich, als dieser infolge Ruderversagers direkt vor den Bug des noch in Fahrt befindlichen brennenden Schiffes geriet.

Während „Schiff 28" noch im Indischen Ozean kreuzte, traf ein Funkspruch der Seekriegsleitung ein, in der Antarktis nach Walfangflotten zu suchen. Ruchteschell entschloß sich jedoch, diesen Befehl der Skl nicht durchzuführen. Trotzdem ging er in die antarktischen Gewässer. Die Maschine mußte gründlich überholt werden.

Inzwischen hatte die Skl *Michel* den Rückmarschbefehl gefunkt. Als Tag des Einlaufens war der 11. Februar vorgesehen. Nach der Maschinenüberholung nahm *Michel* Nordkurs auf, gelangte bis in die Höhe des Äquators und erhielt hier einen neuen Funkspruch aus Berlin, den Durchbruch in die Biskaya abzubrechen, da aussichtslos. Ein Kommentar dazu wurde nicht gegeben. Die Gründe lagen bei den schweren Verlusten deutscher Blockadebrecher, durch deren Opfer die übermäßig stark gewordene Überwachung der Durchbruchswege — auch der Dänemarkstraße — bekanntgeworden war.

„Schiff 28" marschierte ohne Aufenthalt auf dem kürzesten Wege nach Ostasien.

Am 1. März 1943 lief HSK *Michel* in Yokohama ein, die Dienststelle des Militärattachees Admiral Wennecker nahm sich des Schiffes und der Besatzung an. Ihr wurde auch vom OKM die Befehlsgewalt über die weitere Verwendung von Schiff und Besatzung übertragen.

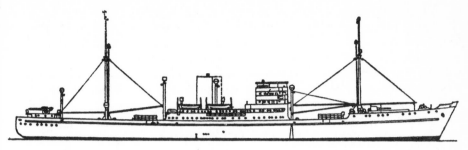

Hilfskreuzer STIER = HSK 6

Schiff 23: ex Fracht=Motorschiff *Cairo* (Atlas=Levante=Linie, Bremen)

Größe:	4778 BRT (13 000 ts max.)	Bewaffnung:	6 — 15 cm SKC 36
Baujahr:	1936		2 — 3,7 cm
Bauwerft:	Germaniawerft, Kiel		4 — 2 cm
Maschinenleistung:	3750 PS		2 TR ↓
Geschwindigkeit:	14 kn		2 Bordflugzeuge

Kommandant:	Fregattenkapitän Horst Gerlach, geb. 11. 8. 1900 in Erfurt
Besatzung:	324 Mann
Ausgelaufen:	9. 5. 42
Operationsgebiete:	Mittel=.und Südatlantik
Reiseende:	27. 9. 42 (25 S — 20 W)
Reisedauer:	140 Tage
Schicksal d. Besatz.:	Vier Verluste, alle anderen vom Blockadebrecher MS *Tannenfels* übernommen und nach Royan gefahren. Dort am 2. 11. 42 eingetroffen

Versenkungen

1. Gemstone	38	4986 BRT	Br.	4. 6. 42	01,52 N — 26,38 W
2. Stanvac Calcutta	41	10170 BRT	Pa.	6. 6. 42	05,30 S — 27,30 W
3. Dalhousie	40	7072 BRT	Br.	9. 8. 42	20,22 S — 24,40 W
4. Stephen Hopkins	42	8500 BRT	USA	27. 9. 42	24,44 S — 21,50 W
insgesamt:		30728 BRT			

Hilfskreuzer *Stier*, das vierte Schiff der zweiten Welle, trat am 9. Mai 1942 unter wenig glücklichen Umständen seine Argonautenfahrt an. Das OKM ließ nämlich den Hilfskreuzer gegen den ausdrücklichen Wunsch des Kommandanten zunächst als „Sperrbrecher 171" im Geleit bis nach Rotterdam fahren. Am 12. Mai verließ *Stier* im Schutz von starken Sicherungsstreitkräften Rotterdam, wurde auf der Höhe von Dover prompt von Fernbatterien beschossen und auf dem weiteren Wege ihres Durchbruchmarsches von zahlreichen britischen Motor=Torpedo= und Kanonenbootsrotten (insgesamt 40 Einheiten) aufgelauert und ver= geblich angegriffen. Allerdings gingen die beiden Torpedoboote *Iltis* und *Seeadler* dabei verloren. *Stier* lief Boulogne als Zwischenhafen an, ging dann, immer dicht unter der Küste haltend, nach Le Havre und suchte Cherbourg als Nothafen auf, da auf dem Kurse liegende britische Kampf= gruppen den Weitermarsch bedrohten.

Stier errreichte schließlich Royan und von dort aus, unter der nord= spanischen Küste fahrend, den freien Atlantik. Am 26. Mai befand sich *Stier* westlich der Höhe der Azoren, drehte nunmehr auf südlichen Kurs, und am 4. Juni stand der Hilfskreuzer vor der Natal=Freetown=Enge. Hier, wo sich die Routen der gegnerischen Schiffahrt zusammendräng= ten, ertönten zum ersten Male die Alarmglocken für den Ernstfall. Auf der Höhe der St.=Pauls=Felsen versank am 4. Juni das erste Opfer, die 1938 erbaute britische *Gemstone*.

Zwei Tage später winkte, nur etwas südlicher, ein neuer Erfolg. Ost= südöstlich von Fernando de Noronha schlug die Schicksalsstunde des Panamesen *Stanvac Calcutta*, ein erst 1941 erbautes, etwas über 10 000 BRT großes Frachtschiff.

So vielversprechend sich das Unternehmen im Operationsgebiet an= ließ, jetzt aber kamen in dem Gebiet zwischen der Ostküste Südamerikas und der Westküste Afrikas keine Schiffe mehr in Sicht. *Stier* kämmte diese Seegebiete zwischen dem 20. und 40. Längengrad West in aus= holenden Kreuzschlägen ab (siehe auch die Karte im Anhang), ohne daß auch nur eine Mastspitze auf der Verkehrsroute zwischen Südamerika und Kapstadt ausgemacht werden konnte. *Stier* verbrauchte fast ihre gesamten Treibölbestände, wurde aber auf zwei verschiedenen Treff= punkten am 10. Juni und am 15. Juli von dem Versorger *Charlotte Schlie=*mann wieder mit neuen Reserven aufgefüllt. Zu allem Kummer fielen auch noch die beiden HSK *Stier* mitgegebenen Bordflugzeuge aus. Es handelte sich hier unter anderem um ein zusammenklappbares, für U= Boote bestimmtes Arado=Versuchsmodell, das aber einfach nicht vom Wasser hoch kam, da es überhaupt noch nicht frontreif ausentwickelt worden war.

Südöstlich von St. Helena, auf der Höhe von Rio de Janeiro, traf sich *Stier* am 29. Juli mit dem Hilfskreuzer *Michel*, und am 1. August be= schlossen die Kommandanten, für die nächste Zeit gemeinsam als Ver= band zu operieren. Beide Schiffe nahmen Kurs auf die Rio vorgelagerten Seegebiete, hatten aber trotz verbreiterten Suchstreifens keine Sichtung.

Am 9. August sichtete *Stier* östlich der Trinidad=Inseln einen Gegner= frachter.

Roskill dazu: Das britische Schiff wäre sicherlich entkommen, wenn es nicht seinen Kurs ausgerechnet direkt auf den Hilfskreuzer zu gelegt haben würde und dadurch in den Wirkungsbereich der deutschen Artil= lerie hereinlief. Sobald aber die Schiffsführung des britischen Frachters erkannte, wen sie da vor sich hatte, drehte sie ab und funkte sofort den „raider report". *Stier* eröffnete das Feuer und versenkte die 7000 BRT große britische *Dalhousie* (sonderbarerweise – als ob es gar keine alten „Zampans" mehr gab – wieder ein neues Schiff, nämlich ebenfalls ein erst 1940 erbauter Frachter, der sich in *Stiers* Netzen verfing).

Inzwischen kam der HSK *Michel* näher, während von *Stier* die Ge= fangenen übernommen wurden. Die beiden Kommandanten trafen sich erneut zu einer Aussprache und waren sich einig darin, daß die heftigen Funkmeldungen der inzwischen gesunkenen *Dalhousie* es notwendig machen würden, dieses Seegebiet zu verlassen.

Von nun ab operierten beide HSKs wieder getrennt.

Soweit Roskill.

Nach den Darstellungen des *Stier*=Kommandanten sah der Angriff so aus: *Stier* hatte sich zu wieder selbständigen Operationen kaum von *Michel* getrennt, da kam ein in Ballast fahrendes, hoch heraus liegendes Schiff in Sicht. Der fremde Frachter wurde als Gegnerschiff erkannt, mußte aber acht Stunden lang in Horizontabstand verfolgt werden, ehe *Stier* sich vorsetzen konnte, um ihn von vorn so überraschend anzuneh= men, daß es zu keiner Gegenwehr kommen würde. Die Abgabe von Notrufen ließ sich leider nicht verhindern.

Stier wandte sich nunmehr südlicheren Gefilden zu, um Einzelfahrer im Schiffsverkehr zwischen Kapstadt und der River Plate aufzulauern. Am 16. August erreichte *Stier* auf 45° Südbreite den südlichsten Punkt. Der HSK nahm wieder Nordkurs auf.

Auf Drängen des LI mußte sich der *Stier*=Kommandant aber ent= schließen, zur Maschinenüberholung aus dem Operationsgebiet heraus= zulaufen. Die Hoffnung, die Überholung bei der auf 40° Süd gelegenen Gough=Insel vornehmen zu können, erwies sich als Trugschluß. Das Schiff konnte unter der felsigen Steilküste der Insel nicht vor Anker gelegt werden; außerdem stand eine viel zu hohe See. Wohl oder übel

sah sich die *Stier*=Schiffsführung gezwungen, auf eine Maschinenüber=
holung zu verzichten und auf die weitere Betriebsfähigkeit der braven
Diesel zu vertrauen.

Stier lief nun zu dem zwischen Kapstadt und Buenos Aires gelegenen
Geheimtreffpunkt und versorgte sich am 27. August erneut auf der
Charlotte Schliemann, die danach nach Japan entlassen wurde. *Stier*
nahm ihre Suchtätigkeit wieder auf und wandte sich mit westnordwest=
lichem Generalkurs den in der Mitte zwischen Kapstadt und Monte=
video gelegenen Seegebieten zu. Es war am 4. September, als auf *Stier*
auf 33°30 Süd und 15°45 West ein großes und schnelles Passagierschiff
gesichtet wurde. Es handelte sich, wie auf *Stier* einwandfrei erkannt
wurde, um den zum Truppentransporter umgebauten 29 253 BRT großen
ehemaligen französischen Passagierdampfer *Pasteur**). Aber die Ge=
schwindigkeit des in einer für *Stier* nicht sehr günstigen Lage auflaufen=
den Truppentransporters war zu groß, um *Stier* in den Wirkungsbereich
der Waffen zu manövrieren.

Die Begegnung mit der *Pasteur* war nicht einmal eine Zufallsbegeg=
nung!

Der Truppentransporter wurde von *Stier* erwartet, nachdem Berlin
einen Funkspruch an *Stier* gesandt hatte, daß die *Pasteur* am 30. August
Kapstadt mit Kurs für Rio verlassen würde**).

Am 15. September nahm *Stier* Nordkurs auf und traf sich am 25. Sep=
tember auf 24°50 Süd und 22°10 West mit dem Blockadebrecher *Tannen*=

---

*) Bei dieser *Pasteur* (1938 erbaut von den Chantiers & Ateliers de St. Na=
zaire) handelte es sich um das gleiche Schiff, das 1957/58 vom Norddeutschen
Lloyd, Bremen, angekauft und zur Stunde der Drucklegung dieses Buches auf
dem Bremer Vulkan in Vegesack zu einer neuen *Bremen* für den Nordatlantik=
Passagierdienst umgebaut wird. Bei einer für den damaligen Hilfskreuzer
Stier nur etwas glücklicheren Konstellation wäre dieses bei einigen Franzo=
sen so heftig umstrittene Nachkriegsgeschäft wahrscheinlich nie zustande
gekommen.

**) Daß es dem deutschen B=Dienst wieder einmal geglückt war, in den
britischen Code einzubrechen (was ja auch den Hilfskreuzern mehrfach ge=
lang, als sie den Schlüssel für den britischen Handelsschiffscode knackten),
paßt den mit der Bearbeitung des Britischen Seekriegswerkes Beauftragten
offenbar gar nicht.

Captain Roskill fügt zu der obigen Feststellung in seinem *The war at sea*,
1939—1945, Vol. II, auf Seite 266 als Anmerkung hinzu:

Der Seetransportoffizier von Durban funkte am 28. August ein Telegramm,
nach dem die *Pasteur* ihren Hafen am 30. verlassen würde, um nach Rio zu
segeln, von wo sie nach Halifax weiterfahren sollte. So wie der Funkspruch
aus Berlin fälschlicherweise von Kapstadt als Hafen sprach, während doch

fels, der — wie die meisten Blockadebrecher — auch noch Versorgerfunk=
tionen erledigte. Am 27. September kam es um die neunte Morgenstunde
bei denkbar ungünstigem, das heißt diesigem Wetter zu einer Begeg=
nung mit dem schwerbewaffneten USA=Frachter *Stephen Hopkins**), der,
wie wir heute wissen, kein bewaffnetes Handelsschiff, sondern ein
Hilfskreuzer war.

Der Amerikaner wurde nach hartem Gefecht zwar vernichtet, *Stier*
aber mußte, da schwer beschädigt, aufgeben und selbstversenkt werden.
Die Besatzung wurde von der *Tannenfels* in die Heimat gefahren.

Sie erreichte Royan ohne Zwischenfall am 2. November.

✱

Erwähnenswert wäre noch, daß HSK *Michel* sich am Schicksalstage
der *Stier* nur etwas mehr als 100 sm südwestlich des Gefechtsorts gerade
aus der *Uckermark* versorgte. Auf *Michel* hörten sie zuerst die Not=
funksprüche der *Stephen Hopkins* und dann ein FT von der *Stier*, in
dem deren Kommando das Schwesterschiff, also *Michel*, darum bat,
sofort zur gefunkten Position der *Stier* zu kommen. Der Kommandant
der *Michel*, von Ruckteschell, glaubte aber nicht daran, daß *Stier* in so
unmittelbarer Nähe in ein Gefecht verwickelt wäre und Hilfe brauche.
Er vermutete vielmehr, daß es sich bei dem Funkspruch um eine List
des Gegners handelte, ihn und sein Schiff auf diese Position zu locken
und dann mit dort auf der Lauer liegenden überlegenen Seestreitkräften
zu vernichten. Von Ruckteschell erachtete es daher für ratsam, von dieser
Position schnellstens abzulaufen als sich ihr zu nähern. Erst Mitte
Oktober erfuhr er über einen Funkspruch aus Deutschland Einzelheiten
über das tatsächlich hereingebrochene Ende der *Stier*.

richtigerweise Durban gemeint war, genauso unwahrscheinlich scheint es uns,
daß der Gegner unseren Funkspruch mitgelesen hat. Seine Kenntnisse basier=
ten möglicherweise auf irgendwelchen unvorsichtigen Gesprächen über die
Schiffsbewegungen (gemeint sind wohl Gespräche mit Besatzungsmitgliedern
versenkter Gegnerfrachter, da sich Captain Roskill hier nicht näher aus=
drückt), da sich zu jener Zeit eine ziemliche Anzahl von Schiffen in den süd=
afrikanischen Häfen befanden. Mit ihren 22 kn Geschwindigkeit hat die
Pasteur zur fraglichen Zeit allerdings mit großer Wahrscheinlichkeit auf der
genannten Position gestanden.

*) Roskill weist in Verbindung mit dem Gefecht zwischen *Stier* und
Stephen Hopkins in Klammern darauf hin, daß das Liberty=Schiff mit nur
e i n e r 4=inches=Kanone bestückt gewesen sei! Das widerspricht den Beob=
achtungen a l l e r auf der Brücke und an Deck der *Stier* befindlichen deutschen
Offiziere und Mannschaften, die a l l e einen Beschuß aus gleich mehreren
Kanonen verschiedenen Kalibers beobachteten. Im übrigen sprechen dafür
auch die schweren Treffer, die *Stier* erhielt. Es ist also müßig, weitere Worte
darüber zu verlieren.

Hilfskreuzer KOMET — II. Reise

Schiff 45: siehe *Komet* I. Reise

Kommandant:	Kapitän zur See Ulrich Brocksien, geb. 6. 6. 98
Ausgelaufen:	7./8. 10. 42 Hamburg
Reiseende:	14. 10. 42, versenkt durch Motor=Torpedoboot MTB 236 im Kanal bei Cap de la Hague
Reisedauer:	6 Tage
Schicksal d. Besatz.:	Keine Überlebenden

Nach HSK *Michel* und *Stier* wurde *Komet* für eine neue Unterneh=
mung vorbereitet und ausgerüstet. Das Kommando erhielt Kapitän zur
See Ulrich Brocksien, ein Offizier, dessen Tätigkeit in den letzten Jahren
eng mit der Flotte verbunden gewesen war, und zwar als 1. Asto beim
Flottenkommando von Oktober 1939 bis Oktober 1940, und als Chef
des Stabes im Stab des Befehlshabers der Sicherung der Nordsee vom
September 1940 bis Februar 1942, also bis zu seiner Kommandierung als
Hilfskreuzer=Kommandant.

Komet lief auf der ersten Etappe der Ausreise zur zweiten Unter=
nehmung um die Mitternachtsstunde vom 7. zum 8. Oktober 1942 von
Hamburg nach Boulogne aus. Den ersten Zwischenfall gab es bereits am
nächsten Morgen, als vier der *Komet* begleitenden Räumboote auf der
Höhe von Dünkirchen Minentreffer erhielten. Es waren dies die Boote
R 77, R 78, R 82 und R 86. Dabei war der Auslaufweg vier Stunden vor=
her von Räumbooten abgesucht und als minenfrei gemeldet worden
Komet brach daher den Weitermarsch nach Boulogne ab und lief am
8. Oktober in den Hafen von Dünkirchen ein.

Vier Tage später verließ *Komet* Dünkirchen und erreichte Boulogne
ohne Feindberührung. Von dort führte der Weitermarsch nach Le Havre.
Komet hielt sich, von Sicherungsstreitkräften beschützt, dicht unter der
Küste. Auch auf dieser Route zeigte sich der Gegner nicht.

In den Abendstunden des 30. Oktober verließ HSK *Komet* Le Havre.
In den frühen Morgenstunden des 31. Oktober passierte sie die Höhe
von Cherbourg.

In der Britischen Admiralität war man inzwischen auf die nicht zu verbergenden Maßnahmen zum Schutze des Durchbruchweges des deutschen Hilfskreuzers aufmerksam geworden. Die ungewöhnlichen Bewegungen deutscher Sicherungsstreitkräfte fielen den gegnerischen Aufklärungsflugzeugen auf. Die Britische Admiralität hielt daher Zerstörer im Hafen Portsmouth in Alarmbereitschaft und intensivierte ihre Luftaufklärung und Luftstreifen.

Nachdem *Komet* erfolgreich bis westlich Le Havre gekommen war, liefen die Portsmouth=Zerstörer und Motor=Torpedoboote in Richtung Kanalmitte aus. In der Nacht vom 13. zum 14. Oktober verließen außerdem fünf Geleitzerstörer der Hunt=Klasse unter Lieutenant=Commander J. C. A. Ingram auf *Cottesmore* und acht Motor=Torpedoboote Dartmouth zu einem Vorstoß in den Bereich von Cape de la Hague. Außerdem wurden aus Plymouth noch weitere vier Zerstörer des Typs „Hunt" in See geschickt.

Die dem Gegner ungewöhnlich und daher wichtig erscheinenden deutschen Sicherungsmaßnahmen für den Hilfskreuzer *Komet* lösten, wie man sieht, auf der Gegenseite auch ungewöhnliche Gegenmaßnahmen aus.

Hier drängt sich die Frage auf, ob es nicht vernünftiger gewesen wäre, *Komet* ohne derartig starken, das heißt zu auffallenden Schutz durch den Kanal zu schicken. Die Opfer, die der Durchbruch des Hilfskreuzers *Stier* gekostet hatte, hatten also, das beweist der Fall *Komet*, zu keinerlei Rückschlüssen bei der Seekriegsleitung geführt, ganz abgesehen davon, daß der *Stier*=Kommandant schon bei seinem Auslaufen darum gebeten hatte, sein Schiff ohne Sicherung fahren zu lassen.

Die erste Gruppe der britischen Einheiten erhielt am 14. Oktober, genau eine Stunde nach Mitternacht, den ersten Kontakt mit *Komet* und ihren Sicherungseinheiten. Die Briten griffen sofort an. Trotz starken Abwehrfeuers gelang es ihnen, zwei der Begleitschiffe und den Hilfskreuzer selbst in Brand zu schießen.

Die brennende *Komet* bildete ein ausgezeichnetes Ziel für die nunmehr auf dem Kampfplatz erschienenen Motor=Torpedoboote.

Das MTB 236 unter Kommando von Sub Lieutenant R. Q. Drayson vollendete das Werk der Zerstörer.

MTB 236 torpedierte *Komet*. Sie sank sofort.

Es gab keine Überlebenden.

Die zweite Gruppe der britischen Zerstörer beschäftigte sich in der Zwischenzeit mit den Schiffen der Geleitzugsicherung, von denen, nach britischen Angaben, jede einzelne Einheit beschädigt wurde.

Hilfskreuzer CORONEL = HSK ?

Schiff 14: ex Fracht=Motorschiff *Togo* (Woermann=Linie, Hamburg)

Größe:	5 042 BRT (11 000 ts max.)
Baujahr:	1938
Bauwerft:	Bremer Vulkan, Vegesack
Maschinenleistung:	5 100 PS
Geschwindigkeit:	16 kn
Bewaffnung:	6 — 15 cm
	6 — 4=cm=Flak (Bofors)
	8 — 2 cm (4)
	3 Bordflugzeuge
Kommandant:	Kapitän zur See Ernst Thienemann, geb. 7. 11. 98
Besatzung:	350 Mann
Ausgelaufen:	31. 1. 43 aus der Ostsee nach Norwegen, dann Durchbruch Kanal
Operationsgebiete:	Südatlantik zugewiesen
Reiseende:	13. 2. 43 bei Boulogne durch britischen Luftangriff beschä= digt. Die Unternehmung wurde abgebrochen. „Schiff 14" wurde als Sperrbrecher umgerüstet und 1944 als Nacht= jagd=Leitschiff in der Ostsee eingesetzt. Nach der Kapitu= lation wurde es von den Briten erbeutet und am 13. 3. 46 an Norwegen abgegeben, wo es nach dem Umbau als *Sval Bard* weiter die Meere befuhr.
Reisedauer:	13 Tage

„Schiff 14", der Hilfskreuzer *Coronel* — so benannt nach dem Ort der so erfolgreichen Seeschlacht des deutschen Kreuzergeschwaders im Weltkrieg Eins — hatte Ende 1942/Anfang 1943 seine Übungsfahrten in der Ostsee beendet und der Kommandant, Kapitän zur See Thiene=mann, war noch einmal vom Großadmiral Dr. h. c. Raeder empfangen worden. Raeder machte keinen Hehl aus den Gefahren, die Thienemann erwarten würden, wenn er sagte: „Die Chancen stehen 1 : 100, Thiene=mann. Wenn Sie wirklich durchkommen — draußen ist's dann schon leichter. Und Sie kommen nicht hierher zurück, Sie gehen nach Japan. Also nochmals Glück, viel Glück."

Coronel, deren erstes Hauptoperationsgebiet vor der Westküste des südlichen Südamerika, also im Bereich des Ortes der damaligen See=schlacht, liegen sollte, verließ mit einer Besatzung von 350 Mann an Bord am 31. Januar die Gewässer um Rügen.

Der Hilfskreuzer marschierte aus Tarnungsgründen zunächst nach Norwegen. Hier vervollständigte man in einem einsamen Fjord vor Chri=stiansand Ausrüstung und Verpflegung und wartete auf den Auslauf=befehl zum Durchbruch durch den englischen Kanal. Dieser aber konnte wegen des Plans, das Schiff möglichst dicht unter der Festlandsküste über den flachen aber minenfreien Weg entlang zu schleusen, nur bei Hochwasser erfolgen. Der Tiefgang war zu groß. Außerdem sollte der Durchbruch unbedingt während einer Neumondnacht erfolgen.

Der auf die Stunde genau berechnete Durchbruch wurde kurz vor dem Auslaufen durch das Gruppenkommando um volle 24 Stunden ver=schoben. Als Begründung führte man bei dem Gruppenkommando an, das Wetter im Kanal gestatte ein Auslaufen der Geleitsicherungsfahr=zeuge nicht. *Coronel* lief also mit Verspätung aus. Sie steuerte zunächst nach Norden, auf die Dänemarkstraße zu, dies, um eventuelle Beobach=ter in den norwegischen Gewässern zu täuschen. Nach Einbruch der Nacht machte *Coronel* kehrt und ging auf Südkurs in Richtung des Ärmelkanals.

In der Deutschen Bucht geriet der HSK in ein derart schweres Wetter, daß Thienemann sich entschloß, in den Schutz der Insel Sylt zu laufen, weniger des schlechten Wetters wegen, sondern vor allem wegen der dem Schiff durch vom Sturm losgerissene und treibende Minen drohen=den Gefahren.

Am 7. Februar — inzwischen war der so sorgsam ausgeklügelte Termin schon um drei Tage überschritten — setzte *Coronel* im Geleit eines Sperrbrechers und von den verschiedensten Sicherungsstreitkräften be=schützt, den Weg fort. Der Sperrbrecher lief auf eine Mine. *Coronel* dagegen versuchte ohne Sperrbrecherschutz weiterzukommen. Sie lief schließlich auf eine Sandbank auf. Es gelang aber, das Schiff mit eigener Kraft wieder freizumanövrieren, um nunmehr auf die kritischste Weg=strecke, nämlich die gefürchtete Sandbarre vor Dünkirchen, zuzuhalten. Dünkirchen war schon in Sichtweite, als *Coronel* zum zweiten Male aufbrummte. Der HSK hatte sich derart festgerannt, daß man zumindest Hochwasser und noch besser auch ablandigen Wind abwarten mußte. Zum Schutze der jetzt hilflosen *Coronel* fuhren auf dem Strand der nahen Küste gleich vier schwere Flak=Batterien auf. Das Wetter wurde zum zweiten Schutzengel. Regen wechselte mit Schneetreiben. Die Luft war diesig und die Sichtweite stark reduziert. In der Nacht drehte der bisherige Südwestwind auf Nordwest herum. Bei Hochwasser kam die *Coronel* ohne Schlepperhilfe frei.

Die Doverenge konnte aber vor Hellwerden nicht mehr erreicht wer=den, so daß sich Thienemann entschloß, Dünkirchen anzulaufen. Bislang war, so schien es, der angelaufene Durchbruchsmarsch des Hilfskreuzers vom Gegner offenbar noch nicht entdeckt worden. In Dünkirchen stiegen ein Lotsenoffizier und ein Funksprechtrupp der Luftwaffe ein, dann machte *Coronel* so die Leinen los, daß Dover im Schutze der Nacht pas=siert werden würde. *Coronels* Sicherungsstreitkräfte wurden noch um 12 Räumboote vermehrt. Am 10. Februar auf der Höhe von Gravelines stehend, wurde das schwerbewachte, auf Westkurs liegende Schiff von der gegnerischen Luftaufklärung erfaßt. Der Verband war kurze Zeit später kaum von den Radargeräten auf der Doverküste angemessen worden, da wurde auch schon das Feuer aus den schweren Geschützen der Doverbatterien auf ihn eröffnet. Obwohl alle Schiffe volle 40 Minu=ten pausenlos mit 38=cm=Granaten beschossen wurden, erzielten die britischen Batterien keinen einzigen Treffer.

Auf der anderen Seite war der ungewöhnlich starke und daher auf=fallende Verband jetzt, wie man auf *Coronel* wußte, erkannt worden. *Coronel* mußte daher in den nächsten Stunden mit starken gegnerischen Aktionen rechnen. Der Gegner hatte tatsächlich sofort hinter einer Vor=postenkette von Zerstörern und Motor=Torpedobooten Kreuzer auf der vermutlichen Vormarschroute des deutschen Verbandes aufmarschieren lassen. Diese Streitkräfte wurden aber durch das *Coronel*=Funkmeß=gerät rechtzeitig erfaßt und der Skl gemeldet.

Die Nacht brach herein, eine Nacht, in der der Mond erst nach 22.00 Uhr untergehen würde. Die anfliegenden britischen Nachtbomber konn=ten das vom Mondlicht angestrahlte Ziel umso leichter erkennen, ganz abgesehen davon, daß die britischen Flugzeuge des Mondlichts gar nicht bedurften, waren sie doch mit den modernsten Radargeräten ausgerüstet. Ein Kanaldurchbruch war um diese Zeit bereits — man wollte es bei

den Führungsstellen nur nicht wahrhaben — ein fast tödlich zu nennen=
des Risiko. Absolut tödlich aber war es, wenn ein Verband einen ein=
zigen Frachter derart auffallend sicherte, daß der Gegner im Sinne des
Wortes mit der Nase darauf gestoßen werden mußte.

Eine der Bomben der angesetzten Whirlwind=Bomber traf das Vor=
schiff. Zur Ausschiffung der Verwundeten und zur Behebung der Bom=
benschäden mußte *Coronel* Boulogne anlaufen. Hier verbot sich aber
schnell schon eine weitere Liegezeit, da das für die Briten so interessant
gewordene Schiff laufend von Bombern angegriffen, wenn auch bei dem
starken Abwehrfeuer nicht getroffen wurde.

Thienemann verholte am 14. Februar nach Dünkirchen. Aber auch
hier setzten die Briten alles daran, um dieses Schiff zu zerstören. Eine
der Bomben traf am 26. Februar. Sie riß ein riesiges Loch, krepierte
aber nicht. Man nahm diesen Blindgänger als letzte Warnung hin und
schrieb *Coronel* als Hilfskreuzer endgültig ab. Kapitän zur See Thiene=
mann erhielt Befehl, nach Kiel zu marschieren, wobei es glückte, einem
Angriff der Dover=MTB's eben noch zu entgehen.

Am 2. März traf *Coronel* in Kiel ein, ging in die Werft und beendete
ihr Kriegsdasein schließlich als Nachtjagd=Leitschiff *Togo* im Dienste der
Heimatverteidigung.

Zur Stunde, da *Coronel* als Hilfskreuzer ihre Flagge niederholen
mußte, befand sich nur noch ein einziges der einst so gefürchteten deut=
schen Gespensterschiffe in See:

der HSK *Michel*

immer noch auf seiner ersten Reise.

Hilfskreuzer MICHEL = HSK 9 — II. Reise

Kommandant: Kapitän zur See Günther Gumprich; Ritterkreuz 31. 12. 42
Ausgelaufen: 21. 5. 43 aus Yokohama
Operationsgebiete: Indischer Ozean, Pazifik
Reiseende: 17. 10. 43, versenkt durch US U=Boot *Tarpon*
Reisedauer: 149 Tage
Schicksal d. Besatz.: 116 gerettet; 280 blieben auf See

Versenkungen

1. Hoegh Silverdawn	40	7 715 BRT	No.	15. 6. 43	25,38 S —	90,40 O
2. Ferncastle	36	9 940 BRT	No.	17. 6. 43	29,00 S —	92,00 O
3. India	39	9 977 BRT	No.	11. 9. 43	12,00 S —	114,00 W
insgesamt:		27 632 BRT				

Bereits auf See hatte der bisherige Kommandant des Hilfskreuzers *Michel*, Kapitän zur See von Ruckteschell, dauernd unter einem alten Magenleiden gelitten. Es verschlechterte sich ständig. Aus diesem Grunde gab er in Japan das Kommando des Hilfskreuzers ab.

Als neuer Kommandant übernahm Kapitän zur See Günther Gumprich das Schiff. Er hatte bisher den Hilfskreuzer *Thor*, „Schiff 10", geführt, der zusammen mit der *Uckermark* im Hafen von Yokohama in die Luft geflogen war.

In der Nacht zum 21. Mai verließ *Michel*, neu ausgerüstet, unter neuem Kommando den Hafen von Yokohama.

Der Hilfskreuzer sollte in Übereinstimmung mit den Japanern zunächst östlich von Australien operieren, wohin er auf dem Wege durch den Bashi=Kanal, die Chinesische See und die Sunda=Straße gelangte; allerdings nicht ohne Herzklopfen, denn in und vor den Engen mehrten sich die auf der Lauer liegenden amerikanischen U=Boote.

Im Operationsgebiet angekommen, blühte *Michel* schon bald der erste Erfolg. Ein fast achttausend BRT großer Norweger lief ihm am 15. Juni in die Maschen der ausgelegten Netze. Nur zwei Tage später, am 17. Juni, folgte ein weiterer, sogar fast zehntausend BRT großer Norweger. Dann aber riß die Glückssträhne ab, keine Mastspitze kam mehr in Sicht. Entweder hatte der Gegner Einzelfahrer zwischen Australien und Afrika in Geleitzüge zusammengefaßt oder zunächst zurückgehalten, nachdem diese beiden modernen Norweger so spurlos verschwanden.

Gumprich entschloß sich daher zu einem Vorstoß in den Golf von Chile, um den Schiffsverkehr im Pazifik möglichst nahe unter der Süd= amerika=Küste in Verwirrung zu bringen. Aber auch hier schien es wie verhext. Nichts war zu finden. Endlich, an einem Sonntagmorgen, schrill= ten die Alarmglocken. Ein Mast schob sich über die Kimm. Diese Nach= barschaft erwies sich sehr schnell schon als höchst unerwünscht. Das Fahrzeug wurde nämlich als ein Schwerer Kreuzer der amerikanischen *Pensacola*=Klasse ausgemacht. Er lief mit hoher Fahrt heran, während der HSK vorsichtig Kurs auf Antofagasta nahm und mit AK auf die nahe, schon sichtbare Küste zustrebte. Unvermutet zeigte der Kreuzer Breitseite. Plötzlich drehte er ab.

Auf *Michel* atmete man auf. Das war noch einmal gut gegangen.

Für diesen Seeraum schwand also bei der offenkundig intensiven Kontrolle durch US=Einheiten auch die Aussicht auf Erfolg. Gumprich verlegte das Operationsgebiet weiter südlich in Richtung der Osterinsel.

Eines Nachts gellten die Alarmanlagen. Alles stürzte auf Gefechts= station. Die Leute an Oberdeck glaubten ihren Augen nicht zu trauen. Wohin sie blickten sahen sie Schiffe, überall Schiffe. Ein riesiger Geleit=

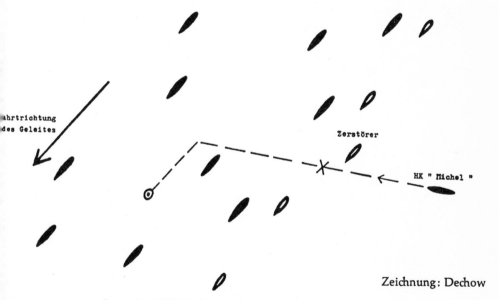

Fahrtrichtung des Geleites

Zerstörer

HK " Michel "

Zeichnung: Dechow

So geriet HSK Michel in den feindlichen Geleitzug.

× Geleitzug achteraus gesichtet.
⊙ Gestoppt. Geleit überholt *Michel*.

zug kam *Michel* entgegen. Schon waren sie selber mitten drin. Über ein Dutzend Fahrzeuge waren mit bloßem Auge zu erkennen. Zerstörer kurvten herum und warfen schäumende Bugwellen auf. Aber es ging gut. Niemand schien den auf Gegenkurs laufenden deutschen Hilfs= kreuzer beachtet zu haben. *Michel* manövrierte klar. Sie schlüpfte auch durch den äußeren Sicherungsring hindurch und setzte sich mit AK ab.

Michel brauchte Einzelfahrer und keine Geleitzüge.

In Anbetracht fehlender Nachschubschiffe mußte sich der Komman= dant aber schon bald zur Rückkehr nach Japan entschließen. Auch auf der Rückfahrt schien außer der *Michel* kein Schiff zu existieren.

Eines Tages kam endlich etwas abseits der friedensmäßigen Routen ein Tanker auf. Fahrt und Kurs wurden bestimmt. Die Rechnung ergab, daß der HSK gegen Mitternacht das Gefecht würde eröffnen können. Mit voller Fahrt lief *Michel* aus Sichtweite des Tankers heraus. In der Nacht, kurz vor dem berechneten Zusammentreffen, wurde in Anleh= nung an von Rucktechells Taktik das S=Boot ausgesetzt. Bald kam ein Schatten, der Tanker, in Sicht. Gleich die erste Salve verursachte einen Brand auf dem bewaffneten Gegner. Mit rasender Geschwindigkeit ver= breitete sich das Feuer über das ganze Schiff. Eine riesige Stichflamme schoß in den Himmel. Sie war mehrere hundert Meter hoch. Für die Besatzung des Tankers gab es wenig Hoffnung, mit dem Leben davon zu kommen, denn die Ladung bestand aus Flugzeugbenzin, das sich brennend auf dem Wasser ausbreitete. Dem Schnellboot war es vorher noch gelungen, am Heck des beschossenen Tankers vorbeizupreschen und den Namen anzuleuchten. Der Tanker war der 9 977 BRT große Nor= weger *India*. Stundenlang brannte das Wrack noch, während der Hilfs= kreuzer mit hoher Fahrt ablief.

Michel marschierte in respektvollem Abstand östlich an den Hawaii= Inseln vorbei und strebte ab hier mit nordwestlichem Kurs auf die Aleu= ten zu, um dann, von Nordosten kommend, Japan anzusteuern.

Erneut wurde die Datumsgrenze passiert.

In wenigen Tagen wollte der Hilfskreuzer wieder in Kobe einlaufen.

Es war 02.17 Uhr am 17. Oktober 1943, als *Michel* von dem amerika= nischen U=Boot *Tarpon* torpediert wurde.

Dem Wachoffizier war der erste der in der Nacht anlaufenden Tor= pedos vom Ausguckposten zwar gemeldet worden, er versäumte aber auch nur den Versuch eines Rudermanövers und gab stattdessen, wie befohlen, Alarm. Kapitän zur See Gumprich, vom Alarm geweckt und auf die Brücke gestürzt, ließ sofort Leuchtgranaten feuern und die ver= mutliche Position des U=Bootes mit allen Waffen beschießen, das — das ist heute bekannt — indessen unter Wasser blieb.

Zugegeben, daß dieser Beschuß die Nervosität an Bord milderte und den Gegner zweifelsohne auch daran gehindert hatte, aufzutauchen, um dem nun gestoppten Schiff durch weitere Torpedos ein schnelles Ende zu bereiten, so bleibt doch die Überlegung zu berücksichtigen, ob es nicht besser und vernünftiger von Kapitän zur See Gumprich gewesen wäre, er hätte auf einen solchen Beschuß überhaupt verzichtet. Durch das Artilleriefeuer machte er den Gegner schließlich erst darauf aufmerksam, daß es sich bei dem scheinbar harmlosen Frachtschiff um einen schwer bewaffneten Hilfskreuzer handelte, so daß der Gegner nunmehr alle Anstrengungen machte, das Schiff auf jeden Fall durch Torpedos zu versenken. Ob der amerikanische U=Boot=Kommandant darauf verzichtet hätte, dem angeschossenen vermeintlichen Frachter nach dem ersten Treffer noch einen Fangschuß zu geben, wenn dieser sich nicht selbst als Hilfskreuzer entlarvt hätte, ließe sich mit Ja, aber ebenso mit Nein beantworten. Immerhin, die Chance zum Ja war zumindest gegeben und — auch größer.

Weiter aber löste es Erstaunen aus, weshalb die deutschen Hilfs=kreuzer — wie übrigens auch die Blockadebrecher in der Japanfahrt — nicht mit Wasserbomben ausgerüstet wurden. Im Falle *Michel* hätte der Abwurf von nur einigen Wasserbomben den Gegner mit Sicherheit in größere Tiefen gedrückt, wenn nicht gar vor weiteren Angriffen zurückschrecken lassen. Schließlich war vor dem zweiten Auslaufen des HSK *Michel* bekannt, daß amerikanische U=Boote vor den japanischen Inseln und vor allem in verschiedenen wichtigen Straßen auf Opfer lauerten. Nun gut, Fehler werden überall gemacht, und vom gefällten Apfelbaum pflückt jeder die Früchte . . .

Zurück zur *Michel*.

Nachdem zwei auf das Heck geschossene Torpedos ihr Ziel verfehlt hatten, traf schließlich ein weiterer Torpedo. Dessen Wirkung bestimmte Kapitän zur See Gumprich, den Befehl „Alle Mann aus dem Schiff! Rette sich wer kann!" zu geben. Noch ein dritter Torpedo krepierte und wenige Minuten später schoß *Michel* über das Heck in die Tiefe.

Den Kommandanten sah niemand wieder. Nach seinem letzten Befehl war er in das Kartenhaus getreten.

Die, die den Untergang überlebten, schickten drei Hurras über das Meer, der letzte Gruß an *Michel*, der letzte Gruß an die toten Kameraden, die mit dem Schiff in die Tiefe fuhren.

Die Überlebenden erreichten, soweit sie in die Boote gekommen waren, die japanische Küste.

Hilfskreuzer .... = HSK ?

(nicht als HSK im Dienst. Später: *Hansa*)

Schiff 5: ex Fracht= und Passagier=Motorschiff *Meersburg* (HAPAG, Ham=
burg) ex Prise *Glengarry* (englische Glen=Line)

Größe:	9138 BRT
Baujahr:	1939
Bauwerft:	Burmeister & Wain, Kopenhagen
Maschinenleistung:	9000 PS
Geschwindigkeit:	18 kn
Bewaffnung:	8 — 15 cm
	2 — 10,5=cm=Flak
	8 — 4=cm=Flak (Bofors)
	36 — 2 cm (in Einzel=, Zwillings= und Vierlingslafetten)
	4 TR
	1 Bordflugzeug mit Katapult
	1 Schnellboot (?)
	(?) Bachstelzen
Kommandant:	Kapitän zur See Hans Henigst, geb. 20.12.00 in Landau (Pfalz). Von April bis August 1943

„Schiff 5" kam n i c h t als HSK zum Einsatz. Als Kadettenschulschiff *Hansa*
wurde es am 4.5.45 in der Ostsee durch Mine beschädigt. 1945 brit.: *Empire
Humber*, 1946: wieder *Glengarry*.

Als „Schiff 5" wurde die für die britische Glen=Line in Kopenhagen
in Auftrag gegebene, bei der deutschen Besetzung halbfertig beschlag=
nahmte und unter deutscher Regie fertiggebaute *Glengarry* als Hilfs=
kreuzer vorgesehen. Das 9138 BRT große Schiff, dessen Motorenanlagen
eine Dauerfahrt von 18 kn gestatteten, war, bevor es maschinell und
schiffbaulich für seine zukünftigen Aufgaben bei der Wilton=Werft in
Rotterdam hergerichtet werden sollte, unter dem Namen *Meersburg* als
Zielschiff für U=Boote im Ostseeraum eingesetzt worden. Ende April
1943 wurde dem bisher als 1/Skl=Referent und Gruppenleiter tätigen
Kapitän zur See Hans Henigst das Kommando dieses zukünftigen Hilfs=
kreuzers übertragen. Es war vorgesehen, das Schiff in den langen Näch=
ten des Winters 1943/44 in den Atlantik ausbrechen zu lassen, und zwar
trotz der Mißerfolge mit den HSK *Komet* und *Coronel*.

Gleichzeitig mit der Übernahme des Kommandos durch Kapitän zur
See Henigst wurde das Schiff Pfingsten 1943 von Rotterdam nach Ham=
burg verlegt. Die Werft Blohm & Voß sollte jene Arbeiten fortführen,
die aus verständlichen Gründen einer, wenn auch unter deutscher Kon=
trolle stehenden, so doch ausländischen Werft nicht überlassen werden

konnten, nämlich der Einbau der Waffen und der gesamten Tarneinrich=
tungen.

In Hamburg eingetroffen, begann Blohm & Voß sofort mit dem Ein=
bau der Waffen und Tarnanlagen. Selbstverständlich wurden dabei die
Erfahrungen aller vorher durchgeführten HSK=Unternehmungen, soweit
sie erreichbar waren, verwertet. Für „Schiff 5" waren die seinerzeit mo=
dernsten 15=cm=Geschütze, hergestellt bei der Rheinmetall Düsseldorf,
als Hauptbewaffnung vorgesehen. Im Gegensatz zu den anderen HSKs
sollte dieser Hilfskreuzer nicht sechs, sondern acht 15=cm=Kanonen er=
halten. Dazu waren eingeplant eine Flak von zwei 10,5=cm=Geschützen
und eine Anzahl mittlerer und leichter Fla=Waffen neben der üblichen
Torpedoausrüstung. Die Fla=Waffen haben bei den verschiedenen Ver=
wendungs= und Umbauphasen in der Zahl so oft gewechselt, daß die
endgültige Sollzahl für den Hilfskreuzer nicht zu ermitteln ist. In einem
Falle jedenfalls waren neben acht 4=cm=Bofors noch 36 2 cm in Einzel=,
Zwillings= und Vierlingslafetten vorgesehen.

Den modernsten Ansprüchen entsprachen auch die Feuerleitanlagen
(hier vor allem eine zentrale Feuerleitanlage für die 15=cm=Geschütze),
die Tarnungs= und Enttarnungsmöglichkeiten und vor allem auch die
sehr umfangreiche Ausrüstung an Funkgeräten. Selbstverständlich waren
für „Schiff 5" auch ein Funkmeßgerät wie auch ein Funkmeß=Beobach=
tungsgerät vorgesehen. Neben einer Katapultanlage für die Bordflug=
zeuge — ein Novum auf Hilfskreuzern — sollte „Schiff 5" unter anderem
auch mit der sogenannten Bachstelze ausgerüstet werden. Die Bachstelze
war an sich für die U=Boot=Waffe entwickelt worden. Es handelte sich
hier um einen an einem Schleppseil ausbringbaren Flugdrachen mit
einem Beobachterplatz. Der Start und vor allem die Wiedereinbringung
dieses Gerätes waren natürlich viel einfacher und schneller als bei einem
Flugzeug. Außerdem, so versprach man sich, war dieser Beobachtungs=
drachen wegen seiner geringen Größe vom Gegner nur schwer zu er=
kennen.

Die Arbeiten bei Blohm & Voß hatten kaum begonnen, als Hamburg
von den bekannten und so vernichtend schweren Luftangriffen heim=
gesucht wurde, bei denen der IO, Korvettenkapitän Erwin Hesse, vorher
IO auf HSK *Coronel*, am 23.7.1943 fiel. Obwohl „Schiff 5" selbst kei=
nerlei Beschädigungen erhalten hatte, wurde die Werft derart schwer
getroffen, daß der vorgesehene Fertigstellungstermin für den Hilfs=
kreuzer mit Sicherheit nicht mehr eingehalten werden konnte. Da damit
die Möglichkeit eines Ausbruchs während der langen Winternächte ent=
fiel, wurde die Weiterführung der Absicht, „Schiff 5" als HSK einzu=
setzen, von der Seekriegsleitung aufgegeben.

„Schiff 5" wurde später als Kadettenschulschiff verwendet. Erst für diese Aufgabe erhielt es den Namen *Hansa**).

Über die Besatzung ist noch zu erwähnen, daß sich zur Zeit der Kommandoübernahme durch Kapitän zur See Henigst unter dem Vor= kommando auch einige Offiziere und Mannschaften des HSK *Stier* be= fanden, die kurz vorher zurückgekommen waren und ihre Erfahrungen bei den ersten Arbeiten auf „Schiff 5" zur Verfügung stellen sollten. Dieser Besatzungsteil sollte aber zur endgültigen Indienststellung aus= getauscht werden. Die Besatzung wurde nach Ausfall der Versorgungs= anlage in Hamburg bis auf den LI und einige Mann vom Maschinen= personal in das Lager Zeeven evakuiert und dort aufgelöst.

Kapitän zur See Henigst noch zu der Planung: „Alles in allem war ,Schiff 5' bis auf Panzerung und Geschwindigkeit, wohl aber im Gegen= satz zu den anderen Hilfskreuzern auf das modernste eingerichtet, durch= aus einem Leichten Kreuzer ebenbürtig gewesen."

Als Kadettenschulschiff *Hansa* hielt sich die Ex=*Glengarry* in der Ost= see und den dänischen Gewässern auf. Die Flakbewaffnung wurde ver= stärkt.

Das Schiff spielte noch eine Rolle bei der Evakuierung von Reval und Ostpreußen und erhielt am 4. Mai 1945 einen Minentreffer. Zum Zeit= punkt der Kapitulation lag die *Hansa* in Kiel und wurde dann an ihre alte Reederei, die Glen=Line, übergeben.

*

Als HSKs waren außerdem noch vorgesehen die Frachtschiffe unter den taktischen Bezeichnungen „Schiff 50", „Schiff 51" und „Schiff 52". Diese HSKs sind aber nie über das Stadium der Planung hinausgekom= men. Sie wurden bei verschiedenen Stellen unter den Interimsnamen (der Reihe nach) *Meteor, Natter* und *Skorpion* geführt, aber bei keiner Werft in Auftrag gegeben, um umgebaut zu werden; ebensowenig waren für diese Schiffe Kommandanten bestellt.

---

*) Hierzu Kapitän zur See Hans Henigst: „Die vorgesehene Bewaffnung und Ausrüstung stimmt, soweit ich mich entsinnen kann, mit den von Ihnen gemachten Angaben überein; für das Schnellboot möchte ich allerdings meine Hand nicht ins Feuer legen. Ich muß aber aus Gründen der historischen Wahrheit festhalten, daß das ,Schiff 5' als HSK niemals fertiggestellt und auch nie in Dienst gestellt worden ist. Es hat auch als HSK noch nicht den Namen *Hansa* geführt, sondern hieß lediglich ,Schiff 5'. Die Bezeichnung Hilfskreuzer *Hansa* ist also nicht zutreffend." — Dieser Hinweis erscheint dem Autor sehr wertvoll, da in verschiedenen Publikationen immer wieder von einem Hilfskreuzer *Hansa* die Rede ist, den es, wie oben erwähnt, nicht gab beziehungsweise noch nicht gegeben hat.

Anhang III

QUELLENNACHWEIS

Assmann, Kurt: Deutsche Schicksalsjahre; Verlag Brockhaus, Wiesbaden 1950.

Bekker, Cajus: Kampf und Untergang der Kriegsmarine; Verlag Sponholtz, Hannover.

Bragadin, Marc'Antonio: Che ha fatto la Marine 1940—1945; Verlag Garzanti, Milano.

Brassey's: Naval Annual 1948 (Führer Conferences and Naval Affaires); hierzu Aussagen und Unterlagen der deutschen Marineverbindungsoffiziere Führerhauptquartier OKM und OKW; Verlag Clowes & Sons, London.

Brennecke, Jochen: Gespensterkreuzer HK 33 (Hilfskreuzer Pinguin); Koehlers Verlagsgesellschaft, Biberach a. d. Riß. Heute: Herford.

Churchill, Winston: Der zweite Weltkrieg; J. P. Toth Verlag, Hamburg.

Creswell, Johns, Captain: R. N. Sea Warfare 1939—1945; Verlag Longmans, Green & Co., London=New York.

Dechow, F.=L.: Geisterschiff 28. Hilfskreuzer „Michel" auf den Meeren der Welt. E. Gerdes Vlg., Preets/Holstein 1962.

Detmers, Th., Kapitän zur See: The raider Kormoran; Kimber & Co, London.

Eyssen, R.: KTB „Komet". Koehlers Verlagsgesellschaft, Jugenheim/Bergstraße 1960. Heute: Herford.

Frank W.,/Rogge, B.: Schiff 16. Die Kaperfahrt des Schweren Hilfskreuzers „Atlantis" auf den Sieben Weltmeeren. Stalling Vlg., Oldenburg 1955.

Giese, Fritz E.: Die deutsche Marine 1920—1945. Aufbau und Untergang. Verlag für Wehrwesen Bernard & Graefe, Frankfurt a. M. 1956.

Gill, Hermon: Royal Australian Navy 1939—1942; Australian war memorial, Canberra 1957.

Görlitz, Walter: Der zweite Weltkrieg 1939—1945; Vlg. Steingrüben, Stuttgart.

Gröner, Erich: Die Schiffe der deutschen Kriegsmarine und Luftwaffe 1939 bis 1945 und ihr Verbleib; J. F. Lehmanns Verlag, München 1954.

Hansen, Gottfried, Admiral z. V.: Nauticus, Jahrbuch für Deutschlands Seeinteressen, Jahrgänge 1940—1944; Verlag Mittler & Sohn, Berlin.

Hubatsch, Walter: Die deutsche Besetzung von Dänemark und Norwegen; Wissenschaftlicher Verlag, Musterschmidt, Göttingen.

Hümmelchen, G.: Handelsstörer. 2. Auflage, Lehmanns Verlag, München 1967.

Janssen, Jens (Pseudonym von Brennecke): Schiff 23. Hilfskreuzer „Stier". SOS=Heft Nr. 197, München 1956.

Klähn: Käp'n Kölschbach. Der Blockadebrecher mit der glücklichen Hand; Koehlers Verlagsgesellschaft, Biberach a. d. Riß. Heute: Herford.

Krancke/Brennecke: RRR. Das glückhafte Schiff, Admiral Scheer auf Kreuzerfahrt; Koehlers Verlagsgesellschaft, Biberach a. d. Riß. Heute: Herford.

Lohmann, W., und Hildebrand, H. H.: Die deutsche Kriegsmarine 1939—1945; Verlag Podzun, Bad Nauheim.

Martienssen, Anthony: Hitler and his Admirals; Verlag Secker & Warburg, London 1948.

Mielke, O.: Hilfskreuzer „Orion". SOS=Heft=Reihe, Heft 39.

*: Handelsstörkreuzer „Komet". SOS=Heft=Reihe, Heft 46.

*: Handelsstörkreuzer „Kormoran". SOS=Heft=Reihe, Heft 94.

*: Hilfskreuzer „Thor". SOS=Heft=Reihe, Heft 106.

*: Hilfskreuzer „Widder". SOS=Heft=Reihe, Heft 139.

Mohr/Seelwood: Atlantis (The Story of a German Surface Raider); Hamil=ton & Co., London.

Raeder, Erich, Dr. h. c.: Mein Leben, Bd. 2; Verlag Schlichtenmayer, Tübingen.

Rogge/Frank: Schiff 16, Kaperfahrt des schweren Hilfskreuzers Atlantis; Verlag Gerhard Stalling, Oldenburg (Oldb.).

Roskill, S. W., Captain, D.S.C., R. N.: The war at sea; Vol. I/II; Her Majesty's Stationery Office, London.

Royal Institute of Internat. Affaires in London: Chronology of the World War.

Ruge: Der Seekrieg 1939—1945. K. F. Koehler Verlag, Stuttgart 1954.

Schmalenbach, P.: Liste der im Handelskrieg 1939—1945 eingesetzten Über=wasser=Kriegs= und Hilfsschiffe. Deutscher Soldatenkalender, München 1950.

Steinweg, Günther: Die deutsche Handelsflotte im Zweiten Weltkrieg; Verlag Otto Schwartz, Göttingen.

Taylor, James: Prisoner of the Kormoran; Harrap, Sydney.

Vois, Paul: Tausend Inseln und keine für uns; Katzmann Verlag, Tübingen.

Waters, S. D.: German Raiders in the Pacific; War history branch, department of internal affairs; Wellington, New Zealand 1949.

Waters, S. D.: The Royal New Zealand Navy; War history branch, depart=ment of internal affairs; Wellington, New Zealand 1956.

Weyher/Ehrlich: Vagabunden auf See; Katzmann Verlag, Tübingen 1953.

Wilmot, Chester: The struggle for Europa; Verlag Collins, London.

Woodward, D.: The secret Raiders. London 1955.

Zeitschriften

Das Grüne Blatt: Opfergang der deutschen Kriegsmarine, ein Fortsetzungs=
bericht von Jochen Jörns, Union=Verlag, Dortmund 1952.

Heim und Welt: Aus Admiral Eyssens Tagebuch (Fortsetzungsbericht), Aus=
gaben 43—49, 1950 und Bericht von ***, Ausgaben 35—37, 1950; Zeitungs=
und Zeitschriften=Verlagsgesellschaft mbH., Hannover.

Die Kriegsmarine: Deutsche Marine=Zeitung, verschiedene Ausgaben 1939 bis
1945. Marine=Verlag Heinrich Beenken, Berlin.

Kristall: Gespenster auf See, Fortsetzungsbericht von Dr. Paul Carell, 1958.

Die Neue Post: Serie: „Unrasiert und fern der Heimat", Kurt Müller Verlag,
Düsseldorf 1957/58.

Die Seekiste: Heft 3, 10, 12, 1950, Heft 2, 3, 8, 9, 1951, Heft 5, 1952, Heft 6,
1955; Verlag Schmidt und Klaunig, Kiel.

die straße: vom 28. Mai 1950; Zeit=Verlag, Hamburg.

Das Beste aus Readers Digest: 6 (1954) 12.

United States Naval Institute Proceedings: 75 (1950) 12; 77 (1951) 5;
82 (1956) 4.

Wehrwissenschaftliche Rundschau: 3 (1953) 5.

Ungedruckte Quellen

KTB's verschiedener Hilfskreuzer und des Hilfsminenschiffes „Passat".

Gröner, Erich (Berlin), und *v. Münching* (Holland): Zusammenstellung der
HSK=Erfolge.

Bordzeitungen der HSK's.

Dokumente der Kriegsmarinesammlung im Bundesarchiv, Koblenz.

Briefe von Besatzungsmitgliedern.

Persönliche Aussagen Überlebender aller Dienstgrade.

Albers, Gustav: Auszug aus einem unveröffentlichten Manuskript über HSK
Kormoran (Ausrüstung der Kormoran).

Heftreihe Operationen und Taktik wichtiger Ereignisse des Seekrieges. M. Dr.
Nr. 601 GKdos: Heft 5 (Schiff 16); Heft 6 (Schiff 33); Heft 7 (Schiff 10);
Heft 8 (Schiff 21); Heft 10 (Schiff 41); Heft 14 (Schiff 45); Heft 15
(Schiff 36)